As novas aventuras de Sherlock Holmes

As novas aventuras de SHERLOCK HOLMES

VOLUME 1

EDIÇÃO E INTRODUÇÃO
Otto Penzler

TRADUÇÃO
Maria Helena Rouanet
Celina Portocarrero

EDITORA NOVA FRONTEIRA

Título original: *The Big Book of Sherlock Holmes: Stories*

Editora Nova Fronteira Participações S.A.
Rua Candelária, 60 — 7º andar — Centro — 20091-020
Rio de Janeiro — RJ — Brasil
Tel.: (21) 3882-8200 — Fax: (21) 3882-8212/8313

Imagem de capa
John Atkinson Grimshaw, *Reflections on the Thames, Westminster*. Óleo sobre tela, 1880

Citação de *Hamlet* na página 39 traduzida por Millôr Fernandes em *Shakespeare traduzido por Millôr Fernandes*. Porto Alegre: L&PM Editores, 2014.

Citação de Gerard Manley Hopkins na página 287 traduzida por Augusto de Campos em *Hopkins: a beleza difícil*. São Paulo: Perspectiva, 1997.

CIP-Brasil. Catalogação na fonte
Sindicato Nacional dos Editores de Livros, RJ

N824
v. 1

As novas aventuras de Sherlock Holmes, volume 1 / organização Otto Penzler ; tradução Maria Helena Rouanet , Celina Portocarrero. - 1. ed. - Rio de Janeiro : Nova Fronteira, 2018.
648p. ; 23cm

Tradução de: The Big Book of Sherlock Holmes : Stories
ISBN 9788520942574

1. Ficção americana. I. Penzler, Otto. II. Rouanet, Maria Helena. III. Portocarrero, Celina.

18-47634 CDD: 813
CDU: 821.111(73)-3

SUMÁRIO

INTRODUÇÃO, por Otto Penzler

- 9 -

Visando a fornecer algumas indicações para a leitura desta volumosa publicação, dividi as histórias em diversas categorias. Desde já, porém, admito que tal esforço tem uma validade discutível, uma vez que muitas das narrativas se encaixam em mais de uma dessas subdivisões. (A.A. Milne e P.G. Wodehouse, por exemplo, foram incluídos na parte "Autores literários", mas, como escreveram paródias, poderiam muito bem fazer parte desta seção.) Não é uma tarefa muito diferente da de fazer uma lista de comidas deliciosas e comidas que engordam: em ambos os casos, necessariamente vai haver uma área de interseção. As duas opções mais sensatas são ignorar completamente as categorizações ou sugerir que o leitor não a leve muito a sério e apenas desfrute das narrativas.

TÃO FAMILIAR QUANTO UMA ROSA NA PRIMAVERA

- 17 -

Estas são as histórias de Sherlock Holmes mais populares de todos os tempos e já tiveram inúmeras reedições.

O "HAMLET" ÚNICO — Vincent Starrett | 18
O ESTOJO DE CHARUTOS ROUBADO — Bret Harte | 40
O CASO DO HOMEM PROCURADO — Arthur Whitaker | 53
A AVENTURA DOS DOIS COLABORADORES — James M. Barrie | 81
OS INVESTIGADORES — O. Henry | 87
HOLMES E A MULHER INCRIVELMENTE SEDUTORA — A.B. Cox | 97
UMA HISTÓRIA POLICIAL IRREDUTÍVEL — Stephen Leacock | 103
A MALETA DO DOUTOR — Stephen King | 106

A LITERATURA DO CRIME
- 147 -

Por mero capricho ou verdadeira paixão, vários grandes nomes da literatura decidiram se lançar em alguma aventura de Holmes. Algumas vezes, redigindo simples pastiches, reproduzindo o tom de Doyle; outras vezes, a noção de paródia é irresistível.

O MISTÉRIO DE DARKWATER HALL — Kingsley Amis | 148
O CASO DO AMADOR BEM-DOTADO — J.C. Masterman | 173
O FALECIDO SHERLOCK HOLMES — James M. Barrie | 185
SHERLOCK HOLMES E O MISTÉRIO DROOD — Edmund Pearson | 194
PENETRANDO EM SHERLOCK — A.A. Milne | 207
EXTRAÍDO DA CADERNETA DE UM DETETIVE — P.G. Wodehouse | 211
O RUBI DE KHITMANDU — Hugh Kingsmill | 218
A AVENTURA DO INSETO NOTÁVEL — August Derleth | 230
UM ESTUDO DE CALIGRAFIA — Ring W. Lardner | 249
O CASO DE MORTE E MEL — Neil Gaiman | 253
ASSASSINATO EM RÉ MAIOR — Anthony Burgess | 275

NO PRINCÍPIO
- 301 -

Holmes tornou-se uma presença literária tão avassaladora pouco tempo depois de seu aparecimento que paródias começaram a ser publicadas em jornais e revistas com uma velocidade alarmante. A maioria era de péssima qualidade, parecendo peças de teatro burlesco que se baseiam numa única piada nem tão engraçada assim. Alguns dos primeiros textos (todos do século XIX), e os melhores, estão incluídos nesta seção, em ordem cronológica — uma forma tão boa quanto qualquer outra para serem apresentados.

UMA NOITE COM SHERLOCK HOLMES — James M. Barrie | 302
HISTÓRIAS QUE DERAM ERRADO: AS AVENTURAS DE SHERLAW KOMBS — Robert Barr | 309
SHERLOCK HOLMES VS. CONAN DOYLE — Anônimo | 323
A PLUMA DO DUQUE — R.C. Lehmann | 328
O SIGNO DOS "400" — Roy L. McCardell | 335

SEM HOLMES

- 341 -

Mesmo sem a presença física da personagem, a sua personalidade e a sua aura não podem ser ignoradas, enchendo o cômodo inteiro com o seu espírito.

CODEÍNA (7%) — Christopher Morley | 342
O CASO DA SRA. HUDSON — Laurie R. King | 350
O PROBLEMA FINAL — Bliss Austin | 366

DE OUTRO LUGAR

- 391 -

Associamos Holmes a certo tempo e lugar, particularmente Londres "onde é sempre 1895", como escreveu Vincent Starrett de forma tão simples quanto eloquente. A personagem, porém, aparece de diversas maneiras, em diversos locais, épocas e até níveis espirituais em boa parte das histórias. Além disso, enquanto a essência da genialidade de Holmes se baseia em suas observações e deduções, todas fundamentadas numa lógica afiada, há coisas que não podem ser explicadas racionalmente.

A AVENTURA DO LOBO FANTASMA — Anthony Boucher | 392
AS JOIAS DA COROA DE MARTE — Poul Anderson | 403
SHERLOCK ENTRE OS ESPÍRITOS — Anônimo | 425
O CASO DOS PATRIARCAS DESAPARECIDOS — Logan Clendening | 429
O DIABO E SHERLOCK HOLMES — Loren D. Estleman | 433

MANTENDO A LEMBRANÇA VIVA

- 457 -

A lista de homens e mulheres de destaque que demonstraram grande afeição pelo "melhor e mais sábio dos homens que jamais conhec[eram]" (para citar o dr. Watson) é interminável. Embora tenham conquistado carreiras de sucesso em outras áreas, geralmente mantinham Holmes por perto, e aqueles dotados de algum talento expuseram esse afeto por escrito.

O ESTRANHO CASO DOS ROUBOS NO MEGATÉRIO — S.C. Roberts | 458

UMA NOITE COM SHERLOCK HOLMES — William O. Fuller | 473

A AVENTURA DA CAIXA DE MADEIRA — Leslie S. Klinger | 492

O BERGANTIM ABANDONADO — Sam Benady | 512

A AVENTURA DO CANÁRIO CURIOSO — Barry Day | 534

A AVENTURA DO EDITOR DE ARTE ASSASSINADO — Frederic Dorr Steele | 562

O ESCÂNDALO DA SUBSTITUIÇÃO DE DARLINGTON — David Stuart Davies | 571

O PROBLEMA DAS NÓDOAS ROXAS — James C. Iraldi | 596

INTRODUÇÃO

Otto Penzler

Há cerca de cem anos, Sherlock Holmes era descrito como uma das três pessoas mais famosas que já tinham existido. As outras duas eram Jesus Cristo e Houdini. Há quem diga que ele é uma personagem ficcional, mas é óbvio que isso é absurdo. Qualquer estudante sabe qual é a sua aparência, a sua profissão e conhece várias das suas características peculiares.

A figura alta, magra, de nariz adunco, usando um chapéu de feltro e uma pelerine, é imediatamente reconhecida nos quatro cantos do mundo. Além das magníficas histórias descrevendo suas aventuras que foram escritas pelo seu amigo dr. John H. Watson (com o auxílio de seu agente literário, sir Arthur Conan Doyle), Holmes foi encarnado no teatro, na televisão, no rádio e em inúmeros filmes. Mais de 25 mil livros, contos e artigos foram escritos a seu respeito, tanto por autores famosos quanto por escritores amadores e intelectuais.

Esta coletânea de paródias e pastiches de Sherlock Holmes é a mais vasta já reunida. Contém histórias sérias produzidas por figuras literárias de destaque, e histórias igualmente boas escritas por sherlockianos menos conhecidos e algumas paródias de péssima qualidade que foram incluídas aqui mais pelo interesse histórico do que pelo prazer da leitura. Graças a Deus, estas são bem curtas.

Claro que lancei mão de trabalhos alheios, o que é inevitável. A primeira e mais importante antologia do gênero é *As desventuras de Sherlock Holmes* (1944), editada por Ellery Queen, um brilhante pioneiro desse tipo de coletânea cujas melhores realizações — *101 Anos de entretenimento: as melhores histórias policiais 1841-1941* (1941); sua sequência, *To the Queen's Taste* (1946); *A fêmea da espécie* (1943), entre outras — são a verdadeira pedra fundamental da ficção policial.

Outros intelectuais e aficionados que descobriram um vasto material e cujos livros nos deram acesso a textos raros e obscuros são Robert Adey, Richard Lancelyn Green, Charles Press, Marvin Kaye e Mike Ashley.

Meu profundo afeto por Holmes, que já completou cinquenta anos de leituras, me levou a acrescentar histórias a estes volumes dedicados ao célebre detetive que nunca haviam sido reunidas em livro. Embora possa não concordar inteiramente com a afirmação de Watson, de que Holmes é "o melhor e mais sábio dos homens que jamais conheci" — privilégio reservado poucos amigos muito queridos —, ele vem sendo um leal e valoroso companheiro durante a maior parte da minha vida.

Sherlock (que quase se chamou Sherrinford) nasceu no dia 6 de janeiro de 1854, na fazenda de Mycroft (nome do seu irmão mais velho), na região norte de Yorkshire. Solucionou o seu primeiro caso (que acabou sendo intitulado "O Gloria Scott") aos 20 anos, quando ainda era estudante em Oxford. Depois de se formar, tornou-se o primeiro detetive particular do mundo, vocação que jamais abandonou por 23 anos.

Em janeiro de 1881, ele estava procurando alguém com quem dividir a sua nova moradia localizada na Baker Street, nº 221B, e um amigo lhe apresentou o dr. John H. Watson. Antes de entrarem em acordo, os dois homens expuseram seus defeitos. "Às vezes, fico meio deprimido e não abro a boca por dias", confessou Holmes. Ele também fuma o chamado tabaco de marinheiro e faz experiências com produtos químicos de cheiro forte. No entanto, deixou de mencionar que tem certa inclinação para a cocaína. Embora tenha dito em tom de lamento que gosta de arranhar o violino em momentos de contemplação, acabou se revelando um virtuose capaz de acalmar os nervos abalados do seu colocatário com sons melodiosos. Entre os defeitos declarados por Watson estão o fato de ele ter um filhote de cão fila, fazer sérias objeções a qualquer discussão porque os seus nervos não suportam, uma tendência a se levantar da cama "nas horas mais absurdas" e uma forte inclinação para a preguiça. "Tenho outra série de vícios quando estou bem de saúde", acrescentou ele, "mas, no momento, esses são os principais". Tornaram-se amigos e Watson registrou as façanhas do seu ilustre colocatário, quase sempre para desgosto de Holmes, que ficava indignado com aquelas narrativas melodramáticas e sensacionalistas. Acreditava que, no caso de se tornar público, o seu trabalho devia ser relatado como exercícios de pura lógica e raciocínio dedutivo.

Holmes não só tem uma excelente capacidade de dedução, mas também um intelecto privilegiado. Anatomia, química, matemática, direito britânico e literatura folhetinesca são apenas uma pequena amostra das áreas que compõem a sua vasta esfera de conhecimentos, embora não esconda ser pouquíssimo versado em astronomia, filosofia e política. Publicou várias obras notáveis sobre temas eruditos: *Sobre a distinção entre as cinzas dos diversos tabacos; Um estudo da influência de um comércio sobre o formato da mão; Sobre os motetos polifônicos de Lasso; Estudo das raízes caldeias da língua arcaica da Cornualha* e *Manual prático de apicultura com algumas observações sobre a segregação da rainha*, sua obra-prima. O seu trabalho em quatro volumes, intitulado *A arte da investigação*, ainda não foi publicado. Quando precisa de alguma informação que o seu cérebro não registra, ele recorre a uma pequena e seleta biblioteca composta por obras de referência e vários cadernos com anotações. Já que só se preocupa com fatos que possam ajudá-lo no trabalho, Holmes ignora o que considera supérfluo. Explica a sua teoria da educação da seguinte forma:

Considero o cérebro humano como sendo inicialmente um sótão vazio que se deve mobiliar da forma que se escolher. Um tolo vai entulhá-lo com todo tipo de traste que encontrar pela frente, de tal forma que os conhecimentos que poderiam lhe ser de alguma utilidade ficam soterrados ou, na melhor das hipóteses, tão misturados com milhares de outras coisas que é difícil encontrá-los... É um erro achar que esse pequeno cômodo tem paredes elásticas e pode atingir qualquer dimensão. Pode ter certeza de que sempre haverá um momento em que, para cada novo conhecimento adquirido, esquecemos algo que já sabíamos.

Um físico atlético complementa a inteligência excepcional de Holmes. Por ser extremamente magro, parece ter bem mais do que sua altura: 1,82m. O nariz adunco e afilado e os olhos penetrantes lhe dão a aparência de uma águia. Por diversas vezes, surpreendeu Watson com demonstrações de força e agilidade; é um excelente boxeador, esgrimista e espadachim. Precisou de toda a sua força à beira das Cataratas de Reichenbach, na Suíça, quando enfrentou seu arqui-inimigo, o professor James Moriarty. Os dois adversários travaram um combate totalmente equilibrado e acabaram caindo do penhasco. Ambos foram dados como mortos. A Inglaterra inteira chorou a perda do seu maior defensor da lei; em 1894, porém, depois de um sumiço de três anos, Holmes reapareceu. Na verdade, não tinha morrido na queda, mas viu aí uma boa oportunidade para enganar seus diversos inimigos do mundo do crime. Assumiu a identidade de um explorador dinamarquês, Sigerson, e viajou pelo mundo, estando inclusive em Nova Jersey, onde acreditam que teve um romance com Irene Adler (que sempre será *a* mulher de Holmes), e no Tibete, onde aprendeu o segredo da longevidade com o Dalai Lama.

Depois que a srta. Adler (célebre e bela cantora lírica que conhece Holmes em *Um escândalo na Boêmia*) morre, em 1903, ele se aposenta e passa a se dedicar à apicultura nas encostas de Sussex Downs com sua antiga governanta, a sra. Martha Hudson. Deixa o seu retiro logo antes do início da Primeira Guerra Mundial, mas, desde então, pouco se sabe sobre a sua vida.

Holmes sobreviveu àqueles que participaram de vários momentos das suas aventuras. Além de Mycroft, Watson, Moriarty, Irene Adler e da sra. Hudson, entre as personagens secundárias mais conhecidas de suas histórias estão Billy, o mensageiro, que, vez por outra, anuncia a chegada de visitantes ao número 221B da

Baker Street; Mary Morstan, que acaba se tornando a sra. Watson; os Baker Street Irregulars, meninos de rua liderados por Wiggins, que saem à procura de informações para Holmes a fim de ganhar alguns trocados; Lestrade, um inspetor da Scotland Yard bastante incompetente; Stanley Hopkins, colega do precedente, só que dotado de grande habilidade; Gregson, o "mais inteligente" de todos os membros dessa corporação, segundo Holmes; e o coronel Sebastian Moran, "o segundo homem mais perigoso de Londres".

A primeira história escrita sobre Sherlock Holmes, *Um estudo em vermelho*, saiu originalmente no exemplar de 1887 da revista *Beeton's Christmas Annual* e, no ano seguinte, foi publicada em livro pela Ward, Lock & Company, de Londres. A primeira edição dos Estados Unidos, publicada por J.B. Lippincott & Company, veio a público em 1890. Holmes é chamado para auxiliar a Scotland Yard no que o inspetor Tobias Gregson chama de "um fato grave" ocorrido em Lauriston Gardens, nº 3. Um norte-americano, Enoch J. Drebber, foi assassinado e os policiais só possuem uma única pista: a palavra "Rache" escrita com sangue na parede. Acham que é parte do nome de uma mulher, Rachel, mas Holmes sugere que é "vingança" em alemão. Pouco depois, o secretário particular da vítima, Stangerson, também é encontrado morto e, próximo ao corpo, há a mesma palavra escrita com sangue. Um longo trecho desse romance, que trata dos mórmons, é um *flashback* nada comum.

O signo dos quatro saiu simultaneamente na Inglaterra e nos Estados Unidos no exemplar de fevereiro de 1890 da *Lippincott's Magazine*. Spencer Blackett publicou a primeira edição inglesa em livro ainda no mesmo ano; P.F. Collier fez o mesmo nos Estados Unidos em 1891. Mary Morstan, uma jovem atraente por quem Watson está encantado (e com quem acaba se casando), aparece no apartamento da Baker Street 221B em busca de auxílio. Ela é filha de um capitão do Exército da Índia que está desaparecido há dez anos e de quem nunca mais se ouviu falar. Quatro anos após o seu desaparecimento, a srta. Morstan ganhou um presente anônimo, uma gigantesca pérola brilhante, e, desde então, vem recebendo outras idênticas a cada ano. Holmes e Watson a acompanham em visita ao excêntrico Thaddeus Sholto, irmão gêmeo de Bartholomew Sholto e filho do major que havia sido o único amigo do capitão Morstan em Londres. Holmes se dispõe a encontrar o fabuloso tesouro e logo se vê às voltas com os estranhos personagens Jonathan Small e Tonga.

"Um escândalo na Boêmia" saiu no exemplar de julho de 1891 da *The Strand Magazine*; sua primeira publicação em livro foi no ano seguinte, em *As aventuras de Sherlock Holmes*. Trata-se do primeiro conto em que a personagem aparece envolvida num inusitado combate com uma dama e não há nenhum crime a ser solucionado. O rei da Boêmia tivera um caso não tão discreto com a bela Irene Adler, que ameaçou fazer um escândalo internacional quando o monarca tentou deixá-la para se casar com uma dama da nobreza. Holmes foi contratado para se apoderar de uma foto lamentável antes que ela fosse enviada à futura noiva de um membro da família real. O detetive acaba vencido e nunca deixa de amar aquela mulher que conseguiu enganá-lo.

Em *O cão dos Baskerville* (1902), sir Charles Baskerville, de Baskerville Hall, em Dartmoor, Devon, é encontrado morto. Não há indícios de violência na cena do crime, mas o rosto do cadáver está exageradamente distorcido numa expressão de terror. O dr. James Mortimer convoca os serviços de Holmes para proteger o jovem herdeiro do patrimônio, sir Henry Baskerville. Watson vai para a sombria mansão ficar de olho em sir Henry; no entanto, é alertado para retornar a Londres por uma vizinha, Beryl Stapleton, a bela irmã de um naturalista local, que escuta um uivo assustador nas proximidades da região rochosa de Grimpen Mire e o identifica como sendo do legendário cão dos Baskerville à procura de sua presa.

Existem sessenta narrativas originais sobre Holmes; mas de uma centena de vezes, porém, tais histórias foram escritas por outros autores. Até o próprio Conan Doyle escreveu uma paródia das suas personagens.

Atualmente, é claro, Holmes continua sendo uma celebridade multimídia, aparecendo em dois filmes de sucesso internacional estrelados por Robert Downey Jr. Há ainda a série *Sherlock*, produzida para a televisão pela BBC e com Benedict Cumberbatch no papel do detetive, e *Elementary*, série muito popular da CBS com Jonny Lee Miller como Holmes e Lucy Liu como a dra. Watson.

Apesar dessa paixão universal, poucos não se encantaram com o grande detetive, e os seus detratores eram liderados por ninguém menos que o próprio Doyle. Cansado da personagem, acreditando que tinha obras de qualidade bem superior para escrever, o autor o jogou das Cataratas de Reichenbach, na Suíça, juntamente com o traiçoeiro professor Moriarty. Por sorte, como se sabe, o escritor acabou cedendo à pressão do público e ressuscitou sua personagem escrevendo mais dois romances e 36 contos.

TÃO FAMILIAR QUANTO UMA ROSA NA PRIMAVERA

O "Hamlet" único

VINCENT STARRETT

Uma aventura não registrada do sr. Sherlock Holmes

Parece-me que Charles Vincent Emerson Starrett (1886-1974) conseguiu tornar-se um dos maiores apaixonados por livros que os Estados Unidos já conheceram e a sua filha mais nova produziu um dos melhores epitáfios que um "Dofob" — como Starrett admitia ser — poderia desejar. Este termo bastante útil foi forjado por Eugene Field e designa um "damned old fool over books", ou seja, alguém completamente maluco por livros. Quando um amigo ia visitá-lo, a moça abria a porta e dizia que o pai estava "lá em cima, brincando com os livros".

Starrett escreveu inúmeros ensaios, biografias, textos críticos e trabalhos bibliográficos sobre diversos autores. Tudo isso enquanto assinava a coluna "Books Alive" no jornal *Chicago Tribune*, o que fez durante anos. A sua autobiografia, *Born in a Bookshop* (1965), deveria ser leitura obrigatória para todos os bibliófilos.

Escreveu também vários contos de mistério e romances policiais, entre os quais *Murder on "B" Deck* (1929), *Dead Man Inside* (1931) e *The End of Mr. Garment* (1932). O seu conto "Receita para um assassinato", de 1934, foi ampliado e se tornou o romance *O crime do grande hotel* (1935), no qual se baseou o filme de mesmo nome, lançado naquele ano e estrelado por Edmund Lowe e Victor McLaglen.

Há quem diga que seus melhores trabalhos foram os que ele escreveu sobre Sherlock Holmes, especialmente *A vida privada de Sherlock Holmes* (1933) e "O 'Hamlet' único", apontado pelos sherlockianos, durante décadas a fio, como o melhor pastiche já realizado. O texto teve uma edição particular em 1920, feita por Walter M. Hill, amigo do autor, num volume de capa dura e tiragem limitada, mas não se sabe ao certo a quantidade exata de exemplares. Parece que dez cópias foram entregues ao autor e continham o nome dele na folha de rosto. Já disseram que a quantidade de exemplares com o nome de Hill na folha de rosto foi de 33, de 100, de 110 e 200. O texto foi escolhido para integrar o *Queen's Quorum* (1951), coletânea dos 100 mais importantes relatos policiais já produzidos.

O "HAMLET" ÚNICO

Vincent Starrett

Uma aventura não registrada do sr. Sherlock Holmes

1

— Holmes — disse eu certa manhã, quando estava diante da nossa janela saliente, olhando à toa para a rua —, sem dúvida alguma o homem que está passando é maluco. Por descuido, alguém deixou a porta aberta e o pobre coitado saiu. Que lástima!

Era uma belíssima manhã de primavera, com uma brisa fresca e um sol convidativo, mas, como ainda era cedo, poucas pessoas circulavam pela rua. Pássaros cantavam sob os beirais dos telhados da vizinhança e, a distância, vindo lá da outra ponta da rua, ouvia-se o ruído monótono do sujeito consertando guarda-chuvas. Um gato magricela se esgueirou pelas pedras do pavimento e desapareceu num pátio. No entanto, a maior parte da rua estava deserta, exceto pela presença do indivíduo excêntrico que havia provocado em mim aquela reação.

Sherlock Holmes levantou-se sem pressa da cadeira onde estava sentado e se postou ao meu lado, parando com as pernas compridas bem afastadas e as mãos enfiadas nos bolsos do seu *robe-de-chambre*. Sorriu ao ver a estranha personagem que se aproximava — e de fato parecia uma personagem, apesar dos atos curiosos, pois era alto e corpulento, com as suíças já grisalhas aparadas no estilo *muttonchops* e um ar eminentemente respeitável. Andava meio saltitante, feito um cão de caça cansado, erguendo bem os joelhos a cada passo e usava uma corrente de relógio dupla e pesada, que sacolejava e batia na protuberância do seu colete justo. Com uma das mãos segurava desesperadamente a cartola de seda, enquanto com a outra fazia uns gestos estranhos no ar, numa agitação emocional que beirava a comoção. Podíamos praticamente ver os movimentos espasmódicos do seu semblante.

— O que pode estar deixando-o tão transtornado assim? — questionei. — Repare como ele olha para as casas quando passa.

— Ele está olhando para os números — corrigiu Sherlock Holmes com os olhos inquietos —, e imagino que é o nosso que vai deixá-lo mais feliz. A profissão desse homem é bem óbvia.

— Imagino que ele seja banqueiro, ou, pelo menos, alguém de posses — arrisquei, perguntando-me qual detalhe curioso denunciou a profissão do sujeito ao meu notável amigo a partir de um único olhar.

— De posses, sem dúvida — disse Holmes, dando uma piscadela maliciosa —, mas ele não é banqueiro, Watson. Veja como os seus bolsos estão pendendo, apesar do excelente talhe dos seus trajes, e seu olhar um tanto enlouquecido. Ou muito me engano, ou ele vive de coletar…

— Caro amigo! — exclamei. — Nessa idade e com essa postura! E por que estaria nos procurando? Quando quitamos aquela última conta…

— Livros — interrompeu meu amigo em tom severo. — Esse homem é um colecionador de livros. Sua área de atuação são os Caxton, os Elzevir e as Bíblias de Gutemberg, e não tem nada a ver com esses sujeitos sórdidos encarregados de nos lembrar que não pagamos a conta do mercado. Veja, ele está se virando nesta direção, como eu imaginava, e logo mais vai surgir na soleira da nossa porta para contar a trágica história de uma edição rara que desapareceu de forma extraordinária.

Seus olhos brilharam e ele esfregou as mãos, satisfeito. Só me restava torcer para que suas conjecturas estivessem certas, pois nos últimos tempos Holmes vinha ocupando bem pouco a sua mente e eu vivia com medo de que ele fosse procurar o estímulo de que o seu cérebro precisava num daqueles frascos de cocaína que lhe faziam tão mal.

Assim que Holmes acabou de falar, a sineta da porta ecoou pela casa. Depois, ouvimos passos rápidos na escada e a voz lamentosa da sra. Hudson se elevou num protesto que só pode ter sido provocado pela frustração do seu tão cobiçado privilégio de nos trazer o cartão do visitante. A porta se abriu então de súbito e o objeto de nossa análise se embrenhou, cambaleante, pela sala e desabou em nosso tapete. Ficou ali deitado, feito uma ruína imponente, a cabeça apoiada nas franjas da borda e os pés no balde de carvão. Escondida por detrás dos seus lábios imóveis estava a incrível história que ele tinha vindo contar — afinal, só de ver o estranhíssimo comportamento do nosso cliente, dava para saber que se tratava de algo incrível.

Sherlock Holmes apressou-se para buscar um conhaque enquanto eu me ajoelhei ao lado do homem caído e afrouxei o colarinho da sua camisa. Ele não estava morto e, quando forcei o frasco por entre os seus dentes, sentou-se, ainda meio grogue, esfregando a mão nos olhos. Depois, mesmo com dificuldade, conseguiu ficar de pé, desculpando-se, constrangido, por sua fraqueza e deixou-se cair na poltrona que Holmes lhe indicou com um gesto convidativo.

— Está tudo bem, sr. Harrington Edwards — disse o meu amigo, tranquilizando-o. — Trate de se acalmar, meu caro senhor, e, quando já estiver recuperado, estaremos à sua inteira disposição para ouvi-lo.

— Então, o senhor me conhece? — exclamou o nosso visitante. Havia orgulho em sua voz e ele ergueu as sobrancelhas com ar de surpresa.

— Nunca tinha ouvido falar do senhor até agora, mas, se preferir ocultar a sua identidade — disse Sherlock Holmes —, seria bom deixar os seus ex-líbris em casa. — Enquanto falava, Holmes virou um pacotinho de papéis dobrados que havia pegado no chão. — Eles caíram da sua cartola quando o senhor teve a infelicidade de desmaiar — acrescentou em tom bem-humorado.

— Claro, claro — retrucou o colecionador, ficando com o rosto exageradamente ruborizado. — Agora estou lembrando. Como a minha cartola estava um pouco larga, dobrei algumas das folhas para enfiá-las por trás da faixa. E acabei esquecendo.

— Um uso lamentável para uma estampa tão bem gravada — disse o meu companheiro, sorrindo. — Isto, porém, é problema seu. E agora, senhor, se estiver efetivamente à vontade, conte-nos o que trouxe até aqui um colecionador de livros, vindo lá de Poke Stogis Manor — o nome está impresso na estampa — atrás de Sherlock Holmes, um consultor especialista em crimes. Certamente só mesmo algo como o roubo do exemplar do Corão do próprio Mohamed poderia afetá-lo desse jeito...

O sr. Harrington Edwards esboçou um sorriso diante da piada, depois suspirou.

— Quem dera fosse apenas isso! — murmurou. — Mas devo começar do começo.

"Devem saber, então, que sou o maior especialista em Shakespeare do mundo. A minha coleção de '*anas*' é incomparável e a maior parte das coleções que existem (e, consequentemente, o conhecimento do verdadeiro Shakespeare) se originou da minha pena. Havia apenas um livro que eu não tinha; era único, no sentido mais estrito da palavra já tão banalizada: a maior raridade em se tratando de Shakespeare no mundo inteiro. Poucos sabiam da sua existência, pois isto era mantido em segredo por um grupo pequeno e seleto. Se a notícia de que esse livro estava na Inglaterra — ou, na verdade, em qualquer outro lugar — tivesse se espalhado, o proprietário seria caçado até a morte por norte-americanos ricos.

"O livro em questão estava com meu amigo, e digo-lhes isto de forma estritamente confidencial, sir Nathaniel Brooke-Bannerman, que mora em Walton-on-Walton, ao lado da minha casa. Menos de duzentos metros separam os nossos terrenos e a nossa amizade se estreitou tanto alguns anos atrás que mandamos remover as cercas que separavam as duas propriedades, de forma que agora circulamos livremente pelos dois quintais.

"Já faz alguns anos que comecei a trabalhar no meu livro mais importante, a minha obra-prima. Deveria ser minha última publicação abrangendo os resultados de uma vida inteira de estudos e pesquisas. Conheço a Londres elisabetana, senhor, melhor do que qualquer homem vivo; melhor do que qualquer outro homem que já tenha existido; e acho que..."

De repente, ele irrompeu em prantos.

— Calma, calma — disse Sherlock Holmes com gentileza. — Não fique tão aflito. Por favor, prossiga com o seu relato interessante. O que era esse livro que, presumo, desapareceu de uma forma ou de outra? O senhor o pegou emprestado com seu amigo?

— É exatamente aonde pretendo chegar — disse o sr. Harrington Edwards, enxugando os olhos. — Quanto à sua ajuda, sr. Holmes, temo que seja uma tarefa impossível até mesmo para o senhor. Como deduziu, eu precisava daquele livro. Conhecendo o seu valor, absolutamente inestimável, pois é impossível atribuir um preço ao livro, e sabendo como sir Nathaniel o idolatrava, pensei muito antes de pedi-lo emprestado. Mas eu precisava ter aquela obra em mãos, caso contrário não poderia concluir meu livro. Acabei, portanto, fazendo o tal pedido. Propus ir à sua casa e examinar o volume na sua frente, com ele sentado ao meu lado durante todo o tempo que passasse trabalhando e os criados postados diante de cada porta e de cada janela, empunhando armas.

"Pode imaginar minha surpresa quando sir Nathaniel riu das minhas precauções. 'Meu caro Edwards', disse ele, 'tudo isso faria sentido se você fosse Arthur Rambidge ou sir Homer Nantes (referindo-se a duas pessoas proeminentes do Museu Britânico), ou o sr. Henry Hutterson, o magnata norte-americano das ferrovias. Mas você é meu amigo, Harrington Edwards. Pode levar o livro para casa e ficar com ele pelo tempo que quiser'. Protestei veementemente, posso lhe garantir, mas ele se manteve firme e fiquei tão comovido com sua demonstração de estima que acabei concordando que as coisas acontecessem como ele desejava. Meu Deus! Se eu tivesse insistido... Se pelo menos eu..."

Calou-se e, por um instante, ficou olhando fixamente para o nada. Seus olhos estavam voltados para a chinela persa na parede, em cuja ponta Holmes guardava o seu tabaco, mas dava para perceber que seus pensamentos estavam bem longe dali.

— Vamos, sr. Edwards — disse Sherlock Holmes em tom firme. — O senhor está se afligindo sem motivo. E está prolongando de forma insensata a nossa curiosidade. Ainda nem nos disse que livro é esse...

O sr. Harrington Edwards agarrou com firmeza os braços da poltrona em que estava sentado. Quando falou, foi num tom de voz baixo e animado:

— Trata-se de um *Hamlet* in-quarto, datado de 1602, apresentado por Shakespeare ao seu amigo Drayton, com uma inscrição de quatro linhas, escrita e assinada pelo próprio mestre!

— Meu caro senhor! — exclamei.

De tão surpreso, Holmes soltou um longo assobio.

— É verdade! — exclamou o colecionador. — Foi esse livro que peguei emprestado e que perdi! O tão cobiçado in-quarto de 1602, com uma anotação autêntica do próprio Shakespeare! O maior dos seus dramas, numa edição datada de um ano antes de qualquer outra que se conheça. Um exemplar perfeito e com quatro linhas escritas com a sua própria letra! Único! Extraordinário! Impressionante! Magnífico! Colossal! Incrível! In...

Pelo visto, o sr. Edwards estava disposto a prosseguir indefinidamente. Holmes, porém, que a princípio estava sentado, imóvel, chocado com a importância de tal perda, interrompeu a sequência de adjetivos:

— Aprecio sua emoção, sr. Edwards — disse ele —, e o livro é, sem dúvida, tudo que o senhor disse que era. Na verdade, é tão importante que devemos começar agora mesmo a enfrentar o problema de tentar recuperá-lo. Suponho que tal exemplar seja facilmente identificável, não?

— Sr. Holmes — começou nosso cliente com toda a franqueza —, seria impossível escondê-lo. É um livro tão importante que, assim que se tornou seu proprietário, sir Nathaniel Brooke-Bannerman solicitou uma consulta com os maiores encadernadores do Império. Dela participaram o sr. Riviere, *messieurs* Sangorski e Sutcliffe, o sr. Zaehnsdorf, entre outros. Apenas eles, eu mesmo e mais duas pessoas tínhamos conhecimento da existência desse livro. É encadernado em marroquino marrom, com a lombada e as laterais com o mesmo couro, guardas e contra-guardas gravadas a ouro. E tem na capa um detalhe feito com 750 retalhos de couro em cores variadas e enriquecido com a inserção de 87 pedras preciosas. Dito isto não preciso acrescentar que é um desenho que jamais poderia ser reproduzido e olhe que estou mencionando apenas algumas das suas preciosidades. A encadernação foi feita pessoalmente por Riviere, Sangorski, Sutcliffe e Zaehnsdorf, trabalhando alternadamente, e o resultado é uma obra tão magnífica que qualquer homem ficaria feliz em morrer mil vezes só para tê-la por vinte minutos.

— Ó céus! — exclamou Holmes. — Deve ser mesmo um livro belíssimo e, pela sua descrição, juntamente com a percepção da sua importância em função de ele ser o que é, deduzo que se trata de algo muito além do que se poderia chamar de um livro valioso.

— Inestimável! — exclamou o sr. Harrington Edwards. — Mesmo que juntássemos toda a riqueza da Índia, do México e de Wall Street, seria uma quantia pequena demais para pagar por ele.

— O senhor está ansioso para recuperar o livro? — perguntou Sherlock Holmes, fitando-o com um olhar penetrante.

— Meu Deus! — gritou o colecionador, revirando os olhos e escavando o ar com as mãos em garras. — O senhor está supondo...?

— Ora, ora... — interrompeu Holmes. — Só estava brincando. Trata-se de um livro que pode transformar até mesmo o senhor, sr. Harrington Edwards, num ladrão. Mas vamos deixar essa ideia de lado. Sua comoção é muito sincera e, além disso, o senhor sabe muito bem como seria difícil esconder um livro como o que descreveu. Na verdade, só alguém muito ousado o roubaria e conseguiria escondê-lo por um bom tempo. Conte-nos, por favor, como foi que o senhor o perdeu.

O sr. Harrington Edwards pegou o frasco de conhaque que estava próximo ao seu cotovelo e o esvaziou de um só gole. Com a força renovada, graças à bebida, prosseguiu com o seu relato:

— Como eu já lhes disse, sir Nathaniel me obrigou a aceitar o livro emprestado, contra a minha vontade. Na noite em que fui à sua casa, ele me disse que dois dos seus criados, fortemente armados, me acompanhariam no caminho do jardim até a minha casa. "Não há perigo", disse, "mas vai se sentir mais seguro assim". Agradeci do fundo do coração. Como posso contar o que aconteceu? Sr. Holmes, foram exatamente esses dois criados que me atacaram e roubaram o precioso volume que eu carregava!

Sherlock Holmes esfregou as mãos magras, satisfeito.

— Esplêndido! — murmurou. — Este é o tipo de caso que me interessa. Estamos nos aventurando em águas profundas, Watson. Mas o senhor está se demorando demais na história, sr. Edwards. Talvez ajude mais se eu lhe fizer algumas perguntas. Que caminho tomou para voltar para casa?

— A via principal. É uma boa estrada que passa na frente das nossas propriedades. Achei melhor seguir por aquele caminho em vez de atravessar o bosque às escuras.

— E menos de duzentos metros separam as duas portas. A que altura ocorreu o assalto?

— Mais ou menos no meio do caminho entre os portões das duas casas, eu diria.

— Não havia nenhuma luz?

— Só a da lua.

— O senhor conhecia os criados que o acompanharam?

— Um deles, superficialmente. O outro, nunca tinha visto.

— Pode descrevê-los para mim, por favor?

— O que eu conheço chama-se Miles. Não tem barba, é baixo e forte apesar de ser um homem mais velho. Se não me engano, era considerado um dos criados de maior confiança de sir Nathaniel, pois trabalhava para ele havia vários anos. Claro que não sou capaz de descrevê-lo minuciosamente, pois nunca prestei muita atenção. O outro era alto, corpulento, e bem barbudo. Era caladão. Acho que não disse uma única palavra durante todo o trajeto.

— Miles era mais comunicativo?

— Ah, sim... Talvez até um pouco tagarela demais. Falou sobre o clima, a lua e nem sei mais o quê...

— Mas não de livros?

— Ninguém tocou nesse assunto.

— Como foi o ataque?

— Foi tudo muito de repente. Como eu disse, tínhamos chegado mais ou menos à metade do caminho quando o homem mais alto agarrou meu pescoço, acredito que para me impedir de gritar. Nesse exato momento, Miles arrancou o livro dos meus braços e foi embora. Logo depois, seu companheiro o seguiu. Eu, que tinha sido estrangulado, não consegui gritar de imediato, mas, assim que consegui fazê-lo, tenho certeza de que os meus gritos ecoaram por toda a região. Tentei persegui-los, mas não vi sinal deles. Os dois tinham desaparecido.

— Vocês saíram da casa juntos?

— Miles e eu, sim. O outro homem se juntou a nós diante da casa do porteiro, porque estava ocupado terminando algumas de suas tarefas.

— E sir Nathaniel? Onde ele estava?

— Ele se despediu de mim na soleira da porta.

— E o que ele disse sobre essa história toda?

— Não contei nada a ele.

— O senhor não lhe contou nada? — questionou Sherlock Holmes, espantadíssimo.

— Não tive coragem — confessou o nosso cliente, arrasado. — Isso vai matá-lo. Aquele livro era a razão da sua vida.

— Quando aconteceu esse incidente? — indaguei, lançando um olhar para Holmes.

— Excelente, Watson — disse o meu amigo em resposta ao meu olhar. — Eu ia fazer exatamente a mesma pergunta.

— Ontem à noite — respondeu o sr. Harrington Edwards. — Passei a maior parte do tempo enlouquecendo e não consegui pregar os olhos. A primeira coisa que fiz quando amanheceu foi procurá-lo. Na verdade, tentei entrar em contato com o senhor por telefone ainda ontem, mas ninguém atendeu.

— De fato — replicou Holmes, parecendo se lembrar de algo. — Fomos à estreia de madame Trentini e, depois, jantamos no Albani.

— Ah, sr. Holmes, acha que pode me ajudar? — exclamou o pobre coitado.

— Creio que sim — respondeu o meu amigo, animado. — Na verdade, tenho certeza de que sim. Tal livro, como o senhor mesmo observou, não é fácil de esconder. O que me diz de darmos um pulo a Walton-on-Walton, Watson?

— Há um trem saindo daqui a meia hora — disse o sr. Harrington Edwards, olhando o relógio. — Vocês vão comigo?

— Não, não — replicou Holmes, rindo. — Isso nunca daria certo. Ainda não devemos ser vistos juntos, sr. Edwards. É importante que o senhor volte sozinho nesse primeiro trem, a menos que tenha outros assuntos a tratar em Londres. Meu amigo e eu viajaremos juntos. Há outro trem ainda esta manhã?

— Uma hora mais tarde.

— Excelente. Então, até lá!

2

Como prometido, pegamos o trem na Estação Paddington uma hora mais tarde e começamos a nossa viagem para Walton-on--Walton, um pequeno vilarejo agradável e aristocrático onde havia acontecido a cena do curioso acidente sofrido por nosso amigo de Poke Stogis Manor. Recostado na poltrona, Sherlock Holmes soprava argolas de fumaça na direção do teto do nosso compartimento, que, felizmente, estava vazio. Já eu me dedicava à leitura do jornal matutino. Depois de um tempo, cansado de ler, voltei-me para Holmes e o flagrei olhando pela janela, todo sorridente e citando Horácio bem baixinho.

— Tem uma teoria? — perguntei, espantado.

— É um erro gravíssimo pôr a teoria à frente da evidência — respondeu ele. — Apesar disso, andei pensando no problema interessante do nosso amigo sr. Harrington Edwards e, nessa história, há diversos indícios que só podem apontar para uma única conclusão.

— Quem acredita que seja o ladrão?

— Meu caro — retrucou Sherlock Holmes —, já esqueceu que sabemos quem é o ladrão? Edwards declarou sem sombra de dúvidas que foi Miles quem se apoderou do livro.

— Claro — admiti, encabulado. — Tinha esquecido. Tudo o que precisamos fazer, então, é encontrar Miles.

— E um motivo — acrescentou meu amigo, rindo. — A seu ver, Watson, qual teria sido o motivo neste caso?

— Inveja — repliquei.

— Você me surpreende!

— Miles foi subornado por um colecionador rival que, de uma forma ou de outra, ficou sabendo da existência desse livro notável. Você lembra que Edwards nos disse que um segundo homem veio ao encontro deles próximo ao portão? Essa seria uma excelente oportunidade para uma substituição: alguém tomaria o lugar do criado escolhido por sir Nathaniel. Não é um bom raciocínio?

— Você está se superando, meu caro Watson — murmurou Holmes. — O raciocínio é excelente e, como acabou de observar muito acertadamente, era a oportunidade perfeita para uma substituição.

— Não concorda comigo?

— Seria difícil, Watson. Para aplicar um golpe tão engenhoso, um colecionador rival precisaria, antes de tudo, saber da existência do livro, como você sugeriu, mas também precisaria saber em qual noite exatamente o sr. Harrington Edwards iria buscá-lo na casa de sir Nathaniel, o que denunciaria a colaboração do nosso cliente. No entanto, devemos considerar que a decisão dele em aceitar o empréstimo foi repentina e não teve qualquer determinação prévia.

— Não me lembro de ouvi-lo dizer isso.

— Ele não disse, mas é uma dedução bem simples. Para começo de conversa, Watson, um colecionador de livros já é alguém bem maluco, mas tentá-lo com uma isca como esse Shakespeare in-quarto significa privá-lo de qualquer resquício de sanidade. O sr. Edwards não teria conseguido esperar. Foi anteontem à noite que sir Nathaniel lhe ofereceu o livro e ontem à noite ele correu para aceitar a oferta, e, incidentalmente, correu também para a catástrofe. Acho um milagre que ele tenha conseguido esperar um dia inteiro para fazer isso...

— Fabuloso! — exclamei.

— Elementar — retrucou Holmes. — Se estiver interessado, gostará de ler *Emoção transcendental*, de Harley Graham; e eu mesmo sou culpado de ter produzido uma pequena brochura em que cataloguei cerca de 1.200 profissões e o efeito emocional que novidades extraordinárias podem provocar nos seus membros, tanto para o bem quanto para o mal.

Fomos os únicos passageiros a desembarcar em Walton-on--Walton, mas algumas indagações aqui e ali nos revelaram que o sr. Harrington Edwards havia voltado no trem anterior. Holmes, que tinha se disfarçado antes de descer do vagão, se encarregou de todas as conversas. Estava usando o boné virado para trás, com um lápis enfiado atrás da orelha e a bainha da calça arregaçada. De um dos seus bolsos, pendia a ponta de uma trena. Era o protótipo do fiscal de obras municipal e tudo que me passou pela cabeça foi que, se eu não o conhecesse, pensaria exatamente isso se cruzasse com ele na rua. Acatando sua sugestão, afundei um pouco meu chapéu na cabeça e vesti o paletó pelo avesso. Depois, ele me entregou uma das pontas da trena e continuou segurando a outra enquanto andávamos pelas ruas. Vestidos assim, parando de vez em quando para nos ajoelhar na poeira e medir ostensivamente alguns trechos da via, seguimos até Poke Stogis Manor. Os habitantes do lugar que ocasionalmente passavam por nós ao dirigir-se para a estação ferroviária nos davam tanta atenção quanto dariam a um cachorro.

Demoramos a ver a propriedade do nosso amigo, uma casa pitoresca e labiríntica, que ficava bem no fundo do quintal, cercada por carvalhos que formavam um quadrado. Um caminho de cascalho ligava a estrada à porta da casa e, ao caminhar por ali, um raio de sol atingiu em cheio uma antiga aldraba na porta, fazendo--a reluzir. O cenário como um todo, com os campos ensolarados servindo de pano de fundo, tinha a calma e o conforto típicos das áreas rurais. Mal podíamos acreditar que aquela era a cena do curioso problema que tínhamos vindo investigar.

— Não vamos entrar ainda — disse Sherlock Holmes ao passar diante do portão que se abria para a propriedade do nosso cliente. — Mas devemos considerar a possibilidade de voltar na hora do almoço.

A partir deste ponto, havia um ligeiro declive na estrada e a vegetação nas suas margens era mais fechada. Sherlock Holmes mantinha os olhos fixos no caminho à nossa frente e, depois de percorrermos pouco menos de cem metros, ele parou.

— Foi aqui — disse, apontando para o local — que aconteceu o assalto.

Observei atentamente o chão de terra sem conseguir perceber qualquer sinal de luta.

— Lembra-se de que tudo ocorreu na metade do caminho entre as duas casas? — prosseguiu ele. — Não, há pouquíssimos indícios. Não houve confronto violento. Por sorte, porém, com a proverbial chuvinha de ontem à noite o solo gravou nitidamente as pegadas — acrescentou, apontando para a marca de um pé, e mais outra e ainda uma terceira.

Ajoelhando-me consegui ver que, na verdade, muitos pés haviam percorrido aquela estrada.

Holmes se estirou no chão de terra e começou a se remexer, com o nariz grudado no solo, resmungando depressa alguma coisa em francês. Depois, limpou a lente de uma lupa para examinar melhor algo que havia chamado sua atenção. Logo depois, porém, balançou a cabeça, desapontado, e prosseguiu com a sua exploração. Não deixei de pensar em um nobre cão de caça que se enganou e ficou farejando em círculos na tentativa de recuperar o cheiro perdido. No entanto, poucos instantes depois, ele conseguiu, exclamando de prazer, e voltou a ficar de pé, ziguezagueando de um jeito curioso pela estrada e parando diante de uma ponte, apontando o dedo magro para uma falha nos arbustos.

— Não é de espantar que eles tenham desaparecido — disse, sorrindo, quando me aproximei. — Edwards achou que tivessem seguido pela estrada, mas foi por aqui que os dois passaram. Depois, recuando um pouco, ele deu uma corridinha e pulou para passar pela moita. — Siga-me com cuidado — alertou-me ele —, pois não podemos deixar que as nossas pegadas acabem nos confundindo. — Com menos destreza que o meu companheiro, caí, mas ele logo me ajudou a me levantar e a recuperar o equilíbrio. — Olhe! — exclamou Holmes, examinando o solo; e bem nítidas, no mato e na lama, vi as pegadas de dois pares de pés. — O sujeito mais baixo passou pela moita — disse Sherlock Holmes, exultante —, mas o bandido mais alto pulou por cima dela. Veja como suas pegadas estão fundas. Ele aterrissou pesadamente na lama macia. É bem significativo que tenham seguido por este caminho, Watson. Isso não lhe sugere nada?

— Que esses homens conheciam tão bem a propriedade de Edwards quanto as terras de Brooke-Bannerman — respondi.

Fiquei feliz em ver meu amigo acenar com a cabeça em sinal de aprovação.

Sem dizer mais nada, ele se jogou no chão e, por alguns instantes, nós dois fomos nos arrastando penosamente pelo mato. De repente, tive uma ideia assustadora.

— Holmes — sussurrei, chocado —, você reparou para qual direção as pegadas estão indo? Direto para a casa do nosso cliente, o sr. Harrington Edwards!

Ele assentiu devagar, com os lábios cerrados. As duas trilhas de pegadas terminavam abruptamente diante da porta dos fundos da Mansão Poke Stogis!

Sherlock Holmes se pôs de pé e olhou o relógio.

— Chegamos bem na hora do almoço — anunciou, limpando seus trajes. Então, deliberadamente, bateu à porta. Pouco depois, estávamos diante do nosso cliente. — Como circulamos um pouco pelos arredores — disse o detetive, desculpando-se —, tomei a liberdade de vir pela porta dos fundos.

— Tem alguma pista? — perguntou o sr. Harrington Edwards, ansioso.

Holmes exibiu um estranho sorriso de triunfo.

— Para dizer a verdade — respondeu ele, baixinho —, acho que resolvi o seu pequeno problema, sr. Harrington Edwards.

— Meu caro Holmes! — exclamei.

— Meu caro senhor! — exclamou o nosso cliente.

— Ainda preciso descobrir o motivo — admitiu o meu amigo —, mas, com relação aos fatos principais, não resta qualquer dúvida.

O sr. Harrington Edwards se deixou cair numa poltrona; estava pálido e trêmulo.

— O livro — disse ele, com a voz rouca. — Conte-me o que houve.

— Tenha paciência, meu bom homem — aconselhou Holmes, gentilmente. — Não comemos nada desde o nascer do sol e estamos famintos. Tudo em seu tempo. Permita-nos almoçar primeiro e, então, as coisas vão se esclarecer. Nesse meio-tempo, eu gostaria de telefonar para sir Nathaniel Brooke-Bannerman, pois desejo que ele também esteja presente para ouvir o que tenho a dizer.

As súplicas do nosso cliente foram em vão. Holmes ia poder se divertir e almoçar. No fim das contas, o sr. Harrington Edwards dirigiu-se à cozinha para pedir que preparassem uma refeição enquanto Sherlock Holmes foi fazer a ligação. Falou rapidamente, de forma ininteligível, e voltou sorrindo. Eu, porém, não perguntei nada. Na hora certa, esse homem extraordinário nos contaria a história do seu jeito. Eu tinha ouvido tudo o que ele tinha ouvido, e visto tudo o que ele tinha visto. No entanto, estava totalmente perdido. Mas, apesar disto, o sorriso sombrio do nosso anfitrião não saía da minha cabeça, e, independentemente do que houvesse acontecido, senti pena dele. Logo depois, estávamos sentados à mesa. O nosso cliente, arredio e nervoso, comia devagar, constrangido. Os seus olhos praticamente não desviavam do rosto inescrutável de Holmes. Eu também não estava lá muito confortável, mas Sherlock Holmes comeu com gosto, contando algumas das suas aventuras anteriores — que, algum dia, devo tornar públicas, se conseguir decifrar as notas ilegíveis que fiz naquelas ocasiões.

Quando terminamos a refeição enfadonha, fomos até a biblioteca, onde Sherlock Holmes ocupou a poltrona mais confortável com um ar de proprietário que, em outras circunstâncias, teria sido até engraçado. Preparou o cachimbo e o acendeu, numa demonstração quase maliciosa de falta de cortesia, enquanto o sr. Harrington Edwards suava, agoniado, apoiado no console da lareira.

— Por que nos fazer esperar, sr. Holmes? — murmurou ele. — Diga-nos de uma vez quem... quem... — Sua voz se desvaneceu num lamento.

— O criminoso — começou Sherlock Holmes, sem pressa alguma — é...

— Sir Nathaniel Brooke-Bannerman! — disse uma criada, enfiando subitamente a cabeça pelo vão da porta.

O anúncio foi seguido pela entrada do belo baronete cujo livro tão valioso havia causado toda essa comoção e infelicidade.

Sir Nathaniel estava pálido, parecendo doente. Mal entrou e começou a falar.

— Fiquei muito aborrecido com o seu telefonema — disse ele, olhando para o nosso cliente. — O senhor falou que tem algo a me dizer sobre o volume in-quarto. Não me diga... que... aconteceu... algo... com ele!

Nervoso, apoiou-se à parede para manter o equilíbrio, e fiquei com muita pena do pobre homem.

O sr. Harrington Edwards voltou-se para Sherlock Holmes.

— Ah, sr. Holmes! — exclamou em tom patético. — Por que mandou chamá-lo?

— Porque — replicou o meu amigo — quero que ele ouça a verdade a respeito do Shakespeare in-quarto. Acredito, sir Nathaniel, que não lhe contaram que o sr. Edwards foi assaltado ontem à noite. E o seu precioso livro foi roubado... Roubado pelos criados de confiança que o senhor mandou que o acompanhassem para protegê-lo.

— O quê?! — exclamou o nobre colecionador. Cambaleou, levou a mão ao coração e, por fim, desabou numa poltrona. — Meu Deus! — balbuciou ele, e repetiu: — Meu Deus!

— Imagino que tenha ficado desconfiado quando seus criados não voltaram — prosseguiu o detetive.

— Eu não os vi — respondeu sir Nathaniel num sussurro. — Não me misturo com a criadagem. Nem sequer sabia que os dois não tinham voltado. Mas diga-me... Conte-me tudo!

— Por favor, sr. Edwards — disse Sherlock Holmes, voltando-se para o nosso cliente —, pode repetir a sua história?

Diante da solicitação, o sr. Harrington Edwards relatou novamente o infeliz episódio, concluindo com uma exclamação sofrida:

— Ah, Nathaniel, será que algum dia poderá me perdoar?

— Pelo que sei, a culpa não foi toda sua — observou Holmes, em tom animado. — Os culpados são os próprios criados de sir Nathaniel e foi ele mesmo que os mandou acompanhá-lo.

— Mas o senhor disse que tinha resolvido o caso, sr. Holmes! — exclamou o nosso cliente, totalmente desesperado.

— E resolvi mesmo — concordou Holmes. — A pista estava em suas mãos desde o momento do incidente, mas o senhor não soube usá-la. Tudo gira em torno das atitudes curiosas do criado mais alto antes do assalto.

— Atitudes do...? — balbuciou o sr. Harrington Edwards. — Como assim? Ele não fez nada... Não disse nada!

— Isso é que é curioso — observou Sherlock Holmes.

Sir Nathaniel ficou de pé com certa dificuldade.

— Sr. Holmes — disse ele —, isso está me aborrecendo mais do que pode imaginar. Não poupe esforços para recuperar o livro e levar à justiça os patifes que o roubaram. Mas preciso ir embora e pensar... pensar...

— Fique — retrucou o meu amigo. — Já consegui pegar um deles.

— O quê! Onde? — exclamaram os dois colecionadores em uníssono.

— Aqui mesmo — disse Sherlock Holmes e, dando um passo à frente, pôs uma das mãos no ombro do baronete. — O senhor era o criado mais alto, sir Nathaniel. O senhor era um dos ladrões que atacaram o sr. Harrington Edwards e roubaram dele o seu próprio livro. Agora, senhor, diga-nos por que fez isso?

Sir Nathaniel Brooke-Bannerman cambaleou e teria caído se eu não houvesse corrido para segurá-lo. Fiz com que se sentasse numa poltrona. Quando o encaramos, notamos a confissão em seus olhos; a culpa estava estampada em seu rosto.

— Ora, ora — disse Holmes, impaciente. — Será que é mais fácil para o senhor se eu contar a história como efetivamente aconteceu? Então, está bem. O senhor se despediu do sr. Harrington Edwards na soleira da porta, sir Nathaniel, desejando-lhe boa noite com um sorriso nos lábios e a maldade no coração. E, assim que passou pela porta, enfiou-se num casacão, ergueu o colarinho e seguiu por um caminho mais curto até a casa do porteiro onde se encontrou com o seu amigo e Miles, fingindo ser um dos seus próprios criados. Não disse uma única palavra em momento algum porque ficou com medo. Temia que o sr. Edwards reconhecesse a sua voz. E, com uma barba arranjada às pressas para cobrir o rosto, passaria despercebido na escuridão da noite.

"Depois de estrangular e roubar o livro das mãos do seu melhor amigo, o senhor e seu comparsa saíram correndo pelo terreno do sr. Edwards até a porta dos fundos de sua casa, achando que, caso houvesse uma investigação, eu seria chamado, seguiria as pegadas e acusaria o sr. Harrington Edwards pelo crime. Tudo faria parte de um plano tramado entre os patifes dos seus criados que, supostamente, teriam sido subornados pelo seu vizinho que seria, então, considerado o mandante desse falso assalto cometido contra ele mesmo. O seu erro, senhor, foi terminar abruptamente os rastros diante da porta dos fundos do sr. Harrington. Se tivesse deixado outra trilha levando de volta à sua própria residência, eu não teria hesitado em prender o sr. Harrington Edwards por esse roubo.

"Certamente sabe que nos casos policiais que eu investigo a solução mais óbvia nunca é a correta. O simples fato de o dedo da suspeita ser apontado para certo indivíduo é o bastante para absolvê-lo de qualquer culpa. Se tivesse lido as histórias narradas por meu amigo e colega, dr. Watson, não teria cometido um erro desse. E ainda ousa se intitular bibliófilo!"

A única resposta do infeliz baronete foi um longo gemido.

— Prosseguindo... Ali, na porta dos fundos da casa do sr. Edwards, a sua trilha terminou. O senhor entrou na casa do seu vizinho e passou a noite debaixo do teto dele, ouvindo-o lamentar a perda, e aqueles gemidos que encheram a noite alegraram sua alma abominável. Pela manhã, quando ele saiu para me procurar, o senhor, juntamente com Miles, saiu de forma sorrateira e voltou para a sua casa pela estrada movimentada.

— Tenha piedade! — exclamou o nobre arrasado, encolhendo-se na poltrona. — Se essa história vier a público, estarei arruinado. Eu não tive escolha. Não podia permitir que o sr. Edwards examinasse o livro pelo que isso acabaria revelando. Por outro lado, eu não podia dizer não ao meu melhor amigo que veio pedi-lo emprestado.

— As suas palavras acabaram de me dizer tudo o que eu ainda não sabia — observou Sherlock Holmes com ar severo. — Agora, o motivo não poderia estar mais claro. A tal obra, meu senhor, é uma fraude e, sabendo que o seu amigo erudito ia descobrir isso, preferiu sujar o nome dele para salvar o seu. O livro estava coberto pelo seguro?

— Estava segurado no valor de cem mil libras, segundo ele me disse — respondeu o sr. Harrington Edwards, muito agitado.

— E, então, ele planejou não apenas se livrar daquele livro dúbio e perigoso, como ainda embolsar a bela recompensa — comentou

Holmes. — Vamos, meu senhor, conte-nos tudo. Até que ponto a obra era falsa? Era apenas a inscrição?

— Vou lhe contar — disse de súbito o baronete — e me pôr à mercê de meu amigo, o sr. Edwards. Na verdade, o livro inteiro era uma fraude. Foi composto a partir de duas cópias imperfeitas da edição in-quarto de 1604. Juntando as duas, criei um volume perfeito, e um indivíduo extremamente habilidoso, que já morreu, trocou a data com tamanha perícia que só um especialista de destaque detectaria a falsificação. Acontece que o sr. Harrington Edwards é um especialista desse calibre, o único homem no mundo que poderia me desmascarar.

— Muito obrigado, Nathaniel — disse o sr. Harrington Edwards.

— É claro que a inscrição também era falsa — prosseguiu o baronete —, assim como todo o resto.

— E o livro? — indagou Holmes. — Onde foi que o destruiu?

Um sorriso sombrio surgiu no rosto de sir Nathaniel.

— Ainda deve estar queimando na fornalha da casa do sr. Edwards.

— Então ainda não deve ter sido destruído! — exclamou Holmes e correu para o porão, de onde voltou, alguns momentos mais tarde, com uma folha de papel chamuscada. — Que pena! Que pena! Apesar da autenticidade questionável, era um belíssimo exemplar. Só foi parcialmente destruído, mas vamos deixá-lo queimar por inteiro. Peguei uma das folhas como lembrança dessa ocasião. — Dobrou-a com cuidado e a enfiou na carteira. — Imagino que o senhor é que dará o veredicto neste caso, sr. Harrington Edwards. E é claro que sir Nathaniel não deve tomar nenhuma providência quanto a receber o dinheiro do seguro.

— Então, vamos esquecer essa história — disse o sr. Harrington Edwards, suspirando. — Este será um capítulo encerrado da história da bibliomania. — Fitou sir Nathaniel Brooke-Bannerman por bastante tempo, e, depois, estendeu a mão. — Eu o perdoo, Nathaniel. — Foi tudo o que disse.

Os dois trocaram um aperto de mãos e havia lágrimas nos olhos do baronete. Profundamente emocionados, Holmes e eu nos afastamos daquela cena tocante e saímos pela porta sem que ninguém percebesse. Logo, logo o ar fresco soprava em nossas têmporas e expulsamos dos pulmões a poeira daquela biblioteca.

3

— Esses colecionadores de livros são uns sujeitos bem estranhos... — resmungou Sherlock Holmes durante a viagem de volta à cidade.

— Só lamento não poder publicar as anotações que fiz sobre esse caso tão interessante — retruquei.

— Espere um pouco, meu caro doutor — observou Holmes —, e poderá fazê-lo. Com o tempo, ambos acabarão encarando essa história como um episódio bem divertido e eles próprios contarão o caso para outras pessoas. Assim, as suas anotações poderão ser publicadas e mais um relato dos probleminhas do sr. Sherlock Holmes será divulgado para o mundo inteiro.

— Mas o episódio sempre refletirá sobre sir Nathaniel — repliquei.

— Ele vai se vangloriar disso — profetizou Sherlock Holmes. — Estará presente nos círculos livrescos com Chatterton, Ireland e Payne Collier. Guarde o que estou dizendo: ele já consegue perceber a oportunidade que tudo isso representa no que diz respeito a lhe proporcionar uma imortalidade sinistra. Sir Nathaniel vai ser o primeiro a contar essa história.

— E por que você pegou uma folha de *Hamlet*? — indaguei. — Por que não uma das pedras preciosas da encadernação?

Sherlock Holmes deu uma boa risada. Depois, desdobrou a tal folha bem devagar e, achando graça, apontou para uma mancha que havia na página.

— Puro capricho — respondeu ele. — Para preservar uma caracterização bem acurada dos nossos amigos. Este trecho é uma verdadeira joia. Veja só, o bom Polônio diz: "Que Hamlet está louco é verdade. É verdade lamentável. E lamentável ser verdade; uma louca retórica." Há muito mais sentido em Mestre William do que em Hafez ou em Confúcio, e muito mais felicidade na expressão... Cá estamos em Londres e, agora, meu caro Watson, se nos apressarmos, chegaremos a tempo para a matinê de Zabriski.

O estojo de charutos roubado

BRET HARTE

Vários especialistas que já organizaram coletâneas, incluindo Ellery Queen, descrevem esse texto tantas vezes publicado como a melhor paródia de Sherlock Holmes (embora, confesso, eu seja fã de diversos textos escritos por Robert L. Fish). Contudo, há muito mais conexões entre os dois autores mais populares do período vitoriano do que o simples fato de ambos terem escrito sobre Holmes.

Bret Harte (1836-1902) ficou conhecido como um dos primeiros e maiores cronistas da vida no Oeste norte-americano, especificamente durante os anos da corrida do ouro na Califórnia, escrevendo histórias como *The Outcasts of Poker Flat* (1869), que serviu de base para diversos filmes, e *A sorte de Roaring Camp* (1868), que lhe trouxe fortuna e fama em todo o país. O seu sucesso, porém, não durou muito, embora ele tenha continuado a ser regularmente publicado: as suas histórias não foram tão bem recebidas nos Estados Unidos, sendo geralmente consideradas nada originais e muito sentimentais. Harte mudou-se para a Inglaterra em 1885, onde sua obra conquistou um público grande e entusiasta. Foi ali que passou o resto da vida — o que é bem estranho, já que ele era considerado "a quintessência do escritor norte-americano".

Em sua biografia, Arthur Conan Doyle admitiu que vários dos seus contos iniciais, tais como "O mistério de Sasassa Valley" (1879) e "A história do americano" (1880), tinham "ecos de Bret

Harte". Além disso, o enredo de sua obra "O nobre solteiro" (1892) apresenta semelhanças impressionantes com o poema narrativo de Harte intitulado "Her Letter".

"O estojo de charutos roubado" foi publicado inicialmente na edição de dezembro de 1900 da *Pearson's Magazine*; sua primeira edição em livro aconteceu em *Condensed Novels: New Burlesques* (Boston & Nova York, Houghton Mifflin, 1902).

O ESTOJO DE CHARUTOS ROUBADO

Bret Harte

Encontrei Hemlock Jones no velho apartamento da Brook Street, pensativo diante da lareira. Com a liberdade de um velho amigo, assumi aquela atitude tão familiar e fui me sentar aos seus pés, passando delicadamente a mão pela sua botina. Dois motivos me levaram a fazer isso: primeiro porque, assim, poderia ver bem o seu rosto baixo e concentrado, e também porque isso comprovava minha reverência diante da sua perspicácia sobre-humana. Mas, apesar de tudo, ele estava tão absorto em perseguir alguma pista misteriosa que pareceu nem notar minha presença. Mas eu estava enganado, como sempre acontecia quando eu tentava compreender seu poderoso intelecto.

— Está chovendo — disse ele, sem erguer a cabeça.

— Você saiu? — perguntei de imediato.

— Não. Mas estou vendo que o seu guarda-chuva está molhado e que há gotas de água no casaco que tirou ao entrar.

Tamanha acuidade me deixava perplexo. Depois de alguns instantes, ele disse, em tom displicente, como que minimizando o impacto do ocorrido:

— E, além disso, ouço a chuva batendo na janela. Escute só...

Prestei atenção e mal acreditei nos meus ouvidos que percebiam o leve toque das gotas na vidraça. Claro que era impossível enganar aquele homem!

— Tem andado ocupado? — perguntei, mudando de assunto. — Que novo problema, considerado insolúvel pela Scotland Yard, vem ocupando seu grande intelecto?

Ele recuou o pé um pouquinho e pareceu hesitar em voltá-lo ou não à posição anterior. Respondeu, então, em tom cansado:

— Só ninharias... Nada que mereça ser comentado. O príncipe Kapoli veio aqui pedir a minha opinião sobre o desaparecimento de alguns rubis do Kremlin; o rajá de Pootibad, depois de mandar decapitar toda a sua guarda pessoal totalmente em vão, viu-se obrigado a pedir a minha ajuda para recuperar uma espada incrustada de joias. A grã-duquesa de Pretzel-Brauntswig quer saber onde estava o seu marido na noite de 14 de fevereiro e, ontem à noite — ele baixou ligeiramente o tom de voz —, um morador deste mesmo prédio, ao me encontrar na escada, quis saber "por que eles não atendem à campainha?"

Não consegui conter o sorriso, mas depois percebi as rugas de preocupação que tinham se formado na sua testa impenetrável.

— Não esqueça — disse ele, friamente — que foi a partir de uma pergunta como essa, aparentemente banal, que descobri "por que Paul Ferroll havia matado a esposa" e "o que tinha acontecido com Jones"!

Eu fiquei sem fala. Ele ficou calado por um instante e, de repente, retomando o seu estilo impiedoso e analítico de costume, acrescentou:

— Quando digo que se trata de ninharias é só em comparação com o caso que tenho à minha frente. Cometeram um crime e, por estranho que pareça, contra mim. Você ficou espantado — prosseguiu. — Decerto está se perguntando como alguém teve tanta ousadia! Pensei a mesma coisa. No entanto, o fato é que o crime ocorreu. *Fui roubado*!

— Roubado! *Você*! Logo você, Hemlock Jones, o terror dos bandidos!

Quase engasguei de tão espantado. Levantei-me, segurando-me à mesa e olhando para ele.

— Exatamente. Ouça. Não confessaria isso a mais ninguém. Mas *você*, que acompanhou a minha carreira, que conhece os meus métodos; você, para quem ergui em parte o véu que encobre meus planos com relação aos homens comuns; que, por anos a fio, acolheu de bom grado as minhas confidências, admirou apaixonadamente as minhas induções e inferências, se pôs à minha disposição, tornou-se meu escravo, ajoelhou-se aos meus pés, abriu mão da própria carreira a não ser por aqueles poucos pacientes que não lhe pagavam nada e a quem, nos momentos em que estava absorvido pelos *meus* problemas, administrou estricnina, em vez de quinino, e arsênico, em vez de sal de Epsom; você que sacrificou tudo e todos por mim... Em *você* eu confio!

Levantei-me e lhe dei um abraço caloroso, mas ele já estava tão imerso nos próprios pensamentos que, no mesmo instante, levou a mão ao relógio de bolso como se fosse olhar a hora.

— Sente-se — disse ele. — Pegue um charuto.

— Parei de fumar charutos — repliquei.

— Por quê? — indagou ele.

Hesitei e talvez tenha até enrubescido. Na verdade, eu tinha parado de fumar porque, praticamente sem clientes, esse hábito tornara-se muito caro. Eu só podia me dar ao luxo do cachimbo.

— Prefiro um cachimbo — falei, risonho. — Mas conte-me sobre esse roubo. O que foi que levaram?

Ele se levantou e, postando-se diante da lareira com as mãos escondidas sob a pelerine, baixou os olhos na minha direção e ficou assim por um instante, refletindo.

— Lembra-se do estojo de charutos que ganhei de presente do embaixador da Turquia por ter descoberto que a favorita do grão-vizir que havia desaparecido estava trabalhando como uma das cinquenta coristas do Hilarity Theatre? Pois foi isso. Era todo incrustado de diamantes.

— E o maior de todos havia sido substituído por uma resina — falei.

— Ah! — exclamou Jones, sorrindo e com um ar pensativo. — Sabe disso?

— Você mesmo me contou. Lembro-me de considerar esse detalhe uma demonstração da sua percepção extraordinária. Mas, por Deus, não está me dizendo que o perdeu?

Ele ficou um tempo em silêncio.

— Não. Foi roubado. É verdade. Mas ainda vou encontrá-lo. E sozinho! Na sua área, meu caro amigo, quando um profissional fica seriamente doente não deve prescrever medicação para si mesmo, mas chamar um colega. Neste ponto, há uma diferença entre nós. Devo assumir esse caso sozinho.

— E quem melhor para fazer isso? — respondi, entusiasmado. — Eu diria que a caixa de charutos praticamente já foi encontrada...

— Vou provar que está certo — retrucou ele, em tom brando. — E, agora, para demonstrar a confiança que tenho na sua avaliação, a despeito da minha determinação em cuidar sozinho do caso, estou disposto a ouvir qualquer sugestão que possa me dar.

Tirou um caderninho do bolso e, com um sorriso contido, pegou o lápis.

Eu mal podia acreditar no que estava acontecendo. Ele, o grande Hemlock Jones, aceitando sugestões de um sujeito humilde como eu! Beijei sua mão, em reverência, e comecei, em tom animado:

— Antes de mais nada, eu divulgaria o roubo, oferecendo uma recompensa. Colocaria algumas informações em folhetos a serem distribuídos em *pubs* e casas de chá. Depois, visitaria as diversas casas de penhores e também informaria a polícia. Observaria os criados. Procuraria pela casa toda e nos meus próprios bolsos. Claro que estou falando de forma genérica — acrescentei, rindo. — Na verdade, estou me referindo aos *seus* próprios bolsos.

Ele anotou os detalhes.

— Talvez — acrescentei — você já tenha feito tudo isso...

— Talvez — replicou ele em tom enigmático. — Agora, meu caro amigo — prosseguiu, enfiando o caderninho no bolso e se levantando —, pode me dar licença por uns instantes? Fique à vontade até eu voltar. Pode ser que algumas coisas — acrescentou, fazendo um gesto amplo em direção às estantes de conteúdo bastante heterogêneo — lhe interessem e o ajudem a passar o tempo. Ali no canto tem cachimbos e tabaco, e uísque em cima da mesa.

E, com um aceno de cabeça e o mesmo rosto inescrutável, saiu da sala. Eu estava tão acostumado com os seus métodos que nem dei muita importância à saída tão sem cerimônia. Com certeza ele tinha ido investigar alguma pista que houvesse ocorrido de súbito àquele cérebro tão ativo.

Sozinho, passei os olhos pelas estantes. Havia ali alguns frasquinhos de vidro com substâncias terrosas, todas etiquetadas "Resultado da varredura de ruas e calçadas", oriundas das principais vias públicas da cidade e dos subúrbios de Londres. E nas etiquetas havia também um subtítulo: "Para identificar pegadas." Nas etiquetas de outros frascos estava escrito "Estofado de assentos de ônibus e outros meios de transporte", "Fibra de coco e de cordas de tapetes encontradas em locais públicos", "Guimbas de cigarros e fósforos do chão do Palace Theatre, Fila A, 1 a 50". Por todo lado havia evidências do sistema e da perspicácia daquele homem fabuloso.

Eu estava entretido com tudo aquilo quando ouvi o leve ruído de uma porta se abrindo. Ergui os olhos e deparei com um estranho entrando. Era um homem de aparência rude, usando um sobretudo bastante surrado, um cachecol ainda mais velho e um boné. Muito aborrecido com aquela invasão, virei-me abruptamente para o homem, mas, murmurando um pedido de desculpas por ter se enganado de apartamento, ele saiu de mansinho e fechou a porta. Fui depressa atrás dele até o patamar e o vi desaparecer escada abaixo.

Com a cabeça tomada pela questão do roubo, o incidente me causou uma estranha impressão. Eu sabia que o meu amigo tinha o hábito de sair às pressas nos momentos de grande inspiração. Era bem provável que, com o poderoso intelecto e o magnífico gênio perceptivo concentrados num tema qualquer, ele se descuidasse dos próprios pertences e, sem dúvida, tivesse se esquecido de tomar a precaução habitual de trancar as gavetas. Experimentei uma ou duas e descobri que tinha razão: mas, por algum motivo, não consegui abrir totalmente uma delas. Os puxadores estavam escorregadios, como se alguém tivesse tocado neles com as mãos sujas. Conhecendo a mania de limpeza de Hemlock, decidi avisá-lo de tal circunstância, mas, infelizmente, acabei esquecendo até que... Estou pulando partes da história.

Sua ausência foi estranhamente prolongada. Por fim, acabei me sentando junto à lareira e, embalado pelo calor e pelo barulho da chuva caindo na janela, peguei no sono. Devo ter sonhado, pois, enquanto dormia, tive a sensação, num estado de semiconsciência, de que algumas mãos apalpavam de leve os meus bolsos. Certamente, fui induzido pela história do roubo. Quando acordei, vi Hemlock Jones sentado do outro lado da lareira, concentrado e com os olhos fixos no fogo.

— Você estava dormindo tão confortavelmente que não quis acordá-lo — disse ele, sorrindo.

Esfreguei os olhos.

— E aí? — perguntei. — Como se saiu?

— Melhor do que esperava — respondeu ele —, e acho — acrescentou dando uns tapinhas do caderno de notas — que devo muito disso a *você*.

Profundamente satisfeito, fiquei esperando ouvir mais. Mas foi em vão. Devia ter me lembrado de que, quando ficava naquele estado de espírito, Hemlock Jones era a reticência em pessoa... Limitei-me a lhe contar o episódio do intruso, mas ele apenas riu.

Mais tarde, quando me levantei para ir embora, ele me olhou com um ar divertido.

— Se você fosse casado — disse —, eu diria para não voltar para casa sem antes escovar sua manga. Na parte interna do braço, tem uns pelinhos de foca, curtos e marrons. Exatamente na área em que teriam grudado se você tivesse abraçado com força uma estola de pele de foca.

— Pois, desta vez, você está enganado — retruquei, triunfante. — Como pode notar, é o meu próprio cabelo. Acabei de ir ao barbeiro e, com toda certeza, o avental não cobriu bem este braço.

Ele franziu ligeiramente a testa. No entanto, quando me virei para sair, me deu um abraço caloroso, uma rara demonstração de afeto naquele homem de gelo. Chegou até a me ajudar a vestir o casaco e ajeitou as abas dos meus bolsos. Outro gesto inusitado foi ajeitar o meu braço na manga do sobretudo, puxando as mangas para baixo com os dedos afilados.

— Volte logo — disse ele, dando-me uns tapinhas nas costas.

— Sempre — repliquei, entusiasmado. — Só lhe peço dez minutos duas vezes por dia para comer alguma coisa no consultório e quatro horas de sono por noite. O restante do meu tempo sempre será dedicado a você, como sabe.

— Verdade. É mesmo — observou ele, com o sorriso impenetrável.

Entretanto, ele não estava em casa quando voltei lá. Certa tarde, ao me aproximar da minha residência, eu o encontrei usando um dos seus disfarces favoritos: um casaco azul, trespassado e bem comprido, calça listrada de algodão, colarinho alto, rosto escurecido, chapéu branco e carregando nas mãos um pandeiro. Claro que, para os outros, aquele disfarce era perfeito e, embora eu o conhecesse, passei por ele direto (seguindo um velho acordo tratado entre nós) sem dar sinal de reconhecê-lo, confiando que, mais tarde, viria uma explicação. Em outra ocasião, fui fazer uma visita profissional à esposa do dono de um *pub* no East End e o vi, disfarçado de artesão bem alquebrado, olhando a vitrine de uma loja de penhores ali perto. Fiquei encantado ao perceber que era evidente que ele estava seguindo as minhas sugestões e, num ímpeto de alegria, me arrisquei a lhe dar uma piscadela. Mas ele se virou como se nada houvesse acontecido.

Dois dias depois, recebi um bilhete marcando um encontro em sua casa naquela noite. Infelizmente, o encontro foi o evento mais memorável da minha vida e o último que tive com Hemlock Jones! Tentarei relatá-lo com calma, embora minha pulsação ainda se acelere só de me lembrar da ocasião.

Encontrei Jones diante da lareira, olhando para o fogo com aquela expressão que eu só tinha visto uma ou duas vezes desde que nos conhecemos — um olhar que eu chamaria de absoluta concatenação entre raciocínio indutivo e dedutivo — e que era desprovida de qualquer vestígio de humanidade, ternura ou empatia. Ele era simplesmente um símbolo algébrico de gelo! Na verdade, todo o seu ser estava concentrado, a tal ponto que as roupas pareciam frouxas em seu corpo e sua cabeça estava tão reduzida pela compressão mental que o boné escorregava da sua testa e, literalmente, pendia das suas orelhas grandes.

Depois que entrei, ele trancou as portas, fechou as janelas e até colocou uma poltrona diante da chaminé. Enquanto eu observava aquelas precauções tão significativas com enorme interesse, ele pegou subitamente um revólver e, encostando-o na minha têmpora, disse com a voz baixa e glacial:

— Devolva o estojo de charutos!

Apesar do meu espanto, dei uma resposta verdadeira, espontânea e involuntária:

— Não está comigo!

Com um sorriso amargo, ele largou o revólver.

— Não esperava resposta diferente! Então, deixe-me mostrar algo mais terrível, mais mortal, mais impiedoso e convincente do que essa simples arma letal: as malditas provas indutivas e dedutivas da sua culpa!

Tirou do bolso um rolo de papel e um caderninho.

— Você só pode estar brincando... — falei, arquejando. — Não é possível que tenha acreditado, por um momento que fosse...

— Silêncio! — esbravejou ele. — Sente-se!

Obedeci.

— Você mesmo se condenou — prosseguiu ele sem piedade. — Condenou-se segundo os meus processos, esses processos que conhece tão bem, que aplaudiu e aceitou por anos a fio! Vamos voltar ao momento em que você viu o estojo de charutos pela primeira vez. As suas palavras foram — disse ele, num tom deliberadamente frio e consultando os papéis: — "Que lindo! *Quem dera* se fosse meu." Este foi o seu primeiro passo no caminho do crime e a minha primeira pista. Entre "*Quem dera* se fosse meu" para "*Vai* ser meu", e o simples detalhe "Como *fazer* com que seja meu" o progresso é óbvio. Silêncio! Como nos meus métodos, porém, foi preciso encontrar um poderoso estímulo para o crime; a tremenda admiração que você sentia pelo objeto não bastava. Você fuma charutos.

— Mas — respondi em tom veemente — eu lhe disse que parei de fumar charutos!

— Seu tolo! — retrucou ele, com frieza — Esta foi a *segunda* vez que você se incriminou. Claro que me *disse* isso! Quer atitude mais natural do que me transmitir com antecedência essa informação preparada e não solicitada para *evitar* a acusação? No entanto, como eu já disse, mesmo essa inútil tentativa de encobrir os seus rastros não foi suficiente. Eu ainda precisava descobrir o motivo avassalador e compulsivo para afetar um homem como você. E encontrei esse motivo na *paixão*, o mais forte de todos os impulsos. Suponho que você chamaria isso de amor — acrescentou, com amargura — naquela noite em que veio aqui! Você trouxe as malditas provas nas mangas do seu traje...

— Mas... — falei, quase gritando.

— Silêncio! — esbravejou ele. — Sei o que vai dizer. Vai dizer que, mesmo que tivesse abraçado uma jovem usando uma estola de pele de foca, o que isso teria a ver com o roubo? Pois deixe-me falar, então, que essa tal estola denunciou a qualidade e o caráter da sua ligação fatal! Se estivesse minimamente familiarizado com a literatura relacionada aos jogos de azar, saberia que uma estola de pele de foca indica um amor provocado por sórdidos interesses mercenários. Você comprometeu a sua honra em nome disso: o estojo de charutos roubado foi o que lhe permitiu comprar tal objeto! Sem dinheiro em função da prática cada vez mais reduzida da sua profissão, esse era o único jeito que você tinha para garantir que a sua paixão fosse correspondida por essa jovem que, por consideração a você, nem tentei perseguir. Silêncio! Depois de desvendar o seu motivo, passo agora ao crime propriamente dito. Pessoas comuns começariam por aí, tentando descobrir o paradeiro do objeto roubado. Mas os meus métodos não são assim.

A sua perspicácia era tão intensa que, embora eu soubesse que era inocente, passei a língua nos lábios, ávido por mais detalhes da brilhante exposição do meu crime.

— O furto foi cometido na noite em que lhe mostrei o estojo e, depois, com displicência, o joguei na gaveta. Você estava sentado naquela poltrona e eu tinha me levantado para pegar alguma coisa na estante. Naquele momento, você se apoderou do objeto sem ter que se levantar. Silêncio! Lembra-se de quando eu o ajudei a vestir o sobretudo na última noite em que veio aqui? Tentei ajeitar o seu braço na manga com todo cuidado. Aproveitei, então, para medi-

-lo, do ombro ao pulso, usando uma fita métrica. Mais tarde, confirmei a medida ao visitar o seu alfaiate. Resultado: *era exatamente a distância entre a sua poltrona e a gaveta*!

Fiquei sentado ali, atônito.

— Todo o resto não passa de simples detalhes corroborativos! Eu o flagrei mexendo novamente naquela gaveta. Não diga nada! O estranho que entrou aqui usando o velho cachecol era eu. E tem mais. Passei um pouco de sabão nos puxadores das gavetas quando deixei você aqui sozinho de propósito e, quando nos despedimos na hora em que estava indo embora, havia sabão na sua mão. Apalpei os seus bolsos bem de mansinho enquanto você dormia para conseguir mais indícios. Também o abracei para sentir se o estojo de charutos ou qualquer outro objeto estava escondido no seu corpo. Isso serviu para confirmar que você já havia se livrado do objeto do roubo, usando-o para o propósito que revelei. Como eu ainda acreditava que você fosse capaz de sentir remorso e confessar, por duas vezes deixei que visse que eu o estava seguindo: uma delas disfarçado de menestrel negro; a outra, de operário olhando a vitrine da loja de penhores onde você empenhou o estojo roubado.

— Mas — comecei —, se tivesse interrogado o dono da loja, ficaria sabendo como é injusta...

— Idiota! — disse ele entre os dentes. — Ir a essas lojas foi sugestão *sua*! Acha que segui alguma das sugestões do próprio ladrão? Pelo contrário, elas me alertaram para o que devia ser evitado.

— E suponho — repliquei, com amargura — que tampouco procurou na sua gaveta.

— Claro que não — disse ele com calma.

Pela primeira vez, fiquei realmente irritado. Fui até a gaveta mais próxima e a puxei com um movimento brusco. Como antes, ela travou, abrindo-se apenas em parte. Mas, com jeitinho, descobri que havia ali algum obstáculo mais alto do que a borda da gaveta e o segurei com firmeza. Enfiando a mão ali dentro, consegui puxá-lo. Era o estojo de charutos. Virei-me para ele com uma exclamação de alegria.

No entanto, fiquei pasmo ao ver sua expressão. Agora, um ar de satisfação tinha vindo se somar àquele olhar agudo e penetrante.

— Eu me enganei — disse ele, lentamente. — Não levei em consideração a sua fraqueza e a sua covardia. Até mesmo em relação à culpa, eu o tive em alta conta. Mas agora entendo por que estava mexendo na gaveta naquela outra noite. Sabe-se lá de que jeito, provavelmente graças a outro roubo, você recuperou o estojo de charutos que havia penhorado e, com o rabo entre as pernas, tratou de devolvê-lo a mim desta maneira covarde e desajeitada. Achou que pudesse me enganar, a mim, Hemlock Jones! Pior ainda: achou que pudesse destruir minha infalibilidade. Pode ir! Vou deixá-lo livre. Não vou chamar os três policiais que estão esperando aí na sala ao lado... Porém nunca mais apareça na minha frente!

Mais uma vez, fiquei atordoado e petrificado. Então, ele me agarrou com firmeza pela orelha, levando-me até o saguão, e fechou a porta às minhas costas. Depois, voltou a abri-la apenas o suficiente para jogar o meu chapéu, o meu sobretudo, o meu guarda-chuva e as minhas galochas e, por fim, a trancou definitivamente para mim.

Nunca mais voltei a vê-lo. Devo dizer, porém, que, depois disso, a minha situação melhorou: recuperei boa parte da clientela e alguns dos meus pacientes também se curaram. Fiquei rico. Tenho uma carruagem e uma casa no West End. Mas, refletindo sobre a perspicácia e a acuidade daquele homem fantástico, muitas vezes me pergunto se, em algum momento de lapso de consciência, não roubei seu estojo de charutos...

O caso do homem procurado

ARTHUR WHITAKER

Pouco se sabe sobre o esquivo Arthur Whitaker (1882-?), a não ser que ele era arquiteto e escreveu entre os anos 1892 e 1910, fazendo depois uma breve reaparição em 1949. A única relação entre Whitaker e o universo sherlockiano é o pastiche intitulado "O caso do homem procurado", por si só cercado de muito mistério quando foi publicado pela primeira vez, em 1948, na *Cosmopolitan Magazine*.

Em 1942, a Associated Press noticiou a existência de uma história inédita de Sherlock Holmes, havia muito perdida, e que teria sido escrita de próprio punho por Arthur Conan Doyle. Dizia-se que Adrian Conan Doyle havia encontrado o manuscrito num baú com documentos da família. Mais tarde, porém, descobriu-se que o texto não era escrito à mão, mas datilografado como todos os outros relatos sherlockianos do autor.

Por vários anos, Adrian se recusou a autorizar que a história fosse publicada, enquanto Jean, filha do escritor, afirmava que aquele texto não havia sido escrito por seu pai. Os Baker Street Irregulars fizeram um apelo para que a obra viesse a público e tal apelo saiu nas páginas da *Saturday Review of Literature*. Em agosto de 1948, a *Cosmopolitan Magazine* recebeu o manuscrito e o publicou como sendo de autoria de Arthur Conan Doyle, fazendo grande alarde em torno do fato de que a última aventura do célebre detetive estava sendo publicada pela primeira vez. O texto voltou a ser publicado no jornal londrino *Sunday Dispatch*, em janeiro de 1949.

Pouco depois, Hesketh Pearson, biógrafo de Doyle, recebeu uma carta de Whitaker explicando que ele era o verdadeiro autor de "O caso do homem procurado" e que havia enviado o manuscrito a Doyle em 1911 na esperança de que fosse publicado como uma colaboração entre ele próprio e o famoso escritor. Claro que Doyle recusou a proposta, mas mandou para Whitaker um cheque no valor de dez guinéus. Para provar a autenticidade de sua alegação, Whitaker forneceu uma cópia em carbono do manuscrito e, depois de uma breve ameaça de ação judicial, a família de Conan Doyle finalmente aceitou que Whitaker era o verdadeiro autor do pastiche.

O CASO DO HOMEM PROCURADO

Arthur Whitaker

No outono de 1895, ano passado, um golpe de sorte me levou a participar de mais um dos fascinantes casos do meu amigo Sherlock Holmes.

Como minha esposa não andava bem havia algum tempo, acabei conseguindo convencê-la a passar um período na Suíça com uma velha amiga do colégio, Kate Whitney, de cujo nome devem se lembrar por causa do estranho caso que já relatei em "O homem da boca torta". A minha clientela tinha aumentado muito e fazia meses que eu vinha trabalhando bastante. Nunca quis tanto um descanso e umas férias. Infelizmente, eu não ousava me ausentar por muito tempo e me permitir uma visita aos Alpes. No entanto, prometi à minha esposa que daria um jeito de tirar uma semana ou dez dias de folga e só com essa condição ela aceitou a viagem à Suíça que eu tanto queria que ela fizesse. Naquela época, um dos meus melhores pacientes encontrava-se em estado crítico e foi só em agosto que a crise passou e ele começou a se recuperar. Percebendo que poderia deixar o consultório com a consciência tranquila nas mãos de um substituto, comecei a imaginar onde e como poderia descansar e mudar de ares como eu tanto precisava.

Quase imediatamente pensei em procurar meu velho amigo Sherlock Holmes, pois fazia vários meses que não nos víamos. Se ele não estivesse às voltas com alguma investigação importante, eu faria o possível para convencê-lo a viajar comigo.

Meia hora depois de tomar essa decisão, eu estava diante da porta do apartamento da Baker Street que me era tão familiar.

Holmes estava deitado no sofá, de costas para mim, usando o *robe-de-chambre* que eu conhecia muito bem e segurava um cachimbo de raiz de roseira, objeto tão comum quanto antiquado.

— Entre, Watson! — exclamou ele, sem se virar. — Entre e me diga que bons ventos o trazem aqui.

— Que ouvido você tem, Holmes! — comentei. — Acho que eu não teria reconhecido os seus passos tão rápido assim...

— Nem eu teria reconhecido os seus — replicou ele —, se você não tivesse subido essa escada tão mal-iluminada de dois em dois degraus, com a familiaridade de um velho morador. Mesmo assim, talvez eu não tivesse certeza de quem se tratava, mas, quando você tropeçou no tapete novo diante da porta, que já está ali há quase três meses, não precisou de mais nada para ser anunciado. — Ele tirou duas ou três almofadas da pilha em que estava recostado e as jogou na poltrona. — Sente-se, Watson, e fique à vontade. Tem cigarros numa caixa atrás do relógio.

Mal comecei a fazer o que ele tinha sugerido, e Holmes me olhou, achando graça.

— Lamento, mas vou desapontá-lo, meu rapaz — disse ele. — Recebi um telegrama há apenas meia hora e isso vai me impedir de acompanhá-lo em qualquer viagem curta que tenha vindo me propor.

— Sinceramente, Holmes — retruquei. — Não acha que já está exagerando *um pouco*? Estou começando a achar que talvez você seja uma fraude e finja descobrir coisas por meio de simples observação quando, na verdade, sempre faz isso por pura clarividência!

Holmes deu uma risada.

— Conhecendo-o como o conheço, é algo bem simples — disse ele. — Suas cirurgias são realizadas das cinco às sete, e, de repente, às seis horas, você entra todo sorridente na minha casa. Portanto, deve ter um substituto trabalhando no seu consultório. Apesar de cansado, está com boa aparência; então, o motivo mais óbvio é que já está ou vai sair de férias. O termômetro, aparecendo aí no seu bolso, demonstra que andou fazendo visitas diárias hoje, então é evidente que suas férias começam efetivamente amanhã.

Se, em tais circunstâncias, você corre até minha casa, onde, aliás, não aparece há quase três meses, Watson, e traz um guia de viagens Bradshaw novinho em folha e uma tabela de excursões no bolso do casaco, é mais do que provável que tenha vindo aqui com a ideia de me propor uma viagem qualquer.

— Tudo isto é a mais pura verdade — falei, e, em poucas palavras, relatei meu plano. — Nem tenho palavras para lhe dizer como estou desapontado por você não poder se juntar a mim nos meus projetos — concluí.

Holmes pegou o telegrama em cima da mesa e o fitou com ar pensativo.

— Se pelo menos a questão aqui referida prometesse ser interessante como algumas investigações que fizemos juntos, nada me encantaria mais do que convencê-lo a se juntar a mim por um tempo. No entanto, não me animo a fazer isso, pois, pelo que parece, trata-se de um caso bastante banal.

E, embolando a folha de papel, jogou-a em mim.

Desamassei o papel e li: "Para Holmes, Baker Street, nº 221B, Londres, S.W. Favor vir a Sheffield imediatamente investigar um caso de falsificação. Jervis, gerente do British Consolidated Bank."

— Respondi avisando que vou para Sheffield no expresso que sai de Saint Pancras à uma e meia da manhã — disse Holmes. — Não posso ir antes porque esta noite tenho um encontro bem interessante no East End, onde devo obter a última informação de que preciso para fazer a ligação entre um roubo audacioso no Museu Britânico e quem o instigou. Trata-se de um sujeito com um dos títulos mais antigos e uma das mais belas mansões do país, aliados a uma ganância insaciável, que chega à obsessão, por colecionar documentos antigos. Antes, porém, de falarmos mais sobre o caso de Sheffield, talvez fosse melhor vermos o que os jornais vespertinos dizem sobre o assunto — prosseguiu ele, enquanto o criado trazia o *Evening News*, o *Standard*, o *Globe* e o *Star*. — Ah, deve ser isto aqui! — exclamou, apontando para o parágrafo com o título "Os notáveis feitos de um falsificador audacioso em Sheffield".

Já quase no fechamento desta edição, fomos informados de que uma série de cheques muito bem falsificados foi utilizada com sucesso para sacar dos bancos de Sheffield uma quantia superior a seis mil libras. O montante total da fraude ainda não foi calculado e os gerentes dos diversos bancos envolvidos foram extremamente reticentes ao serem entrevistados pelo nosso correspondente no local.

Aparentemente, um cavalheiro chamado Jabez Booth, residente de Broomhill, Sheffield, e que trabalha no British Consolidated Bank desde janeiro de 1881, descontou ontem um número considerável de cheques habilmente falsificados em doze dos principais bancos da cidade e escapou com o dinheiro.

Ao que parece, o crime foi deliberado e muito bem planejado. É claro que, com a posição que ocupava no principal banco de Sheffield, o sr. Booth tinha excelentes oportunidades de analisar as diversas assinaturas que acabou falsificando e ele ampliou ainda mais as suas chances de ser bem-sucedido ao sacar tais cheques porque abriu, no ano passado, contas nos doze bancos da cidade nos quais apresentou os referidos cheques e se tornou, assim, pessoalmente conhecido em cada um deles.

E ele foi além: para amenizar qualquer suspeita cruzou cada cheque falsificado e o depositou na própria conta enquanto, simultaneamente, preenchia e descontava desta conta cheques correspondentes a cerca de metade do valor que havia sido depositado.

Foi só hoje, quinta-feira, bem cedo pela manhã, que a fraude foi descoberta, o que significa que o falsário teve praticamente 24 horas para escapar. Apesar disso, não temos dúvida de que logo haverá alguém atrás dele, pois fomos informados de que os melhores detetives da Scotland Yard já estão à sua procura e há boatos de que o sr. Sherlock Holmes, o conhecido e renomado especialista da Baker Street, foi convidado para participar da perseguição ao ousado vigarista.

— Em seguida, o jornal faz uma longa descrição do sujeito. Não preciso lê-la, mas vou guardá-la para usar no futuro, se necessário — disse Holmes, dobrando o jornal e olhando para mim. — Parece um caso e tanto. Esse tal de Booth não vai ser pego com tanta facilidade, porque, apesar de não ter tido tanto tempo assim para fugir, não devemos deixar de considerar que ele dispôs de doze meses para planejar uma forma de desaparecer quando chegasse a hora. Bem... O que me diz, Watson? Alguns dos probleminhas que enfrentamos no passado devem ao menos ter nos ensinado que os casos mais interessantes nem sempre surgem como os mais extravagantes...

— Muito pelo contrário, como diria Sam Weller — repliquei. — Pessoalmente, nada me agradaria mais do que me juntar a você nesse caso.

— Então, estamos combinados — disse o meu amigo. — Agora preciso sair para cuidar daquela outra questão de que lhe falei. Lembre-se — acrescentou quando estávamos nos despedindo —, o embarque é em St. Pancras, à uma e meia da manhã.

Cheguei à plataforma bem a tempo, mas só quando os ponteiros do grande relógio da estação indicaram a hora exata do embarque e os carregadores começavam a fazer um barulhão ao bater as portas dos vagões é que vi a figura alta e tão familiar de Holmes.

— Ah, aqui está você, Watson! — exclamou ele, animado. — Tive medo de que achasse que eu ia perder a hora. Tive uma noite bem ocupada e não havia tempo a perder. No entanto, consegui pôr em prática a teoria de Phileas Fogg, segundo a qual "o mínimo bem empregado é suficiente para tudo". E aqui estou.

— Acho que a última atitude que eu esperaria de você — falei, enquanto nos instalávamos, um diante do outro, num vagão de primeira classe onde não havia mais ninguém — é que fizesse algo tão pouco metódico quanto perder um trem. Na verdade, só uma coisa me surpreenderia mais: vê-lo na estação dez minutos antes da hora marcada.

— Para mim, esta última é, sem dúvida, a pior — observou Holmes em tom judicioso. — Agora, porém, precisamos dormir. Teremos um dia cheio pela frente.

Esta era uma das características de Holmes: comandar o sono de acordo com sua vontade. Infelizmente, ele também conseguia fazer o oposto e quase sempre precisava repetir como prejudicava a si mesmo com isto, pois, nos momentos em que estava profundamente absorto em um dos seus casos estranhos ou desconcertantes, passava dias e noites inteiros sem pregar os olhos.

Diminuiu a luz, recostou-se no seu canto e, em menos de dois minutos, sua respiração regular denunciava que ele já estava dormindo. Como eu não havia sido abençoado com semelhante dom, passei um tempo recostado no meu canto, a cabeça balançando com o movimento ritmado do trem avançando em meio à escuridão. De vez em quando, ao passarmos por uma estação bem-iluminada ou por uma fileira de fornalhas em chamas, eu via o vulto de Holmes encurvado no outro canto, a cabeça pendendo sobre o peito.

Só depois de passarmos por Nottingham consegui efetivamente pegar no sono e, quando um movimento mais brusco do trem passando por um obstáculo no caminho me acordou, já era dia claro. Holmes estava sentado, ocupado com a leitura do guia Bradshaw e dos horários dos barcos. Assim que me remexi, ele olhou para mim.

— Se não me engano, Watson, acabamos de passar pelo túnel Dore and Totley, e, portanto, devemos chegar a Sheffield em alguns minutos. Como pode ver, não fiquei à toa. Aproveitei o tempo para estudar o meu Bradshaw, que, aliás, é o livro mais útil já publicado para qualquer pessoa da minha área de atuação, sem exceção.

— Mas como ele pode ajudá-lo agora? — perguntei, bastante surpreso.

— Bom, pode ajudar ou não — respondeu Holmes, pensativo. — Seja como for, é sempre bom ter todo conhecimento que possa nos servir ao alcance das mãos. É bem provável que esse tal de Jabez Booth tenha resolvido deixar o país e, se a minha suposição estiver correta, ele terá decerto preparado a sua fuga de acordo com as informações contidas neste livro tão útil. Fiquei sabendo, por meio do *Sheffield Telegraph*, que, aliás, arranjei em Leicester enquanto você dormia profundamente, que o sr. Booth descontou o último dos cheques falsificados no North British Bank, na Saville Street, exatamente às 3h15 da tarde de quarta-feira passada. Usou um coche para percorrer os diversos bancos que visitou e não deve ter demorado mais do que três minutos para ir do último deles à estação ferroviária. A partir disso, posso deduzir em qual ordem percorreu os bancos: ele fez um circuito, terminando no ponto mais próximo à estação onde devemos chegar por volta das 2h18. Acabei de descobrir que, às 2h22, parte uma balsa com chegada a Liverpool prevista para as 4h20 e haverá uma conexão com o *Empress Queen*, da empresa de navegação White Star, que sai do porto de Liverpool às seis e meia com destino a Nova York. Mas há outra opção. Às 2h45 sai uma balsa de Sheffield com destino a Hull e deve chegar lá às quatro e meia, a tempo de se fazer a conexão com o vapor holandês Comet que zarpa às seis e meia para Amsterdã.

"Temos, então, duas opções de fuga bastante plausíveis, sendo que a primeira é mais provável. Ambas, porém, merecem ser levadas em conta."

Holmes mal tinha acabado de falar quando o trem parou.

— Quase 4h05 — observei.

— Verdade — disse Holmes. — Chegamos exatamente um minuto e meio adiantados. E, agora, proponho um bom café da manhã, com uma xícara de café bem forte, pois temos pelo menos duas horas livres pela frente.

Depois do café, fomos direto à delegacia, onde ficamos sabendo que não havia nenhuma novidade no caso que tínhamos vindo investigar. O sr. Lestrade, da Scotland Yard, havia chegado na véspera, à noite, e assumido oficialmente o caso.

Conseguimos o endereço do sr. Jervis, o gerente do banco em que Booth havia trabalhado, e também o da senhoria do investigado, em Broomhill.

Às sete e meia, um coche nos deixou diante da casa do sr. Jervis, em Fulwood. Holmes insistiu que eu o acompanhasse e fomos conduzidos a uma ampla sala de estar onde nos pediram que esperássemos até o banqueiro nos receber.

O sr. Jervis, um cavalheiro corado e corpulento, que devia ter uns 50 anos, não tardou a entrar no aposento, esbaforido. Um clima de prosperidade parecia envolvê-lo, ou até mesmo emanar dele.

— Desculpem-me por fazê-los esperar, cavalheiros — disse ele. — Mas é um pouco cedo.

— Sem dúvida, sr. Jervis — replicou Holmes. — Não há de que se desculpar. Se alguém tem que fazê-lo, somos nós. No entanto, preciso lhe fazer algumas perguntas com relação ao caso do sr. Booth antes de prosseguir com a investigação e esta é a nossa desculpa para essa visita em hora tão inoportuna.

— Terei o maior prazer em responder às suas perguntas, se estiver dentro das minhas possibilidades — respondeu o banqueiro que, com os dedos roliços, brincava com alguns berloques pendurados na corrente de ouro maciço do relógio de bolso.

— Quando foi que o sr. Booth começou a trabalhar no seu banco? — perguntou Holmes.

— Em janeiro de 1881.

— Sabe me dizer onde ele foi morar assim que chegou a Sheffield?

— Ele alugou uns aposentos em Ashgate Road e acho que morava lá desde então.

— Tem alguma informação sobre a vida dele antes de vir trabalhar aqui?

— Poucas, infelizmente. Tudo que sei é que seus pais morreram e que ele veio com as melhores recomendações de uma das nossas filiais em Leads.

— O senhor o considerava competente e confiável?

— Foi um dos melhores e mais inteligentes sujeitos que já trabalharam para mim.

— Sabe se ele falava outra língua além do inglês?

— Com certeza não. Temos um funcionário encarregado de toda a correspondência estrangeira que porventura chegue ao banco e sei que, em diversas ocasiões, Booth lhe entregou cartas e documentos.

— Com a sua experiência em questões bancárias, sr. Jervis, que espaço de tempo razoável, na avaliação de Booth, transcorreria entre a apresentação dos cheques e a descoberta da falsificação?

— Bom, isso depende muito das circunstâncias — respondeu Jervis. — No caso de um único cheque, pode levar uma ou duas semanas, a menos que a quantia seja tão alta que peça uma investigação especial. Quando isso acontece, o tal cheque provavelmente não é descontado até que a investigação chegue ao fim. No caso atual, quando há uma dúzia de cheques falsificados, é bem improvável que um deles não seja detectado num prazo de 24 horas e a fraude descoberta. Ninguém em sã consciência presumiria que o crime pudesse passar despercebido por um período maior do que esse.

— Obrigado — disse Holmes, levantando-se. — Estes eram os pontos mais importantes que eu queria discutir com o senhor. Entro em contato assim que tiver alguma novidade.

— Fico-lhe profundamente grato, sr. Holmes. Naturalmente, este caso está nos deixando muito aflitos. Fique à vontade para tomar a providência que considerar melhor. Ah, por falar nisso, mandei instruções para a senhoria de Booth, dizendo-lhe para não mexer em nada nos aposentos dele antes que o senhor fosse examiná-los.

— Excelente ideia — disse Holmes. — E talvez seja uma forma efetiva de nos ajudar.

— Também recebi instruções da empresa — disse o banqueiro, nos levando até a porta — para lhe pedir que anote toda e qualquer despesa que tenha, pois, é claro, o senhor será imediatamente reembolsado.

Momentos mais tarde, estávamos tocando a campainha da casa na Ashgate Road, em Broomhill, onde o sr. Booth havia morado por uns sete anos. Quem atendeu foi uma criada que nos informou que a sra. Purnell estava ocupada com um cavalheiro no andar de cima. Quando lhe dissemos o motivo de nossa visita, ela nos levou imediatamente até os aposentos do sr. Booth, no segundo andar. Lá encontramos a sra. Purnell, uma mulher baixinha, gorducha e muito falante, de uns 40 anos, conversando com o sr. Lestrade, que, pelo visto, estava terminando de examinar o local.

— Bom dia, Holmes — disse o detetive com um tom superior. — Chegou um pouco tarde demais. Creio que já consegui todas as informações necessárias para pegar o nosso homem!

— Fico feliz em ouvir isso — replicou Holmes secamente —, e devo lhe dar os parabéns, se este for mesmo o caso. Quem sabe não comparamos nossas anotações depois que eu fizer uma pequena inspeção aqui?

— Como quiser — disse Lestrade, com o ar de quem pode se permitir ser generoso. — Honestamente, acho que estará perdendo o seu tempo e o senhor concordaria comigo se soubesse o que descobri.

— Mesmo assim, devo lhe pedir que satisfaça esse meu pequeno capricho — retrucou Holmes, recostando-se no console da lareira e assobiando baixinho enquanto dava uma olhada no cômodo. Pouco depois, voltou-se para a sra. Purnell. — Claro que os móveis deste aposento pertencem à senhora...

Ela assentiu.

— O quadro que foi retirado do console da lareira na manhã de quarta-feira passada — prosseguiu ele — presumo que pertencia ao sr. Booth.

Acompanhei o olhar de Holmes até o ponto em que um pedaço desbotado do papel de parede indicava claramente que, até pouco tempo atrás, havia um quadro pendurado ali. No entanto, por mais que eu conheça os métodos de raciocínio do meu amigo, não notei que os restos de teias de aranha que estavam atrás do quadro e continuavam presos à parede eram provas de que o quadro só podia ter sido retirado dali pouco antes da sra. Purnell receber ordens para não mexer em nada naquele cômodo; caso contrário, o seu espanador, visivelmente ativo em todos os cantos da casa, não teria poupado aquelas teias.

A boa senhora olhou para Holmes, boquiaberta.

— O próprio sr. Booth o retirou na quarta-feira de manhã — disse ela. — Era um quadro que ele mesmo tinha pintado e do qual gostava muito. Embrulhou a pintura e a levou consigo, dizendo que ia dá-la de presente a um amigo. Na hora, fiquei espantada, porque sabia o quanto ele apreciava o tal quadro. Na verdade, certa vez até me disse que não se desfaria daquilo por nada no mundo. Claro que agora fica fácil perceber por que resolveu se livrar da tela.

— Verdade — disse Holmes. — Pelo que vejo, não era um quadro grande. Era uma aquarela?

— Era, sim. Um trecho de uma campina com três ou quatro rochedos dispostos como se formassem uma mesa no topo de uma elevação. O sr. Booth dizia que eram elementos druídicos ou algo assim...

— Quer dizer que o sr. Booth pintava com frequência? — indagou Holmes.

— Não enquanto morou aqui, meu senhor. Pelo que me disse, ele pintava muito quando era mais jovem, e depois abandonou o hábito.

Os olhos de Holmes haviam voltado a percorrer o aposento e ele soltou uma exclamação de surpresa quando viu uma foto em cima do piano.

— Decerto esta foto é do sr. Booth — disse ele. — Corresponde exatamente à descrição que me fizeram dele.

— É — concordou a sra. Purnell. — Uma foto muito boa...

— Há quanto tempo foi tirada? — perguntou Holmes pegando o retrato.

— Ah, poucas semanas atrás, senhor. Eu estava aqui quando o funcionário do estúdio fotográfico veio trazê-las. O sr. Booth abriu o envelope enquanto eu ainda estava no quarto. Havia só duas fotos: esta aí e uma outra que ele me deu.

— Tudo isso é muito interessante — comentou Holmes. — Esse terno listrado que ele está usando era o mesmo que vestia quando foi embora na quarta de manhã?

— Era, sim. Pelo que lembro, ele estava vestido exatamente assim.

— Consegue se lembrar de algo importante que o sr. Booth tenha lhe dito nesse dia, antes de partir?

— Temo que não, meu senhor. Quando eu lhe entreguei a xícara de chocolate, ele disse...

— Espere um pouco — interrompeu Holmes. — O sr. Booth tomava sempre uma xícara de chocolate pela manhã?

— Ah, sim. Tanto no inverno quanto no verão. Ele fazia muita questão disso e tocava a sineta assim que acordava. Acho que preferia sair sem tomar café da manhã a ficar sem o seu chocolate. Bom, como eu estava dizendo, meu senhor, trouxe a xícara de chocolate na quarta-feira de manhã e ele fez um comentário qualquer sobre o tempo. De repente, na hora em que eu ia saindo, ele disse: "Aliás, sra. Purnell, vou embora hoje à noite e ficarei algumas semanas fora. Já fiz a mala e vou passar para buscá-la à tarde."

— A senhora certamente ficou muito espantada com um aviso assim tão súbito, não? — perguntou Holmes.

— Nem tanto, meu senhor. Desde que começou a fazer o trabalho de auditoria nas filiais nunca se sabia quando ele ia viajar. Claro que nunca ficava mais de duas semanas fora, a não ser no período das festas de fim de ano. Mas ele se ausentava por alguns dias com tanta frequência que acabei me acostumando a só saber disso em cima da hora.

— Deixe ver se entendi. Há quanto tempo ele vinha fazendo esse trabalho extra no banco? Há vários meses, não é mesmo?

— Mais. Acho que foi na época do Natal que lhe deram essas tarefas.

— Ah, claro — disse Holmes com certo descaso. — E com certeza ele passava bastante tempo fora de casa por causa desse trabalho...

— Na verdade, era algo que parecia deixá-lo bem cansado. Imagine, meu senhor, trabalhar até tarde da noite... Foi o bastante para virar a cabeça do sr. Booth, pois ele sempre foi um cavalheiro bem tranquilo, caseiro e, antes disso, raramente saía à noite.

— Ele deixou muita coisa aqui? — perguntou Holmes.

— Quase nada, para dizer a verdade. E a maioria das coisas que tinha era velharia, sem valor. Mas ele é um ladrão honestíssimo, meu senhor — disse a sra. Purnell sem se dar conta do paradoxo — e, antes de ir embora na quarta-feira, deixou o aluguel pago até o próximo sábado, já que ainda não teria voltado.

— Belo gesto — observou Holmes, sorrindo e com um ar pensativo. — Aliás, sabe por acaso se ele se desfez de outros tesouros antes de partir?

— Não *exatamente* antes, mas ao longo dos últimos dois ou três meses ele levou a maioria dos livros e acho que os vendeu. Pouco a pouco. O sr. Booth adorava livros velhos e me disse que algumas edições que tinha valiam um bom dinheiro.

Durante toda a conversa, Lestrade ficou sentado tamborilando impacientemente os dedos na mesa. Então, levantou-se e disse:

— Pois acho que devo deixá-los com as fofocas. Preciso ir andando e dar instruções para a prisão do sr. Booth. Se ao menos tivesse olhado para o velho mata-borrão que encontrei no lixo, teria se poupado de todo esse trabalho desnecessário, sr. Holmes.

E, com ar triunfante, jogou um mata-borrão usado em cima da mesa.

Holmes o pegou e o segurou diante do espelho que ficava acima do aparador. Espiando por cima dos ombros dele, li nitidamente as marcas de um bilhete escrito de próprio punho pelo sr. Booth, que reconheci porque Holmes havia arranjado algumas amostras da letra dele.

Era dirigido a uma agência de viagens de Liverpool, dando instruções para reservarem uma cabine privada e uma passagem de embarque no *Empress Queen* com destino a Nova York. Partes do bilhete desapareceram sob outras marcas, mas dizia ainda que, anexo, seguia um cheque para o pagamento da passagem etc... e estava assinado "J. Booth".

Holmes ficou calado, analisando o papel por um bom tempo.

Era um mata-borrão bem gasto, mas, por sorte, as marcas do bilhete estavam bem no meio e poucos trechos eram obliterados por outras marcas e por manchas que cobriam toda a circunferência externa do papel. Num dos cantos, dava para decifrar nitidamente o endereço da agência de viagens de Liverpool, o que demonstrava que o papel também havia sido usado para sobrescritar o envelope.

— Meu caro Lestrade, você teve muito mais sorte do que eu imaginava — disse Holmes, afinal, devolvendo-lhe o mata-borrão. — Posso lhe perguntar quais providências pretende tomar agora?

— Vou telegrafar imediatamente para Nova York pedindo que a polícia local prenda o sujeito assim que ele desembarcar — disse o detetive. — Antes, porém, preciso me certificar de que o navio não fará nenhuma parada em Queenstown ou em qualquer outro porto por onde ele possa escapar.

— Não fará, não — replicou Holmes baixinho. — Já verifiquei, pois achei que era provável que o sr. Booth pretendesse embarcar no *Empress Queen*.

Lestrade me deu uma piscadela e eu adoraria ter acertado um soco nele, já que ficou claro que não estava acreditando no meu amigo. Senti uma pontada de decepção ao perceber que a perspicácia de Holmes havia sido ofuscada por algo que, afinal de contas, não passara de um simples golpe de sorte de Lestrade.

Holmes tinha se virado para a sra. Purnell e estava lhe agradecendo.

— Não precisa disso, meu senhor — disse ela. — O sr. Booth merece ser preso, mas devo dizer que comigo ele sempre foi um perfeito cavalheiro. Só gostaria de ter podido lhe dar informações mais úteis.

— Pelo contrário — retrucou Holmes. — Posso lhe assegurar que o que a senhora nos disse foi da maior importância e vai nos ajudar de forma muito efetiva. Aliás, acabou de me ocorrer que talvez possa nos acomodar, a mim e ao meu amigo dr. Watson, por alguns dias, enquanto estivermos investigando o caso.

— Claro, meu senhor. Com o maior prazer.

— Ótimo — disse Holmes. — Então pode nos esperar para jantar por volta das sete.

Assim que saímos, Lestrade anunciou a sua intenção de ir à delegacia e tomar as providências necessárias para que a ordem de prisão de Booth fosse enviada à polícia de Nova York. Holmes se manteve num silêncio enigmático diante daquela declaração, mas deixou claro que estava determinado a permanecer em Broomhill e prosseguir com as investigações. Insistiu, porém, em fazer isso sozinho.

— Lembre, Watson, você está aqui de férias, para descansar, e posso lhe garantir que se resolver ficar comigo vai achar tudo muito entediante. Portanto, insisto em que encontre uma forma mais divertida de passar o restante do dia.

As experiências do passado haviam me ensinado que seria totalmente inútil tentar discutir com Holmes ou contestá-lo quando ele já tinha se decidido, então, concordei com a maior boa vontade que consegui demonstrar e fui embora de coche, pois ele me garantiu que não precisaria mais do veículo.

Passei algumas horas na galeria de arte e no museu e, depois do almoço, dei uma volta pela Manchester Road, desfrutando do ar fresco e da paisagem campestre. Às sete, retornei para Ashgate Road com um grande apetite, o que não me acontecia havia meses.

Holmes ainda não tinha voltado e já eram quase sete e meia quando ele chegou. Logo percebi que o meu amigo estava com aquela atitude reticente e todas as minhas tentativas de saber como ele havia passado o tempo ou o que estava achando do caso foram em vão.

Passou a noite inteira encolhido numa poltrona, fumando cachimbo e praticamente não consegui arrancar dele nenhuma palavra.

Sua postura impenetrável e o silêncio persistente não me davam qualquer pista a respeito do que ele estaria pensando da investigação que tinha em mãos, embora fosse óbvio para mim que a sua mente estava totalmente concentrada no caso.

Na manhã seguinte, assim que terminamos de tomar o café da manhã, a criada entrou trazendo um bilhete.

— É do sr. Jervis. Não ficaram esperando por uma resposta — disse ela.

Holmes rasgou o envelope e passou os olhos rapidamente pelo texto. Enquanto ele fazia isso, notei um rubor de aborrecimento se espalhar pelo seu rosto normalmente pálido.

— Impressionante a ousadia dele — resmungou. — Leia isso, Watson. Não me lembro de ter sido tão destratado em outro caso anterior.

O bilhete era breve:

The Cedars, Fulwood.
6 de setembro

Sr. Jervis, em nome da diretoria do British Consolidated Bank, agradecemos ao sr. Sherlock Holmes por atender prontamente à nossa solicitação e pelos valiosos serviços prestados no caso relativo à falsificação e ao desaparecimento do ex-funcionário, sr. Jabez Booth.

O sr. Lestrade, da Scotland Yard, nos informou que conseguiu localizar o indivíduo em questão, que será preso em breve. Diante de tais circunstâncias, a diretoria julga não ser necessário ocupar mais o valioso tempo do sr. Holmes.

— Quanta delicadeza, não é mesmo, Watson? Ou muito me engano ou eles vão se arrepender dessa decisão quando já for tarde demais. Depois disso, vou, sem dúvida, me recusar a atuar nessa investigação, mesmo que me peçam para fazê-lo. Lamento muito, pois o caso vinha apresentando alguns detalhes bem interessantes e não é de simples solução como pensa o nosso amigo Lestrade.

— Por quê? Acha que ele não está seguindo a pista certa? — questionei.

— Espere e verá, Watson — disse Holmes, misterioso. — Lembre-se de que o sr. Booth ainda não foi pego.

E isso foi tudo que consegui obter dele.

Uma das consequências de o banqueiro ter dispensado sumariamente os serviços do meu amigo foi que Holmes e eu passamos uma semana magnífica, descansando e nos divertindo na cidadezinha de Hathersage, na orla das campinas de Derbyshire, e voltamos para Londres nos sentindo muito melhor depois dos passeios pela região.

Como Holmes estava com pouco trabalho e a minha esposa ainda não tinha voltado das férias na Suíça, consegui convencê-lo, não sem uma dificuldade considerável, a passar as semanas seguintes comigo em vez de voltar para o seu apartamento na Baker Street.

Claro que continuamos acompanhando com o maior interesse o desenvolvimento do caso das falsificações em Sheffield. Sabe-se lá como, a descoberta de Lestrade chegou à imprensa e, no dia seguinte à nossa partida da cidade, os jornais estavam repletos de notícias sobre a empolgante perseguição ao sr. Booth, o homem procurado pelas fraudes sofridas pelos bancos locais.

Diziam que "o culpado caminhava incessantemente pelo convés do *Empress Queen* enquanto a embarcação singrava majestosa as vastidões isoladas do Atlântico, ignorando que a inexorável mão da justiça podia se estender até o outro lado do oceano e já estava pronta para segurá-lo em sua chegada ao Novo Mundo". E, depois de ler os parágrafos sensacionalistas, Holmes sempre deixava o jornal de lado e dava um daqueles seus sorrisos enigmáticos.

Finalmente chegou o dia em que o *Empress Queen* aportaria em Nova York e não deixei de notar que até o rosto geralmente impenetrável de Holmes exibia uma empolgação contida no momento em que ele abriu o jornal vespertino. Mas nossa surpresa estava condenada a se prolongar ainda mais. Havia apenas um breve parágrafo anunciando que o navio chegara a Long Island às seis da manhã, depois de uma boa viagem. No entanto, havia um caso de cólera a bordo e, por conseguinte, as autoridades de Nova York foram obrigadas a deixar o navio em quarentena. Sendo assim, nenhum passageiro ou membro da tripulação tinha permissão para desembarcar durante doze dias.

Dois dias depois, uma coluna inteira nos jornais informava que haviam confirmado que o sr. Booth estava efetivamente a bordo do *Empress Queen*. Ele tinha sido identificado e denunciado por um dos agentes sanitários que haviam inspecionado o navio. Estava sendo mantido sob rigorosa vigilância e não teria a menor possibilidade de escapar. O sr. Lestrade, da Scotland Yard, que, de forma tão hábil, havia seguido as pistas do criminoso e impedido sua fuga, tinha embarcado no *Oceania* — que devia chegar a Nova York no dia 10 — e se responsabilizaria pessoalmente pela sua prisão assim que ele tivesse autorização para desembarcar.

Eu nunca tinha visto o meu amigo Holmes tão espantado como no momento em que acabou de ler essa notícia. Percebi que ele estava profundamente desnorteado, embora eu não fizesse ideia do motivo. Ele passou o dia inteiro encolhido numa poltrona, com a testa franzida formando duas linhas de ruga e os olhos semicerrados, fumando seu velho cachimbo, calado.

Em determinado momento, ele me olhou e disse:

— Talvez tenha sido bom me pedirem para abandonar esse caso de Sheffield, Watson. Pelo rumo que as coisas estão tomando, imagino que eu faria apenas papel de tolo.

— Por quê? — perguntei.

— Porque comecei assumindo que outra pessoa... E agora parece que eu estava enganado.

Nos dias que se seguiram, Holmes parecia bem deprimido, pois nada o deixava mais aborrecido do que a sensação de ter cometido um erro nas suas deduções ou de ter se embrenhado por uma falsa linha de raciocínio.

Finalmente chegou o dia 10 de setembro, a data fatal em que Booth devia ser preso. Em vão, procuramos ansiosos por qualquer notícia nos jornais vespertinos. Na manhã do dia 11, ainda não havia nada sobre a tal prisão, mas os jornais vespertinos traziam um breve parágrafo noticiando que o criminoso conseguira escapar mais uma vez.

Por dias a fio, os jornais se encheram dos mais conflitantes boatos e conjecturas em relação ao que efetivamente teria acontecido. Todos, porém, concordavam que o sr. Lestrade estava voltando sozinho e chegaria a Liverpool no dia 17 ou 18.

Na noite do referido dia, Holmes e eu estávamos sentados, fumando, no apartamento dele na Baker Street, quando o criado entrou anunciando que o sr. Lestrade, da Scotland Yard, estava lá embaixo e pedia o obséquio de conversar por uns minutinhos.

— Mande-o subir, mande-o subir — disse Holmes, esfregando as mãos com uma animação incomum.

Bastante frustrado, Lestrade entrou na sala e se sentou na cadeira que Holmes lhe indicou.

— Não é sempre que me engano, sr. Holmes — começou ele —, mas, no caso de Sheffield, fui um completo fiasco.

— Não diga! — exclamou Holmes, achando graça. — Por acaso está querendo me dizer que ainda não capturou o seu homem?

— Estou, sim — replicou Lestrade. — E o pior: acho que ele nunca vai ser capturado!

— Ainda é cedo para se desesperar — disse Holmes em tom encorajador. — Depois que nos contar tudo o que aconteceu até agora, quem sabe não haverá a possibilidade de eu ter como ajudá-lo com algumas sugestões?

Animado com essas palavras, Lestrade começou a contar a sua estranha história. Nós dois ouvimos com o maior interesse.

— Não há a mínima necessidade de me deter nos incidentes já conhecidos — disse ele. — Já sabem que a descoberta que fiz em Sheffield me convenceu de que o homem que eu procurava tinha embarcado para Nova York a bordo do *Empress Queen*. Eu mal podia conter a impaciência para detê-lo e, quando fiquei sabendo que o navio em que ele estava havia sido posto em quarentena, logo tratei de dar ordens para garantir que eu o prenderia pessoalmente. Nunca cinco dias custaram tanto a passar.

"Chegamos a Nova York no dia 9, à noite, e corri imediatamente para a delegacia, onde me informaram que não havia dúvida que o sr. Jabez Booth estava a bordo do *Empress Queen*. Um dos agentes sanitários que tinha ido inspecionar a embarcação não só o reconhecera, como também falara com ele. O homem correspondia exatamente à descrição de Booth que saíra nos jornais. Então um dos detetives da polícia local tinha sido mandado a bordo para fazer algumas investigações e informar ao capitão, em caráter privado, sobre a detenção iminente. Ele descobriu que o sr. Jabez Booth havia efetivamente tido a audácia de comprar a passagem no próprio nome e nem sequer tentara se disfarçar de qualquer maneira que fosse. Ocupava uma cabine privada na primeira classe e o comissário declarou que desconfiou daquele homem desde o início. Ele permanecia trancado na cabine praticamente o tempo todo, fazendo-se passar por um excêntrico semi-inválido que não devia ser perturbado sob nenhum pretexto. A maior parte das suas refeições era levada à cabine. Raras vezes foi visto no convés e quase nunca jantou com os demais passageiros. Era óbvio que aquele homem estava tentando passar despercebido e chamar o mínimo de atenção possível. Os membros da tripulação e alguns dos passageiros com quem se falou sobre o assunto foram unânimes em concordar que foi assim mesmo que as coisas aconteceram.

"Ficou decidido que, enquanto o navio permanecesse em quarentena, não se diria nada que pudesse deixar Booth desconfiado, mas o comissário, o camareiro e o capitão, os únicos que sabiam da verdade, deviam mantê-lo sob vigilância até o dia 10, quando os passageiros teriam permissão para desembarcar. Nesse dia, ele seria preso."

Nesse momento fomos interrompidos pelo criado, que trouxe um telegrama. Holmes olhou para a mensagem e abriu um sorriso discreto.

— Nenhuma resposta — disse ele, enfiando o papel no bolso do colete. — Por favor, prossiga com a sua história tão interessante, Lestrade.

— Bem, na tarde do dia 10, acompanhado pelo inspetor-chefe da polícia de Nova York e pelo detetive Forsyth — recomeçou Lestrade —, subi a bordo do *Empress Queen* meia hora antes de o navio atracar e montarem a passarela pela qual os passageiros deveriam desembarcar.

"O comissário nos informou que o sr. Booth tinha estado no convés e que os dois haviam conversado por uns quinze minutos antes da nossa chegada. Depois, Booth voltou para a cabine. Arranjando uma desculpa qualquer, o comissário o acompanhou e o viu entrar ali. Ficou, então, parado junto à portinhola da escada para garantir que o nosso homem não voltaria a subir para o convés.

"Até que enfim!, murmurei comigo mesmo enquanto descíamos, seguindo o comissário que nos levou direto para a cabine de Booth. Batemos, mas, como ninguém respondeu, tentamos abrir a porta e descobrimos que estava trancada. O comissário nos assegurou que isso não era nada incomum: muitas vezes o sr. Booth mantinha aquela porta trancada e, quase sempre, suas refeições eram deixadas numa bandeja no chão. Discutimos a questão por um instante e, como não tínhamos muito tempo, decidimos arrombar a porta. Com duas boas marteladas, ela se soltou e todos nós entramos depressa. Pode imaginar nossa surpresa ao encontrar a cabine vazia. Procuramos por todo lado, mas não havia sinal de Booth."

— Um momento — atalhou Holmes. — E a chave da porta? Estava na fechadura ou não?

— Ninguém a viu — respondeu Lestrade. — Eu estava ficando agoniado, pois, a essa altura, dava para sentir a vibração das máquinas e ouvir o primeiro ruído da hélice indicando que a grande embarcação começava a se mover rumo ao atracadouro.

"Já não sabíamos mais o que fazer. O sr. Booth devia estar escondido em algum canto do navio, porém não tínhamos mais tempo para fazer uma revista adequada e, em pouquíssimos minutos, os passageiros estariam desembarcando. Pelo menos o capitão nos prometeu que, dadas as circunstâncias, só haveria uma passarela para o desembarque e, juntamente com o comissário e outros membros da tripulação, eu ficaria lá, com uma lista completa de todos os passageiros para ir assinalando quem se apresentasse. Assim, seria impossível que Booth nos escapasse, mesmo usando algum disfarce, porque ninguém teria permissão para pisar na passarela sem ser identificado pelo comissário ou os outros membros da tripulação.

"Fiquei encantado com essa proposta, já que não haveria como Booth escapar.

"Um a um, os passageiros passavam pela porta para se juntar à multidão que se acumulava no convés e, quando alguém era identificado, eu riscava seu nome da lista. Havia 193 passageiros de primeira classe a bordo do *Empress Queen*, entre os quais, Booth, e, depois que 192 desembarcaram, o nome dele foi o único que restou!

"Não faz ideia de como estávamos impacientes — exclamou Lestrade enxugando a testa só de se lembrar da situação. — Nem imagina como pareceu interminável o tempo que passamos riscando cada um dos nomes dos 324 passageiros da segunda classe e dos 310 do nível inferior. Todos os passageiros, com exceção do sr. Booth, atravessaram a passarela. Quanto a isso, não havia sombra de dúvida...

"Todos concordamos, portanto, que ele continuava no navio, mas eu estava começando a entrar em pânico, imaginando se não teria havido a possibilidade de ele desembarcar escondido em alguma das bagagens que, naquele instante, começavam a ser colocadas no píer por guindastes enormes.

"Revelei meu medo ao detetive Forsyth, que logo tomou providências para que cada baú ou caixa que tivesse a mínima chance de ocultar um homem fosse aberto e examinado pelos oficiais da alfândega.

"Apesar de ser uma tarefa entediante, nenhum deles se esquivou e, depois de duas horas, nos garantiram que não havia como Booth ter deixado a embarcação usando aquele estratagema.

"Isto nos deixava com apenas uma possível solução para o mistério: ele *tinha* que estar escondido em algum lugar dentro do navio. A embarcação ficou sob severa vigilância desde que atracou e, então, o superintendente da polícia pôs à nossa disposição um contingente de vinte homens. Com o consentimento do capitão e o auxílio dos comissários e demais membros da tripulação, o *Empress Queen* foi revirado e revistado de ponta a ponta. Examinamos até locais onde um gato poderia se esconder, mas o fugitivo não estava em parte alguma. Tenho absoluta certeza disso. E, pronto, sr. Holmes, aqui está um resumo do mistério. O sr. Booth *estava* a bordo do *Empress Queen* até às onze horas da manhã do dia 10 e, embora não tenha tido qualquer oportunidade de sair do navio, temos que admitir o fato de que às cinco da tarde ele não estava mais lá."

Quando Lestrade concluiu o seu relato curioso e intrigante, seu rosto exibia uma expressão de tamanho espanto e desconsolo que eu nunca vira e acho que a minha própria devia estar bem semelhante à dele. Holmes, porém, se recostou na poltrona, com as pernas compridas esticadas à frente, enquanto o corpo inteiro se sacudia com um riso silencioso.

— A que conclusão chegou? — perguntou ele, por fim, meio sem fôlego. — Que providências pretende tomar a partir de agora?

— Não faço a mínima ideia. Como saber o que fazer? Essa história toda é impossível; totalmente impossível. É um mistério insolúvel. Vim procurá-lo para saber se haveria alguma chance de o senhor me sugerir uma nova linha de raciocínio para que eu possa começar a trabalhar.

— Bom — disse Holmes, dando uma piscadela maliciosa para o atônito Lestrade —, posso lhe dar o endereço atual de Booth se isto lhe for útil.

— O quê!?

— O endereço atual de Booth — repetiu Holmes baixinho. — Antes, porém, meu caro Lestrade, preciso impor uma condição. O sr. Jervis foi muito grosseiro comigo durante este caso e, desde então, não quero mais ver meu nome associado ao dele. Faça o que fizer, não deve em hipótese alguma revelar a fonte de qualquer informação que tenha recebido. Promete?

— Prometo — murmurou Lestrade, que se encontrava num estado de empolgação e encantamento.

Holmes arrancou uma folha do caderninho que levava no bolso e rabiscou as palavras: Sr. A. Winter, a/c de sra. Thackary, Glossop Road, Broomhill, Sheffield.

— Aí vai encontrar o nome e o endereço atuais do homem que está procurando — disse ele, estendendo o papel ao detetive. — Ouça o meu conselho: não perca tempo se pretende pegá-lo, pois, apesar de o telegrama que recebi ainda agora (e que, infelizmente, interrompeu o seu relato tão interessante) informar que o sr. Winter acaba de voltar para casa depois de ter passado algum tempo fora; apesar disso, repito, continua sendo mais do que provável que ele pretende deixar o local definitivamente e em breve. Não sei lhe dizer quando, mas suponho que demore apenas alguns dias.

Lestrade se levantou.

— O senhor é uma preciosidade, sr. Holmes — disse o detetive com uma sinceridade que nunca havia demonstrado. — Salvou minha reputação neste caso, justo na hora em que eu estava começando a parecer um perfeito idiota, e agora ainda quer me obrigar a levar todo o crédito, um crédito que não mereço de forma alguma... Saber como descobriu isso é, para mim, um mistério tão grande quanto o sumiço de Booth.

— Bem, quanto a isso — observou Holmes em tom descontraído —, não posso ter certeza de todos os fatos, já que, é claro, não fiz uma investigação adequada do caso. Mas as conjecturas são bem simples e ficarei feliz em lhe contar o que acho que aconteceu na viagem de Booth para Nova York. Isto, porém, fica para outra ocasião, quando o senhor tiver mais tempo. Aliás — exclamou Holmes quando Lestrade já estava de saída —, eu não ficaria nem um pouco surpreso se descobrisse que o sr. Jabez Booth, ou melhor, o sr. Archibald Winter não lhe é desconhecido, pois, sem dúvida alguma, vocês voltaram juntos de viagem dos Estados Unidos. Ele chegou a Sheffield poucas horas antes de o senhor chegar a Londres e, já que ele estava vindo de Nova York, assim como o senhor, é evidente que devem ter viajado no mesmo navio. Ele devia estar usando óculos escuros e tem um bigode bem preto.

— Ah! — disse Lestrade. — De fato havia no navio um homem chamado Winter que corresponde a essa descrição. Creio que devia ser ele. E não vou perder mais tempo.

Ao dizer isto, Lestrade saiu apressado.

— Bem, Watson, meu rapaz, você está tão desconcertado quanto o nosso amigo Lestrade — observou Holmes voltando a se recostar na poltrona e me lançando um olhar malicioso enquanto acendia o cachimbo.

— Devo admitir que, para mim, nenhum dos problemas que você precisou solucionar no passado parecia mais inexplicável do que o relato que Lestrade fez do sumiço de Booth no *Empress Queen*.

— Bom... Essa parte da história é muito simples — replicou Holmes com uma risadinha. — Vou lhe contar como cheguei à solução do mistério. Vejo que já está pronto para ouvir.

— A primeira coisa que se deve fazer em qualquer caso é avaliar a inteligência e a esperteza do criminoso. Ora, sem dúvida alguma o sr. Booth era um sujeito inteligente. O próprio sr. Jervis, como você deve lembrar, nos garantiu isto. O fato de ele ter aberto contas bancárias ao se preparar para o crime com doze meses de antecedência comprova que foi um ato longamente premeditado. Comecei, portanto, a cuidar do caso já sabendo que precisava capturar um homem esperto que levara um ano inteiro planejando sua fuga.

"As minhas primeiras pistas efetivas vieram da sra. Purnell. O mais importante foram as suas observações sobre o trabalho de auditoria que fazia com que o sr. Booth se ausentasse de casa por vários dias e noites, muitas vezes em períodos consecutivos. De imediato tive certeza de que o sr. Booth não fazia nenhum trabalho extraordinário, o que se confirmou após algumas investigações. Por que então mentir para justificar tais ausências à sua senhoria? Provavelmente porque, de uma maneira ou de outra, elas estavam relacionadas ou ao crime que pretendia cometer ou aos seus planos para escapar. Era inconcebível que tantas atividades fora de casa pudessem estar diretamente ligadas às falsificações e logo deduzi que o nosso homem passava todo esse tempo preparando a rota de fuga.

"Quase imediatamente me ocorreu que ele podia estar levando uma vida dupla, e tinha a intenção de abandonar discretamente uma delas depois de cometer o crime para assumir a outra em definitivo. Trata-se de uma saída muito mais segura e garantida do que a atitude mais comum que é a de assumir um disfarce no momento em que todos estão achando que você fará exatamente isso.

"Em seguida, vieram os dados interessantes com relação ao quadro e aos livros. Tentei me colocar no lugar dele. Booth tinha imenso apreço por esses objetos; todos eram leves e podiam ser carregados, e não havia qualquer motivo real para ele se separar daquilo. Portanto, certamente estava levando esses objetos aos poucos para colocá-los num outro local onde pudesse mantê-los consigo. Se eu conseguisse descobrir que local era esse, com certeza poderia apanhá-lo quando ele tentasse recuperar suas preciosidades.

"O quadro não poderia estar muito longe, afinal Booth o levara no mesmo dia do crime... Não preciso aborrecê-lo com mais detalhes... Passei duas horas investigando até que encontrei a casa para onde ele tinha ido deixar a pintura. Esta casa era a da sra. Thackary, em Glossop Road.

"Sob o pretexto de precisar fazer uma ligação, descobri que a sra. T. era a pessoa mais aberta do mundo. Em menos de meia hora, fiquei sabendo que ela tinha um inquilino chamado Winter. Ele era um representante comercial e passava a maior parte do tempo ausente. A descrição que ela fez correspondia à de Booth, a não ser pelo fato de ter bigode e usar óculos.

"Como tentei convencê-lo antes, Watson, os detalhes são o que há de mais importante. Portanto, fiquei entusiasmadíssimo quando soube que o sr. Winter pedia sempre para que lhe levassem uma xícara de chocolate no quarto logo cedo. Na quarta-feira de manhã, apareceu um cavalheiro com um embrulho. Disse que era um quadro que havia prometido ao sr. Winter e pediu a sra. Thackary que lhe entregasse a encomenda assim que ele voltasse. O sr. Winter alugou os aposentos em dezembro passado. Detinha vários livros que trazia de vez em quando. Todos esses fatos relacionados me deram a certeza de estar na pista certa. Winter e Booth eram a mesmíssima pessoa e, assim que ele tivesse despistado seus perseguidores, voltaria como Winter para recuperar seus tesouros.

"A foto recém-tirada e o velho mata-borrão com aquele bilhete forjado eram obviamente recursos intencionais para colocar a polícia no encalço de Booth. Quase de imediato, percebi que o tal mata-borrão era falso, pois não apenas seria impossível usar um deles sem que a parte central ficasse indecifrável, como também deu para ver onde havia sido retocado.

"Concluí, portanto, que Booth, ou melhor, Winter, nunca pretendeu embarcar no *Empress Queen*, mas foi aí que subestimei sua esperteza. Claro que ele reservou *duas* cabines no navio: uma delas no seu nome verdadeiro, e a outra no seu novo nome. E, de forma muito engenhosa, conseguiu encarnar as duas personagens durante a viagem, aparecendo primeiro como uma e, depois, como a outra. Passava a maior parte do tempo como Winter, sendo assim Booth se tornou um sujeito excêntrico e semi-inválido que passava a maior parte do tempo trancado na cabine. E isso também se adequava aos seus propósitos, pois essa excentricidade só chamaria atenção para ele, tornando-o um dos passageiros mais conhecidos a bordo, embora praticamente não aparecesse em público.

"Deixei instruções com a sra. Thackary para que me mandasse um telegrama assim que Winter voltasse. Depois de atrair os seus perseguidores até Nova York e despistá-los, tudo que Booth tinha que fazer era pegar o primeiro navio de volta para cá. Naturalmente, foi a mesma embarcação que trouxe nosso amigo Lestrade e foi assim que o telegrama da sra. Thackary chegou em momento tão oportuno."[1]

1 Nota do editor da *Cosmopolitan*: Sabemos que existem várias inconsistências nesta história. Não tentamos corrigi-las. O texto foi publicado exatamente como o encontraram, a não ser por algumas pequenas alterações em ortografia e pontuação.

A aventura dos dois colaboradores

JAMES M. BARRIE

Se o autor escocês James Matthew Barrie (1860-1937) continua universalmente amado por ter criado *Peter Pan*, ele também realizou outros magníficos feitos literários nas áreas do drama, do romance e do conto. Tendo começado a carreira literária como jornalista, trabalhando primeiro para o *Nottingham Journal* e, depois, como colaborador de revistas tão populares quanto *The Pall Mall Gazette*, publicou o seu primeiro romance em 1888, *Better Dead*, uma história de mistério que teve pouco sucesso. O lançamento de *Auld Licht Idylls* (1888), com encantadores relatos da vida na Escócia, lhe trouxe reconhecimento e elogios por parte da crítica, mas foi três anos depois, com o surgimento de um romance sentimental intitulado *The Little Minister* (1891), que Barrie conquistou enorme sucesso. Quando transformou a obra em peça teatral, a popularidade do espetáculo foi tamanha que ele passou a se dedicar quase exclusivamente à dramaturgia e começou a escrever peças que atraíram um público grande e fiel. Entre as que são encenadas até hoje estão *The Admirable Crichton* (1902), sobre um mordomo que salva a família para quem trabalhava quando todos vão parar numa ilha em decorrência de um naufrágio, e *Quality Street* (1901), sobre duas irmãs que abrem uma escola para estudantes de nível avançado.

No seu romance para adultos, *The Little White Bird* (1902), surge Peter Pan, a personagem que o inspirou a escrever a peça de mesmo nome e que estreou em Londres em 1904. O trecho do romance sobre o menino que, aos 7 anos, deixou de ser humano para se tornar uma criatura mágica, foi publicado separadamente com o título *Peter Pan in Kensington Garden* (1906). Barrie escreveu depois um livro inteiro com a mesma personagem: *Peter and Wendy* (1911). A sua peça foi encenada inúmeras vezes e serviu de base para diversos filmes, entre os quais se destaca a tão amada personagem do desenho animado produzido por Walt Disney em 1953.

Barrie e Arthur Conan Doyle colaboraram para o libreto de uma opereta, *Jane Annie* (1893), que foi um completo fracasso sob todos os aspectos. Depois de encerrada sua brevíssima temporada, Barrie ofereceu a Conan Doyle um exemplar do seu livro *A Window in Thrums* (1889) com uma dedicatória e essa pequena paródia escrita nas páginas em branco da edição. Doyle declarou que era a melhor paródia de Holmes que alguém já havia escrito (declaração generosa) e a incluiu na sua autobiografia.

"As aventuras dos dois colaboradores" foi originalmente publicada em *Memórias e aventuras* de Arthur Conan Doyle (Londres: Hodder & Stoughton, 1924).

A AVENTURA DOS DOIS COLABORADORES

James M. Barrie

Ao dar um fim às aventuras do meu amigo Sherlock Holmes, convém assinalar que ele nunca — a não ser na ocasião, como o leitor vai descobrir, que marcou o encerramento de sua carreira tão singular — concordou em trabalhar em qualquer caso que envolvesse pessoas que vivem de escrever. "Não faço distinção entre as pessoas com as quais preciso lidar por motivos profissionais", dizia ele, "mas tenho lá as minhas reservas com relação aos homens de letras."

Certa noite, estávamos no nosso apartamento da Baker Street. Eu estava (lembro bem) diante da mesinha de centro, escrevendo "A aventura do homem sem uma perna de cortiça" (que tanto desnorteou a Royal Society e todas as outras corporações científicas da Europa) e Holmes se divertia treinando a pontaria com um revólver.

Nas noites de verão, ele gostava de disparar ao redor da minha cabeça, as balas passando de raspão pelo meu rosto, até desenhar meu contorno na parede do outro lado. Uma pequena prova da sua perícia é que muitos desses retratos feitos a bala são considerados admiravelmente fiéis ao modelo.

De repente, olhei pela janela e, reparando que dois cavalheiros andavam a passos rápidos pela nossa rua, perguntei a Holmes quem eram eles. O meu amigo logo acendeu o cachimbo e, encolhendo-se numa cadeira, formando um 8 com o corpo, respondeu:

— São dois autores de libretos de ópera-cômica, e a peça que escreveram não foi exatamente um sucesso.

Tomei tamanho susto que pulei da cadeira até bater no teto. Ele, então, declarou:

— Meu caro Watson, é óbvio que esses dois têm uma profissão insignificante. Dá para perceber isso só de olhar para o rosto deles. E esses pedacinhos de papel azul que estão jogando fora com tanta raiva são páginas rasgadas do *Durrant's Press*. Pelo visto, há centenas de notícias sobre eles. Veja como estão com os bolsos cheios. E não estariam pisando nelas se fossem elogiosas.

Mais uma vez, pulei de susto (o teto já estava cheio de marcas) e exclamei:

— Incrível! Mas eles podem ser simples escritores...

— Não — retrucou Holmes —, pois simples escritores aparecem nos jornais apenas uma vez por semana. Só saem centenas de notícias sobre criminosos, dramaturgos e atores.

— Então talvez sejam atores.

— Não. Atores estariam num coche.

— Poderia me dizer mais alguma coisa sobre os dois?

— Muitas. A julgar pela lama nas botas, o mais alto vem de South Norwood. O outro é obviamente um autor escocês.

— Como sabe?

— Ele carrega no bolso um livro intitulado *Auld Licht sei lá o quê*, como dá para ver claramente. Quem além do próprio autor carregaria um livro com um título desses?

Tive que admitir que seria mesmo bem improvável.

Agora estava evidente que os dois homens (se é que podemos chamá-los assim) estavam procurando o nosso endereço. Já disse (inúmeras vezes) que Holmes raramente demonstra qualquer emoção, mas, nesse dia, ele empalideceu de tanto entusiasmo. E, logo em seguida, essa reação deu lugar a um estranho olhar de triunfo.

— Watson — disse ele —, por anos a fio aquele sujeito mais alto vem colhendo os louros dos meus feitos mais notáveis, mas finalmente eu o peguei... Finalmente!

Mais uma vez, pulei até o teto e, quando me recuperei, os dois desconhecidos já estavam ali na sala.

— Posso perceber, cavalheiros — disse o sr. Sherlock Holmes —, que estão transtornados por alguma novidade extraordinária.

Espantado, o mais bonito dos nossos visitantes perguntou como ele sabia disso, porém o mais alto só fez franzir o cenho.

— Está se esquecendo de que usa um anel no quarto dedo? — replicou o sr. Holmes com calma.

Já estava prestes a pular até o teto novamente quando o grandalhão interveio:

— Toda essa baboseira é ótima para o público, Holmes, mas não precisa disso na minha frente. E, Watson, se estiver disposto a pular até o teto mais uma vez, vou ser obrigado a mantê-lo longe.

Nesse momento, notei um estranho fenômeno. O meu amigo Sherlock Holmes *encolheu*. Diminuiu de tamanho bem diante dos meus olhos. Olhei para o teto, morrendo de vontade de repetir meu gesto, mas não tive coragem.

— Vamos eliminar as quatro primeiras páginas — prosseguiu o sujeito mais alto — e passar diretamente aos negócios. Quero saber por quê...

— Pois bem — disse o sr. Holmes, usando um pouco da sua velha coragem. — Querem saber por que o público não tem comparecido à sua ópera.

— Exatamente — replicou o outro em tom irônico. — Como pôde perceber pelo abotoamento da minha camisa. — E, mais sério, acrescentou: — E, como só há um jeito de descobrir isso, insisto para que assista a uma apresentação completa da obra.

Para mim, aquele foi um momento de ansiedade. Estremeci porque sabia que, se Holmes fosse ao teatro, eu teria que ir com ele. Mas o meu amigo tinha um coração de ouro...

— Nunca! — esbravejou ele. — Faço qualquer coisa pelo senhor, mas isso, não!

— A preservação da sua vida depende disso — falou o grandalhão em tom ameaçador.

— Prefiro desaparecer no ar — replicou Holmes, orgulhoso e indo sentar-se em outra cadeira. — Mas posso lhe dizer por que o público não comparece à sua peça sem me envolver nessa história.

— Por quê?

— Porque — respondeu Holmes com toda a calma — as pessoas preferem se manter a distância.

A essa declaração extraordinária seguiu-se um silêncio absoluto. Por um instante, os dois intrusos encaravam, espantados, o homem que havia solucionado o seu mistério de forma tão magnífica. Depois, sacando as suas facas...

Holmes foi ficando cada vez menor até não restar nada além de um anel de fumaça que subiu até o teto.

As últimas palavras dos grandes homens são geralmente desconsideradas. E estas foram as últimas palavras de Sherlock Holmes:

— Seu tolo! Seu tolo! Por anos a fio eu o mantive numa vida de luxo. Com a minha ajuda, andava por aí de cabriolé, coisa que nenhum autor jamais havia feito. *De agora em diante, vai ter que andar de ônibus!*

O grandalhão tombou numa cadeira, chocado. O outro autor ficou ali parado, sem reação.

Os investigadores

O. HENRY

É improvável que tenha existido nos Estados Unidos um contista mais amado que William Sydney Porter (1862-1910), mais conhecido como O. Henry. Ele nunca escreveu um romance, mas suas obras-primas em miniatura englobam a vida inteira de pessoas comuns, seu tema favorito.

Depois de ter sido condenado por desvio de dinheiro, ele passou algum tempo na prisão e dizem que adotou como pseudônimo o nome de um carcereiro mais gentil para escrever inúmeras histórias sobre os mais variados crimes: roubos, sequestros ("The Ransom of Red Chief", em 1910), extorsões, arrombamentos de cofres ("A Retrieved Reformation", em 1903, que acabou ficando famoso como "Mais conhecido como Jimmy Valentine", depois de um estrondoso sucesso na Broadway e de várias versões no cinema), entre outras tantas. O seu livro *The Gentle Grafter* (1908) fez tanto sucesso, que Ellery Queen o escolheu para integrar a sua *Queen's Quorum*, com as 106 melhores coletâneas de contos de mistério de todos os tempos.

O. Henry escreveu três narrativas com a personagem Shamrock Jolnes. A primeira delas, intitulada "As aventuras de Shamrock Jolnes", foi publicada em 7 de fevereiro de 1904 e traz observações e deduções de Jolnes, mas não contém nenhum crime. A última, intitulada "O detetive detector", foi publicada em 26 de março de 1905 e, apesar da presença de Jolnes, o protagonista é, na verdade, o Criminoso Mestre.

"Os investigadores" foi inicialmente publicado na edição de 23 de outubro de 1904 do jornal *New York Sunday World*; depois, integrou a coletânea *Sixes and Sevens* do próprio autor (Nova York: Doubleday, Page, 1911).

OS INVESTIGADORES

O. Henry

Na grande metrópole, um homem vai desaparecer de forma súbita e completa, feito a chama de uma vela que alguém soprou. Todas as agências de investigação — os cães farejadores, os caçadores dos labirintos da cidade, os detetives que não saem, mas ficam presos a teorias e induções — serão convocados para procurar por ele. No geral, tal homem nunca mais será visto. De vez em quando vai ressurgir em Sheboygan ou nos ermos de Terre Haute, conhecido por Smith, ou por qualquer outro nome comum, e sem qualquer lembrança do que aconteceu em certa época, incluindo suas contas no mercado. Outras vezes, vão encontrá-lo depois de haverem dragado rios ou procurado em todos os restaurantes para ver se o sujeito não estaria esperando por um bife bem passado, descobrindo que ele se mudou para a casa vizinha.

Esse desaparecimento de um ser humano, como se houvessem apagado um desenho feito a giz num quadro-negro, é um dos temas mais impressionantes na dramaturgia.

O caso de Mary Snyder, por exemplo, não deixa de ser interessante.

Um homem de meia-idade chamado Meeks veio do Oeste para Nova York à procura da irmã, a sra. Mary Snyder, uma viúva de 52 anos que dois anos antes havia se mudado para um prédio residencial num bairro bem movimentado.

Ao chegar ao local, ele foi informado de que Mary Snyder tinha saído do apartamento havia mais de um mês. Ninguém sabia informar seu novo endereço.

Ao sair do prédio, o sr. Meeks se dirigiu a um policial que estava parado na esquina e lhe contou seu dilema.

— A minha irmã é muito pobre — disse ele — e estou aflito para encontrá-la. Recentemente, ganhei um bom dinheiro numa mina de chumbo e quero compartilhar com ela a minha prosperidade. Não adianta pôr anúncios em jornais porque ela não sabe ler.

O guarda ajeitou os bigodes e assumiu um ar tão preocupado e imponente que Meeks quase sentiu as lágrimas de alegria da irmã Mary pingando na sua gravata azul-clara.

— Vá até a região de Canal Street — disse o policial — e arranje trabalho como cocheiro da maior carroça que conseguir encontrar. Por lá, há sempre idosas sendo atropeladas por elas. Talvez o senhor a encontre por lá. Se não quiser fazer isso, seria melhor ir à delegacia e pedir que ponham um detetive à paisana procurando por ela.

Na delegacia, Meeks foi prontamente atendido. Despacharam um alerta geral e distribuíram cópias de fotos de Mary Snyder e de seu irmão em todos os postos policiais. Em Mulberry Street, o comandante designou o detetive Mullins para cuidar do caso.

Ele chamou Meeks em um canto e lhe disse:

— Este não é um caso muito difícil de ser solucionado. Raspe as costeletas, encha os bolsos com charutos de qualidade e me encontre no café do hotel Waldorf às três da tarde.

Meeks obedeceu. E encontrou Mullins no local combinado. Tomaram uma garrafa de vinho enquanto o detetive fazia perguntas sobre a mulher desaparecida.

— Olhe — disse ele —, Nova York é uma cidade grande, mas temos um sistema de investigação muito bem articulado. Existem duas maneiras de encontrarmos a sua irmã. Primeiro, vamos tentar uma delas. O senhor disse que ela tem 52 anos?

— Um pouco mais — respondeu Meeks.

O detetive levou o forasteiro até a agência de publicidade de um dos maiores jornais diários. Ali, escreveu o seguinte texto que submeteu à aprovação de Meeks:

"Procura-se com urgência cem coristas atraentes para uma nova comédia musical. Comparecer a qualquer hora do dia ao nº... da Broadway."

Meeks ficou indignado.

— A minha irmã é uma senhora idosa, pobre e trabalhadora! — exclamou. — Não vejo como um anúncio desse poderia nos ajudar a encontrá-la.

— Muito bem — replicou o detetive. — Pelo visto não conhece Nova York. Mas, se esse método o aborrece, vamos tentar outro. É garantido. Só que vai ser um pouco mais caro.

— As despesas não importam — disse Meeks. — Vamos tentar o outro.

O investigador o levou de volta ao hotel Waldorf.

— Peça dois quartos com uma sala de estar — disse ele —, e vamos subir.

Feito isto, os dois foram conduzidos até uma belíssima suíte no quarto andar. Meeks estava atônito. O detetive se acomodou numa poltrona de veludo e tirou do bolso o estojo de charutos.

— Eu me esqueci de lhe dizer, meu velho — prosseguiu ele —, que era melhor ter reservado estes aposentos pelo mês. Eles teriam cobrado mais barato.

— Pelo mês! — exclamou Meeks. — O que quer dizer com isso?

— Ah, vamos demorar para resolver o caso desse jeito. Eu avisei que sairia mais caro. Vamos ter que esperar até a primavera. É quando sai o novo catálogo telefônico da cidade e é bem provável que o nome e o endereço da sua irmã estejam lá.

Meeks se livrou imediatamente do tal detetive. No dia seguinte, alguém sugeriu que ele consultasse Shamrock Jolnes, o célebre detetive particular de Nova York que cobrava uma fortuna, mas realizava verdadeiros milagres em termos de solucionar mistérios e crimes.

Depois de passar duas horas esperando na antessala do apartamento do famoso detetive, Meeks foi levado à sua presença. Jolnes estava usando um penhoar roxo, sentado diante de uma mesa de xadrez entalhada com marfim e tinha, à sua frente, uma revista, pois tentava resolver o mistério "Deles". O rosto magro, o ar intelectual, os olhos penetrantes e o preço cobrado por palavra são tão conhecidos que não há necessidade de descrevê-los.

Meeks contou seu caso.

— Se tiver sucesso — disse Shamrock Jolnes —, meus honorários serão de quinhentos dólares.

Meeks concordou com o preço.

— Então vou aceitar o seu caso, sr. Meeks — disse Jolnes, afinal. — O desaparecimento de pessoas nesta cidade sempre foi assunto do meu interesse. Lembro-me de um caso que solucionei um ano atrás. Uma tal família Clark sumiu de repente do pequeno apartamento onde morava. Passei dois meses observando o edifício à procura de uma pista. Certo dia, percebi que um leiteiro e um entregador de mercearia sempre subiam de costas com seus produtos. Por indução, seguindo a ideia que tive a partir dessa observação, localizei imediatamente a família desaparecida. Eles tinham se mudado para o apartamento em frente e trocado o seu nome para Kralc.

Shamrock Jolnes e seu cliente foram até o prédio onde Mary Snyder tinha morado e o detetive pediu para ser levado ao seu antigo quarto. Desde o desaparecimento da mulher, nenhum inquilino tinha vindo se instalar ali.

Era um cômodo pequeno, sujo e com pouquíssima mobília. Desanimado, Meeks se sentou numa cadeira quebrada enquanto o grande detetive vasculhava as paredes, o chão e os poucos móveis velhos e caindo aos pedaços à procura de uma pista.

Depois de meia hora, Jolnes havia coletado alguns objetos que pareciam totalmente disparatados: um alfinete de chapéu preto e vagabundo, um pedaço rasgado de uma programação de teatro e a pontinha de um cartão rasgado onde se lia "esquerda" e "C 12".

Shamrock Jolnes passou uns dez minutos apoiado no console da lareira, com a cabeça apoiada na mão, e exibia um ar de profunda concentração. Depois, exclamou em tom animado:

— Venha, sr. Meeks, problema resolvido. Posso levá-lo à casa onde sua irmã está morando. E o senhor não precisa se preocupar com a situação dela, pois está em ótimas condições financeiras, ao menos por enquanto.

Meeks ficou feliz e impressionado ao mesmo tempo.

— Como descobriu isso? — perguntou, com admiração em sua voz.

Talvez a única fraqueza de Jolnes fosse o orgulho profissional que sentia dos seus feitos fabulosos de indução. Ele estava sempre pronto para surpreender e encantar os seus ouvintes ao descrever os seus métodos.

— Por eliminação — disse Jolnes, espalhando em cima de uma mesinha as pistas que havia recolhido. — Descartei algumas áreas da cidade para onde a sra. Snyder podia ter se mudado. Está vendo esse alfinete de chapéu? Ele eliminou o Brooklyn. Nenhuma mulher tenta pegar um ônibus na Brooklyn Bridge sem estar munida de um alfinete de chapéu para brigar por um lugar. E, agora, vou demonstrar por que ela não poderia ter ido para o Harlem. Atrás dessa porta, há dois ganchos na parede. Num deles, a sra. Snyder pendurava o gorro; no outro, o xale. Como pode ver, as pontas do xale pendurado acabaram manchando a parede, deixando ali uma tonalidade mais escura. A marca é reta, provando que o xale dela não tem franjas. Ora, já aconteceu alguma vez de uma mulher de meia-idade embarcar num trem do Harlem sem prender as franjas do xale na porta e atrasar todos os passageiros que vinham atrás dela? Com isso, eliminamos o Harlem.

"Concluí, portanto, que a sra. Snyder não tinha se mudado para muito longe. Neste pedacinho de cartão rasgado, podemos ler a palavra 'esquerda', a letra 'C' e o número '12'. Ora, sei que o número 12 da avenida C é o endereço de uma pensão de alta categoria que está muito além das condições da sua irmã, como nós dois supomos. Mas, então, encontrei de um jeito estranho esse pedaço amassado de uma programação de teatro. O que isso significa? Para o senhor, sr. Meeks, provavelmente nada, mas diz muito para alguém com hábito e experiência para obter informações a partir das coisas mais insignificantes.

"O senhor me disse que a sua irmã era faxineira. Ela limpava o chão de escritórios e corredores de prédios. Vamos supor que ela tenha arranjado um emprego de faxineira no teatro. Onde é que se perdem joias com mais frequência, sr. Meeks? Nos teatros, é claro! Veja essa programação rasgada, sr. Meeks. Observe a marca arredondada. Foi usada para embrulhar um anel. Talvez um anel muito valioso. A sra. Snyder achou o anel enquanto limpava o chão do teatro. Sem demora, rasgou um pedaço de papel, embrulhou a joia com cuidado e a escondeu entre os seios. No dia seguinte, tratou de vendê-lo e, com uma melhoria da condição financeira, foi em busca de um lugar mais confortável para morar. Quando cheguei a esse ponto do raciocínio, pareceu-me muito evidente a história da avenida C, nº 12. É lá que vamos encontrar a sua irmã, sr. Meeks."

Shamrock Jolnes concluiu seu discurso convincente com o sorriso de um artista de sucesso. Meeks estava tão impressionado que ficou sem palavras. Juntos, os dois foram até o nº 12 da avenida C. Era uma daquelas antigas casas de tijolos num bairro próspero e respeitável.

Tocaram a campainha e quem atendeu lhes disse que ali não havia nenhuma sra. Snyder. Além disso, fazia uns seis meses que ninguém novo se mudara para a casa.

De volta à calçada, Meeks examinou as pistas que tinha trazido lá do antigo quarto da irmã.

— Não sou detetive — disse ele, dirigindo-se a Jolnes e erguendo o pedaço de papel rasgado bem diante dos seus olhos —, mas tenho a impressão de que, em vez de um anel, o que pode ter sido embrulhado foi uma daquelas balas redondas de hortelã. E esse outro pedaço com o endereço me parece o canhoto de um ingresso: Nº 12, fila C, lado esquerdo.

O olhar de Shamrock Jolnes ficou distante.

— Acho que seria bom consultarmos Juggins — disse ele.

— Quem é Juggins? — perguntou Meeks.

— O líder — respondeu — de uma nova escola moderna de detetives. Seus métodos são diferentes dos nossos, mas, pelo que dizem, Juggins solucionou casos extremamente desconcertantes. Vou levá-lo até ele.

Encontraram o excepcional Juggins em seu escritório. Era um homenzinho de cabelo claro que estava inteiramente absorto na leitura de uma das obras burguesas de Nathaniel Hawthorne.

Os dois grandes detetives de escolas diferentes trocaram um aperto de mãos cerimonioso e Jolnes apresentou Meeks.

— Relate os fatos — pediu Juggins, retomando a sua leitura.

Quando Meeks terminou, o mais fabuloso dos dois detetives fechou o livro e disse:

— Pelo que entendi, a sua irmã tem 52 anos, uma verruga bem grande na lateral do nariz, é uma viúva muito pobre que mal consegue sobreviver trabalhando como faxineira e tem um rosto e um corpo sem nada de especial.

— Exatamente — confirmou Meeks.

Juggins se levantou e pôs o chapéu.

— Daqui a quinze minutos — declarou —, volto com o endereço atual dela.

Shamrock Jolnes empalideceu, mas deu um sorriso amarelo.

Ao fim do tempo determinado, Juggins voltou e consultou um pedacinho de papel que trazia na mão.

— A sua irmã, Mary Snyder — anunciou com toda a calma —, pode ser encontrada na Chilton Street, nº 162. Está morando no quartinho no fundo do corredor, no quinto andar. A casa fica a apenas quatro quarteirões daqui — prosseguiu ele, dirigindo-se a Meeks. — Que tal ir até lá para confirmar o que estou dizendo e, depois, voltar para cá? Imagino que o sr. Jolnes ficará à sua espera.

Meeks saiu apressado. Vinte minutos depois, estava de volta com um sorriso radiante.

— Ela está lá e passa bem! — exclamou ele. — Quanto lhe devo?

— Dois dólares — respondeu Juggins.

Depois que Meeks lhe pagou e foi embora, Shamrock Jolnes ficou parado diante de Juggins, com o chapéu na mão.

— Se não for pedir muito... — balbuciou. — Se puder fazer a gentileza... Será que se importaria de...

— Claro que não — replicou Juggins, achando graça. — Vou lhe contar como resolvi isso. Lembra-se da descrição da sra. Snyder? Já conheceu alguma mulher assim que não pagasse, em suaves prestações semanais, pela ampliação de um retrato de si mesma feito a *crayon*? O maior ateliê desse tipo no país fica logo ali na esquina. Fui até lá e peguei o endereço dela no livro de registros. Pronto.

Holmes e a mulher incrivelmente sedutora

A.B. COX

Um dos mais criativos e influentes autores da época áurea da ficção policial (as duas décadas entre a Primeira e a Segunda Guerras Mundiais), Anthony Berkeley Cox (1893-1971) foi lamentavelmente menosprezado, sendo conhecido apenas pelos maiores aficionados do gênero. Ele fundou o renomado *Detection Club*, em Londres, reservado para os melhores autores do gênero.

A sua vida como escritor profissional começou com histórias de humor, artigos e livros. Sob a assinatura A.B. Cox, produziu esquetes para a revista semanal *Punch*, muitos dos quais foram mais tarde reunidos sob o título *Jugged Journalism* (1925), e romances menores como *Brenda Entertains* (1925) e *The Professor on Paws* (1926). Seu primeiro romance policial, *O mistério de Layton Court* (1925), publicado anonimamente, trazia a personagem Roger Sheringham, um dos mais originais e falíveis detetives amadores de todos os tempos.

Em *The Second Shot* (1930), Sheringham lança mão de uma lógica irrefutável para identificar o criminoso só para que o assassino explicasse por que havia cometido o crime. Enredo semelhante aparece em seu livro mais famoso, *The Poisoned Chocolate Case* (1929). O principal feito de Berkeley nesses engenhosos *tours-de-force* foi estabelecer a importância da avaliação psicológica tanto do criminoso, quanto do detetive, e até mesmo da vítima.

Este foi um passo fundamental para o surgimento das modernas histórias policiais sempre mais preocupadas com o *porquê* de um crime do que com o *quem* ou o *como.* Isso foi elevado ao nível máximo nos primeiros dois livros que Cox escreveu sob o pseudônimo de Francis Iles. *Malice Aforethought* (1931) é baseado numa história real, o caso Armstrong, em que um médico covarde mata a esposa detestável. Desde o princípio, o leitor sabe do crime, bem no estilo de um episódio da série de TV *Columbo*. No entanto, o leitor continua interessado em saber como o crime foi planejado e se o criminoso sairá impune. Como escreveu Julian Symons: "Se existe um livro que, mais do que qualquer outro, pode ser considerado pioneiro em termos de romance policial realista do pós-guerra, é este aqui."

Ainda mais significativo é *Before the Fact* (1932), o estudo psicológico de um assassino em potencial visto pelos olhos de quem pode se tornar sua vítima. O romance serviu de base para o roteiro de *Suspeita* (1941), excelente filme de Alfred Hitchcock, embora o final tenha sido modificado para proteger a boa imagem de Cary Grant no meio cinematográfico.

"Holmes e a mulher incrivelmente sedutora" foi originalmente publicado em *Jugged Journalism* (Londres: Herbert Jenkins, 1925).

HOLMES E A MULHER INCRIVELMENTE SEDUTORA

A.B. Cox

Era um dia bem sem graça de março. Lembro que o bom e velho Holmes e eu estávamos sentados no antigo apartamento da Baker Street, calados, numa espécie de meditação. Na verdade, Holmes estava pondo sua boa e velha massa cinzenta para trabalhar por causa de uma carta que tinha acabado de receber, enquanto eu relaxava tranquilamente numa poltrona.

— Ei, Watson, meu caro — disse ele, enfim, jogando a carta na minha direção. — O que essa massa de depósitos aluviais que você chama de cérebro tem a dizer sobre isso aqui?

Se bem me lembro, a carta dizia mais ou menos isso (posso não ter registrado as palavras exatas, mas o conteúdo era basicamente este, podem acreditar):

Prezado sr. Holmes,

Passarei aí por volta das três da tarde para tratar de um assunto bem desagradável com o senhor. Trata-se do seguinte: Freddie Devereux me pediu em casamento ontem à noite, e tenho testemunhas que podem comprovar o que digo. Contudo, esta manhã veio me dizer que havia se excedido um pouco (estava muito bêbado, se é que me entende) e que um pedido de casamento não tinha qualquer valor aos olhos das velhas leis quando era realizado sob a influência do rum, aquele companheiro diabólico, como foi o caso. Bom, o que estou querendo dizer é: o que fazer? Em outras palavras: caberá ao senhor tomar as providências necessárias para que Freddie e eu subamos ao altar num futuro bem próximo. Entendeu?

Cordialmente,

Cissie Crossgarters

— E então, Watson? — indagou Holmes, despejando um pouco de refrigerante no seu frasco de cocaína. — Como diz o bom e velho poeta: hein, hein, hein?

— Bom, me parece — comecei de forma evasiva por uma questão de segurança — a carta de uma moça chamada Cissie Crossgarters, que quer colocar uma coleira num sujeito chamado Devereux. Este, porém, está tentando tirar o corpo fora recorrendo às velhas leis. Pelo menos, em suma é isto.

— Impressionante como você consegue chegar ao cerne das questões, Watson! — exclamou Holmes com seu jeito incrivelmente debochado. — Mas já são três horas e olha só a campainha tocando. Ou muito me engano ou é a nossa cliente, Cissie Crossgarters! — acrescentou como se falasse consigo mesmo. — Ouça o que lhe digo, Watson: a tal senhorita é uma mulher incrivelmente sedutora. E das boas...

Apesar dos seus defeitos, devo dizer que Holmes de fato é um homem com um cérebro e tanto; o sujeito transpira intuição. A tal senhorita era mesmo de primeira. O jeito como entrou flutuando na nossa pequena sala de visitas me fez pensar num raio de sol batendo num bom e velho queijo gorgonzola. Quero dizer, poesia, trejeitos radiantes e tudo o mais.

— Srta. Crossgarters? — indagou Holmes, bancando o educado.

— Pode me chamar de Cissie — disse ela, desmanchando-se em sorrisos.

Ah, era mesmo incrivelmente sedutora.

— Permita que eu lhe apresente o meu amigo, colega etc. e tal, Bertie Watson — disse Holmes, e ela direcionou o sorriso para mim.

Posso garantir que senti o coração se acelerar feito uma motocicleta quando apertei a mãozinha que ela me estendeu. A mão era incrivelmente pequena. Na verdade, minúscula, se entendem o que estou querendo dizer. Era uma mãozinha tão incrivelmente miúda...

— Pois então? — exclamou Holmes quando nós três já estávamos sentados. E, ao falar, exibiu a expressão mais inquiridora em seu rosto comprido. — O que aconteceu exatamente? O quê, o quê?

— Recebeu a minha carta? — balbuciou a moça, fitando Holmes como se ele fosse o único homem do mundo. Daquele jeito que elas nos olham quando querem algo de nós, sabe?

— Pode apostar que sim — replicou Holmes, recostando-se no espaldar da poltrona e unindo as pontas dos dedos das mãos, como sempre fazia quando começava a lidar com um novo caso.

— E o que acha disso?

— Ah! — exclamou Holmes, deixando no ar um tom de mistério. — É o que precisamos considerar. Devo dizer, porém, que a situação me parece incrivelmente complexa e bastante desagradável. Na verdade, eu diria que é incrivelmente desagradável e bastante complexa, se é que me entende. O que estou querendo dizer — acrescentou ele com cautela —, se acompanha o meu raciocínio, é um caso ao mesmo tempo incrivelmente complexo e desagradável.

— O senhor se expressa tão bem... — disse a moça com admiração. — É exatamente assim que me sinto sobre essa situação. E, na sua opinião, qual a melhor atitude a tomar?

— Ah! — repetiu Holmes, esbravejando como um louco. — É só nesse quesito específico que precisamos pensar, não é? Quero dizer, antes de passarmos à ação, precisamos nos dedicar um pouco para meditar e tal... Pelo menos, é assim que as coisas me chamam a atenção...

— Como o senhor é esperto, sr. Holmes! — murmurou a moça.

Holmes se levantou.

— E digo mais: a melhor maneira de sacudir aquele sujeito e fazê-lo cumprir com suas obrigações é recuperar as condições ideais comendo alguma coisinha delicada. Em outras palavras, o que acha de tomarmos um chá e comer algumas delícias antes de mais nada?

— Ah, claro! — exclamou a moça. — Que ótima ideia!

— Maravilha! — falei, todo entusiasmado. Quer dizer, fiquei animado com a ideia.

Holmes me lançou um olhar incrivelmente frio.

— Você não está incluído nessa parte da história, meu caro — observou ele, naquele tom que os escritores chamariam de peremptório.

E lá se foram os dois, juntos.

Já passava da meia-noite quando Holmes voltou.

— E aí? — indaguei, sem muita convicção, pois ainda estava um tanto magoado, se é que me entendem.

— E aí? — replicou Holmes, desabotoando a pelerine.

— E aí? E aí?

— E aí? E aí? O quê? — O que aconteceu com Freddie Devereux? — perguntei para mudar de assunto.

— Aquele pedaço de mediocridade com cara de lua-cheia? O que tem ele?

— Bom, o que aconteceu? Com ele e com a srta. Crossgarters! Quero dizer, como foram as coisas?

— Ah, as coisas entre os dois? Bom, acho que ele não vai mais aborrecê-la, sabe? Cissie e eu ficamos noivos e vamos nos casar, ora!

Uma história policial irredutível

STEPHEN LEACOCK

O maior humorista canadense, Stephen Butler Leacock (1869-1944) nasceu na Inglaterra, porém, sete anos mais tarde, sua família se mudou para o Canadá e "decidi ir com eles", escreveu Leacock tempos depois. No início do século XX, ele era o humorista mais famoso no mundo anglófono, segundo a *The Canadian Encyclopedia* (embora isso possa surpreender os inúmeros fãs de Mark Twain). Aparentemente, este título é a credencial perfeita para os cargos que ele ocupou: professor de Economia Política e, por muitos anos, chefe do Departamento de Economia e Ciência Política da Universidade McGill.

Leacock foi um autor prolífico de não ficção, escrevendo principalmente histórias do Canadá e da Inglaterra e biografias, inclusive as de Mark Twain e Charles Dickens. Hoje, porém, todas essas obras foram esquecidas e, se ele ainda é lembrado, é por suas narrativas e poemas humorísticos. Foi o herói de Robert Benchley, da *New Yorker*, e um dos autores favoritos dos comediantes Groucho Marx e Jack Benny.

No campo da paródia, Leacock abordou mais de uma vez Sherlock Holmes (que nunca é mencionado, aparecendo apenas como o grande detetive). Outras de suas histórias são "Maddened by Mistery, or The Defective Detective" (1911), "The Great Detective" (1928) e "What Happened Next?" (1937).

"Uma história policial irredutível" foi publicada inicialmente no livro *Further Foolishness: Sketches and Satires of the Follies of the Day* (Nova York & Londres: John Lane; Toronto: Gundy, 1916).

UMA HISTÓRIA POLICIAL IRREDUTÍVEL

Stephen Leacock

O mistério tinha chegado ao clímax. Em primeiro lugar, o homem havia sido assassinado, sem dúvida alguma. Em segundo lugar, tinham certeza absoluta de que nenhuma pessoa imaginável tinha feito aquilo.

Estava, portanto, na hora de convocar o grande detetive.

Ele deu uma olhada inquiridora no cadáver. A certa altura, passou a mão no microscópio.

— Arrá! — exclamou, pegando um fio de cabelo na lapela do paletó do morto. — Agora o mistério está resolvido. — Ergueu o tal fio de cabelo. — Ouçam — continuou. — Basta encontrarmos o homem que perdeu esse fio de cabelo e teremos o criminoso nas mãos.

A inexorável cadeia do raciocínio lógico estava completa.

O próprio detetive saiu em busca do tal indivíduo.

Passou quatro dias e quatro noites circulando disfarçadamente pelas ruas de Nova York, observando cada detalhe do rosto de quem passava, procurando pelo homem que havia perdido um fio de cabelo.

No quinto dia, encontrou um sujeito disfarçado de turista que tinha a cabeça totalmente oculta por um boné que lhe cobria até as orelhas.

O tal homem ia embarcar no *Gloritania*.

O detetive o seguiu a bordo do navio.

— Prendam-no! — disse o grande detetive. — Isto aqui é a prova da sua culpa.

— Tirem o chapéu dele — ordenou o capitão em tom severo.

Foi o que fizeram.

O homem era completamente careca.

— Arrá! — exclamou o grande detetive sem a menor hesitação. — Ele não cometeu apenas *um* crime, mas um milhão deles.

A maleta do doutor

STEPHEN KING

Na história da literatura norte-americana, poucos escritores mantiveram por tanto tempo a popularidade, e também o reconhecimento da crítica, como Stephen Edwin King (1947-). Nascido em Portland, no Maine, ele se graduou em inglês pela universidade do seu estado. Vendeu histórias para inúmeros periódicos, inclusive para a revista *Playboy*. Fortemente influenciado por H.P. Lovecraft e pelas histórias macabras publicadas pela EC Comics, acabou se especializando em narrativas de terror e de cunho sobrenatural, mas também lançou outras obras, tanto do gênero policial, quanto aventuras do Velho Oeste ou de ficção científica.

O manuscrito do seu primeiro livro, *Carrie, a estranha* (1973), sobre uma moça dotada de poderes psíquicos, foi jogado no lixo e, num episódio que se tornou célebre, recuperado por sua esposa, Tabitha, que o incentivou a aprimorar um pouco o texto e enviá-lo para alguma editora. Acabou sendo lançado numa edição encadernada, de tiragem modesta, mas, depois, ao sair em brochura, obteve um sucesso estrondoso, impulsionando de tal forma a carreira de King que ele se tornou uma celebridade tão famosa quanto um astro de cinema ou do esporte, o que é bem incomum para escritores.

Além de vários romances e contos, King escreveu roteiros para o cinema e obras de não ficção, demonstrando ser um especialista em história e filmes macabros. Mais de uma centena de filmes e programas de televisão foram produzidos com base em sua obra, entre os quais se destacam *Carrie, a estranha* (1976), *O iluminado* (1980), *Conta comigo* (1986, baseado no conto "O corpo"), *Um sonho de liberdade* (1994, baseado no conto "Rita Hayworth e a redenção de Shawshank") e *À espera de um milagre* (1999). *Sob a redoma* (2009), um dos seus romances mais extensos, serviu de base para uma série de TV bastante popular que estreou em junho de 2013 e foi exibida no Brasil em TV aberta com o título *Prisão invisível.*

"A maleta do doutor" foi originalmente publicado em *As novas aventuras de Sherlock Holmes*, livro editado por Martin H. Greenberg e Carol-Lynn Rössel Waugh (Nova York: Carroll & Graf, 1987).

A MALETA DO DOUTOR

Stephen King

O tempo estava chuvoso e melancólico e o relógio acabava de marcar uma e meia da tarde. Sentado junto à janela, Holmes segurava o violino, sem tocá-lo, e, em silêncio, observava a chuva cair. De vez em quando, especialmente depois que parou de usar cocaína, Holmes ficava muito taciturno, beirando um estado depressivo, quando o céu teimava em permanecer cinzento por uma semana ou mais. Nesse dia, ficara duplamente desapontado, pois a neblina havia começado a se dissipar na noite anterior e, pelas suas previsões, no máximo até as dez da manhã o céu iria clarear. Mas, pelo contrário, o dia amanheceu nublado e, quando acordei, já estava chovendo forte. Se havia algo que deixava Holmes ainda mais melancólico do que longos períodos de chuva, era descobrir que estava errado.

De repente, ele se aprumou, tocou uma das cordas do violino com a unha e abriu um sorriso sardônico.

— Watson! Vale a pena olhar! O cão de caça mais molhado que já viu na vida!

Era Lestrade, é claro, sentado no banco de trás de um veículo sem capota, surgindo diante dos seus olhos perspicazes e inquiridores. A carruagem ainda nem havia parado e ele já estava descendo, empurrando o cocheiro para o canto e dirigindo-se a passos largos ao nº 221B da Baker Street. Estava com tanta pressa que achei que fosse entrar correndo pela nossa porta.

Ouvi a sra. Hudson reclamando do estado em que ele se encontrava, literalmente pingando, o que, segundo ela, estragaria os tapetes lá de baixo e os daqui de cima. Então vi Holmes, com uma agilidade que faria Lestrade parecer uma tartaruga, correr até a porta e gritar:

— Pode deixá-lo subir, sra. H. Se for se demorar muito aqui, ponho um jornal debaixo dos seus pés, mas, tenho a impressão...

E Lestrade subiu correndo a escada, deixando a sra. Hudson resmungando lá embaixo. Estava bastante corado, tinha os olhos ardentes e os dentes, decididamente amarelados devido ao tabaco, estavam todos à mostra num sorriso feroz.

— Inspetor Lestrade! — exclamou Holmes com animação. — O que o traz aqui com um tempo...

Mas não conseguiu concluir a frase. Ainda ofegante por causa da subida, Lestrade o interrompeu:

— Ouvi dizer que, segundo os ciganos, o diabo realiza desejos. Agora eu acredito. Se quiser tentar a sorte, Holmes, venha imediatamente. O cadáver ainda não esfriou e há uma fila de suspeitos.

— O que aconteceu?

— Ora, aquilo que o seu orgulho já desejou uma centena de vezes, ou até mais, que eu saiba, meu caro amigo. O mistério perfeito do cômodo trancado!

Ao ouvir isso, os olhos de Holmes brilharam.

— Verdade? Está falando sério?

— Acha que eu teria me arriscado a pegar uma pneumonia vindo até aqui numa charrete sem capota se não fosse sério? — retrucou Lestrade.

Então, pela primeira vez (até onde sei, apesar das inúmeras vezes que essa frase foi atribuída a ele), Holmes se virou para mim e exclamou:

— Depressa, Watson! O jogo já começou!

Enquanto seguíamos para a residência de lorde Hull, Lestrade fez um comentário amargurado, dizendo que Holmes também tinha a *sorte* do diabo. Embora Lestrade tivesse pedido ao cocheiro que esperasse, mal saímos de casa e aquela raridade primorosa desceu a rua com o ruído dos cascos dos cavalos atingindo as pedras do calçamento: um veículo vazio sob a chuva que agora dançava conforme o vento. Subimos e, num piscar de olhos, partimos. Como sempre, Holmes se sentou do lado esquerdo, com os olhos inquietos vasculhando todos os lados, catalogando tudo, apesar de não haver praticamente nada para ver num dia como *aquele*... Ou, pelo menos para as pessoas como eu, era o que parecia. Não duvido que cada esquina vazia ou cada vitrine molhada de chuva dizia muitas coisas a Holmes.

Lestrade direcionou o cocheiro para o que parecia ser um endereço de luxo em Saville Row, depois perguntou se Holmes conhecia lorde Hull.

— De nome — respondeu Holmes. — Mas nunca tive a sorte de conhecê-lo pessoalmente. E, pelo visto, acho que nunca terei. Ele trabalhava com importação e exportação, não é?

— Exatamente — replicou Lestrade. — Mas teve muita sorte, sim. Pelo que todos dizem (inclusive seus parentes mais próximos e os seus entes... humm... queridos), lorde Hull era um sujeito maldoso e excêntrico como o monstro de uma história infantil. Acabou, no entanto, levando tanto a maldade quanto a excentricidade ao extremo. Por volta das onze da manhã de hoje, ou seja — abriu a tampa de um relógio de bolso e olhou o mostrador —, há exatamente duas horas e quarenta minutos, alguém lhe enfiou uma faca nas costas enquanto ele estava sentado no escritório com o testamento no mata-borrão à sua frente.

— Quer dizer — retomou Holmes, pensativo, acendendo o cachimbo — que você acredita que o escritório desse desagradável lorde Hull é o cômodo trancado que venho procurando a vida toda?

Em seus olhos dava para ver um brilho cético por trás da fumaça azulada que se erguia.

— Acredito que sim — respondeu Lestrade baixinho.

— Watson e eu já cavamos muitos poços e, até hoje, não conseguimos encontrar água — disse Holmes e me olhou antes de se voltar para a incessante quantidade de ruas pelas quais passávamos. — Lembra-se da "Faixa Malhada", Watson?

Eu nem precisava responder à sua pergunta. É verdade que houvera um cômodo trancado nesse caso, mas também tinha havido um duto de ventilação, uma cobra extremamente venenosa e um assassino cruel o bastante para enfiá-la no duto. Fora um plano diabólico, mas Holmes percebera o "xis" da questão quase imediatamente.

— Quais são os fatos, inspetor? — indagou Holmes.

Lestrade começou a expor tudo com o jeito apressado de um policial treinado. Lorde Albert Hull fora um tirano nos negócios e um déspota na própria casa. Sua esposa era uma pobre criatura apavorada. Pelo visto, o fato de ter lhe dado três filhos homens não abrandou em nada a forma como ele a tratava. Ela foi bem relutante com relação a falar das suas relações sociais, mas os filhos não tiveram a mesma reserva. O pai, disseram, nunca perdeu uma oportunidade de ameaçá-la, criticá-la ou se divertir à sua custa... E tudo isso quando tinham visitas. Sozinhos, ele praticamente a ignorava. Ou, acrescentou o inspetor, às vezes até batia nela.

— William, o mais velho, me disse que ela sempre contava a mesma história quando aparecia para tomar café da manhã com um olho inchado ou um machucado no rosto. Dizia que havia se esquecido de pôr os óculos e tinha batido de cara na porta. "Ela batia de cara na porta uma ou duas vezes por semana", comentou William. "Não sabia que tínhamos tantas portas assim em casa."

— Humm! — exclamou Holmes. — Sujeitinho agradável, esse! Os filhos nunca deram um basta nisso?

— Ela nunca permitiria — respondeu Lestrade.

— Que loucura — comentei.

Um homem que bate na mulher é uma abominação; uma mulher que permite essa abominação causa perplexidade.

— Mas havia um método na sua loucura — disse Lestrade. — Embora não se perceba isso ao olhar para ela, era vinte anos mais jovem que Hull. Ele sempre bebeu muito e era um entusiasta da boa mesa. Cinco anos atrás, quando fez 60 anos, já sofria de gota e angina.

— Espere a tempestade passar e, então, desfrute do sol — sentenciou Holmes.

— Exatamente — disse Lestrade. — Lorde Hull fez questão de que todos soubessem tudo que ele possuía e quais eram as provisões em seu testamento. Aqueles quatro eram pouco mais do que escravos...

— ...e o testamento era a carta de alforria — murmurou Holmes.

— Exatamente. Na ocasião da sua morte, sua fortuna era de trezentas mil libras. E nunca pediu à família que aceitasse apenas a sua palavra como prova: a cada três meses, o seu contador-chefe ia à mansão para explicar em detalhes o balanço da empresa... Embora lorde Hull mantivesse o dinheiro nas próprias mãos e bem fechada.

— Que sujeito diabólico! — exclamei.

Pensei, então, nos garotos cruéis que às vezes vemos em Eastcheap ou em Picadilly, mostrando um doce para um cachorro faminto só para fazê-lo dançar... E, depois, eles mesmos comem a guloseima. Não demorei a descobrir que essa comparação era ainda mais adequada do que eu havia imaginado.

— Com a morte do marido, lady Rebecca Hull deveria receber 150 mil libras. William, o mais velho, receberia cinquenta mil; Jory, o filho do meio, quarenta, e Stephen, o caçula, trinta.

— E as outras trinta mil? — perguntei.

— Sete mil seriam distribuídas entre seus parentes: quinhentas para cada um dos seus irmãos no País de Gales e também para uma tia na Bretanha (nem um centavo ficaria para os parentes da esposa). Cinco mil seriam destinadas aos criados da casa na cidade e da propriedade que a família tem no campo e (vai gostar disso, Holmes) dez mil libras iriam para O Lar para Gatos Abandonados, mantido pela sra. Hemphill.

— Só pode estar de *brincadeira*! — exclamei. Mas, se Lestrade estivesse esperando uma reação semelhante de Holmes, certamente ficou decepcionado. O meu amigo se limitou a reacender o cachimbo e assentir com a cabeça, como se contasse com isso ou com algo parecido. — Com tantos bebês morrendo de fome no East

End e órfãos desabrigados que, aos 10 anos, estão perdendo todos os dentes nas fábricas de enxofre, esse sujeito deixou dez mil libras para um… um abrigo de *gatos*?

— Foi isso mesmo que eu disse — replicou Lestrade, achando graça. — Além disso, ele teria deixado *27 vezes* essa quantia para os gatos abandonados da sra. Hemphill se não fosse pelo que aconteceu hoje de manhã… se não fosse pela pessoa que cometeu crime.

Fiquei boquiaberto ao ouvir isso, tentando fazer as contas mentalmente. Enquanto eu chegava à conclusão de que lorde Hull planejava deserdar tanto a esposa quanto os filhos em benefício de um orfanato para felinos, Holmes olhava emburrado para Lestrade e dizia algo que, para mim, soou como total absurdo.

— Vou espirrar, não vou?

Lestrade deu um sorriso de uma doçura excepcional.

— Ah, vai, sim, meu caro Holmes. Imagino que vá espirrar muitas vezes e intensamente.

Holmes largou o cachimbo, que acabava de chegar ao ponto que lhe agradava (deu para perceber isso pelo jeito como ele se reclinou ligeiramente no banco), ficou por alguns instantes olhando para o objeto e, então, o esticou para fora do veículo. Eu o vi despejar o tabaco úmido e ainda soltando fumaça e fiquei mais espantado do que nunca. Se, naquele momento, alguém me dissesse que eu solucionaria o caso, acho que eu teria sido grosseiro o bastante para cair na gargalhada. Àquela altura, nem sequer fazia ideia *do que se tratava*. Só sabia que alguém (que a cada instante me parecia mais o tipo de pessoa que merecia se apresentar no pátio do Palácio de Buckingham para receber uma medalha do que no Tribunal de Old Bailey para ser condenado) havia matado aquele abominável lorde Hull antes que ele trocasse a família de sangue por um bando de gatos vira-latas.

— Quantas?

— Dez — respondeu Lestrade.

— Bem que eu desconfiei que foi mais do que esse seu famoso cômodo trancado que o fez subir numa charrete sem capota debaixo de uma chuva dessas — observou Holmes, aborrecido.

— Pode desconfiar o quanto quiser — retrucou Lestrade, animado. — Lamento, mas tenho que seguir em frente. Se preferir, posso deixá-lo aqui mesmo, junto com o bom doutor.

— Esqueça — replicou Holmes. — Quando foi que ele começou a ter certeza de que ia morrer?

— Morrer? — exclamei. — Como pode saber que...?

— É óbvio, Watson — respondeu Holmes. — Ele se divertia dominando a família com os termos do seu testamento. — Olhou para Lestrade. — Nenhuma cláusula restritiva, se entendi bem?

O inspetor balançou a cabeça.

— Nem qualquer condição?

— Nenhuma.

— Extraordinário! — exclamei.

— Queria que a família soubesse muito bem que tudo seria deles quando ele fizesse a gentileza de morrer, Watson — disse Holmes, — mas, na verdade, nunca teve a intenção de que recebessem a herança. Percebeu que estava morrendo. Esperou... E, então, chamou todos hoje de manhã... Foi hoje de manhã, não foi, inspetor?

Lestrade confirmou com a cabeça.

— Pois é... Ele reuniu a família inteira hoje de manhã e comunicou que tinha feito um novo testamento que deserdava a todos... Menos os criados e os parentes distantes, suponho.

Abri a boca para falar, mas descobri que estava tão indignado que não conseguia dizer nada. A imagem que não saía da minha cabeça era a daqueles meninos malvados fazendo os pobres vira-latas famintos do East End pular para pegar um naco de carne de porco ou uma migalha de torta de carne. Devo admitir que nunca me passou pela cabeça perguntar se um testamento como aquele não poderia ser questionado no tribunal. Hoje em dia, um homem teria muita dor de cabeça para fazer um testamento deserdando os parentes mais próximos em benefício de um asilo para gatos; em 1899, porém, a vontade de um homem era a vontade de um homem e, a menos que pudessem fornecer inúmeras provas de insanidade (não de excentricidade, mas de *insanidade* efetiva), os desígnios de um homem, como os de Deus, seriam cumpridos.

— Esse novo testamento foi devidamente assinado por testemunhas? — perguntou Holmes, achando uma possível brecha legal nesse esquema tão elaborado.

— Na verdade, foi, sim — respondeu Lestrade. — Ontem, o advogado de lorde Hull e um dos seus assistentes apareceram na mansão e foram levados ao seu escritório. Permaneceram lá por uns quinze minutos. Stephen Hull disse que, em determinado momento, o advogado ergueu a voz protestando contra alguma coisa (mas não sabia o quê) e que Hull mandou que se calasse. Jory, o filho do meio, estava pintando no andar de cima, e lady Hull tinha ido visitar uma amiga. Mas tanto Stephen quanto William os viram entrar e sair. William disse que quando os dois foram embora, estavam cabisbaixos e, embora o rapaz tenha lhes dirigido a palavra, perguntando se o sr. Barnes, o advogado, estava bem e fazendo algum comentário qualquer sobre a chuva que não parava, Barnes não respondeu e o assistente pareceu efetivamente se encolher. Era como se estivessem envergonhados, segundo William.

Bom, havia testemunhas. E lá se foi *a tal* brecha, pensei.

— Já que tocamos no assunto, me conte sobre os rapazes — pediu Holmes, unindo as pontas dos dedos magros.

— Como quiser. Acho que não é necessário dizer que o ódio que sentiam pelo pai só não era maior do que o imenso desprezo que o pai sentia por eles... Mas como ele poderia desprezar Stephen?... Bom, pouco importa... Não vou atropelar a ordem das coisas.

— Quanta gentileza, inspetor Lestrade — disse Holmes secamente.

— William tem 36 anos. Se o pai lhe desse alguma mesada, suponho que ele seria um salafrário. Como tinha pouco ou nenhum dinheiro, dava longos passeios durante o dia, ia a cafés à noite ou, se porventura tivesse um dinheirinho no bolso, ia a um cassino e em pouco tempo perdia tudo. Não é um sujeito agradável, Holmes. Um homem sem qualquer objetivo, sem qualquer habilidade, sem nenhum hobby ou ambição (a não ser a de viver mais do que o pai) não tem muita chance de ser uma pessoa agradável. Enquanto falava com ele, tive a nítida impressão de estar interrogando um pote vazio com uma leve estampa do rosto de lorde Hull.

— Um pote à espera do dinheiro do pai para encher — comentou Holmes.

— Jory, contudo, é outra história. Hull reservou uma boa parte do seu desprezo para ele, chamando-o, desde que era bem pequeno, por apelidos carinhosos como "cara de peixe", "pernas de barrica" e "barriga de furão". Infelizmente, não é difícil entender esses apelidos. Jory Hull não tem mais de um metro e meio de altura, se tanto. Suas pernas são arqueadas, os ombros curvados para a frente e é evidentemente feio. Parece um pouco com aquele poeta, o que era maricas.

— Oscar Wilde? — perguntei.

Holmes me deu uma olhadela rápida e divertida.

— Acho que Lestrade está se referindo a Algernon Swinburne — disse ele. — Mas acho que ele não é mais maricas do que você, Watson.

— Jory Hull nasceu morto — continuou Lestrade. — Depois de passar um minuto inteiro azulado e rígido, o médico o declarou morto e cobriu seu corpinho deformado com um pano. Lady Hull, em seu único momento de heroísmo, se sentou, tirou o pano e enfiou as pernas do bebê na água quente que havia sido trazida para o parto. Logo ele começou a se remexer e a choramingar.

Lestrade sorriu e acendeu uma cigarrilha com um fósforo sem dúvida confiscado de um daqueles moleques em quem eu estava justamente pensando.

— O próprio Hull, sempre generoso, culpava essa imersão em água quente pelas pernas arqueadas.

A única reação de Holmes a essa história extraordinária (e, para a minha cabeça de médico, bastante suspeita) foi comentar que Lestrade havia obtido uma grande quantidade de informação dos suspeitos em pouquíssimo tempo.

— É um dos aspectos do caso que imaginei que fosse interessá-lo, meu caro Holmes — disse o inspetor quando entramos na Rotten Row fazendo uma curva e espirrando água para todo lado.

— Eles não precisam ser pressionados para falar; ficam quietos se são intimidados. Tiveram que se manter calados por muito tempo. E ainda há um detalhe: o novo testamento desapareceu. Acho que o alívio deixa as línguas soltas ao extremo.

— Desapareceu! — exclamei, mas Holmes pareceu nem se importar com isso. Apenas fez algumas perguntas a Lestrade sobre as deformações do filho do meio.

— Sendo feio como é, acredito que o pai vivia lhe jogando várias coisas ofensivas na cara porque...

— Porque Jory era o único filho que não dependia do dinheiro do pai para viver — completou Holmes em tom complacente.

Lestrade levou um susto.

— Caramba! Como descobriu isso?

— Importunar um homem por causa de defeitos que qualquer um pode ver é a atitude de um homem amedrontado e vingativo — disse Holmes. — E essa história de ele ter a chave do porão?

— Como já lhe disse, ele pinta — respondeu Lestrade.

— Ah!

Como comprovamos mais tarde vendo as telas que havia nos cômodos do subsolo da mansão familiar, Jory Hull era mesmo um bom pintor. Nada excepcional; não pretendo lhe fazer um elogio. Mas os retratos que fez da mãe e dos irmãos eram bem fiéis, tanto que, anos mais tarde, quando vi pela primeira vez fotografias coloridas, logo me lembrei daquela tarde chuvosa de novembro de 1899. E o do seu pai, que ele nos mostrou depois... Talvez Jory se parecesse *mesmo* com Algernon Swinburne, mas sua semelhança com o pai (pelo menos o pai visto através dos olhos da mãe e do filho) me fez pensar numa personagem de Oscar Wilde: aquele libertino quase imortal, Dorian Gray.

Suas telas eram o resultado de um trabalho longo e demorado, mas ele fazia esboços com tanta rapidez que seria bem capaz de voltar para casa, depois de passar a tarde de sábado no Hyde Park, com cerca de vinte libras no bolso.

— Duvido que o pai gostasse *disso* — disse Holmes. Num gesto automático, levou a mão ao bolso para pegar o cachimbo, mas acabou deixando-o lá. — O filho de um lorde fazendo retratos de turistas norte-americanos ricos e suas namoradas como se fosse um boêmio francês...

— Ele ficava furioso — replicou Lestrade —, mas Jory não abriu mão do seu estande de vendas no Hyde Park... Pelo menos não até o pai concordar em lhe conceder a quantia semanal de 35 libras, o que, segundo lorde Hull, não passou de uma reles chantagem.

— Isso parte meu coração! — comentei.

— O meu também, Watson — observou Holmes. — E o terceiro filho, Lestrade... Acho que já estamos quase chegando à mansão.

Como o inspetor já tinha dito, Stephen Hull era quem tinha mais motivos para detestar o pai. À medida que a gota foi piorando e sua cabeça foi se tornando mais confusa, lorde Hull foi transferindo cada vez mais os negócios da empresa para Stephen, que tinha apenas 28 anos quando o pai morreu. Inúmeras responsabilidades lhe foram impingidas; inúmeras acusações lhe eram feitas sempre que qualquer decisão que tomasse se revelasse errada e, ainda por cima, nunca recebeu a menor recompensa financeira no caso de tomar uma decisão acertada.

Como Stephen era o único dos três filhos com algum interesse na empresa que ele havia fundado, lorde Hull deveria ter lhe dado apoio. Já que Stephen era não só quem assegurava a prosperidade dos negócios do pai, que poderia muito bem estar sofrendo uma redução dos lucros em função dos problemas físicos e mentais do seu fundador (e fazia tudo isso apesar da pouca idade), o pai deveria tratá-lo com amor e também com gratidão. Contudo, Stephen era recompensado com a desconfiança, a inveja e a convicção, várias vezes repetida por lorde Hull, de que o filho "ia roubar até mesmo as moedas" que pusessem nos seus olhos depois da sua morte.

— Filho da p...! — exclamei, sem conseguir me conter.

— Ele salvou a empresa e a fortuna — disse Holmes, voltando a unir as pontas dos dedos das mãos — e, mesmo assim, sendo o caçula, ia receber a menor parte do espólio. Aliás, com quem ficaria a empresa de acordo com o novo testamento?

— Seria tudo entregue ao Comitê Diretor. A firma passaria a se chamar Hull Shipping Ltd., sem qualquer cota destinada ao filho — informou Lestrade e jogou fora a cigarrilha quando o cavalo entrou na alameda sinuosa de uma casa que, na minha opinião, parecia extremamente feia sob a chuva e cercada por gramados sem vida. — Mas, com a morte do pai e o sumiço do novo testamento, Stephen Hull vai herdar trinta mil libras. O sujeito não terá problema algum. Está "alavancado", como dizem os norte-americanos. Vai se tornar o diretor-geral da empresa. Talvez isso acontecesse de qualquer forma, mas agora será segundo as condições de Stephen Hull.

— É — disse Holmes. — Alavancado. Boa palavra — Pôs a cabeça para fora, sob a chuva. — Pare imediatamente, cocheiro! — gritou. — Ainda não terminamos.

— Como quiser, patrão — replicou o cocheiro. — Mas com essa água dos diabos!

— Vai encher bastante o bolso para deixar seu corpo tão molhado e diabólico por dentro quanto por fora! — exclamou Holmes. A promessa pareceu agradar o sujeito, que parou a cerca de 25 metros da porta da casa. Dava para ouvir a chuva batendo na capota enquanto Holmes pensava. Por fim, ele disse: — O outro testamento, aquele que o velho usava para atormentar a família... *Esse* não desapareceu, certo?

— Não. Estava na escrivaninha, ao lado do corpo.

— Quatro excelentes suspeitos! Não precisamos nem considerar a criadagem... Pelo menos, é o que parece. Acabe logo com isso, Lestrade... As circunstâncias finais e o cômodo trancado.

Lestrade concluiu seu relato em menos de dez minutos, consultando suas anotações de vez em quando. No mês anterior, lorde Hull havia notado um pontinho preto na perna direita, logo atrás do joelho. Chamaram o médico da família. O diagnóstico foi gangrena, uma consequência pouco comum, mas nem por isso rara, da gota e dos problemas circulatórios. O médico lhe disse que sua perna teria que ser amputada bem acima do local infeccionado.

Lorde Hull chegou a chorar de tanto rir. O médico, que esperava uma reação totalmente diferente, ficou desnorteado, sem saber o que dizer.

— Fique sabendo, seu cortador de ossos — esbravejou Hull —, que, quando me enfiarem no caixão, as duas pernas estarão bem presas ao meu corpo.

O médico disse que compreendia perfeitamente o desejo de lorde Hull de não ter a perna amputada, mas reafirmou que, sem a cirurgia, ele morreria em seis meses... Além de passar os dois últimos sofrendo com dores terríveis. O homem perguntou, então, quais seriam suas chances de sobrevivência caso se submetesse à operação. E continuava rindo, acrescentou Lestrade, como se tivessem lhe contado a melhor piada que já ouvira na vida. Depois de balbuciar algumas coisas incompreensíveis, o médico respondeu que as chances eram de cerca de cinquenta por cento.

— Uma ova! — exclamei.

— Foi exatamente o que lorde Hull disse — observou Lestrade. — Só que ele usou um termo um pouco mais vulgar.

Disse ao médico que, segundo seus próprios cálculos, suas chances eram de no máximo uma em cinco.

— Quanto à dor — prosseguiu —, não acredito que chegue a esse ponto, já que o láudano e a colher podem acabar com ela rapidinho.

No dia seguinte, Hull finalmente contou a todos sua abominável surpresa: estava pensando em alterar o testamento. Só que não disse como.

— Ah! — exclamou Holmes, erguendo para Lestrade aqueles frios olhos cinzentos que enxergavam longe. — E, diga-me, quem ficou surpreso com isso?

— Acho que nenhum deles. Mas o senhor conhece a natureza humana, Holmes; sabe como as pessoas insistem em ter esperança.

— E como outras fazem planos para impedir um desastre — acrescentou Holmes em um tom meio sonhador.

Naquela manhã, lorde Hull tinha chamado a família para a sala de visitas e, quando todos estavam acomodados lá, procedera à encenação que poucos testadores são capazes de realizar, já que geralmente compete às línguas dos seus advogados depois que a sua própria foi silenciada para sempre. Em poucas palavras, leu o testamento que deixava grande parte de suas posses para o abrigo de gatos da sra. Hemphill. Em meio ao silêncio que se seguiu, ele se levantou, não sem dificuldade, e presenteou a todos com um sorriso maligno. Depois, apoiando-se na bengala, fez a seguinte declaração que considero tão ignóbil agora quanto no momento em que Lestrade a reproduziu naquela charrete:

— Então, está tudo certo, não é mesmo? Sim, tudo certo! Vocês, mulher e filhos, me serviram fielmente durante uns bons quarenta anos. Agora pretendo, com a consciência mais tranquila e serena imaginável, recompensá-los por isso. Mas animem-se! As coisas poderiam ser piores! Em outros tempos, os faraós mandavam matar seus animais de estimação favoritos, na maioria gatos, antes que eles próprios morressem. Assim, os animaizinhos estariam lá para recebê-los na outra vida, para ser acariciados ou chutados lá, conforme o capricho dos seus donos, para sempre... para sempre... para sempre.

Em seguida, começou a rir deles. Apoiado na bengala, ria, com o rosto emaciado de um moribundo, segurando com firmeza na mão o novo testamento que todos tinham visto, devidamente assinado por ele mesmo e pelas testemunhas.

William se levantou e disse:

— O senhor pode ser meu pai e autor da minha existência, mas também é a criatura mais cruel que já rastejou pela face da Terra desde que a serpente tentou Eva no Jardim do Éden.

— De jeito nenhum! — replicou o velho monstro, ainda rindo. — Conheço quatro criaturas muito mais cruéis. Agora, se me dão licença, preciso guardar alguns papéis importantes no cofre... e queimar outros sem importância no fogareiro.

— Ele ainda tinha o testamento antigo durante esse confronto? — perguntou Holmes, parecendo mais interessado do que chocado.

— Tinha, sim.

— Poderia tê-lo queimado assim que o novo estivesse pronto e assinado — observou Holmes. — Teve uma tarde e uma noite inteiras para fazer isso. Mas não seria suficiente, não é? O que acha, Lestrade?

— Ele queria provocá-los. Provocá-los com uma possibilidade que, a seu ver, todos iam recusar.

— Existe outra hipótese — disse Holmes. — Ele falou em suicídio. Não seria possível que um homem como ele tivesse controlado a tentação por saber que um dos membros da sua família (Stephen parece o mais provável, pelo que o senhor disse) podia perfeitamente fazer isso por ele, ser preso... e ser condenado à forca pelo crime cometido?

Olhei para Holmes, aterrorizado, sem dizer uma palavra.

— Pouco importa... — acrescentou ele. — Prossiga.

Os quatro haviam ficado sentados ali em silêncio, paralisados, enquanto o velho se afastava pelo corredor a passos lentos em direção ao seu escritório. Não havia qualquer outro som a não ser as pancadas da bengala, o ruído da sua respiração custosa, o miado melancólico do gato na cozinha e o ruído ritmado do pêndulo do relógio na sala. Depois, todos ouviram o rangido das dobradiças quando Hull abriu a porta do escritório e entrou.

— Espere aí! — exclamou Holmes, chegando mais para a borda do assento. — Na verdade, ninguém efetivamente o viu entrar ali, não foi?

— Acho que não foi bem assim, meu caro — replicou Lestrade. — O sr. Oliver Stanley, criado pessoal de lorde Hull, chegou a ouvir os passos dele pelo corredor. Saiu do quarto de vestir, foi até a balaustrada da escada e gritou, perguntando ao patrão se ele estava bem. Hull ergueu os olhos (Stanley o viu tão nitidamente quanto eu o vejo agora, meu amigo) e disse que estava se sentindo às mil maravilhas. Depois passou a mão na nuca, entrou no escritório e trancou a porta. Quando ele alcançou a porta do aposento (o corredor é bem comprido e ele deve ter levado uns dois minutos para chegar lá sem qualquer auxílio), Stephen saiu do estado de estupor e foi até a porta da sala de visitas. Viu a conversa entre o pai e o seu criado. Claro que o pai estava de costas, mas ouviu sua voz e descreveu o mesmo gesto referido por Stanley: Hull passando a mão na nuca.

— Será que Stephen Hull e esse tal de Stanley podem ter conversado antes da chegada da polícia? — perguntei, achando-me muito astuto.

— Claro que sim, e é bem provável que tenham feito isso — respondeu Lestrade, desanimado. — Mas não houve qualquer combinação entre os dois.

— Tem certeza? — perguntou Holmes, mas, pelo seu tom de voz, não parecia lá muito interessado.

— Tenho. Stephen Hull poderia mentir muito bem, eu acho, mas Stanley não. Aceite a minha opinião profissional, ou não, Holmes. Como quiser.

— Pois aceito.

Então, lorde Hull entrou no escritório, o célebre cômodo trancado, e todos ouviram o clique da chave girando na fechadura: a única que existia para aquele sagradíssimo sacrário. Em seguida, ouviu-se um som bem menos comum: o ferrolho sendo passado na porta.

Depois, silêncio.

Os quatro, lady Hull e os filhos, todos prestes a se tornarem pobretões de sangue azul, se entreolharam em silêncio. Lá na cozinha, o gato voltou a miar e, com um tom de voz distraído, lady Hull disse que, se a governanta não tinha dado uma tigela de leite ao bichano, ela mesma precisaria fazê-lo. Disse ainda que, se continuasse ouvindo aquele barulho por mais tempo, ia enlouquecer. E saiu da sala. Minutos depois, sem trocarem uma palavra, os três filhos também deixaram o aposento. William foi para o seu quarto, no andar de cima; Stephen ficou circulando pela sala de música; e Jory foi se sentar num banco que ficava no vão da escada, para onde ia desde criança, segundo disse a Lestrade, sempre que estava triste ou precisava resolver uma questão complicada.

Menos de cinco minutos depois, ouviu-se um grito terrível vindo do escritório. Em um pulo, Stephen saiu da sala de música, onde estivera tocando notas isoladas no piano. Jory o encontrou diante da porta. William já estava no meio da escada e viu os dois aparecerem ali. Nesse momento, Stanley saiu do quarto de vestir e se aproximou pela segunda vez da balaustrada do andar de cima. Viu Stephen Hull arrombar a porta do escritório; viu William chegar ao pé da escada e quase cair no chão de mármore; viu lady Hull surgir na porta da sala de jantar com uma jarra de leite na mão. Pouco depois, o resto da criadagem já havia se reunido ali. Lorde Hull estava caído sobre a sua escrivaninha e os três rapazes se encontravam parados à sua volta. Seus olhos estavam abertos. Os lábios, contraídos, e os seus olhos exibiam uma surpresa indescritível. Segurava firme numa das mãos o seu testamento... o antigo. Não havia sinal do novo. E havia um punhal cravado em suas costas.

Dizendo isso, Lestrade ordenou ao cocheiro que prosseguisse.

Entramos escoltados por dois policiais tão impassíveis quanto as sentinelas do Palácio de Buckingham. Havia um longo corredor com piso de mármore preto e branco, formando um desenho que parecia um tabuleiro de xadrez. Eles nos levaram até a porta aberta que ficava no final do corredor e onde estavam postados mais dois guardas. O infame escritório. À esquerda, ficava a escada; à direita, duas portas: a da sala de visitas e a da sala de música, pelo que supus.

— A família está reunida na sala de visitas — disse Lestrade.

— Ótimo — observou Holmes, satisfeito. — Antes, porém, talvez seja melhor Watson e eu darmos uma olhada nesse cômodo trancado.

— Querem que eu vá junto?

— Acho que não — respondeu Holmes. — O corpo já foi removido?

— Ainda não tinha sido quando saí para ir até a sua casa, mas agora já devem tê-lo levado.

— Ótimo.

Holmes saiu andando e eu fui atrás dele.

— Holmes! — chamou Lestrade.

O meu amigo se virou, com as sobrancelhas erguidas.

— Nenhum fundo falso, nenhuma passagem secreta. Acredite ou não em mim. Como preferir.

— Acho que vou esperar até... — começou Holmes, mas sua respiração começou a ficar entrecortada.

Remexeu no bolso, achou um guardanapo talvez trazido por acaso do restaurante onde havíamos jantado na véspera e assoou o nariz com força. Olhei para baixo e deparei com um gato vira-lata bem grande e cheio de cicatrizes circulando pelas pernas do meu amigo. O bicho parecia tão deslocado naquele corredor imponente quanto um dos meninos de rua que trabalham nas fábricas de enxofre. Uma das suas orelhas baixava sobre a cabeça marcada; a outra já não existia, provavelmente perdida numa briga muito antiga.

Holmes espirrou inúmeras vezes e acabou chutando o gato. O animal se afastou, limitando-se a olhar para trás com um ar de repreensão, mas não reagiu com aquele chiado raivoso que seria esperado no caso de um veterano. Por cima do guardanapo, Holmes voltou para Lestrade seus olhos úmidos e injuriados. Lestrade nem ao menos tentou disfarçar o riso.

— Dez, Holmes — disse ele. — *Dez*. Esta casa é cheia de gatos. Hull adorava esses animais.

E, dizendo isso, se afastou.

— Desde quando, amigo? — perguntei.

— Desde sempre — respondeu ele e espirrou mais uma vez.

Devo dizer que até hoje acredito que a solução do mistério do cômodo trancado teria sido tão evidente para Holmes quanto foi para mim se não fosse por aquela infeliz agonia. Naquela época, a palavra *alergia* era praticamente desconhecida, mas é evidente que era esse o problema dele.

— Quer ir embora?

Eu estava um pouco assustado. Já tinha visto o caso de alguém que quase morreu asfixiado por causa de semelhante aversão a ovelhas.

— Ele adoraria que eu fizesse isso — replicou Holmes.

Nem precisava me dizer a quem estava se referindo. Espirrou mais uma vez (um grande inchaço vermelho surgia na sua testa normalmente pálida) e, então, passamos pelos dois policiais e entramos no escritório. Holmes fechou a porta.

O aposento era comprido e relativamente estreito. Correspondia à extremidade de algo como uma ala da estrutura principal da casa que se estendia para ambos os lados cobrindo uma área de uns 3/4 da extensão do corredor. Havia, portanto, janelas dos dois lados do cômodo, que era bem iluminado apesar do dia cinzento e chuvoso. A maior parte das paredes era coberta de mapas marítimos, mas, numa delas, havia um belo conjunto de instrumentos meteorológicos, dentro de um estojo de latão: um anemômetro (suponho que Hull tenha mandado montar as pás metálicas numa das vigas do teto), dois termômetros (um registrando a temperatura externa e o outro, a do interior do aposento) e um barômetro, que se parecia muito com aquele que havia enganado Holmes, levando-o a acreditar que finalmente haveria uma melhora no tempo. Percebi que o mercúrio continuava elevado dentro do tubo de vidro, então olhei para fora. A chuva estava mais forte do que nunca, com o mercúrio se elevando ou não. Nós achamos que sabemos muita coisa, com nossos instrumentos e apetrechos, mas não sabemos nem a metade do que julgamos saber.

Holmes e eu nos viramos para a porta. O ferrolho estava solto, mas caído para dentro, como era de se esperar. A chave continuava virada na fechadura.

Mesmo cheios de água, os olhos de Holmes percorriam tudo ao mesmo tempo, observando, catalogando, estocando.

— Está um pouco melhor — comentei.

— Verdade — replicou ele, afastando o guardanapo do rosto e enfiando-o de volta no bolso do paletó. — Ele podia adorar gatos, mas, pelo visto, não os deixava aqui. Pelo menos não regularmente. O que acha disso, Watson?

Embora meus olhos fossem mais lerdos que os dele, eu também observava tudo ao redor. Todas as janelas duplas estavam fechadas com trincos e pequenas trancas laterais. Nenhuma vidraça havia sido quebrada. Os mapas emoldurados e os instrumentos meteorológicos ficavam entre essas janelas. As outras duas paredes, localizadas atrás e na frente da escrivaninha que dominava o aposento, eram repletas de livros. Num canto, havia um pequeno fogareiro a carvão, mas nenhuma lareira... O assassino não tinha entrado pela chaminé como Papai Noel, a menos que fosse magro o bastante para passar pelo tubo de ventilação e estivesse usando uma roupa especial, pois o fogareiro ainda estava muito quente. Na outra ponta, havia uma pequena biblioteca com duas poltronas estofadas e de espaldar alto e no meio ficava uma mesinha de centro. Em cima dela, encontrava-se uma pilha de livros aleatórios. O teto era recoberto de gesso. No piso, estendia-se um grande tapete turco. Se o assassino tivesse entrado por algum alçapão, eu não fazia ideia de como ele poderia ter saído de baixo do tapete sem desarrumá-lo. Afinal, estava impecável: bem esticadinho e com a sombra dos pés da mesinha de centro desenhando-se ali sem qualquer ondulação.

— Acreditou nisso, Watson? — perguntou Holmes, me tirando de um transe hipnótico. Tinha alguma coisa... alguma coisa com relação àquela mesinha...

— Acreditou em quê, Holmes?

— Que os quatro simplesmente saíram da sala, indo para quatro direções diferentes, quatro minutos antes do assassinato?

— Não sei — respondi baixinho.

— Pois *eu* não; nem por um mi... — Estancou. — Watson! Você está bem?

— Não — falei com uma voz que eu mesmo quase não ouvi. Caí numa das poltronas da biblioteca. Meu coração batia acelerado. Eu não conseguia respirar direito. Minha cabeça latejava. De repente, meus olhos pareciam ter ficado grandes demais para caber nas órbitas. Não conseguia despregá-los das sombras dos pés da mesinha de centro em cima daquele tapete. — Estou... Definitivamente não estou... Nada bem.

Nesse momento, Lestrade apareceu na porta do escritório.

— Se já olhou o suficiente, Ho... — Mas parou no meio da frase. — Que diabo está acontecendo com Watson?

— Acredito — disse Holmes com um tom de voz calmo e pausado — que Watson resolveu o caso. Não é verdade, Watson?

Fiz que sim com a cabeça. Talvez não tudo, mas boa parte dele. Eu sabia quem e como.

— É assim que acontece com você, Holmes? — perguntei. — Quando você… vê?

— Exatamente — respondeu ele.

— *Watson* resolveu o caso? — indagou Lestrade com impaciência. — Ora! Watson já propôs milhares de soluções para centenas de casos, Holmes, como bem sabe… E todas estavam erradas. Basta lembrar que no último verão…

— Sei muito mais sobre Watson do que você jamais saberá — disse Holmes. — E, desta vez, ele acertou na mosca. Conheço esse olhar.

E recomeçou a espirrar. O gato de uma orelha só havia entrado no aposento pela porta que Lestrade deixara aberta. Dirigiu-se diretamente para Holmes com uma expressão afetuosa naquela carinha feia.

— Se é isso que acontece com você — falei —, nunca mais vou sentir inveja, Holmes. Meu coração podia ter explodido.

— A gente acaba se acostumando com essas percepções — replicou Holmes e não havia qualquer vestígio de orgulho em sua voz. — Então, fale logo… Ou devemos trazer os suspeitos para cá, como no último capítulo de um romance policial?

— Não! — exclamei, horrorizado. Eu ainda não vira nenhum deles e não tinha pressa alguma em fazê-lo. — Acho que eu deveria lhe *mostrar* como as coisas aconteceram. Se você e o inspetor Lestrade puderem ir um minutinho para o corredor…

O gato alcançou Holmes e pulou no seu colo, ronronando como se fosse a criatura mais feliz da Terra.

Holmes explodiu numa incrível rajada de espirros. As manchas vermelhas no seu rosto, que já tinham começado a desaparecer, ressurgiram com toda intensidade. Ele empurrou o gato e se levantou.

— Ande logo com isso, Watson, para podermos ir embora deste maldito lugar — disse ele com a voz abafada.

E saiu do seu perfeito exemplar de cômodo trancado com os ombros curvados, o que não era nada comum, a cabeça baixa e sem olhar para trás uma única vez. Podem acreditar: um pedacinho do meu coração saiu dali junto com ele.

Lestrade se recostou na porta, com o paletó molhado soltando um pouquinho de vapor, e exibia nos lábios um risinho detestável.

— Devo levar embora o novo admirador de Holmes, Watson?

— Não, deixe-o aqui — respondi. — Mas feche a porta.

— Aposto que está nos fazendo perder tempo, meu velho — disse Lestrade, mas notei algo diferente em seus olhos: se eu tivesse aceitado a aposta, garanto que ele teria tirado o corpo fora.

— Feche a porta — repeti. — Não vou demorar.

Ele obedeceu. Fiquei sozinho ali no escritório de Hull... Eu e o gato, é claro. Ele estava sentado bem no meio do tapete, com a cauda enrolada nas patas e os olhos verdes fixos em mim.

Enfiei a mão nos bolsos e encontrei meu suvenir do jantar da noite anterior. Acho que homens solteiros são bem descuidados, mas, se aquele pedaço de pão estava ali, não era só por falta de higiene. Quase sempre levo algo do tipo num dos bolsos porque me divirto alimentando os pombos que pousam na janela diante da qual Holmes estava sentado quando Lestrade apareceu.

— Pss, pss, pss... — chamei, colocando o pão debaixo da mesinha de centro, para a qual lorde Hull virou as costas quando se sentou com seus dois testamentos, o antigo, que era abominável, e o novo, ainda mais abominável. — Pss, pss, pss...

O gato se levantou e, bem devagar, foi se aproximando da mesinha para sondar o que havia ali.

Corri até a porta e a abri.

— Holmes! Lestrade! Depressa!

Os dois entraram.

— Venham até aqui — falei, me aproximando da mesinha.

Lestrade olhou para o local e começou a franzir a testa, sem entender. Holmes, é claro, voltou a espirrar.

— Dá para tirar essa criatura horrível daqui? — perguntou, apesar de estar com o rosto enfiado no guardanapo que, a essa altura, estava encharcado.

— Claro — repliquei. — *Mas onde é que ele está, Holmes*?

Por cima da borda do guardanapo, seus olhos exibiram uma expressão de espanto. Lestrade se virou, foi até a escrivaninha de Hull e olhou ali atrás. Holmes sabia que sua reação não seria tão violenta se o gato estivesse do outro lado do aposento. Ele se abaixou, olhou embaixo da mesinha de centro e não encontrou nada além de um espaço vazio e das prateleiras inferiores das duas estantes daquela parede. Então, se levantou. Se os seus olhos não estivessem lacrimejando como fontes, teria decerto percebido a ilusão: ele estava exatamente em cima dela. Mas temos que convir: aquilo era incrivelmente bem-feito. O espaço vazio debaixo da mesinha de centro era a obra-prima de Jory Hull.

— Não... — começou Holmes.

Mas, nesse momento, o gato, que havia achado Holmes muito mais tentador do que o pedaço de pão, saiu de baixo da mesinha e voltou a se esfregar todo feliz em seus tornozelos. Lestrade, que tinha voltado, arregalou tanto os olhos que achei que fossem efetivamente saltar das órbitas. Mesmo tendo percebido tudo, eu mesmo estava atônito. O vira-lata cheio de cicatrizes pareceu se materializar do nada: cabeça, corpo, e, finalmente, a cauda com a pontinha branca.

Mais uma vez, se esfregou nas pernas de Holmes e ronronou enquanto meu amigo espirrava.

— Chega — falei. — Você já terminou o trabalho, então pode ir.

Peguei o animal no colo, carreguei-o até a porta (levando um belo arranhão para cúmulo dos meus males) e o joguei no corredor sem qualquer cerimônia.

Holmes estava sentado.

— Meu Deus! — disse com a voz fanhosa e embargada.

Lestrade não tinha condições de dizer uma palavra que fosse. Não desviava os olhos da mesinha, do tapete turco desbotado debaixo dos seus pés e do espaço vazio que, sabe-se lá como, fez brotar um gato.

— Eu devia ter percebido — resmungou Holmes. — É... Mas... Como foi que você reparou tão *depressa*?

Notei uma pontinha de orgulho ferido e de mágoa em sua voz, mas o perdoei.

— Foi *isso aqui* — respondi, apontando para as sombras projetadas pelos pés da mesa.

— Claro! — exclamou Holmes, quase gemendo. Depois deu um tapa na testa inchada. — Idiota! Sou um tremendo *idiota*!

— Bobagem — retruquei em tom amargo. — Com dez gatos na casa e considerando-se que um deles resolveu considerá-lo um amigo especial, imagino que estivesse vendo tudo multiplicado por dez.

— O que têm essas sombras? — perguntou Lestrade, recobrando finalmente a voz.

— Mostre a ele, Watson — disse Holmes, cansado, botando o guardanapo no colo.

Então me agachei e tirei uma das sombras do chão.

Lestrade desabou com força na outra poltrona, como se tivesse acabado de levar um soco inesperado.

— Fiquei olhando para elas, sabe… — falei num tom de voz que involuntariamente soou como um pedido de desculpas.

Tudo parecia errado. Era Holmes que tinha a função de esclarecer os "quem" e "como". No entanto, como percebi que ele tinha entendido tudo, sabia que se recusaria a tomar a palavra naquele caso. E suponho que parte de mim, aquela parte que tinha certeza de que eu provavelmente nunca teria outra chance de fazer algo assim, *queria* ser a pessoa que esclarecia as coisas. E o gato foi um golpe de mestre, devo admitir. Um mágico não teria feito melhor com um coelho e uma cartola.

— Eu sabia que tinha alguma coisa errada, mas demorei um pouco para perceber o que era. O cômodo é extremamente bem-iluminado; hoje, porém, está chovendo muito. Olhem ao redor e vão ver que nenhum objeto aqui dentro está projetando sombras no chão… *a não ser os pés dessa mesinha.*

Lestrade soltou um palavrão.

— Faz quase uma semana que a chuva não para — prossegui —, mas tanto o barômetro de Holmes quanto o do finado lorde Hull — acrescentei, apontando para o objeto na parede — informavam que hoje deveria fazer sol. Na verdade, dava para acreditar nisso. Então, ele acrescentou as sombras como toque final da encenação.

— Ele quem?

— Jory Hull — respondeu Holmes no mesmo tom cansado. — Quem mais poderia ser?

Eu me agachei e enfiei a mão debaixo do lado direito da mesinha: ela sumiu, exatamente como o gato havia surgido. Atônito, Lestrade disse outro palavrão. Dei uns tapinhas na tela bem esticada entre os pés da parte da frente do móvel. Os livros e o tapete se moveram e balançaram. Com isso, a ilusão quase perfeita se desfez.

Jory Hull havia pintado o nada embaixo da mesinha de centro do pai; escondeu-se ali atrás quando lorde Hull entrou, trancou a porta e se sentou à sua escrivaninha com os dois testamentos nas mãos, o antigo e o novo. E, quando o velho começou a se levantar da cadeira, o rapaz saiu de trás dali armado com o punhal.

— Só ele conseguiria fazer uma pintura tão realista assim— falei, passando a mão na superfície da tela. Nós três ouvimos o ruído meio áspero que até parecia o ronronar de um gato velho. — Só ele seria capaz de executá-la e de se esconder atrás dela. Jory Hull não media mais que um metro e meio de altura e tinha as pernas arqueadas e os ombros caídos.

"Como Holmes disse, o novo testamento não foi surpresa para ninguém. Mesmo que o velho tenha tentado manter em segredo a possibilidade de excluir a família do novo documento, coisa que ele não fez, só um imbecil não entenderia a importância da visita do advogado e, ainda mais importante, a presença do seu assistente. São necessárias duas testemunhas para que um testamento seja considerado válido aos olhos da justiça. Holmes tinha toda a razão quando disse que algumas pessoas se preparam para as catástrofes. Uma tela tão perfeita quanto esta não foi feita da noite para o dia, nem mesmo em um mês. Dá para supor que ela já estava pronta, caso fosse necessário usá-la, há cerca de um ano...

— Ou de cinco — atalhou Holmes.

— Acho que sim. Seja como for, quando Hull anunciou que queria a família inteira reunida na sala de visitas pela manhã, Jory certamente percebeu que tinha chegado a hora. Depois que o pai foi se deitar ontem à noite, ele deve ter descido até aqui e montado a pintura. E suponho que tenha instalado também as sombras falsas. No entanto, se eu fosse ele, voltaria aqui pela manhã, na ponta dos pés, para conferir de novo o mercúrio só para garantir que continuava subindo. Se a porta estivesse trancada, é provável que ele tenha surrupiado a chave do bolso do pai e voltado mais tarde para cá.

— Ela não estava trancada — disse Lestrade secamente. — Em geral, lorde Hull a mantinha fechada para impedir que os gatos entrassem, mas raramente a trancava.

— Quanto às sombras, são simples tiras de feltro, como podem ver. Ele tem um olho bom, pois estavam praticamente como deveriam estar às onze da manhã de hoje... Se o barômetro estivesse correto.

— Se ele estava contado que faria sol, por que diabo colocou essas sombras aí? — resmungou Lestrade. — O sol se encarregaria disso, como sempre acontece, Watson. Ou será que nunca reparou?

Diante dessa pergunta, fiquei meio perdido. Olhei para Holmes, que pareceu feliz em poder *participar* da explicação.

— Não percebe? Essa é a maior ironia! Se tivesse feito sol, como o barômetro indicava, a tela *bloquearia* as sombras. Como se sabe, pés de móveis pintados não fazem sombra. Foi justamente porque ele teve medo de ser descoberto pela inexistência de sombras (num dia em que, segundo o barômetro do pai, elas estariam espalhadas por toda parte) que acabou sendo pego.

— Ainda não entendo como Jory entrou aqui sem que Hull o visse — disse Lestrade.

— Isso também me deixou intrigado — retrucou Holmes. Ah, meu querido amigo Holmes! Duvido que isso o tenha realmente intrigado, mas foi o que ele disse. — Watson?

— A sala de visitas, onde os quatro estavam, tem uma porta que dá para a sala de música, não é mesmo?

— É — disse Lestrade —, e a sala de música tem uma porta que dá para a saleta de lady Hull, o aposento que vem em seguida quando seguimos para os fundos da casa. Mas, dessa saleta, só dá para voltar ao corredor, doutor Watson. Se houvesse *duas* portas dando para o escritório de Hull, com toda a certeza eu não teria saído correndo para chamar Holmes.

Essa última frase foi dita em tom de justificativa.

— Ah, ele voltou para o corredor — comentei. — Tudo bem, mas o pai não o viu.

— Impossível!

— Vou demonstrar — falei e me dirigi à escrivaninha onde a bengala do morto permanecia. Passei a mão nela e apontei na direção dos dois. — No exato momento em que lorde Hull deixou a sala de visitas, Jory se levantou e saiu depressa.

Lestrade olhou, espantado, para Holmes, que retribuiu com um olhar frio e irônico. Devo admitir que ainda não tinha entendido as efetivas implicações do cenário que estava traçando; afinal, acho que eu estava envolvido demais me divertindo.

— Ele se esgueirou pela primeira porta, atravessou correndo a sala de música e, dali, passou para a saleta de lady Hull. Chegou até a porta que dá para o corredor e espiou. Se a gota de lorde Hull tinha se agravado a ponto de provocar gangrena, ele não teria percorrido mais do que 1/4 do corredor àquela altura, e isso na melhor das hipóteses. Agora, preste atenção, inspetor Lestrade, e vou lhe mostrar como um homem que passou a vida inteira comendo coisas nada saudáveis e bebendo muito acaba pagando um alto preço por isso. Se duvidar, posso lhe apresentar dezenas de pacientes com gota e eles vão fazer exatamente o que vou lhe mostrar agora.

Dito isso, saí mancando bem devagar em direção ao cômodo diante deles, segurando firme, com ambas as mãos, a bengala. Eu erguia um dos pés bem alto, levava-o de volta ao chão, fazia uma pausa, e então arrastava a outra perna. Em momento algum ergui os olhos: eles se fixaram ora na bengala, ora no pé que estava à frente.

— Exatamente — disse Holmes baixinho. — O bom doutor tem toda a razão, inspetor Lestrade. Primeiro, vem a gota; depois (se o doente viver o bastante, é claro), vem a postura curvada decorrente da necessidade de olhar sempre para baixo.

— Ele também sabia disso — observei. — Lorde Hull vinha sofrendo com o agravamento da doença há cinco anos. Jory deve ter percebido o jeito como ele andava, olhando sempre para a bengala e para o próprio pé. Da porta da saleta, ele viu que estava seguro e simplesmente seguiu para o escritório. Se fosse rápido, não levaria mais que três segundos. — Fiz uma pausa. — O chão desse corredor é de mármore, certo? Então, ele deve ter tirado os sapatos.

— Estava de chinelo — observou Lestrade secamente.

— Ah, entendo. Jory chegou ao escritório e se escondeu atrás do painel que havia montado. Depois, pegou o punhal e ficou esperando. Seu pai chegou ao fim do corredor. Ouviu quando Stanley o chamou. Deve ter sido um momento difícil para ele. Então, lorde Hull respondeu que estava bem, entrou no cômodo e fechou a porta.

Os dois me olhavam atentamente, então entendi o poder quase divino que Holmes deve ter sentido em momentos como aquele, quando contava aos outros algo que só ele sabia. Mesmo assim, repito, é um sentimento que eu não gostaria de experimentar com frequência. Imagino que a necessidade de se sentir assim já tenha corrompido muitos homens. Claro que esses homens tinham uma alma muito menos insensível do que a do meu amigo Sherlock Holmes...

— Jory, o velho "Pernas de barrica", o velho "Barriga de furão", se encolheu ao máximo antes de ouvir a porta se trancar, porque sabia que o pai daria uma boa olhada ali antes de virar a chave e passar o ferrolho. Lorde Hull podia estar sofrendo de gota e ficando meio senil, mas isso não significava que estivesse cego.

— Seu criado pessoal disse que ele enxergava muito bem — observou Lestrade. — Foi uma das primeiras coisas que perguntei.

— Parabéns, inspetor — disse Holmes baixinho e Lestrade o presenteou com um olhar invejoso.

— Portanto, ele olhou ao redor... — prossegui. De repente, *vi* a cena e suponho que o mesmo tenha acontecido com Holmes; essa reconstrução, que, embora baseada apenas em fatos e deduções, parecia em parte uma visão — ...e tudo que viu foi o escritório exatamente como sempre estava: vazio, a não ser por sua própria presença. É um cômodo muito aberto: não existe nenhuma porta de armário e, graças às janelas localizadas em ambos os lados, também não há cantos sombrios nem mesmo num dia como hoje.

"Satisfeito, lorde Hull trancou a porta e passou o ferrolho. Jory deve tê-lo ouvido mancar até a escrivaninha. Deve ter ouvido o ruído do seu corpo pesado se sentando na poltrona de couro (um homem com gota em estado avançado não se senta na ponta da cadeira e depois se ajeita; ele simplesmente desaba no assento). E, então, Jory finalmente pôde correr o risco de espiar para fora do seu esconderijo.

Lancei meu olhar para Holmes.

— Continue, meu velho — disse ele em tom caloroso. — Você está indo muito bem. Absolutamente perfeito.

Percebi que estava sendo sincero. Milhares de pessoas diriam que ele é um homem frio, e, na verdade, não estariam enganadas. Mas Holmes também tinha um grande coração. Só que disfarçava isso melhor do que a maioria dos homens.

— Obrigado. Jory viu o pai deixar a bengala de lado e pôr os papéis, as duas pilhas de papel, no mata-borrão. Não o matou imediatamente, embora pudesse tê-lo feito. Isso é que é assustadoramente patético em toda essa história e por esse motivo eu não entraria na sala onde eles estão nem que me dessem mil libras. Só entraria lá se o senhor e seus homens me arrastassem.

— Como sabe que ele não o matou imediatamente? — perguntou Lestrade.

— O grito foi ouvido pelo menos dois minutos depois do barulho da chave na fechadura e do ferrolho se fechando. Estou partindo do princípio de que o senhor tem testemunhos suficientes para acreditarmos nisso. Mas apenas sete passos separam a porta e a escrivaninha. Mesmo um homem no estado de saúde de lorde

Hull teria levado meio minuto, quarenta segundos no máximo, para percorrer essa distância e se sentar. Some a isso uns quinze segundos para ele pendurar a bengala onde o senhor a encontrou e botar os testamentos no mata-borrão.

"O que aconteceu, então? O que aconteceu durante aquele último minuto, ou naqueles dois últimos minutos, que devem ter parecido, ao menos para Jory Hull, intermináveis? Creio que lorde Hull ficou simplesmente sentado na cadeira, olhando de um testamento para o outro. Jory não teria dificuldade em distinguir um e outro, afinal o papel do mais antigo devia ser mais escuro.

"Ele sabia que o pai pretendia jogar um dos documentos no fogareiro. Acredito que tenha ficado esperando para ver qual dos dois seria. Afinal de contas, havia a possibilidade de o pai ter feito apenas mais uma das suas brincadeiras cruéis para rir à custa da família. Talvez ele queimasse o mais novo e guardasse o antigo no cofre. Então, sairia do escritório e diria à família que o novo testamento havia sido destruído. Sabe onde fica, Lestrade? O cofre?"

— Cinco dos livros daquela estante se movem — respondeu o inspetor secamente, apontando para uma das prateleiras no recanto que servia de biblioteca.

— Tanto a família quanto lorde Hull ficariam satisfeitos; a esposa e os filhos saberiam que a herança estava a salvo e o velho teria ido para o túmulo convencido de ter cometido uma das brincadeiras mais cruéis de todos os tempos... Mas teria ido como vítima de Deus ou de si mesmo, e não do filho Jory.

Mais uma vez, Holmes e Lestrade se entreolharam de um jeito que eu não entendia.

— Pessoalmente, acredito que o velho estava apenas saboreando o momento, como alguém, ainda no meio da tarde, saboreia a perspectiva de uma bebida após o jantar ou de um doce depois de um longo período de abstinência. Seja como for, o minuto se passou e lorde Hull se levantou com os papéis mais amarelados. Parecia se dirigir ao fogareiro, e não ao cofre. Quaisquer que tenham sido suas esperanças, Jory não hesitou quando chegou a hora. Saiu do esconderijo, percorreu a distância entre a mesa e a escrivaninha numa fração de segundo e cravou a faca nas costas do pai antes que ele tivesse conseguido ficar totalmente de pé.

"Desconfio que a autópsia vai revelar que a arma perfurou o ventrículo superior do coração e atingiu o pulmão, o que explicaria a quantidade de sangue que lorde Hull expeliu pela boca. Isso também explicaria por que o velho conseguiu gritar antes de morrer e o que isso representou para o sr. Jory Hull.

— Explique-se — disse Lestrade.

— O mistério de um cômodo trancado é um mau negócio se você pretende simular um suicídio — falei, olhando para Holmes. Ao ouvir sua própria máxima, ele sorriu e assentiu. — A última coisa que Jory queria era que as coisas parecessem o que efetivamente foram... Cômodo trancado, janelas trancadas, o homem com uma faca cravada num ponto em que ele próprio nunca alcançaria. Creio que ele nunca imaginou que o pai fosse dar um grito daqueles ao morrer. Seu plano era esfaqueá-lo, queimar o testamento novo, destrancar uma das janelas e escapar por ali. Entraria na casa por outra porta, se sentaria novamente no tal banco debaixo da escada e, depois, quando o corpo fosse descoberto, tudo daria a impressão de um assalto.

— Não para o advogado de Hull — observou Lestrade.

— Ele poderia muito bem não dizer nada — atalhou Holmes e, então, acrescentou em tom animado: — Aposto que Jory pretendia abrir uma das janelas e acrescentar também algumas pegadas. Acho que todos nós concordamos que, em circunstâncias semelhantes, um crime tão conveniente pareceria suspeito. Mas, mesmo que o advogado resolvesse falar, não se poderia *provar* nada.

— Ao gritar, lorde Hull estragou tudo — prossegui —, assim como tinha estragado tudo a vida inteira. A casa toda acorreu. Jory, provavelmente em pânico, deve ter ficado parado, sem saber o que fazer.

"Foi Stephen Hull quem veio em seu socorro, é claro, ou pelo menos o álibi de Jory que alegou que ele estava sentado no banco debaixo da escada na hora em que o pai foi assassinado. Ele saiu correndo da sala de música, arrombou a porta do escritório e deve ter sussurrado, mandando que o irmão se aproximasse da escrivaninha junto com ele imediatamente, pois assim todos iam achar que os dois haviam arromb..."

Parei, atordoado. Finalmente compreendi os olhares que Holmes e Lestrade vinham trocando. Entendi o que ambos devem ter visto assim que lhes mostrei o truque do esconderijo: Jory não poderia ter feito aquilo sozinho. O assassinato, sim, mas o resto...

— Stephen contou que ele e Jory haviam se encontrado na porta do escritório — falei, bem devagar. — Disse que ele próprio arrombou a porta e os dois entraram juntos e encontraram o corpo. Ele mentiu. Deve ter feito isso para proteger o irmão, mas mentir tão bem assim quando não se sabe o que aconteceu parece... parece... parece...

— Impossível — completou Holmes. — Esta é a palavra que você está procurando, Watson.

— Então, Jory e Stephen estavam juntos nisso — concluí. — Planejaram isso juntos... E, aos olhos da lei, ambos são culpados pelo assassinato do pai! Meu Deus!

— Ambos, não, meu caro Watson — retrucou Holmes com uma delicadeza curiosa. — *Todos* eles!

Tudo o que consegui fazer foi ficar boquiaberto.

Ele fez que sim com a cabeça.

— Você demonstrou uma notável capacidade de percepção esta manhã, Watson. Pela primeira vez na vida, ardeu com um fogo dedutivo que aposto que não vai voltar mais. Tiro o chapéu para você, meu amigo, pois transcender sua natureza normal, mesmo que por um breve instante, não é para qualquer homem. De certa forma, porém, você continuou sendo o mesmo sujeito querido que sempre foi: se entende perfeitamente como as pessoas podem ser boas, não compreende como *podem* ser cruéis.

Olhei para ele em silêncio, numa postura quase humilde.

— Não que já não houvesse muita crueldade por aqui, se metade das coisas que nos disseram sobre lorde Hull era verdade — acrescentou Holmes. Ele se levantou e começou a andar de um lado para outro no escritório, de um jeito irritante. — Quem pode testemunhar que Jory estava com Stephen quando ele arrombou a porta? Jory, é claro. Stephen, é claro. Mas havia outras duas pessoas. Uma delas era William, o outro irmão. Estou certo, Lestrade?

— Está. Ele disse que estava no meio da escada quando viu os dois juntos, sendo que Jory ia um pouco à frente.

— Interessante... — disse Holmes com os olhos brilhando. — Stephen arromba a porta, afinal pode fazer isso por ser mais jovem e mais forte, e então seria de se esperar que o simples impulso tornaria ele a primeira pessoa a entrar no aposento. No entanto, William, lá do meio da escada, viu *Jory* entrar primeiro. Por que será, Watson?

Apenas balancei a cabeça, entorpecido.

— Pergunte a si mesmo que testemunho, *que único testemunho,* podemos considerar confiável. A resposta é: a declaração da quarta pessoa na cena, Oliver Stanley, o criado de lorde Hull. Ele chegou à balaustrada da escada a tempo de ver Stephen entrar no escritório, e isso está absolutamente correto, já que ele estava sozinho quando arrombou a porta. Foi *William*, que tinha um ângulo de visão bem melhor, que disse ter visto Jory entrar ali primeiro. William fez essa declaração porque viu Stanley e sabia o que ele ia dizer. O que nos leva à seguinte conclusão, Watson: sabemos que Jory estava dentro do escritório. Ora, se seus dois irmãos afirmam que ele estava *do lado de fora*, há aí, para dizer o mínimo, uma cumplicidade. Mas, como você diz, a ausência de confusão, a forma como todos se alinham tão perfeitamente sugere algo mais.

— Conspiração — afirmei, em tom apático.

— Isso mesmo. Mas, infelizmente para os Hull, as coisas não param por aí. Lembra que lhe perguntei se acreditava que os quatro tinham saído da sala, sem dizer uma única palavra, e ido cada qual para um lado no exato instante em que ouviram a porta ser trancada, Watson?

— Lembro, sim. Agora me lembro.

— Todos os *quatro*. — Olhou para Lestrade. — Todos declararam que eles eram quatro, não foi?

— Foi, sim.

— O que inclui lady Hull. Ora, sabemos que Jory tinha se levantado e saído quando o pai deixou o aposento; sabemos que ele estava no escritório quando a porta foi trancada. Mesmo assim, *os quatro, inclusive lady Hull,* declararam que todos eles estavam na sala de visitas quando ouviram o ruído da chave e do ferrolho. Isso equivaleria a ter quatro mãos segurando o punhal, Watson. O assassinato de lorde Hull foi efetivamente uma questão de família.

Eu estava desnorteado demais para dizer qualquer coisa. Olhei para Lestrade e encontrei em seu rosto uma expressão que nunca vira e que jamais voltei a ver: uma espécie de gravidade cansada e enojada.

— Quais são as perspectivas? — perguntou Holmes em tom quase amável.

— Com toda a certeza, Jory será enforcado — respondeu Lestrade. — Stephen passará o resto da vida na cadeia. William Hull também pode pegar prisão perpétua. É mais provável, porém, que pegue vinte anos em Broadmoor e lá um covarde como ele certamente vai ser torturado até a morte pelos outros presidiários. A única diferença entre o destino de Jory e o de William é que o fim do primeiro será mais rápido e mais misericordioso.

Holmes se inclinou e passou a mão na tela esticada entre os pés da mesinha de centro. Mais uma vez o tecido fez aquele som estranho e meio rouco.

— Lady Hull — prosseguiu Lestrade — deve ir para Beechwood Manor, mais conhecido entre as prisioneiras como Palácio das Batedoras de Carteiras. Pegará uns cinco anos. Mas, conhecendo a dama, desconfio que ela vai dar um jeito de escapar da condenação. Aposto que vai apelar para o láudano do marido.

— E tudo porque Jory Hull errou na precisão da punhalada — disse Holmes, suspirando. — Se o velho tivesse tido a decência de morrer calado, tudo teria corrido bem. Como disse Watson, o rapaz teria saído pela janela levando a tela, é claro... Sem falar nas sombras falsas. Mas, não, ele acabou chamando a atenção da casa toda. A criadagem inteira acorreu, assustada com a morte do patrão. A família ficou desnorteada. Que falta de sorte essa gente teve, Lestrade! A que distância estava o guarda quando Stanley o chamou? Menos de cinquenta metros, suponho.

— Na verdade, já estava no terreno da casa — respondeu Lestrade. — Falta de sorte *mesmo*. O policial estava passando, ouviu o grito e entrou.

— Como sabia que havia um guarda por perto, Holmes? — indaguei, sentindo-me bem mais à vontade no meu papel de sempre.

— Nada mais simples, Watson. Se não fosse por isso, a família teria mantido os criados a distância por tempo suficiente para que pudessem esconder a tela e as "sombras".

— E também para destrancar uma das janelas, acho — acrescentou Lestrade com uma voz inusitadamente baixa.

— Eles *podiam* ter retirado a tela e as sombras — falei de repente.

— Verdade — disse Holmes, voltando-se para mim.

Lestrade ergueu as sobrancelhas.

— Foi uma questão de escolha — respondi. — Dava tempo de queimar o testamento novo ou de desmontar a encenação... Só Stephen e Jory poderiam fazer isso, claro, logo depois do arrombamento da porta. Eles, ou se avaliarmos bem as personalidades, coisa que suponho que vocês sejam capazes de fazer, *Stephen* decidiu queimar o testamento e torcer para dar tudo certo. Acho que só deu tempo mesmo de jogar o documento no fogareiro.

Lestrade se virou, olhou para o fogareiro e voltou para nós.

— Só um homem tão cruel quanto Hull teria encontrado forças para gritar na hora da morte — disse ele.

— Só um homem tão cruel quanto Hull teria levado um filho a matá-lo — retrucou Holmes.

Os dois se entreolharam e, mais uma vez, algo aconteceu entre eles, uma comunicação perfeitamente estabelecida que eu mesmo não entendi.

— Já fez isso? — perguntou Holmes, como se retomasse a conversa.

Lestrade negou com a cabeça.

— Uma vez estive prestes a fazer — disse ele. — Tinha uma garota envolvida. Não por culpa dela. Não mesmo. Quase fiz. Mas... era uma só.

— E agora são quatro — replicou Holmes. — Quatro pessoas maltratadas por um idiota que ia morrer de qualquer jeito em uns seis meses.

Então entendi.

Holmes me encarou com seus olhos acinzentados.

— O que me diz, Lestrade? Watson resolveu o caso, embora não tenha percebido todas as suas ramificações. Que tal deixar que ele decida?

— Tudo bem — disse Lestrade em tom ríspido. — Mas seja rápido. Estou louco para sair deste maldito escritório.

Em vez de responder, eu me abaixei, peguei as sombras de feltro, fiz uma bolinha com elas e as enfiei no bolso do casaco. Foi estranho fazer aquilo: parecia até a sensação que tive quando estava sob o efeito da febre que quase me matou na Índia.

— Você é mesmo um sujeito especial, Watson! — disse Holmes. — No mesmo dia, e antes da hora do chá, resolveu seu primeiro caso e se tornou cúmplice de um homicídio! E isto aqui vai ser a minha lembrancinha: um original de Jory Hull. Duvido que esteja assinado, mas devemos ser gratos por qualquer coisa que os deuses nos concedem em dias chuvosos.

Com o canivete, soltou a cola que prendia a tela aos pés da mesinha de centro. Não foi nem um pouco difícil: menos de um minuto depois, estava enfiando um cilindro estreito no bolso interno da sua volumosa pelerine.

— Trabalhinho sujo esse... — comentou Lestrade, mas dirigiu-se a uma das janelas e, depois de um instante de hesitação, destrancou os ferrolhos e ergueu alguns centímetros da vidraça.

— Às vezes, é melhor fazer do que não fazer — observou Holmes. — Vamos?

Saímos pela porta que Lestrade abriu. Um dos policiais perguntou se havia alguma novidade.

Numa ocasião diferente, o inspetor teria soltado os cachorros. Desta vez, porém, limitou-se a dizer:

— Parece uma tentativa de assalto que acabou mal. Logo percebi, claro. Holmes demorou um pouco mais...

— Que pena! — arriscou-se a comentar o outro guarda.

— É mesmo — retrucou Lestrade. — Mas o grito do velho espantou o ladrão antes que ele pudesse roubar o que quer que fosse. Vamos indo.

E saímos. A porta da sala de visitas estava aberta, mas nem olhei para dentro quando passamos por ali. Claro que Holmes olhou, como era de se esperar. Ele é assim. Já eu, não cheguei a ver nenhum dos membros da família. Nunca quis vê-los.

Holmes tinha voltado a espirrar. Mais uma vez seu amigo se esfregava em suas pernas e miava todo satisfeito.

— Vou tratar de sair logo daqui — disse ele.

E foi o que fez.

Uma hora mais tarde, estávamos de volta ao nº 221B da Baker Street, praticamente nas mesmas posições que ocupávamos quando Lestrade apareceu: Holmes no banco junto à janela; eu no sofá.

— Bom, Watson — disse ele —, como acha que vai dormir hoje à noite?

— Como um bebê — respondi. — E você?

— Igualmente — disse ele. — Fico feliz por estar longe daqueles malditos gatos.

— E como acha que Lestrade vai dormir?

Holmes olhou para mim e sorriu.

— Muito mal. Talvez durma mal por uma semana. Mas depois tudo vai ficar bem. Lestrade é ótimo quando se trata de esquecimento criativo. Este é um dos seus muitos talentos.

Comecei a rir muito.

— Olhe só, Watson! — exclamou Holmes. — Vale a pena ver!

Eu me levantei e fui até a janela, certo de que veria Lestrade numa charrete de novo. Mas, não. O que vi foi o sol surgindo em meio às nuvens, envolvendo Londres numa fabulosa luminosidade de fim de tarde.

— Finalmente ele apareceu — disse Holmes. — Perfeito!

Pegou o violino e começou a tocar, o sol batendo forte em seu rosto. Olhei para o barômetro e notei que o mercúrio estava baixando. Ri tanto com isso que tive que me sentar. Quando Holmes me olhou e perguntou o que estava acontecendo, limitei-me a balançar a cabeça. Sujeito estranho, esse Holmes: duvido que tenha entendido.

A LITERATURA DO CRIME

O mistério de Darkwater Hall

KINGSLEY AMIS

Entre os vários elementos que tornaram sir Kingsley William Amis (1922-1995) célebre por levar uma vida plena, a bebida certamente deve encabeçar a lista, embora a fama de mulherengo esteja logo atrás. No entanto, não podemos deixar de lado o fato de que talvez ele seja o mais conhecido dos humoristas britânicos da segunda metade do século XX, nem tampouco a posição que ocupa (segundo classificação do jornal londrino *Times*) como o nono maior escritor do país depois da Segunda Guerra Mundial.

Amis foi um romancista bem-sucedido que publicou cerca de duas dúzias de livros, e isso já desde o seu romance de estreia, *A sorte de Jim* (1954), que causou grande impacto tanto em termos de crítica quando pela quantidade respeitável de exemplares vendidos no exterior. Embora integre o panteão dos grandes homens de letras da Grã-Bretanha e tenha ficado famoso como o maior autor satírico do século XX, ele também era um fã ardoroso de obras mais populares, especialmente de James Bond. Sob o pseudônimo de Robert Markham, escreveu o romance *007 contra Pequim: a volta de James Bond* (1968) e produziu ainda duas obras de não ficção sobre 007: *The James Bond Dossier* (1965) e *The Book of Bond, or Every Man His Own 007* (1965), sob o pseudônimo de Tenente-coronel William ("Bill") Tanner. Amis escreveu outros romances de suspense assinando com seu próprio nome: *The Anti-Death League* (1966), *The Riverside Villas Murder* (1973), *Russian Hide-and-Seek* (1980) e *The Crime of the Century* (1987).

"O mistério de Darkwater Hall" foi inicialmente publicado no exemplar de maio de 1978 da revista *Playboy* e, no mesmo ano, saiu em edição de bolso (Edimburgo: Tragara Press). Mais tarde, foi incluído em *Collected Short Stories* (Londres: Hutchinson, 1980).

O MISTÉRIO DE DARKWATER HALL

Kingsley Amis

Consultando minhas anotações, já amareladas e com a tinta meio marrom em função dos quase quarenta anos que se passaram, encontrei referências, nos últimos dias de julho de 1885, de que, talvez mais do que em qualquer outro período, o meu amigo Sherlock Holmes mergulhou na melancolia inata ao seu temperamento. As circunstâncias não eram nada propícias. Fazia um calor abafado em Londres, sem uma única gota de chuva para assentar a poeira que, de vez em quando, o vento úmido levantava na Baker Street. O esforço que o caso do dossiê da Wallace-Bardwell tinha exigido dele e a subsequente armadilha do esquivo conde Varga o fizeram pagar um alto preço. Seus olhos cinzentos, sempre astutos e penetrantes, adquiriram um brilho decididamente agitado, e as linhas estreitas do seu nariz aquilino pareciam mais acentuadas. Ele estava fumando sem parar, consumindo uns bons trinta gramas (talvez mais) de tabaco bem forte por dia.

À medida que sua depressão foi se intensificando, ele ficava sentado, vestindo o penhoar roxo, com o violino apoiado nos joelhos. Tocava suas cordas, tirando delas estranhas harmonias, por vezes sonoras, outras vezes desconcertantes e, quase sempre, uns sons rígidos e desagradáveis. Igualmente estranho e desagradável era o cheiro de suas experiências químicas. Nunca perguntei o propósito delas. Quando ele pegou a pistola de gatilho fio de cabelo e começou a acrescentar uns filetes elaborados em torno do patriótico V.R. (as letras do selo da nossa rainha) que havia traçado com furos de bala na parede adiante da sua poltrona, a impaciência e a preocupação que eu sentia me levaram a tomar uma atitude. Só mesmo um período de repouso absoluto, em condições de conforto e tranquilidade que eu certamente não podia lhe oferecer, faria meu amigo recuperar a saúde. Tratei de agir depressa. Depois de uma troca de telegramas, em pouco mais de doze horas Sherlock Holmes estava a caminho de Hurlstone, em Sussex, propriedade de Reginald Musgrave, cujos tesouros de família ele havia recuperado de forma brilhante cerca de cinco anos atrás. Foi assim que os acontecimentos conspiraram para me envolver no que devo descrever como uma aventura efetivamente singular.

Tudo começou da seguinte forma: naquela mesma tarde, eu estava voltando de uma visita a um paciente quando a governanta anunciou a chegada de lady Fairfax. Aquele nome logo me fez lembrar de algo, mas não tive tempo de tentar descobrir o que era, pois a visitante já estava passando pela soleira da porta e entrando na sala de visitas. Era uma jovem loura de uma beleza incomum e traços distintos. Logo percebi nela certa agitação que não se devia ao clima opressivo diante do qual, aliás, sua postura demonstrava uma grande indiferença. Encorajei essa linda, porém perturbada, criatura a se sentar e dizer o que pretendia.

— Foi o sr. Sherlock Holmes que vim procurar, mas fiquei sabendo que ele viajou e só deve voltar daqui a uns quinze dias — disse ela.

— Exatamente.

— Não há como trazê-lo de volta?

— De jeito nenhum — respondi, balançando a cabeça.

— Mas trata-se de um caso urgente. Uma vida corre perigo.

— Lady Fairfax — retruquei —, Holmes andou trabalhando demais e precisa de repouso e de uma mudança de ares. Falo não só como amigo, mas como seu médico e sinto muito, mas não posso levar em conta qualquer outra consideração.

A jovem suspirou e olhou para baixo, fitando o próprio colo.

— Posso ao menos relatar os fatos principais do assunto em questão?

— Claro que pode, se acha que isso vai ajudá-la de alguma forma.

— Pois bem... Meu marido é sir Harry Fairfax, sexto baronete de Darkwater Hall, em Wiltshire. Em sua função de magistrado, trouxe à sua presença, no ano passado, um homem conhecido na região como Black Ralph. A acusação era prática ilegal de caça. Não havia qualquer dúvida quanto à sua culpa: ele já tinha incorrido nesse crime e em outros e a sentença do meu marido, de doze meses de prisão, foi até certo ponto benévola. Agora, Black Ralph está novamente em liberdade e nossos criados ouviram boatos de que ele pretende se vingar do meu marido... matando-o.

— Matando-o! — exclamei.

— Nem mais, nem menos, dr. Watson — disse lady Fairfax, abrindo e fechando as mãos com luvas brancas enquanto falava. — Meu marido está desconsiderando as ameaças, alegando que Black Ralph é um marginal inofensivo que fala demais. Mas o sujeito não é só um desses bêbados arruaceiros que encontramos em todos os vilarejos. Eu o analisei e, acredite, ele é uma criatura maligna, que aparentemente sofre de algum distúrbio mental.

Eu não sabia o que fazer. A essa altura, a visitante estava extremamente agitada. Seus lábios tremiam; seus lindos olhos azuis faiscavam.

— Ele parece mesmo ameaçador — falei — e compreendo que esteja querendo ajuda. Por sorte, conheço um inspetor da Scotland Yard, Lestrade, que ficará feliz em lhe prestar todo o auxílio que puder.

— Obrigada, mas meu marido se recusa a procurar a polícia e me proibiu de fazer isso.

— Entendo.

— Mas em Londres deve haver outros detetives particulares que eu possa procurar. Por acaso conhece algum?

— Bom — comecei, depois de uma breve pausa —, é verdade que, no ano passado ou nos últimos dois anos, surgiram alguns, como eu poderia chamá-los, rivais de Sherlock Holmes. Mas são indivíduos fracos e não muito competentes. Honestamente, não recomendaria nenhum deles.

Fez-se silêncio. A jovem suspirou novamente e, então, virou-se para mim.

— Será que *o senhor* me ajudaria, dr. Watson?

De certa forma, eu meio que esperava essa sugestão insensata; nem por isso, porém, não me assustei ao ouvi-la.

— Eu? Não sou a pessoa certa. Sou um simples médico, lady Fairfax, não um detetive.

— Mas trabalhou com o sr. Holmes nos casos anteriores. É seu melhor amigo e sócio. Deve ter aprendido muito com ele.

— Creio poder afirmar que conheço seus métodos, mas alguns aspectos das suas atividades eu ignoro completamente.

— O que não o impediria de ir falar com o meu marido para fazê-lo perceber o perigo que está correndo. Nem de procurar Black Ralph, avisá-lo, oferecer-lhe algum dinheiro. Sei que está me achando uma mulher apavorada, muito imaginativa, talvez até redondamente enganada, dr. Watson. Não é verdade que está pensando assim?

Tanto como capacidade de observação quanto como mudança de tática, aquela afirmação era de uma precisão rara e desconfortável. Fiz um gesto qualquer, tentando ser evasivo.

— Obrigada por ser tão honesto — disse ela, sorrindo. — Ora, posso ser tudo que está supondo, mas não estou lhe impondo nenhuma obrigação. Apenas dois ou três dias de conforto, longe desse tempo insuportável de Londres, seria um fardo tão pesado assim?

Certa vez, Sherlock Holmes observou que o sexo frágil era meu departamento. Nunca entendi completamente o que ele quis dizer, mas se estava se referindo ao efeito que qualquer supremacia nessa área provocava em mim, sem dúvida seu julgamento foi até modesto. Se esse não fosse o caso, eu dificilmente estaria, na tarde seguinte ao encontro que descrevi, desembarcando numa remota estação ferroviária a alguns quilômetros de Westbury.

De imediato, um homem alto e de ombros largos, todo vestido de preto, se aproximou e disse meu nome com um sotaque estrangeiro. Era evidentemente espanhol (chamava-se Carlos, como descobri mais tarde), com a nobre postura daquele povo e uma atitude que conseguia ser ao mesmo tempo amável e orgulhosa.

A amabilidade dominou a cena quando ele se apresentou como mordomo de sir Harry Fairfax e instalou, a mim e à minha bagagem, na pequena charrete que aguardava no pátio da estação. Apesar de tudo, porém, seu ar soturno denotava um temperamento para o qual manter sua palavra e revidar ofensas tinham um peso considerável. Não que eu já tivesse percebido isso; estava muito impressionado com a delicadeza do baronete que havia mandado o criado de alto nível me buscar na estação ferroviária e deliciado com aquela viagem tranquila por entre alamedas arborizadas onde havia uma brisa fresca sempre que as sombras se intensificavam. Eu também estava ansioso para continuar meu contato com a encantadora lady Fairfax e muito curioso para descobrir qual poderia ser a natureza da ameaça que pairava sobre o seu marido.

A carruagem começou a subir pelo aclive da estrada e as sensações agradáveis logo desapareceram. Chegamos à orla do planalto de calcário que forma a maior parte da região e entramos num mundo de argila e pedras. A uns oitocentos metros, erguia-se uma casa alta de pedras cinzentas recoberta de hera e com uma aparência que, de longe, parecia mal concebida. De um dos lados da construção, havia um bosque com folhagens de tom escuro, quase azulado, nada comum na Inglaterra; do outro, corria um riacho ou um pequeno rio. Não demorei a perceber que aquela casa era o nosso destino e, assim que uma curva do tal riacho revelou as águas lamacentas e repletas de mato, entendi a força do nome que a propriedade levava. Um instante depois, quase fui cuspido do assento pelo brusco sobressalto dos pequenos cavalos que puxavam a charrete. A causa do susto não tardou a se revelar: uma figura humana indescritivelmente ameaçadora na beira da estrada. A primeira coisa que vi foi um punho peludo erguido no ar, dentes podres revelados por uma careta, e nada mais que isso, mas eu poderia jurar que tinha acabado de ver Black Ralph mesmo se os olhos escuros do espanhol não houvessem me fitado com bastante eloquência.

Mais de perto, Darkwater Hall não se tornava atraente. O desgaste mostrava que não se tratava de uma construção recente, mas as janelas proeminentes e as chaminés atarracadas não caracterizavam qualquer estilo ou período que eu conhecesse. Por outro lado, o interior da casa era mais convencional. Carlos me levou até um quarto mais do que adequado e me arranjou bastante água quente. Com isso, pude cuidar da minha higiene e me trocar para encontrar meus anfitriões com o ânimo renovado.

Com uma boa pele, olhos firmes e uma atitude franca, sem qualquer afetação, sir Harry Fairfax era um belo exemplar da nobreza rural britânica. Eu diria que ele tinha uns 30 anos. O irmão Miles parecia ter mais ou menos a mesma idade, mas esta era a única semelhança entre os dois, já que o outro era um jovem pálido, com um ar de superioridade e provavelmente dado ao fumo e às bebidas fortes. De nenhum dos dois obtive o que esperava daquele encontro: alguma pista ou indicação; algo que trouxesse das profundezas da minha memória fosse lá o que tivesse acontecido quando ouvi o nome Fairfax. Consultar obras de referência foi em vão. Por enquanto, a lembrança continuava enterrada...

Como antes, não tive tempo de refletir sobre essa questão, pois a minha anfitriã, usando um vestido de veludo celeste que destacava o brilho dos seus olhos, me levou até o quinto convidado presente. Eu o identifiquei como militar (pela postura dos ombros), que havia servido por algum tempo nos trópicos (com base no tom bronzeado da sua pele), mas a carreira não havia prosperado (pelo seu ar desanimado) e fiquei meio surpreso ao ouvi-lo se apresentar como capitão Bradshaw do Regimento Assam Valley Light Horse. Ninguém que chegou aos 45 anos (idade que, a meu ver, ele devia ter) sem alcançar o posto de major pode ser considerado um soldado bem-sucedido. Contive um sorriso só de pensar na frase "Excelente, Watson!" que aquela voz tão conhecida teria cochichado ao meu ouvido se o seu dono estivesse presente, e continuei conversando com o capitão.

— Eu mesmo fui de certa forma um soldado quando era mais jovem — disse.

— Ah, é? E onde serviu?

— No Afeganistão.

— Imagino que tenha presenciado algumas batalhas por lá.

— Não daquelas que os soldados geralmente presenciam, mas vi o bastante. Fui ferido e dispensado por invalidez.

— Que falta de sorte!

— O senhor está de licença, sem dúvida.

— Aguardando a publicação da reforma — respondeu Bradshaw num tom tão desanimado quanto a sua aparência.

Nesse momento, Miles Fairfax inclinou a cabeça despenteada na minha direção.

— Seja bem-vindo a Darkwater Hall, dr. Watson. A vida por aqui pode até lhe parecer monótona e rústica, afinal o senhor está habituado ao movimento e à etiqueta de Londres. Mas, acredite, também tem uns aspectos interessantes.

— Sem dúvida.

— Suponho que seja médico e não um jurista ou um religioso, certo?

— Sim. A medicina é a minha área de atuação.

— Então, o detalhe que meu irmão omitiu quando nos apresentou pode diverti-lo. Embora não pareça, ele e eu somos gêmeos.

— Não me surpreende — falei. — Vários gêmeos não se parecem mais entre si do que irmãos e irmãs comuns, que sabemos como podem ser diferentes...

— Com certeza — retrucou ele num tom extremamente sarcástico. — É verdade, doutor, que gêmeos podem nascer com horas de diferença?

— É, sim.

— No nosso caso não foi bem assim, não é, Harry? Apenas vinte minutos separaram nossa chegada ao mundo. Mas foi o bastante.

Com um gesto delicado, sua cunhada pôs a mão no seu braço, tentando contê-lo, mas o rapaz se desvencilhou de forma tão brusca que, se eu estivesse no lugar dela, não deixaria de repreendê-lo. Agora eu não tinha mais dúvida alguma de que ele estava embriagado.

— Isso mesmo — prosseguiu ele com um grunhido. — Vinte minutos determinaram quem ficaria com o título, a casa, os bens, o dinheiro. Desígnio divino, ora!

— Pelo menos, sr. Fairfax — observei —, percebe-se que o senhor é um bom perdedor.

O tiro foi certeiro e o calou por um instante, mas fiquei aliviado quando Carlos anunciou que o jantar estava servido, provocando, assim, uma mudança de ambiente e de clima. Porém, a mudança acabou se revelando não ser exatamente para melhor naquele cômodo amplo dominado por um entalhe ou um relevo dos mais exóticos ocupando toda a parede acima da lareira. Era feito de uma madeira escura e não distingui exatamente o que representava, a não ser que, num dos cantos, havia uma figura humana seminua sendo amarrada a um poste por outras que usavam mantos encapuzados diante de algo mais ao fundo que julguei ser um cadafalso. Em suma, aquilo provocou em mim uma impressão obviamente desagradável. No entanto, o jantar não foi nada mau e o serviço, eficaz e agradável, comandado por Carlos e uma jovem que descobri ser sua esposa Dolores. Com o cabelo preto, a pele sedosa e os olhos castanho-escuros, ela fazia um contraste gritante com a patroa, mas a beleza feminina assume muitas formas.

Eu estava no meio do relato, feito a pedido do baronete, dos fatos do estranho caso ocorrido em Stoke Moran quando lady Fairfax soltou uma exclamação abafada e levou as mãos ao pescoço. Acompanhei seu olhar apavorado e, por uma brecha nas cortinas, notei um rosto que tinha visto um pouco mais cedo naquele mesmo dia; um rosto que, mais uma vez, estava contraído pela maldade.

— Black Ralph! Ali na janela! — gritei, levantando-me em um pulo.

Bradshaw já estava de pé, postado entre a nossa anfitriã e o local onde o intruso havia aparecido. Sir Harry e eu levamos alguns segundos para sair da casa, mas, embora tenhamos procurado por praticamente todo o quintal, voltamos de mãos abanando, o que provocou um sorriso debochado em Miles. Pouco tempo depois, meu anfitrião me separou dos demais convidados, alegando que queria me mostrar o que havia na sua sala de armas. Teve uma reação divertida, até amistosa, quando o alertei para ficar longe das janelas até que eu tivesse fechado todas as cortinas.

— Está achando que Black Ralph vai voltar com uma metralhadora? — perguntou, sorrindo.

— Não estou achando nada, sir Harry. Eu me guio apenas pelo que vejo e ouço.

Então lhe contei o encontro que tivera mais cedo com aquela criatura perversa.

Aquilo não o comoveu e ele se limitou a atribuir a presença do sujeito à simples curiosidade de um ignorante.

— Não corro perigo algum, doutor — concluiu ele com firmeza.

— Lady Fairfax tem uma opinião diferente.

— Ela é assim mesmo. Toma conta de mim com um cuidado que, às vezes, mais parece de uma mãe do que de uma esposa. Tudo isso vai se resolver com a chegada do nosso primeiro filho.

— Esse acontecimento feliz é uma perspectiva concreta?

— Ainda não.

Meio bruscamente, colocou nas minhas mãos um par de antigas pistolas de duelo que ficavam guardadas num estojo envidraçado e perguntou a minha opinião sobre as armas. Tentei lhe dar a melhor resposta que pude e fiz a mesma coisa quando ele me entregou um revólver da época de Waterloo. Logo depois, o baronete começou a falar do irmão.

— Visitas sempre despertam o pior que há nele. Imagino que se veja através dos olhos dessas pessoas e não goste nada do que vê. Um homem sem ocupação, sem qualquer interesse nas atividades campestres (a não ser tiro, no que é perito) e, ainda por cima, indolente demais para tomar qualquer atitude. Pobre Miles! Prisioneiro da própria natureza, como todos nós, aliás. E pobre Bradshaw também.

— Como assim?

— Bom, para ser sincero, Watson (e, nas atuais circunstâncias, parece bobagem não ser franco com o senhor), Jack vive em boa parte com a minha caridade. Faço isso de muito bom grado, já que ele serviu meu pai, mas é algo que o aborrece. E saiba que, por trás dessa aparência tranquila, existe um caldeirão de sentimentos. Não tem um temperamento estável, o que depôs contra ele no regimento, pelo que meu pai disse.

Na pausa que se seguiu a essas observações, vi uma arma que eu reconhecia, um daqueles rifles Rossi-Charles com alça de mira. Embora não fossem muito melhores do que outras similares em termos de precisão, essas armas foram muito apreciadas tempos atrás por não darem coice e também pela leveza e pelo preço acessível. Comentei que tinha visto aqueles rifles no Afeganistão e sir Harry me contou que o seu pai havia pego aquele ao sair de Jalalabad. Faz quarenta anos ou mais, lembro que pensei com meus botões, e continuo perdido, sem saber por quê… Quarenta anos atrás; antes de eu nascer.

O resto da noite transcorreu de forma agradável e sem qualquer novidade e, no momento oportuno, o grupo se dispersou. Meu quarto ficava no segundo andar, e, na minha cabeça, acima dele ficavam cômodos e mansardas vazios ou coisa do gênero. Mas fiquei bastante surpreso ao ouvir, enquanto me preparava para me deitar, o nítido barulho de uma porta se fechando em algum lugar acima da minha cabeça e comecei a entreouvir uma conversa. A princípio, não discerni nada além do fato de serem poucas pessoas falando, sendo que uma ou mais vozes eram masculinas e uma ou mais vozes eram femininas. Passei a prestar mais atenção quando as vozes ficaram mais altas e mais intensas, e logo ficou claro que, no andar de cima, uma mulher decidida enfrentava um homem que a importunava. Tentei captar cada palavra, mas não distingui nenhuma em particular, a não ser a interjeição "Não!" repetida três vezes por uma voz feminina e acompanhada pelo que era, sem dúvida alguma, o som do pé da mulher batendo desafiadoramente no chão. Claro que essa atitude encerrou a questão: o colóquio se abrandou de imediato e logo cessou; a porta se abriu e voltou a se fechar e, momentos mais tarde, tudo estava em silêncio.

O tal incidente não durou mais do que um minuto, e eu estava longe de entender seu significado e sua importância. Apesar de tudo, tive certa dificuldade em aquietar a mente para dormir. Não identifiquei a voz masculina, mas a feminina era certamente de lady Fairfax. O que será que a teria levado àquela hora a uma parte da casa tão afastada de onde deviam ficar os seus aposentos?

Quando afinal adormeci, caí num sono profundo e sem sonhos. Na manhã seguinte, inteiramente refeito, eu estava terminando de tomar meu café quando houve um súbito clamor por toda a casa. Pelo visto, a sala de armas havia sido invadida por uma janela e o rifle Rossi-Charles, juntamente com uma boa quantidade de munição, tinha sido levado. Nada mais estava faltando, segundo Carlos, que, deduzi, era encarregado de cuidar da modesta coleção do seu patrão. Tendo em mente a máxima de Sherlock Holmes, segundo a qual não existe nada mais importante na ciência da investigação do que pegadas, fui atrás de uma lupa bem grande, que eu tivera o cuidado de trazer, e comecei o trabalho perto da tal janela. Mas as circunstâncias não estavam ao meu favor nesse aspecto que tantas vezes ajudou o meu amigo: o solo, ressecado pelo verão quente, não exibia as marcas que eu procurava. Voltei para a sala de armas onde estava ocorrendo uma discussão.

— É muito suspeito... — dizia sir Harry.

— Suspeito?! — exclamou sua esposa. — Será que uma bala no seu coração poderia trazer alguma certeza?

— De acordo com a lei, isso é apenas suspeito e nem mesmo um magistrado pode mandar prender um homem com base num episódio como esse. Não tenho como prestar queixa.

Bradshaw, do outro lado da mulher, parecia disposto a concordar, alegando que não havia nenhuma testemunha do assalto.

— Então — reagiu imediatamente lady Fairfax —, Harry deve ficar sob vigilância, protegido dia e noite.

— Eu me recuso a virar um prisioneiro dentro da minha própria casa e fora dela também. Esse plano seria absolutamente impraticável, não é mesmo, Jack?

— Eu não me arriscaria a fazer isso a não ser que fosse acompanhado de um pelotão inteiro — declarou o soldado. — Então é melhor o senhor deixar esta casa e ir para algum lugar secreto e seguro até que...

— O quê?! E dar a um vagabundo como Black Ralph o prazer de me botar para correr feito um coelho? Prefiro morrer.

Não havia como duvidar da sua sinceridade e todos ali, inclusive seu irmão, ficaram impressionados. Este último nem pensou em debochar, embora isso tenha lhe ocorrido assim que entrei na conversa.

Primeiro, relatei a ausência de qualquer pegada do lado de fora e, então, acrescentei:

— Mas encontrei alguns cacos de vidro no chão, exatamente como achamos aqui deste lado da janela.

— Isso é tão surpreendente assim? — perguntou o baronete.

E eu respondi com outra pergunta:

— Esta porta normalmente fica trancada?

— Ora, claro que fica.

— Quantas chaves existem?

— Duas. Uma fica comigo; a outra, com Carlos.

— Ele sempre a carrega consigo?

— Não. A chave passa a maior parte do tempo pendurada num gancho lá na despensa.

— E todos na casa sabem disso?

— É possível. Acho que sim.

Com um muxoxo, o mais jovem dos gêmeos observou:

— Seu raciocínio é transparente como água, dr. Watson. Qualquer um de nós, e Carlos também, aliás, poderia ter entrado aqui, quebrado a janela pelo lado de dentro para sugerir a presença de um intruso lá fora, e fugido com o rifle. Que engenhosidade magnífica!

— Sr. Fairfax — retruquei, procurando reunir toda a minha sensatez —, só estou tentando explorar todas as possibilidades, por mais remotas que possam parecer e por mais absurdas que possam se revelar mais tarde.

— Como o grande Sherlock Holmes procuraria fazer se estivesse aqui.

— Não sou tão orgulhoso a ponto de não aprender com quem é melhor do que eu — observei com certa rispidez, afastando sir Harry do grupo.

Antes que eu pudesse continuar, ele disse, um tanto furioso:

— Não pode ser que esteja supondo que Carlos, Jack Bradshaw ou o meu próprio irmão tenham roubado a arma, Watson! Que motivo eles teriam para fazer isso?

— Claro que não estou supondo nada disso — repliquei. — É óbvio que o culpado é o maldito Black Ralph. Eu estava simplesmente...

— Exibindo os seus poderes de observação? — completou ele, e era evidente que havia recuperado o bom humor.

— É provável. Mas precisa me dizer onde encontro esse sujeito. Não há tempo a perder.

— Por favor, tome cuidado, Watson.

— O *senhor* é que precisa tomar cuidado, sir Harry. Fique em casa o máximo de tempo possível. E, se precisar sair, vá com Bradshaw. Alerte toda a criadagem.

Ele prometeu que seguiria meus conselhos e as informações que me deu levaram-me diretamente para o casebre malcheiroso onde Black Ralph morava. Mas a viagem foi inútil. A mulher mal-ajambrada que abriu a porta me disse que ele tinha viajado na véspera para visitar a irmã em Warminster e só deveria voltar no final da semana. Não fiquei lá para verificar essa mentira óbvia. Depois de interrogar em vão diversas pessoas na taberna local, voltei para Darkwater Hall e tratei de interrogar os criados, especialmente por partirem deles os inquietantes boatos que chegaram aos ouvidos de lady Fairfax.

A informante que mais me intrigou foi a moça chamada Dolores, que, por sorte, falava bem inglês, embora tivesse um sotaque mais forte que o do marido. A princípio, alegou não ter muito a dizer, respondendo às minhas perguntas com monossílabos ou limitando-se a erguer seus ombros graciosos à guisa de resposta. De repente, porém, não sei se por sorte ou por instinto, arrisquei-me a perguntar qual era a sua opinião sobre o próprio patrão. Seus olhos escuros imediatamente reluziram e vi seus magníficos dentes brancos.

— Ele é frio! — exclamou a moça. — É um homem bom, esse tal de sir Harry Fairfax. Um perfeito cavalheiro britânico. Mas é frio! Seu sangue é tão frio quanto o de um peixe!

Não tentei detê-la, já que, naquele momento, ninguém na casa poderia nos ouvir; pelo contrário, tratei de encorajá-la a se explicar melhor.

— Não posso! Como poderia fazer isso, falando com outro inglês?

— Ele a maltratou?

— Não! Nunca! Como eu disse, ele é um homem bom. Mas sempre frio, frio!

— Em que sentido?

Mais uma vez, a moça se limitou a dar de ombros. Percebi que esse caminho não me levaria a lugar nenhum e tentei uma nova abordagem, perguntando se Carlos também achava sir Harry um homem bom.

— Claro, claro — respondeu ela, balançando a cabeça. — Acho que sim. Ou talvez eu devesse dizer que espero que sim. Espero mesmo que ele pense assim.

— E por quê?

Mais uma vez percebi que não haveria nenhum progresso. Fiquei remoendo essa conversa, juntamente com outras questões, durante um almoço bem agradável e também por boa parte de uma tarde excepcionalmente quente. Às quatro e meia, eu estava na sala de visitas, tomando chá com a minha anfitriã.

— Não vamos esperar por Harry — disse ela. — Em geral, não aparece para o chá.

— Onde ele está?

— Nos estábulos. Lá ele deve estar em segurança.

— Vejo que há uma quarta xícara.

— É para o caso de Miles resolver se juntar a nós.

— Mas você não estava prevendo a presença do capitão Bradshaw...

— Ah, ele nunca toma chá. Nada pode atrapalhar sua caminhada da tarde. Jack Bradshaw é um homem muito sério.

— A seu respeito, com toda a certeza, lady Fairfax.

— O que quer dizer com isso?

— Que ele está apaixonado pela senhora, como sabe. Notei isso ontem à noite, durante o jantar. A senhora demonstrou estar com muito medo. Bradshaw não viu o que a tinha assustado, mas, pelo seu olhar, sabia de que ponto viera o que a deixara daquele jeito. Imediatamente, antes mesmo que eu me levantasse, e saiba que fui bem rápido, ele já havia se colocado entre a senhora e a fonte do perigo. Uma rapidez dessa vem do instinto baseado numa forte emoção e não da parte consciente do nosso cérebro.

Lady Fairfax não demonstrou indignação, nem fingiu descrença ou surpresa. Sua demonstração de sagacidade me encorajou a perguntar se eu podia continuar conversando francamente.

— Não faremos progresso algum se nos limitarmos por falsas noções de boas maneiras — respondeu ela.

— Pois bem. Lembre-se de que estou apenas apresentando algumas contingências remotas, nada mais. Ora, se eu quisesse provocar a morte de sir Harry, qual seria o melhor momento para tentar?

— Quando a vida dele acaba de ser ameaçada por um criminoso condenado.

— Exatamente. E qual seria o meu motivo?

— Sabemos de uma possibilidade: sua vítima estaria entre o senhor e o objeto da sua paixão. Mas, sem dúvida, existem outras.

— Certamente. Talvez eu esteja dominado por algum tipo de inveja ou pela sensação de que o destino foi injusto comigo.

— Entendo.

— Ou ainda posso achar que minha honra foi afetada de maneira tão grave que só a morte poderia reparar esse dano.

— Chama isso de falar francamente, dr. Watson? — perguntou ela.

Mas a questão ficou sem resposta, pois, nesse exato momento, a xícara de chá que aquela mãozinha graciosa segurava se estilhaçou no chão e ouviu-se o estampido de um rifle não muito longe. Depois de mandar que lady Fairfax se deitasse no chão, saí às pressas pela porta envidraçada que estava aberta e procurei por todos os arbustos ao redor. Mas não obtive qualquer resultado. Quando voltei para a casa, encontrei o baronete abraçando a esposa que decididamente estava menos chocada do que qualquer jovem estaria ao ter passado por experiência semelhante. Depois de me certificar de que ela não precisava dos meus cuidados profissionais, tratei de procurar a bala que havia passado entre nós dois e consegui encontrá-la no canto onde tinha ricocheteado depois de atingir a parede. O choque a deixara bastante deformada, mas logo percebi que o projétil havia sido disparado do rifle Rossi-Charles.

A essa altura, Miles Fairfax tinha chegado, vindo da saleta particular que ficava no segundo andar, sem saber de nada, pelo que disse, até que um criado foi chamá-lo. Não tinha ouvido o tiro? Tinha, sim. Tinha ouvido *um* tiro, mas centenas deles eram disparados anualmente nos arredores, sempre com propósitos pacíficos. Bradshaw apareceu logo depois, voltando, segundo declarou, da sua caminhada habitual e, evidentemente, ficou agitadíssimo ao saber que lady Fairfax havia escapado por tão pouco...

— Pelo amor de Deus! — exclamou, pressionando freneticamente a testa. — Que lunático tentaria fazer mal a alguém tão inocente?

— Ah, creio que o alvo era eu, Jack — disse sir Harry. — Pense onde Watson estava sentado. A alguma distância, seria perfeitamente possível se enganar e achar que era eu.

— Harry — disse a sua esposa em tom decidido —, nada de tiros amanhã. Eu os proíbo.

— Que tiros? — perguntei.

— Coisa boba, doutor — respondeu sir Harry. — Pretendíamos simplesmente caçar pombos no bosque do lado leste. Alguns moradores da vizinhança vão nos acompanhar.

— E as pessoas da região estão sabendo disso?

— Bom, é um costume anual. Acho que devem saber, sim.

— Não vá, meu querido — implorou a jovem esposa. — Deixe que os outros vão, se quiserem, mas fique em casa.

Decidi intervir:

— Minha cara lady Fairfax, sir Harry deve ir, sim. É nossa melhor chance. Faremos com que Black Ralph apareça e encerraremos essa ameaça. Eu mesmo ficarei responsável pela segurança do seu marido.

Assim, com o apoio de Bradshaw e, inesperadamente, de Miles Fairfax, a minha proposta foi aceita. Mais tarde, fiz alguns preparativos com os quais não vou fatigar o leitor e, assim como todos os que estavam na casa, fui me deitar cedo. Estava quase pegando no sono quando, como na véspera, ouvi a porta do andar de cima se fechar. Num instante, fiquei completamente desperto. As vozes recomeçaram, mas com uma diferença: não havia dúvida de que era sir Harry Fairfax, falando com uma rispidez calculada que fazia o sangue gelar. Ouvi uma ou outra frase, aqui e ali: "punição do pecado" e "sofrer um castigo à altura". Aquelas palavras bastaram para me fazer lembrar do que a menção ao nome Fairfax e a visão daquela obra abominável na sala de jantar não tinham conseguido. No século XVIII, existira um baronete, um tal sir Thomas Fairfax, que realizara ritos indescritíveis naquela mesma casa, sujeitando a esposa a indignidades que não posso mencionar aqui. Naquele momento, ouvi a voz da atual lady Fairfax se erguer numa súplica de dar pena e, então, um ruído que só poderia ser o selvagem estalar de um chicote ao qual se seguiu um grito abafado.

Não hesitei nem mais um minuto. Acendi uma vela, peguei o revólver escondido no fundo da minha mala, enfiei um robe de chambre e fui para o andar de cima. Em segundos, estava diante do quarto que procurava e me detive do lado de fora antes de decidir entrar.

Logo depois, ouvi sir Harry com a estranha rispidez ainda mais intensa, dizer por detrás da porta:

— Agora, você vai fazer um ato de contrição!

Houve outra pausa, até que se ouviu a voz novamente:

— Ah, então continua aí, demônio. Está integrado ao corpo que habita. Você e ela são uma única carne. Sendo assim, essa carne vai ser castigada!

Com o estalar do chicote ainda ressoando nos ouvidos, entrei no quarto e deparei com duas pessoas com trajes de uns cem anos atrás. Emily Fairfax usava um vestido preto de bombazina; aquele que devia ser o seu marido estava irreconhecível por causa da máscara de veludo vermelho que lhe cobria o rosto inteiro, até a altura da boca, tendo apenas dois furos no lugar dos olhos. A boca estava aberta com uma expressão consternada.

— Chega, Fairfax, chega! — exclamei. — O que significa essa encenação repulsiva? Suponho que sejam as práticas do seu amaldiçoado ancestral.

Fez-se um silêncio absoluto antes que o homem tirasse a máscara. O rosto exibia uma expressão que talvez devesse ser descrita como uma preocupação amistosa.

— Lamento muitíssimo, doutor — disse ele, com seu tom de voz normal. — Perturbamos o seu descanso. Não sei como esqueci que o seu quarto fica exatamente debaixo deste aqui.

— Graças a Deus se esqueceu disso — repliquei. — O que se deve fazer com o senhor, criatura vil? Estou extremamente chocado.

Ao ouvir isso, lady Fairfax começou a rir.

— Muito compreensível — disse ela. — Meu caro dr. Watson, o senhor foi usado de forma escandalosa. Como posso explicar? Talvez seja melhor lhe mostrar isso aqui.

Estendeu-me um volume já surrado em cuja capa li o título "Peças de Terror e o Macabro". Comecei a folhear o tal livro e a compreensão foi se estabelecendo até se instalar por completo quando encontrei, escritas com todas as letras, as palavras que acabara de ouvir pronunciadas por sir Harry.

— Vocês estão encenando uma peça? — Foi tudo que consegui dizer.

— Exatamente, meu caro — respondeu com um sorriso o terrível inquisidor de alguns minutos antes e chicoteou uma velha escrivaninha. Então percebi que o aposento era cheio de móveis velhos e já sem uso. — Creio que lhe disse que minha pobre esposa sente muita falta do teatro e essas brincadeiras foram a melhor substituição que encontramos.

— Ontem à noite... — falei, baixinho. — Ontem à noite ouvi lady Fairfax protestando com um ímpeto que eu poderia jurar que nada tinha de fingido.

— Está certíssimo — observou a jovem em tom divertido. — Ontem à noite eu estava cansada das viagens; cansada demais para essas brincadeiras.

— Não vou mais interrompê-los — declarei e, dispensando os pedidos de desculpas do casal, saí daquele quarto o mais depressa possível.

Sem dúvida, eu tinha feito papel de bobo, mas fui salvo da vergonha que situações como esta sempre causam pela pena que senti de lady Fairfax. Qualquer um notaria que, naquela noite, o seu objetivo não era distrair-se, mas afastar da mente os pensamentos relativos ao que o dia seguinte poderia trazer.

O dia começou de forma bem auspiciosa, com um céu azul levemente encoberto pela neblina, o que, em geral, é um prenúncio de que a temperatura vai subir à tarde. Por volta das onze horas, o grupo de caçadores saiu para o bosque. Além de mim, faziam parte dele os irmãos Fairfax e uns cinco ou seis vizinhos, mas o capitão Bradshaw não nos acompanhou. Na verdade, eu o ouvi explicando a um fazendeiro com bastas costeletas que estava impedido de participar daquelas atividades por causa de uma crise de problemas intestinais de que padecia, consequência de um germe que o tinha infectado na Índia. Enquanto ele dizia isso, nossos olhares se encontraram por acaso e ele desviou o seu; com toda a razão, aliás, porque eu nunca tinha visto ninguém mentir tão mal. O único criado presente era um rapaz corado que carregava um chocalho para espantar as aves.

O sol já estava a pino e fazia bastante calor quando entramos no bosque sombreado onde se ouviam vários ruídos discretos. Quase que imediatamente, Miles Fairfax tropeçou num desnível do terreno e, se não fosse pela presteza do meu braço, teria caído no chão.

— Está tudo bem? — perguntei.

Ele tentou dar alguns passos.

— Ah, maldito tornozelo. Parece que o torci.

— É melhor eu dar uma olhada.

Pelo visto, essa sugestão tão natural o deixou furioso.

— Que inferno! Não quebrei a perna — esbravejou ele. — Não preciso operar! Logo, logo vou melhorar e alcanço vocês. Podem ir andando, todos vocês. Vão!

Aparentemente, não tínhamos alternativa a não ser fazer o que ele disse. Nesse momento, o chocalho soou, bandos de pombos alçaram voo pelos ares e as armas foram disparadas. Com a minha em punho, mantive os olhos bem abertos e fiquei o mais perto possível de sir Harry, pois, caso contrário, também me tornaria um alvo. O grupo seguiu adiante, se embrenhando pelo bosque. Percebi diversos movimentos por entre a folhagem, mas nenhum deles era causado por seres humanos. Eu estava começando a ter medo não do que pudesse acontecer, mas de que nada acontecesse quando chegamos a uma clareira a menos de cem metros de distância. Quase que imediatamente, ouviu-se o estalido de um rifle. Sir Harry gritou e caiu. Fiquei atônito, mas, depois de dar uma rápida olhada no corpo prostrado do baronete, mandei que todos se deitassem no chão e mantivessem a cabeça baixa. Todo mundo obedeceu no maior alvoroço. Ouviu-se mais um disparo, mas a bala não acertou alvo algum. Virei-me na direção de onde tinha vindo o tiro e fui andando bem devagar.

— Mire aqui — gritei, indicando o meu peito. — Aqui.

Veio um terceiro disparo. Ouvi o projétil passar zunindo pelo ar uns três metros acima da minha cabeça. O quarto e o quinto tiveram o mesmo destino. Depois de já ter percorrido uns vinte metros, notei um movimento furtivo em meio aos arbustos. Corri até lá, mas ainda não tinha visto nada quando dois disparos foram ouvidos quase ao mesmo tempo e seguidos por um grito de dor. Um minuto mais tarde, encontrei o que estava procurando: Bradshaw e Carlos, cada um armado de um rifle, junto ao corpo prostrado de Black Ralph.

— Excelente, senhores — falei, pegando cada um deles pelo braço.

Voltei minha atenção para o possível assassino. Pela primeira vez, eu o via nitidamente e percebi que tinha uma aparência simiesca e gemia como um animal por causa do ferimento. Não era nada sério: uma bala tinha perfurado o seu joelho, incapacitando-o temporariamente, mas não chegara a aleijá-lo pelo resto da vida. O que teria sido o caso se o atingissem de mais perto. Na verdade, o sujeito tivera muita sorte.

— Quem o acertou? — perguntei.

— Não sei ao certo — respondeu Bradshaw.

— Pois eu sei — replicou o espanhol, fazendo uma mesura galante. — Foi o senhor, capitão. Um disparo brilhante, em se tratando de um alvo móvel e a essa distância. Agora podem deixar que eu me encarrego de entregar esse traste às autoridades.

O ferimento de sir Harry era mais superficial: um corte na parte superior do braço que não estava sangrando demais. Quando o alcancei, ele estava sendo carinhosamente reconfortado pelo irmão Miles. Toda a personalidade deste último parecia diferente, e ele me lançou um olhar tão cheio de remorso pela sua conduta anterior e de decisão quanto ao futuro que eu jamais vou esquecer. Ao voltarmos para Darkwater Hall, a alegria da esposa ao ver o marido a salvo nos tocou a todos, principalmente a Bradshaw. Fui muito elogiado pela suposta coragem com que me expusera aos disparos de Black Ralph, que finalmente fui obrigado a explicar que não os merecia.

— O rifle é a chave de tudo — falei, segurando a arma recuperada. — Como todas as outras do mesmo modelo, não é lá muito precisa. Portanto, quando o rifle foi roubado, logo percebi que o ladrão era alguém bem ignorante em termos de armas de fogo. Então, quando a sua xícara de chá foi despedaçada ontem à tarde, lady Fairfax, tive mais informações. Conseguir que a bala de um rifle como este passasse entre mim e a senhora, atirando de uma distância de cerca de setenta metros, só poderia ser obra de um atirador brilhante com muitos anos de prática (o que era impossível) ou de um atirador péssimo com uma sorte danada. Alguém que também teve uma sorte danada uma hora atrás. Devo dizer que isso me deixou bem aturdido. Então, na medida em que Black Ralph estivesse mirando o meu peito, eu estava a salvo. Se ele tivesse disparado aleatoriamente a arma, poderia muito bem ter me acertado.

Bradshaw não pareceu muito convencido.

— Mas mesmo a arma menos precisa do mundo pode ser perigosa se disparada a curta distância — observou ele.

— Sem dúvida. Por isso me mantive afastado até que a munição acabasse. Mas é claro que descobri quem era o vilão da história poucos minutos depois de chegar a esta casa, apesar de todas as perguntas que fiz.

— Por dedução? — indagou Miles Fairfax com um sorriso amistoso.

— Claro que não. Eu sabia que Black Ralph era um criminoso. Só de olhar para ele percebi que era perigoso e todos os outros eram simplesmente incapazes de cometer um crime monstruoso como o que se tentou hoje. Isso era óbvio. E agradeço a Deus por isso. Num caso de menor dificuldade, eu teria sido o mais lamentável substituto de Sherlock Holmes.

Acompanhado por Bradshaw, que me disse já ter vegetado por tempo demais, embarquei no trem noturno para Londres, onde tivemos um jantar bem agradável no Savoy.

Se eu estivesse relembrando aqui uma das aventuras de Holmes, deveria largar a caneta neste ponto, mas, já que preciso garantir que ninguém veja este relato até que tenham transcorrido cinquenta anos da minha morte, vou me arriscar a escrever um pouco mais.

Não fui nada franco com o leitor. Por isso, não pretendo apenas confessar que, nesta narrativa como em outras tantas, fiz o que o próprio Holmes me acusou certa vez de fazer: ocultei alguns "elos da corrente". O exemplo mais gritante disso é a trama que montei com Bradshaw e Carlos para capturar Black Ralph, e, se o fiz, foi para construir uma história melhor, embora espere que o final não tenha sido "um falso brilhante". Tampouco pretendo discutir a perspectiva proposta por um colega vienense a quem contei recentemente as linhas gerais desta história: que aquele teatro amador de sir Harry Fairfax tivesse outro propósito que não o alegado e que, de alguma forma distorcida (que não compreendo muito bem), tivesse relação com sua incapacidade de ter um herdeiro. Mas o fato é que o baronete ainda não tinha filhos quando, cerca de dez anos depois do episódio de Black Ralph, veio a falecer numa queda de cavalo, deixando o irmão desolado herdar o título e as propriedades que ele já havia cobiçado tão ardentemente.

Mas já chega disso tudo. O que preciso revelar é de outra natureza. A conversa com Dolores, tal como a descrevi mais acima, é pura mentira. Ela acusou Carlos de ter um ciúme injustificado de sir Harry, mas a maneira como o fez e as circunstâncias dessa acusação foram inteiramente diferentes das que narrei. Estávamos os dois na minha cama. Mesmo nesses dias tolerantes da terceira década do século XX, eu não gostaria de publicar semelhante confissão. Ouso esperar que o leitor dos anos 1970 não ache nada de excepcional: um vigoroso solteiro de 33 anos, como eu era, e uma oportunidade... Existe algo nisso que possa ferir as susceptibilidades?

O que havia em você, ou em mim, ou em nós dois, Dolores, que me fez experimentar nos seus braços um prazer tão intenso e maravilhoso como jamais havia experimentado e que jamais voltei a experimentar? Seria o fato de sermos tão diferentes ou será que compartilhávamos uma estranha comunhão de espírito? Seria o calor da estação? Seria, contrariamente a todas as aparências, aquele lugar? Para mim, este é o verdadeiro mistério de Darkwater Hall. Um mistério ainda tão impenetrável e maravilhoso quanto foi quarenta anos atrás.

Dr. John H. Watson
Bournemouth
Abril de 1925

O caso do amador bem-dotado

J.C. MASTERMAN

Entre todas as suas várias realizações, uma carreira de escritor de histórias de mistério não é o feito de maior destaque de John Cecil Masterman (1891-1977). Ele foi um intelectual reconhecido, professor de história moderna no Christ Church College, em Oxford, e se aposentou em meados da década de 1920 para se dedicar aos esportes, tornando-se um atleta internacionalmente aclamado. Masterman era um tenista excelente, foi campeão de hóquei na grama, jogador de golfe e de *squash* e um profissional de críquete tão habilidoso que viajou o mundo com a equipe do prestigiado Marylebone Cricket Club. Foi reconhecido como um desportista digno de figurar no clássico de Stephen Potter, *The Theory and Practice of Gamesmanship or The Art of Winning Games Without Actually Cheating* (1947). Masterman voltou para Oxford depois da Segunda Guerra Mundial, onde se tornou diretor do Worcester College (1946-1961) e vice-chanceler da Universidade de Oxford (1957-1958). Recebeu o título de cavaleiro em 1959.

O maior feito de Masterman foi, sem dúvida, presidir o Comitê dos Vinte no momento da eclosão da Segunda Guerra Mundial. Tratava-se de um grupo secreto de oficiais da inteligência britânica e de amadores bem-dotados designados pelo Sistema XX para transformar espiões alemães em agentes duplos a serviço da Grã-Bretanha e fornecer informações falsas que deviam ser transmitidas às agências da inteligência germânica. Embora presidisse o

Comitê, ele atribuía ao MI5 o crédito pela ideia original. Segundo consta, Ian Fleming, que também esteve envolvido nos serviços de inteligência durante esse período, teria adaptado o nome de Masterman para criar a personagem de Jill Masterson, em seu romance *Goldfinger* (1959).

Os dois romances policiais escritos por Masterman são mistérios acadêmicos protagonizados por Francis Wheatley Winn, um professor de Oxford que desempenha a mesma função de Watson nas histórias de Sherlock Holmes, no caso um investigador amador chamado Ernst Brendel, que é um simpático advogado vienense. O sucesso de *An Oxford Tragedy* (1933) não inspirou o seu autor a escrever uma sequência até 1957, quando surgiu *The Case of the Four Friends*.

"O caso do amador bem-dotado" foi publicado inicialmente no exemplar de dezembro de 1952 da *MacKill's Mystery Magazine*; na Inglaterra, foi publicado na edição de 18 de janeiro de 1954 do jornal *The Evening Standard*, e só veio a sair em livro na coletânea *Bits and Pieces*, de J.C. Masterman (Londres: Hodder & Stoughton, 1961).

O CASO DO AMADOR BEM-DOTADO

J.C. Masterman

Entre todos os talentosos membros da Scotland Yard, o inspetor-chefe Lestrade era não só o mais astuto, como também o mais bem-sucedido. Ao menos era o que ele quase sempre me dava a entender. Muito tempo depois de se aposentar, eu ia visitá-lo com frequência na Casa de Repouso do Surrey, onde ele passou os últimos anos de vida, e bastava um empurrãozinho para ele contar novamente seus triunfos, bem como os de Gregson, de Athelney Jones, do "jovem" Stanley Hopkins e do restante desses heróis que floresceram no período que ele considerava os anos de ouro da Scotland Yard.

Porém, curiosamente, ele quase nunca mencionava Sherlock Holmes, sendo que seu próprio nome era estreitamente ligado ao dele desde quando me lembro. Eu achava isso difícil de entender e, uma vez, cheguei até a suspeitar de que Lestrade tivesse inveja da fama do detetive da Baker Street. Quando dei um jeito de mencionar o nome de Holmes, o inspetor fez um discreto comentário depreciativo e começou a relatar outra parte da saga da sua própria carreira. Raramente, muito raramente, ele foi um pouco mais comunicativo sobre um homem — ou dois homens, pois um tal de dr. Watson havia trabalhado com Holmes naqueles velhos tempos

— cujos feitos despertavam em mim uma curiosidade insaciável. Só uma vez, me contou uma história desses dois.

— O sr. Sherlock Holmes era esperto ao seu modo, mas não tão esperto quanto ele próprio julgava ser. Quanto a Watson...! Lembro que o meu antigo chefe na Scotland Yard chamava Holmes de "O amador bem-dotado", embora eu nunca tenha entendido por quê. Sabe, para ser franco, ele não era nem de longe um amador e, com relação aos seus dotes, bom, alguns de nós na Yard podiam dar de mil nele a qualquer momento.

Lestrade deu uma risadinha de satisfação.

— Mas ele tinha algumas ideias brilhantes, não tinha? Imagino que tenha lhe sido útil em uma ou outra ocasião.

— Se quer saber — replicou Lestrade —, era exatamente o contrário. Lembro-me de um caso em que ajudei Holmes (e, aliás, Watson também) a sair de uma verdadeira arapuca. E os dois nem agradeceram, como seria de se esperar. Vou lhe contar o que aconteceu.

Se não me engano, estávamos em 1889 e, pelas minhas lembranças, o sr. Sherlock Holmes passava por uma fase de vacas magras e Watson tinha dificuldades em encontrar casos que pudesse relatar na época (você sabe que o doutor contava os trabalhos do amigo com fins que hoje em dia chamaríamos de publicitários). Contudo, quando chegou às minhas mãos o caso do Diamante Negro e me dei conta de que o dr. Watson tinha tudo a ver com ele em função da sua capacidade profissional, pareceu-me que a coisa mais delicada a fazer seria deixar que Holmes participasse da investigação. Como pode ver, eu estava com um pouco de pena dele e, além disso, não tinha tanta certeza assim que conseguiria resolver o caso com a facilidade e a rapidez que queria. Então fui até a Baker Street, lá pela hora do chá, e encontrei os dois fumando na sala.

— Ah, Lestrade — disse Holmes com seu ar superior —, quase sempre sua presença é prenúncio de novidades. O que tem para mim desta vez?

— Suponho que o dr. Watson tenha lhe falado do caso do diamante de Rheinhart Wimpfheimer? — indaguei.

Holmes sorriu.

— O relato de Watson foi meio confuso. Adoraria ouvi-lo contar o que houve para eu ter os fatos claros à minha frente. Quem sabe não posso ajudá-lo?

Os meus relatórios naquele tempo eram bem completos e, por isso, li as anotações que já tinha feito.

O sr. Rheinhart Wimpfheimer é um personagem bem conhecido que fez uma imensa fortuna no comércio com o Oriente, porém é ainda mais conhecido como o maior colecionador de joias célebres e curiosas. Nesta área, só uma pessoa se comparava a ele: seu irmão mais jovem, o sr. Solomon Wimpfheimer, um solteirão rico que morava em Albany. Entre os dois, sempre houve uma rivalidade grande, mas fraterna; contudo, segundo consta, a coleção do mais velho era sem dúvida alguma a melhor. O sr. Rheinhart Wimpfheimer é viúvo e mora numa casa bastante luxuosa na praça Great Cumberland, nº 123. Além da criadagem e do proprietário, moram ali sua filha solteira, que tem cerca de 25 anos, e o seu secretário particular que o ajuda com os negócios e com a coleção. Muitas das suas obras já foram doadas ou emprestadas a museus; algumas das suas peças mais preciosas, porém, ficam guardadas na sua casa. Entre elas, o grande destaque é o famoso diamante negro de Dungbura. O sr. Wimpfheimer é tão apegado a essa magnífica pedra, que anda sempre com ela pendurada no pescoço, dentro de uma bolsinha de camurça. À noite, ele a deixa em cima da mesinha de cabeceira junto à própria cama.

— Um momento, Lestrade — disse Holmes, interrompendo-me. — Watson, pode me passar o terceiro livro grosso que está ao seu lado, por favor? Ah, sim... Bem que achei que havia algo aqui. O diamante negro de Dungbura, uma das mais célebres pedras do mundo em função do seu tamanho, da sua cor peculiar e da sua história. Não se sabe como ou quando ele surgiu em Dungbura, que fica nos confins do Tibete, nem tampouco como chegou aqui à Europa. Desde que isso aconteceu, porém, ele fez parte de várias das mais importantes coleções. Se a maioria das pedras preciosas tem uma reputação sinistra, todos dizem que esta traz felicidade e sorte para quem a tiver. Mas interrompi o seu relato tão bem ordenado, Lestrade. Prossiga, por favor.

— Na quarta-feira bem cedo, o sr. Rheinhart Wimpfheimer acordou doente. Como seu médico estava de férias, o nosso amigo dr. Watson aqui presente estava atuando como substituto. Por volta das nove horas, ele foi chamado à casa do paciente e diagnosticou o caso como febre cerebral. Corrija-me se eu estiver errado, doutor.

— Está certíssimo. Prescrevi os remédios de costume e prometi voltar no final do dia para vê-lo.

— Dr. Watson voltou à noitinha e, ao chegar, encontrou o sr. Wimpfheimer ainda inconsciente. Durante a visita, porém, o paciente teve um breve instante de clareza mental e, lamento dizer, expressou veementemente o seu desejo de ser atendido por um médico mais qualificado do que o dr. Watson.

— Ah, bom — observou Holmes —, afinal, ele é um homem culto e os serviços de um clínico geral com experiência limitada e capacidade medíocre...

— Que injustiça, Holmes! — protestou Watson. — Você mesmo não conseguiu sucesso imediato em algumas ocasiões.

— As datas? — replicou Holmes em tom ríspido.

Tratei de retomar a leitura do meu relatório com medo de que começasse uma briga entre os dois amigos. O paciente estava delirando e o dr. Watson deu instruções à enfermeira e anotou os nomes e endereços de alguns médicos eminentes. Depois disso, saiu da casa.

— A que horas, Watson? — perguntou Holmes.

— Eram sete da noite — respondeu o outro meio emburrado. — O sr. Wimpfheimer é colecionador dos mais variados móveis e objetos de arte. Passei diante de pelo menos quatro relógios de pé ao longo da escadaria e, como todos marcavam as horas, isso ficou na minha memória.

— Excelente, Watson. Fico feliz que você esteja desenvolvendo o poder da observação. E depois, o que aconteceu?

— A Scotland Yard recebeu uma chamada às dez da manhã e eu mesmo fui depressa para a praça Great Cumberland, nº 123, onde encontrei a casa em estado de profunda comoção. Quando chegou sir Euston Pancras, o especialista em febre cerebral que havia sido chamado naquela manhã para examinar o paciente, o criado percebeu que o diamante negro de Dungbura, que estava na mesinha de cabeceira na véspera, havia desaparecido.

— E ele estava lá quando você foi ver o paciente, Watson? — perguntou Holmes.

— Estava. Eu o vi no estojo de camurça em cima do criado--mudo.

— Entre aquele momento e a chegada do especialista, cinco pessoas tinham entrado no quarto do enfermo: a enfermeira do turno da noite, a que veio substituí-la de manhã, o seu camareiro, o seu secretário particular e a sua filha.

— Que providências o senhor tomou? — indagou Holmes. — Examinou todas essas pessoas?

— Não deixamos pedra sobre pedra, mas o mistério parece insolúvel. Das cinco pessoas referidas, nenhuma deixou a casa, a não ser a srta. Wimpfheimer, que foi de cabriolé até Albany ver o tio e lhe dar notícias do irmão. Ela saiu por volta das nove da noite e voltou cerca de quinze minutos depois. Além disso, todas essas pessoas estão acima de qualquer suspeita. O camareiro e o secretário trabalham para o sr. Wimpfheimer há mais de dez anos; a primeira enfermeira foi dormir praticamente assim que deixou o quarto e a segunda não saiu de lá desde que assumiu o plantão. A casa foi toda revirada, do sótão ao porão, e o diamante não está lá. Sou forçado a concluir que algum assaltante deve ter entrado no quarto e roubado a pedra. Só que, mesmo nesse caso, existem dificuldades. Todos os aposentos têm janelas duplas e um elaborado sistema de alarme. Além do mais, o sr. Wimpfheimer tem um dachshund ao qual é extremamente apegado; o cãozinho nunca se afasta dele e dorme em seu quarto. É inconcebível que ele não tenha latido se um ladrão entrasse ali durante a noite. Mesmo assim, um ladrão pode ter entrado no quarto. A pergunta é: como e quando ele teria entrado, e como teria escapado? O senhor conhece os meus métodos, sr. Holmes. Ponha-os em prática (eu costumava dar ao sr. Sherlock Holmes esse tipo de sugestão e acho que elas sempre lhe foram muito úteis). Por acaso tem alguma ideia de como o crime teria sido cometido?

O sr. Sherlock Holmes me honrou com um dos seus sorrisos arrogantes.

— O caso, meu bom Lestrade, apesar de ser essencialmente simples, tem algumas características que não deixam de ser interessantes. Eu adoraria analisá-las para o senhor.

— E quando vai estar apto a recuperar o diamante? — perguntei com uma discreta dose de sarcasmo.

— Talvez, se nos der a honra, ao dr. Watson e a mim, de tomar o café da manhã conosco amanhã... digamos... às nove e meia... eu tenha alguma informação para o senhor.

Lembro-me daquela sala na Baker Street com tanta clareza que parece até que foi ontem que estive lá. Quando voltei, na manhã seguinte, Holmes, com o seu robe de chambre, estava sentado na sua poltrona e envolto por uma nuvem de fumaça. O dr. Watson estava diante dele, parecendo doente e preocupado. Pensei que talvez aquele tiro de mosquete Jezail de que ele tanto falava estivesse lhe causando algum incômodo. Seu estetoscópio, um instrumento já bem antiquado, estava ao seu lado como se ele estivesse prestes a fazer a ronda dos pacientes. Com um gesto, Holmes me mandou sentar.

— Deixe-me elucidar o caso brevemente — começou ele. — Ontem à noite, fui até a praça Great Cumberland. Disfarçado de cirurgião-veterinário, aleguei que o sr. Wimpfheimer havia marcado uma consulta comigo alguns dias antes para examinar o dachshund e fui imediatamente conduzido ao quarto do enfermo. Pelo visto, as janelas não haviam sido abertas havia pelo menos algumas semanas; além disso, a compleição física do animal me permitiu examinar também o tapete.

— O que havia de especial no tapete?

— Nada. O que é bem peculiar. A sua teoria de que um assaltante deve ter entrado no quarto não se sustenta de forma alguma. — Calou-se por um instante e uniu as pontas dos dedos afilados. — Temos, portanto, alguns fatos indiscutíveis. O diamante estava na mesa de cabeceira quando Watson visitou o doente às sete da noite e já tinha desaparecido quando sir Euston chegou, às dez da manhã. Nenhum ladrão pode ter entrado no quarto durante esse período. Cinco pessoas, e apenas elas, estiveram ali durante a noite. Todas têm caráter exemplar e, pelo que se sabe, nenhuma delas tinha qualquer motivo para roubar. Uma das minhas velhas máximas, porém, é que, quando já se excluiu o impossível, o que resta é a verdade, por mais improvável que seja. Portanto, uma dessas cinco pessoas roubou o diamante.

— Incrível, Holmes! — exclamou Watson.

O rosto pálido de Holmes corou um pouco diante do cumprimento, mas ele prosseguiu com a sua explanação:

— Se nos limitarmos aos fatos comprovados, podemos levar adiante a análise do caso. O diamante foi roubado do quarto e por uma das cinco pessoas que entraram ali. Não está na casa, logo foi levado de lá. Pode-se perfeitamente deduzir que o ladrão que o pegou no quarto é também a pessoa que o tirou da casa. Além disso, outras considerações me levam à mesma conclusão. Nenhum assaltante comum escolheria para cometer o assalto a noite em que havia uma enfermeira treinada e sentada junto à cama do sr. Wimpfheimer. Na verdade, nenhum assaltante profissional nem sequer pensaria em roubar o diamante de Dungbura, afinal as peculiaridades da pedra tornariam impossível passá-la adiante. Chego, pois, à conclusão de que não foi um assalto comum. Resta apenas uma única solução. A pedra foi roubada não para que se obtivesse lucro com ela, mas para transferi-la de uma coleção para outra, Lestrade! Não há limites para o que um colecionador é capaz de fazer (o orgulho de ter uma peça supera todo e qualquer escrúpulo) e não se esqueça de que o diamante Dungbura traz felicidade e sorte a quem o possui. — Fez uma pausa dramática. — O sr. Solomon Wimpfheimer é um colecionador e a srta. Wimpfheimer foi visitá-lo naquela noite para lhe dar notícias do irmão doente. Não sabemos o que levou essa mulher infeliz a transferir o diamante da coleção do pai para a do tio, mas sabemos que foi pelas suas mãos que a pedra saiu da casa da praça Great Cumberland. O caso está encerrado. O café da manhã pode esperar. Ponha o chapéu, Watson, e vamos com Lestrade até Albany. É lá que, a menos que eu esteja redondamente enganado, vamos encontrar o diamante.

— Mas... Mas... — começou Watson.

Holmes o fitou, franzindo a testa.

— Acabei de comprovar — observou ele, em tom severo — que o diamante não pode ter saído da residência da praça Great Cumberland de outra maneira.

— Mas... o meu estetoscópio... — balbuciou Watson.

Nós dois nos viramos para o médico que, pressionando um lado do tronco, desabou na poltrona, desmaiando.

Pela primeira vez em todo o tempo que convivi com ele, Holmes foi tomado por uma emoção humana. Correu até o amigo, rasgou a sua camisa e encostou o estetoscópio no seu peito.

— Que pena, coitado! — exclamou. — Ele está morto. Não ouço nada.

— É isso — resmungou Watson — que deve esperar ouvir quando usa o *meu* estetoscópio.

Passei a mão no frasco de seltzogênio em cima da mesa e o coloquei diante do rosto do médico. Aos poucos, ele foi se recuperando, embora continuasse pressionando um lado do corpo como se sentisse muita dor. Então tive um daqueles lampejos de intuição que tanto me ajudaram na minha carreira.

— Sr. Holmes — falei —, creio que o dr. Watson está querendo nos dizer algo.

O médico assentiu.

— Não posso mais ficar em silêncio, Holmes — disse ele. — Fiz parte do exército e, para mim, é impossível permitir que paire qualquer suspeita sobre uma mulher pura e adorável. Por mais que isso prejudique minha reputação. Quando o sr. Wimpfheimer me dispensou de forma tão arrogante, fiquei bastante ressentido, o que não era nada excepcional. Naquele momento, quando ele voltou a delirar, deparei com o brilho do diamante na sua bolsa de camurça em cima da mesinha ao lado. Seguindo minhas recomendações, a enfermeira saiu para buscar uma bebida refrescante. Numa fração de segundo, a decisão estava tomada. Na verdade, meu cérebro pareceu funcionar com uma velocidade e uma precisão fora do normal.

Um plano inteiro se apresentou diante de mim: eu ia me apoderar do diamante e trazê-lo para a Baker Street; você ia encontrá-lo no seu quarto. Eu não tinha a menor dúvida de que o seu cérebro tão analítico relacionaria a presença do diamante na Baker Street com a minha ida à praça Great Cumberland. E tinha certeza de que nossos sólidos laços de amizade me livrariam de qualquer consequência indesejável. Eu tinha confiança de que quando a Scotland Yard, absolutamente desconcertada, viesse procurá-lo, você daria um jeito de devolver a pedra ao proprietário e provar que ela nunca deixara aquela casa. Como eu bem sabia, você, num ato generoso, deixaria Lestrade levar todo o crédito pela recuperação do diamante. Ora, comigo pensar é agir. Não levei mais que um segundo para pegá-lo. Enrolei-o na bolsinha e enfiei no diafragma do meu estetoscópio. De posse da pedra, saí depressa da casa e peguei o primeiro cabriolé que apareceu. Então senti, pela primeira vez, um espasmo nervoso e tive dúvidas quanto à segurança do esconderijo que eu havia escolhido. Retirei, então, o diamante da bolsinha, voltei a enfiá-la no estetoscópio e pus a pedra na boca, um recurso que aprendi na fronteira afegã. Nesse momento, tive outra dúvida. Para o sucesso do meu plano, era essencial que você encontrasse o diamante. Será que eu devia colocá-lo com o tabaco que você guarda na chinela persa (mas você podia não fumar o bastante para achá-lo a tempo) ou eu devia escondê-lo no seu violino (mas talvez você não notasse a sua presença ali)? Às voltas com esse dilema mental, permiti que os músculos da minha mandíbula relaxassem e, quando o cabriolé deu um solavanco inesperado, acabei engolindo o diamante negro de Dungbura!

— Impossível! — exclamou Holmes. — Ele é grande demais...

— Já engoli muitas coisas nos velhos tempos — replicou Watson, tentando manter a dignidade.

Foi acometido por uma nova crise de dor e o seu rosto se contorceu, agoniado.

— Como está sofrendo! — comentou Holmes. — É o transtorno de uma mente torturada!

— Não, não. Alimentar, meu caro Holmes, alimentar — disse Watson, arquejando. — Levem-me para um hospital e aposto a minha reputação médica que o diamante negro vai ser rapidamente recuperado.

Holmes me puxou para um canto.

— Watson fez uma besteira vergonhosa — disse ele —, coisa que faz com frequência. No entanto, ainda podemos usar parte do seu estranho plano. Posso muito bem devolver o diamante à casa da praça Great Cumberland.

Então tomei as rédeas da situação.

— Não, sr. Holmes — retruquei. — Isto está fora de cogitação. Quando a Scotland Yard assume um caso desse tipo, não descansa enquanto ele não estiver resolvido. Vinte e quatro horas depois de ter sido encarregado do caso, capturei o criminoso que está se contorcendo aí na sua poltrona. E também localizei o diamante roubado, dentro de limites bem circunscritos. Com a ajuda do hospital, vou recuperá-lo e devolvê-lo ao dono.

Percebi, porém, certa tristeza no rosto de Holmes. Dei-lhe, então, um tapinha no ombro e tentei consolá-lo.

— A Scotland Yard — comecei — não faz a menor questão de saber para quem vão os créditos de um caso solucionado. Afinal, a confissão que obtive do dr. Watson me poupou algumas horas de investigação paciente. Sendo assim, se o sr. Wimpfheimer se recuperar, vou contar que o Amador Bem-Dotado, sr. Sherlock Holmes, nos foi de grande utilidade para a recuperação da pedra.

Um sorriso de felicidade surgiu no rosto enrugado de Lestrade.

— Não estou negando — acrescentou ele — que a rapidez e a eficiência com que resolvi o caso do Diamante Negro não tenha sido um grande passo para eu subir na carreira. Também não esqueci a promessa que fiz ao Amador Bem-Dotado. O sr. Rheinhart Wimpfheimer acabou se recuperando e, quando, três ou quatro meses depois, encontrei o sr. Sherlock Holmes, ele estava usando um belo alfinete de gravata de diamante que não me lembro de ter visto antes.

O falecido Sherlock Holmes

JAMES M. BARRIE

(publicado anonimamente)

James Matthew Barrie (1860-1937), o tão amado dramaturgo escocês que criou uma das personagens icônicas da literatura, Peter Pan, mantinha uma amizade improvável com Arthur Conan Doyle, e esta relação sobreviveu a muitos anos e a uma grande quantidade de diferenças existentes entre os mais populares escritores do seu tempo.

Doyle era um esportista. Apaixonado por esqui, consta que foi ele quem introduziu essa atividade vigorosa na Suíça. Era fã de pugilismo, sempre muito elogiado pela sua habilidade como boxeador, e escreveu dois livros sobre o tema: *Rodney Stone* (1896), que abordava a luta sem luvas durante o período da Regência, em princípios do século XIX; e *The Croxley Master: A Great Tale of the Prize Ring* (1907), sobre um boxeador que era estudante de medicina. Um episódio célebre foi o convite que Doyle recebeu para arbitrar o combate que envolvia sérias questões raciais entre Jack Johnson e Jim Jeffries no campeonato de pesos pesados de 1910. Johnson, o mais recente campeão, era um negro arrogante e, portanto, Jeffries, o ex-campeão já aposentado, foi convocado pelo bem da supremacia branca. Doyle recusou o convite, declarando que era mais uma forma de reforçar a intolerância do que de combatê-la.

Por outro lado, Barrie parou de crescer muito cedo (media cerca de 1,60m, ou seja, 5'31/2", segundo seu passaporte), era extremamente introvertido e, embora fosse casado, pelo que se sabe tratava-se de um casamento não consumado. "Meninos não podem amar", teria dito ele à esposa.

Apesar de tudo, Barrie e os amigos Jerome K. Jerome, Doyle, P.G. Wodehouse e outros fundaram um clube de críquete chamado Allahakbarries, mas Doyle era o único membro que sabia jogar. Sem dúvida, a amizade entre os dois inspirou Barrie a escrever três paródias de Sherlock Holmes, todas incluídas nesta coletânea.

"O falecido Sherlock Holmes" foi inicialmente lançado de forma anônima na edição de 29 de dezembro de 1893 do jornal *The St. James's Gazette*; sua primeira publicação em livro foi na antologia *My Evening with Sherlock Holmes*, editada por John Gibson e Richard Lancelyn Green (Londres: Ferret Fantasy, 1981).

O FALECIDO SHERLOCK HOLMES

James M. Barrie

O FALECIDO SHERLOCK HOLMES. PRISÃO SENSACIONAL.

Watson acusado do crime

(*Por nossos repórteres extraespeciais*)

12h30 — Hoje bem cedo, o dr. W.W. Watson, médico (Edimburgo), foi detido em sua residência, no nº 12a da Tennison Road, St. John's Wood, sob a acusação de estar envolvido na morte do sr. Sherlock Holmes, falecido na Baker Street. A prisão não tardou a ser efetuada. Pelo que ficamos sabendo, o prisioneiro foi encontrado pela polícia enquanto tomava o café da manhã com a esposa. Ao ser informado do motivo da visita, não expressou qualquer surpresa, apenas pediu para ver o mandado. Depois que lhe foi mostrado, o médico se pôs à disposição da polícia. Segundo consta, os agentes da lei tinham instruções para lhe dizer que, antes de acompanhá-los até a Bow Street, ele podia tomar as providências necessárias para que suas atividades médicas não fossem interrompidas durante sua ausência. O prisioneiro sorriu ao ouvir isso e disse que tais providências não seriam necessárias, uma vez que seu paciente havia deixado o país. Depois de ser avisado de que o que dissesse poderia ser usado contra ele, o dr. Watson decidiu não fazer mais nenhuma declaração. Foi então imediatamente levado para a Bow Street, e sua esposa demonstrou muita força ao presenciar sua partida.

O MISTÉRIO DE SHERLOCK HOLMES

O desaparecimento do sr. Holmes foi um evento tão recente e gerou tantos boatos, que é indispensável fazer aqui um breve resumo do caso. O sr. Holmes era um homem de meia-idade e residia na Baker Street, onde exercia a função de detetive particular. Era muito bem-sucedido na sua carreira e alguns dos seus mais notáveis triunfos ainda devem estar frescos na memória do público, especialmente o que ficou conhecido como "A aventura das três cabeças coroadas" e o caso ainda mais curioso denominado "Aventura do homem sem perna de pau", que chocou todos os grupos científicos da Europa. O dr. Watson, como será provado por suas próprias palavras, era um grande amigo do sr. Holmes (o que, por si só, é uma circunstância suspeita) e tinha o hábito de acompanhá-lo nas suas peregrinações profissionais. A promotoria certamente vai alegar que ele agia assim em benefício próprio, visando o caráter monetário. Há cerca de quinze dias, Londres recebeu a notícia da morte súbita do desafortunado Holmes em circunstâncias que provocaram sérias desconfianças de que se tratava de um crime. O sr. Holmes e um amigo tinham feito uma breve viagem à Suíça e um telegrama comunicou que ele havia desaparecido nas terríveis Cataratas de Reichenbach. Ele teria caído ou sido empurrado. Essa queda-d'água tem aproximadamente trezentos metros de altura, mas, ao longo de sua carreira, o sr. Holmes sobreviveu a tantos perigos e o público estava tão convencido de que no mês seguinte ele voltaria, tão alerta quanto nunca, que ninguém acreditou na sua morte. Essa confiança geral ainda foi reforçada quando se descobriu que o companheiro de viagem era o seu amigo Watson.

O DEPOIMENTO DE WATSON

Para seu infortúnio (talvez sob pressão da polícia suíça), Watson foi convocado a prestar depoimento. Em suma, esses foram os termos da sua declaração: o verdadeiro motivo da viagem à Suíça foi um criminoso chamado Moriarty, de quem Holmes estava fugindo. Segundo Watson, o falecido cavalheiro havia arruinado a rede criminosa de Moriarty, que jurara vingança. Tal ameaça abalou tanto os nervos de Holmes que ele decidiu ir para o velho continente junto com o amigo. Tudo estava correndo bem até que os dois viajantes chegaram às Cataratas de Reichenbach. Naquele local, apareceu um garoto suíço com uma carta para Watson. A correspondência teria vindo da pousada de Meiringen, uma cidadezinha nos arredores, e o texto implorava que o médico fosse depressa até lá para prestar serviços profissionais a uma senhora que havia adoecido. Deixando Holmes nas cataratas, Watson correu para a pousada, onde descobriu que o proprietário não tinha lhe mandado carta alguma. Lembrando-se então de Moriarty, o médico voltou correndo para as cataratas, porém era tarde demais. Tudo o que encontrou foram indícios de uma luta desesperada e um breve bilhete de Holmes explicando que ele e Moriarty haviam se matado e depois despencado nas cataratas.

FALATÓRIOS POPULARES

A prisão de Watson, ocorrida nesta manhã, não deve surpreender ninguém. Era opinião geral que tal medida devia ser tomada em nome dos interesses da justiça pública. O que provocou uma indignação especial foi a declaração do médico de que Holmes estaria fugindo de Moriarty. Todos sabem que Holmes era um homem extremamente corajoso, um verdadeiro perito em enfrentar perigos. Representá-lo de outra forma seria o mesmo que dizer que o Detetive do Povo (como ele era chamado) havia sido

IMPINGIDO AO PÚBLICO

Acreditamos que a declaração do próprio Watson será apresentada no julgamento como demonstração do descontentamento popular. Deve-se também observar que o relato de Watson levanta algumas dúvidas. A luta mortal ocorreu numa trilha estreita de onde, com toda a certeza, o falecido deve ter visto Moriarty chegando. Mesmo assim, os dois só começaram a lutar na beira do penhasco. O que os representantes da Coroa vão perguntar é

ONDE ESTAVAM AS ARMAS DE HOLMES?

Mais uma vez, Watson é a pessoa mais autorizada a declarar que o falecido jamais cruzava a soleira da porta de casa sem levar nos bolsos várias pistolas carregadas. Se o detetive agia assim em Londres, não seria difícil de acreditar que estivesse desarmado nas montanhas suíças relativamente ermas, especialmente num momento em que, pelo que se disse, estaria com um medo mortal de que Moriarty aparecesse? E, pela descrição que Watson fez do local, fica evidente que Holmes teria tido bastante tempo para atirar no seu inimigo assim que ele surgiu no seu campo de visão. Porém, admitindo-se que Holmes estivesse desarmado, por que Moriarty não atirou? Ele também não tinha nenhuma pistola? Isso seria o suprassumo do absurdo.

O QUE WATSON VIU

Watson declarou que, enquanto saía da região das cataratas, viu ao longe a figura de um homem alto. Sugere que seria Moriarty, que (afirma ele) foi quem mandou a carta falsa. Para confirmar sua teoria, deve-se acrescentar que Peter Steiler, dono da pousada, admite que um estranho esteve no seu estabelecimento por alguns minutos e escreveu uma carta. Esta pista vem sendo seguida exaustivamente e, sem dúvida alguma, com a identificação dessa pessoa misteriosa, o que deve ocorrer nas próximas horas, estaremos mais perto de desatar este nó. Deve-se acrescentar, segundo informação que obtivemos de fonte confiável, que a polícia não espera descobrir que o tal estranho era Moriarty, mas sim

UM CÚMPLICE DE WATSON,

que vem colaborando há tempos em suas publicações e foi inúmeras vezes mencionado em relação ao falecido. Em resumo, a mais sensacional detenção do século está prestes a ocorrer.

A residência da vítima,

O APARTAMENTO DA BAKER STREET,

está em posse da polícia. Nosso correspondente esteve lá de manhã e passou algum tempo examinando o local que, graças às descrições de Watson, já se tornou familiar para o público. A sala está exatamente igual a quando o falecido morava lá. De um lado, por exemplo, fica sua poltrona favorita onde ele se encolhia sempre que refletia sobre um problema difícil. Há um velho recipiente de tabaco no console da lareira (isolado), e, pendurado na parede logo acima, encontra-se "A Duquesa", de Gainsborough, obra que Holmes encontrou tempos atrás, mas, ao que parece, não descobriu quem era o proprietário legal. Todos devem se lembrar que, sempre que Holmes dizia algo surpreendente, Watson ficava tão espantado que "pulava até o teto". Nosso correspondente examinou esse teto e descobriu que estava

CHEIO DE IRREGULARIDADES

O público também não pode ter esquecido que Holmes gostava de se divertir nesse cômodo praticando a pontaria. Era um exímio atirador e, certa noite, enquanto Watson estava escrevendo, contornou a cabeça do amigo com projéteis que passaram raspando, a cerca de poucos milímetros de distância. O resultado foi um retrato de Watson na parede, feito a tiros, que, pelo que dizem, tem uma incrível semelhança com o modelo. É evidente que, a exemplo do que ocorreu no caso Ardlamont, este retrato será apresentado no tribunal. Considera-se também a possibilidade de trazer as Cataratas de Reichenbach com o mesmo objetivo.

O MOTIVO

Como todas as evidências deste caso são circunstanciais, é óbvio que o motivo deve ser uma parte importante da argumentação da Coroa. Correm milhares de boatos sobre o ocorrido e, nessa fase da investigação, devem ser recebidos com cautela. Segundo um deles, Watson e Holmes haviam se desentendido por uma questão financeira, pois o último alegava que o primeiro o estava transformando numa mina de ouro sem lhe dar nenhuma parte da fortuna acumulada. Outro afirma que o desentendimento entre os dois devia-se a uma mudança no comportamento de Watson. Holmes, pelo que dizem, havia se queixado amargamente do fato de o seu amigo já não pular até o teto com a mesma frequência do início do relacionamento deles. Contudo, a culpa por esta mudança se deveria menos ao próprio Watson do que aos locatários do segundo andar, que teriam reclamado com a proprietária. Acreditamos que a promotoria está à procura do

ELEMENTO INESPERADO

neste caso para encontrar o motivo que teria levado ao assassinato do sr. Holmes. Esse elemento inesperado é, evidentemente, a pessoa misteriosa já mencionada que teria sido vista nas proximidades das Cataratas de Reichenbach naquele dia fatídico. Ao que se diz, ele teria fortes razões para querer dar cabo do detetive. Por muito tempo se deram bem. No início da sua carreira, Holmes admitiu com franqueza que devia tudo a esse cavalheiro, que, por sua vez, não escondia que o detetive lhe prestava valiosos serviços. Mais tarde, porém, os dois já não se davam tão bem porque Holmes teria se queixado inúmeras vezes de que ele podia fazer o que fosse, era sempre o outro que levava os créditos. Por outro lado, ouviu-se o suposto cúmplice dizer, segundo consta, que “Holmes andava se gabando por nada”, que “ele podia se sair bem sem o auxílio de

Holmes", que "já estava farto do detetive", que "é louco por fama" e até mesmo que "se o público continuasse pedindo mais participação de Holmes, ele o mataria em legítima defesa". Testemunhas serão convocadas para confirmar tais declarações e acredita-se que ficará provado que a pessoa misteriosa nas Cataratas e esse cavalheiro são a mesmíssima pessoa. O próprio Watson admite que deve a vida a essa personagem inesperada, o que fornece a importante evidência de que o estranho no local do crime também é médico. É claro que a teoria da Coroa é a de que os dois médicos foram cúmplices. Sabe-se que o indivíduo que chamamos de elemento inesperado continua nas imediações das Cataratas.

DR. CONAN DOYLE

O dr. Conan Doyle encontra-se atualmente na Suíça.

UM BOATO EXTRAORDINÁRIO

acabou de chegar até nós, no momento em que estávamos prestes a fechar a edição. Diz-se que o sr. Sherlock Holmes, a pedidos de todo o povo britânico, voltou para a Baker Street e está (enrodilhado como um 8) resolvendo o problema da Aventura do Romancista e de seu Velho Lobo do Mar.

Sherlock Holmes e o mistério Drood

EDMUND PEARSON

Edmund Lester Pearson (1880-1937) é mais conhecido como bibliotecário, humorista, perito em crimes reais, resenhista e autor de uma coluna semanal de ensaios e histórias intitulada "O Bibliotecário", que foi publicada no jornal *Boston Evening Transcript* de 1906 a 1920. Natural de Newburyport, Massachusetts, Pearson se formou em Harvard em 1902 e prosseguiu os estudos na New York State Library School em Albany, concluindo o curso em 1904. Enquanto ainda estudava em Harvard, publicou seus primeiros textos no jornal da universidade, o *Harvard Advocate*. Já formado, foi trabalhar como bibliotecário na Biblioteca Pública de Washington. Trabalhou também na seção de direitos autorais da Biblioteca do Congresso e na divisão de informação militar do Departamento de Guerra. Em 1914, tornou-se editor de publicações da Biblioteca Pública de Nova York.

Sua obra mais famosa é uma coletânea de ensaios sobre crimes reais, *Studies in Murder* (1924), em que narra em detalhes os assassinatos cometidos por Lizzie Borden, entre outros crimes. Sua bibliografia ainda inclui *Muder at Smutty Nose and Other Murders* (1926) e *Five Murders* (1928); vários livros autobiográficos voltados para sua infância e três livros sobre livros: *Books in Black or Red* (1923), *Queer Books* (1928) e *Dime Novels* (1929). Além de "Sherlock Holmes e o mistério Drood", Pearson também escreveu "Ave atque Vale, Sherlock!", publicado na edição de 20 de julho de 1927 da revista *The Outlook*, e "*Sherlock Holmes Among the Illustrators*", que saiu no exemplar de agosto de 1932 da *The Bookman*.

"Sherlock Holmes e o mistério Drood" surgiu inicialmente no *Boston Evening Transcript* do dia 2 de abril de 1913. No ano seguinte, integrou a coletânea *The Secret Book* (Nova York: Macmillan, 1914) e mais tarde foi publicado sob a forma de panfleto (Boulder, Colorado: Aspen Press, 1973).

SHERLOCK HOLMES E O MISTÉRIO DROOD

Edmund Pearson

— Watson — disse Sherlock Holmes sentado à minha frente diante da mesa do café da manhã e me olhando, radiante —, você consegue decifrar o caráter de alguém a partir da sua letra?

Enquanto falava, entregou-me um envelope. Eu o peguei e dei uma olhada no sobrescrito. O destinatário era Holmes e o endereço, o nosso, na Baker Street. Tentei me lembrar de algo que lera num artigo sobre a letra das pessoas.

— Quem escreveu isso — falei — foi um sujeito modesto, discreto, que possui amplos conhecimentos e uma considerável habilidade. Ele…

— Excelente, Watson! Excelente! Impressionante como você consegue se superar. Sua interpretação é efetivamente watsoniana. Temo, porém, que tenha se enganado um pouco quanto à modéstia, ao conhecimento etc. Na verdade, esta carta é do sr. Thomas Sapsea.

— O famoso prefeito de Cloisterham?

— Exatamente. E, em termos de pedantismo e de uma presunção fabulosa, aliados à sua absoluta ignorância, ele não tem concorrentes na Inglaterra. Portanto, você passou longe do alvo, meu caro amigo.

— Mas o que ele quer com você? — perguntei, doido para mudar de assunto. — Não está tentando convocá-lo para resolver o mistério de Edwin Drood, está?

— Pois é isso mesmo que ele pretende. Está completamente desnorteado com esse caso. E então? O que me diz de dar um pulinho em Cloisterham? Podemos examinar o caso para agradar o prefeito e visitar a catedral. Pelo que me disseram, lá tem umas gárgulas magníficas...

Uma hora mais tarde, estávamos sentados num trem com destino a Cloisterham. Primeiro, Holmes deu uma olhada nos jornais matutinos; depois, deixou-os de lado e virou-se para mim.

— Tem acompanhado o caso Drood? — perguntou.

Respondi que havia lido várias matérias e algumas especulações sobre o assunto.

— Pois eu não acompanhei com a atenção que gostaria — replicou ele. — O recente caso do coronel Raspopoff e dos rubis da czarina me ocuparam bastante nos últimos tempos. Acho que você pode me ajudar a clarear as ideias se me fizer um resumo dos fatos principais.

— Os fatos são os seguintes — falei. — Edwin Drood, um jovem engenheiro que estava de partida para o Egito, tinha dois motivos que o levavam a Cloisterham. Um deles era sua futura esposa, uma jovem estudante chamada Rosa Bud. O outro era o seu devotado tio e protetor, o sr. John Jasper. Este último era o regente do coro da catedral. Ao que parece, duas nuvens toldavam sua felicidade. Uma delas era o seu noivado com a srta. Bud, um casamento arranjado pelos pais de ambos quando Edwin e Rosa ainda eram crianças. Nem um nem outro dos envolvidos concordava com este compromisso. Na verdade, poucos dias antes do desaparecimento de Edwin Drood, os dois haviam entrado num acordo para terminar o noivado. Pelo que tudo indica, a separação foi amigável.

"A outra dificuldade era a presença, em Cloisterham, de um tal de Neville Landless, jovem estudante do Ceilão. Segundo consta, o rapaz carrega as marcas do sangue oriental nas veias: pele morena e temperamento forte. Os dois tiveram algumas brigas, com certa violência por parte de Landless. Para que eles fizessem as pazes, o sr.

Jasper, tio de Edwin, resolveu oferecer um jantar na sua casa na véspera do Natal, e os dois jovens eram os únicos convidados. O jantar transcorreu tranquilamente e os rapazes foram embora juntos, tarde da noite, até as margens do rio, onde observaram a forte tempestade. Depois, separaram-se, segundo Landless, e Drood nunca mais foi visto. No dia seguinte, o tio relatou o desaparecimento. Landless foi detido e interrogado enquanto uma busca minuciosa pelo corpo de Drood era realizada. Nada foi encontrado, a não ser seu relógio e seu alfinete de gravata na represa. Landless teve que ser liberado por falta de provas, mas a população local ficou tão hostil que ele precisou ir embora de lá. Acredita-se que atualmente esteja em Londres.

— Humm — observou Holmes. — Quem encontrou o relógio e o alfinete?

— Um tal de sr. Crisparkle, diácono da catedral. Landless estava morando na sua casa e estudando com ele. Devo acrescentar que Landless tem uma irmã, a srta. Helena, que também veio para Londres.

— Humm — repetiu Holmes. — Bom, cá estamos em Cloisterham. Agora podemos prosseguir com nossa investigação no local onde tudo aconteceu. Vamos encontrar o sr. Sapsea.

O prefeito demonstrou ser exatamente o sujeitinho conservador e pedante que Holmes havia descrito. Nunca tinha saído de Cloisterham e sua profunda convicção na mais completa inferioridade de qualquer lugar do mundo que não fosse a Inglaterra era tão absolutamente provinciana que cheguei a desconfiar de que tivesse alguma ligação com *The Saturday Review*, a publicação que tentava se opor à influência do jornal *The Times*. Sapsea estava convencido de que o jovem Neville Landless havia assassinado Drood e jogado seu corpo no rio. E o motivo mais forte para tal certeza era a cor da pele de Landless.

— Ele não é inglês, sr. Holmes — declarou. — Não é inglês e, quando vejo um rosto que não é inglês, sei que é preciso desconfiar dele.

— Claro — disse Holmes. — Suponho que tenham sido tomadas todas as providências para encontrar o corpo, certo?

— Fizemos tudo, sr. Holmes, tudo que... hã... o meu conhecimento do mundo sugerisse. O sr. Jasper foi incansável nos seus esforços. Na verdade, sua dedicação foi tamanha que ele se exauriu.

— Sem dúvida, a dor pelo desaparecimento do sobrinho contribuiu para isso também.

— Sem dúvida alguma.

— Pelo que me disseram, Landless está em Londres.

— Foi o que fiquei sabendo também, senhor. Foi a informação que recebi. Mas o sr. Crisparkle, seu antigo professor, me garantiu, nas minhas atribuições de magistrado, que ele pode ser trazido até aqui a qualquer momento. Atualmente, o rapaz pode ser encontrado recorrendo-se ao sr. Grewgious, em Staple Inn. O sr. Grewgious é o tutor da jovem de quem Edwin Drood estava noivo.

Holmes anotou o nome e o endereço do sr. Grewgious no punho da camisa. Depois disso, nós nos levantamos para ir embora.

— Pelo que vejo — disse o prefeito —, o senhor está pensando em ir procurar esse indivíduo não inglês em Londres. Garanto que é lá que vai encontrar a solução desse mistério.

— É provável que eu possa dar um pulo em Londres esta noite — disse Holmes —, antes, porém, creio que o dr. Watson e eu vamos passear por Cloisterham. Quero ver as gárgulas.

Quando já estávamos do lado de fora, a primeira observação de Holmes foi:

— Mas acho que seria melhor termos uma conversinha com o sr. John Jasper.

Ele morava numa daquelas casas de guarda e quem nos mostrou o local foi um garoto bem desagradável que encontramos na rua jogando pedras em quem passava por ali.

— É aqui — disse ele, apontando para a arcada, e depois continuou com o seu maléfico passatempo.

— Obrigado — replicou Holmes secamente, dando-lhe seis pence. — Tome, para você. E isto aqui — prosseguiu, colocando o menino no colo e dando-lhe uma palmada estalada — também é para você.

Pelo que nos disseram, o sr. Jasper estava em casa. Ia nos receber, disse a sua senhoria, mas acrescentou que "o pobre cavalheiro não estava muito bem".

— Verdade? — indagou Holmes. — Qual é o problema?

— Ele está numa espécie de torpor, acho.

— Bom, este cavalheiro aqui é médico... Talvez possa cuidar dele.

Com isso, fomos levados aos aposentos do sr. Jasper. Aparentemente, o cavalheiro tinha se recuperado do atordoamento, pois o ouvimos cantando músicas de coro enquanto esperávamos diante da porta. Holmes, que tem um grande amor pela música, ficou encantado e insistiu para ficarmos ali parados por bastante tempo, deixando que os tons graves e suaves da voz do regente do coral, acompanhados pelas notas de um piano, nos alcançassem. Finalmente, batemos à porta e o cantor nos convidou a entrar.

O sr. Jasper era um cavalheiro de suíças escuras que morava num quarto bastante sombrio. Ele próprio tinha uma atitude sombria e reservada. Holmes fez as apresentações e informou ao nosso anfitrião que estava em Cloisterham a pedido do prefeito, o sr. Sapsea, para investigar alguns pontos ligados ao desaparecimento de Edwin Drood.

— Ao seu assassinato? — indagou o sr. Jasper.

— A palavra que usei — atalhou Holmes — foi desaparecimento.

— A palavra que usei — replicou o outro — foi assassinato. Mas peço que me perdoem por não comentar sobre a morte do meu querido rapaz. Jurei não tocar no assunto com ninguém até que o assassino seja entregue à justiça.

— Espero — começou Holmes — que, no caso de haver um assassino, eu tenha a sorte de...

— Assim espero. Nesse meio-tempo...

E o cavalheiro foi se aproximando da porta, como se fosse nos expulsar. Holmes tentou lhe fazer algumas perguntas sobre os acontecimentos da véspera do Natal, antes do desaparecimento do rapaz, mas o sr. Jasper disse que havia prestado depoimento perante o prefeito e não tinha nada a acrescentar.

— Claro — retrucou Holmes. — Já não o vi antes, sr. Jasper?

Este, porém, achava que não.

— Tenho quase certeza — disse o meu amigo. — Em Londres, quem sabe? Vai a Londres de vez em quando, não é mesmo?

Talvez. Mas nunca tivera o prazer de conhecer o sr. Holmes. Não tinha dúvida quanto a isso. Nenhuma dúvida.

Saímos de lá e, enquanto caminhávamos pela High Street, Holmes me perguntou se eu me importaria de passar a noite em Cloisterham.

— Volto amanhã — acrescentou.

— Mas você vai embora?

— Vou a Londres. Seguindo o conselho do sr. Sapsea — disse ele, sorrindo.

— Achei que quisesse ver as gárgulas — objetei.

— Já vi. E quer saber de uma coisa, meu caro? Acho que vi a mais interessante de todas.

O comentário de Holmes me soou absolutamente enigmático e, enquanto eu ainda quebrava a cabeça tentando entender, ele acenou com a mão e entrou no veículo que o levaria até a estação. Deixado sozinho em Cloisterham, fui até o Crozier, onde reservei um quarto para a noite. Ao passar diante da casa do sr. Jasper, vi um homem de aparência curiosa que, com o chapéu na mão, olhava atentamente para a janela. Percebi que ele tinha um cabelo branco que esvoaçava ao vento. Horas depois, naquela mesma tarde, resolvi ir até a catedral para o ofício nas vésperas e novamente vi o tal homem. Seus olhos estavam fixos no regente do coro, fitando-o de forma inquiridora. Aquilo me deixou meio inquieto. Será que havia outro plano, semelhante ao que fora tramado contra o sobrinho, e que desta vez visava o tio? Sentado no bar do Crozier, depois do jantar, vi o tal indivíduo de novo. Ele puxou assunto comigo e se apresentou como sr. Datchery, "um velho desocupado que vivia de renda". Estava interessado no caso Drood e adoraria comentar. Fiz o possível para evitá-lo e, depois, me retirei para os meus aposentos para refletir sobre aquela situação.

Eu tinha a nítida impressão de que ele estava disfarçado. Seu cabelo parecia uma peruca. E, se estava disfarçado, quem poderia ser? Pensei em todas as pessoas relacionadas ao caso quando, de repente, o nome da srta. Helena Landless me veio à cabeça. De imediato, fiquei convencido de que devia ser ela. O fato de aquela ideia ser tão improvável me fascinava. O que poderia ser mais inverossímil do que uma jovem do Ceilão se passar por um inglês idoso que se sentava em bares para tomar velhos drinques britânicos? Lembrei-me de que a improbabilidade é geralmente verdadeira. E, então, ocorreu-me que tinha ouvido dizer que, quando criança, a srta. Landless se vestia como um menino. Agora eu tinha certeza de estar no caminho certo.

No dia seguinte, estava a postos para receber Holmes quando ele voltasse. Chegou com dois homens que me apresentou como sr. Tartar e sr. Neville Landless. Olhei com interesse para o suspeito, e depois tentei conversar com Holmes, mas ele não permitiu.

— Esses cavalheiros — disse ele — vão procurar imediatamente o sr. Crisparkle. Vão ficar lá até hoje à noite, quando espero precisar de ambos. E nós dois vamos voltar para o seu hotel.

Durante o trajeto, contei sobre o sr. Datchery e minhas suspeitas com relação a ele. Holmes me ouviu com atenção e disse que precisava conversar com o sr. Datchery imediatamente. Quando falei que desconfiava de que o tal sujeito fosse a irmã de Landless disfarçada, ele me deu uns tapinhas nas costas e exclamou:

— Excelente, Watson, excelente! A velha aptidão de sempre!

Cheguei a enrubescer de tanto orgulho ao ouvir um elogio do grande detetive. Ele me deixou no Crozier e foi procurar Datchery e também, segundo disse, ter uma palavrinha com o sr. Jasper. Deduzi que fosse para alertar o regente do coral quanto ao fato de ele estar sendo observado.

Holmes voltou animadíssimo.

— Nosso trabalho vai ser bem difícil hoje à noite, Watson — disse ele. — Talvez seja bom dar mais uma olhada nas gárgulas.

Durante o jantar, só falou sobre apicultura. Na verdade, esse assunto se estendeu até bem depois de termos terminado o jantar, quando fomos fumar no bar. Por volta das onze horas, chegou um idoso, chamado Durdles, que estava procurando o sr. Holmes.

— Sr. Jasper já "tá" chegando. "Tá" lá embaixo, senhor — avisou ele.

— Ótimo! — exclamou Holmes. — Venha, Watson. Precisamos nos apressar. Pode ser um assunto bem sério. Vamos, Durdles!

O sujeito chamado Durdles nos guiou a passos rápidos por vias secundárias, até o cemitério da igreja. Lá nos mostrou onde poderíamos ficar, escondidos atrás de um muro de onde víamos as sepulturas e as lápides. Eu não fazia ideia do motivo daquela visita norturna. Holmes deu algum dinheiro ao nosso guia, que foi embora. Enquanto eu estava parado ali, olhando tudo ao meu redor com certo receio, julguei ter visto as silhuetas de dois homens por trás de uma sepultura a alguma distância. Sussurrei para Holmes, mas, com um gesto, ele mandou que eu me calasse.

— Shhh! — murmurou ele. — Olhe lá!

Eu me virei na direção indicada e vi outra silhueta entrar no cemitério. Trazia um objeto qualquer, mas logo percebi que era uma lanterna com a luz abafada por um pano preto. Quando ele ergueu parte do pano, reconheci os traços sombrios do sr. Jasper. O que ele estaria fazendo ali àquela hora? Começou a remexer nos bolsos, pegou uma chave e se aproximou da porta do sepulcro. Pouco depois, esta se abriu e o sr. Jasper parecia prestes a entrar no local quando se deteve por um instante e caiu para trás, dando um grito horripilante de terror. Aquele grito terrível ressoou uma, duas vezes pelo silêncio do cemitério. No momento em que se ouviu a segunda repetição, um homem saiu da sepultura. Jasper, então, se virou e saiu correndo feito um louco em direção à catedral.

Os dois homens que eu tinha visto atrás de um monumento saíram em seu encalço.

— Depressa! — disse Holmes. — Atrás dele!

Saímos correndo o mais depressa possível na mesma direção. No entanto, atrapalhados pela escuridão e por desconhecermos o local, não avançamos muito. O regente do coro e os dois estranhos que o perseguiam já haviam desaparecido na escuridão do interior da catedral. Quando finalmente entramos no prédio, tudo o que ouvimos foi o ruído de passos apressados acima das nossas cabeças. Paramos, então, sem saber o que fazer até que ouvimos outro grito terrível e, depois, silêncio.

Alguns homens com lanternas surgiram na catedral e nos guiaram pela escada até a torre. A subida pelas curvas tortuosas foi bem demorada e, pela expressão de Holmes, percebi que ele temia o que poderíamos encontrar lá em cima. Quando chegamos, o regente do coral, Jasper, jazia no chão, dominado e imobilizado pelo sr. Tartar. Ele, aliás, um dos homens que eu tinha visto escondido atrás de um monumento.

— Onde está Neville? — perguntou Holmes imediatamente.

Tartar balançou a cabeça e apontou para baixo.

— Este sujeito — disse ele, indicando Jasper — lutou com ele e, agora, temo que tenha efetivamente que responder por um crime.

Um dos membros do grupo que tinha subido conosco até o alto da torre deu um passo à frente e olhou para Jasper. Era o homem que tínhamos visto saindo da sepultura. Tomei um susto quando vi que, com exceção da peruca e de algumas pequenas modificações em seus trajes, ele era aquele que dizia se chamar "Datchery".

Jasper o fitou e seu rosto se contorceu de medo.

— Ned! Ned! — exclamou, escondendo o rosto nas pedras no chão.

— É... Tem mais que esconder a cara mesmo — disse o velho Durdles, tremendo de raiva. — Achou que tivesse matado ele. Matado o sr. Edwin Drood, seu próprio sobrinho. Deu a ele uma bebida envenenada. A mesma que tentou dar a Durdles. E depois quis queimar o corpo com cal lá dentro da sepultura. Mas Durdles o encontrou. Encontrou, sim.

Avançou um pouco mais e teria esmagado a cabeça do regente caído com o salto da bota se alguns homens ali não o houvessem impedido.

— Claro — disse Holmes no trem que nos levava de volta a Londres na manhã seguinte. — Ninguém em Cloisterham pensaria em suspeitar do respeitável sr. Jasper. Desde o início, presumiram sua inocência. Mas, para mim, ele sempre foi um possível suspeito, porque foi um dos dois últimos homens a verem Edwin Drood.

Quando fomos conversar com ele, com Jasper, quero dizer, eu o reconheci como frequentador de uma casa de ópio de péssima reputação que fica perto das docas. Deve lembrar que já tivemos a chance de observar lugares assim durante outros pequenos problemas que investigamos. Jasper estava, portanto, levando uma vida dupla. Era tudo que eu tinha descoberto quando fui a Londres anteontem à noite. Mas lá conversei com o sr. Grewgious e também com o pobre Landless e sua irmã. Graças a eles, fiquei sabendo que Jasper estava apaixonado pela mulher prometida para o sobrinho e já tinha até assediado a moça, tanto antes quanto depois do desaparecimento de Edward. A julgar pela atitude o sr. Grewgious, me convenci de que ele via Jasper com grande desconfiança. Mas ele é advogado e muito cauteloso; evidentemente não tinha qualquer prova disso. Outras pistas, aqui e ali, me levaram a suspeitar de que ele não estava de luto pela morte do jovem Drood.

"Esse detalhe era muito curioso: o ponto crucial do mistério estava aí. Passei a noite em claro, sentado, e consumi mais de cem gramas de tabaco, Watson. Eu precisava pensar. Se Jasper havia planejado o assassinato, por que não conseguira realizá-lo? O ópio, Watson, o ópio. Você mesmo sabe que um fumante de ópio pode fracassar, na verdade certamente vai fracassar numa empreitada de peso. Tenta tomar coragem para a tarefa e tem 99% de chances de se entorpecer. Assim, o plano vai por água abaixo. Hoje de manhã, voltei a me encontrar com o sr. Grewgious e o acusei, com toda a veemência, de estar mantendo em segredo o fato de que Drood estava vivo. Ele acabou admitindo e me disse que o rapaz estava em Cloisterham, disfarçado como Datchery."

— Mas por que fazer isso? — perguntei. — Por que deixar que Neville continuasse sendo suspeito de um assassinato?

— Porque ele não tinha nenhuma prova concreta da culpa de Jasper — respondeu Holmes —, e estava tentando reunir evidências contra o tio. Ele próprio estava drogado quando sofreu o atentado. Na ocasião, foi salvo por Durdles e, com a conivência do sr. Grewgious, desapareceu da cidade. Depois, o advogado me falou sobre o anel que Edwin Drood levava consigo e que o assassino procurava quando tirou seu relógio e seu alfinete de gravata. Então, tudo que eu precisava fazer era jogar uma isca para Jasper usando o tal anel. Isso o levou de volta à sepultura na qual supunha encontrar o corpo de Drood consumido pela cal. O que achou, porém, foi Edwin Drood vivo, e não morto, como você mesmo viu. Mas o ópio foi efetivamente a chave de tudo. Fui procurar o velho traste que mantém a casa que ele frequentava e fiquei sabendo que ele sempre balbuciava coisas sobre o assassinato durante seus sonhos. Jasper havia chegado a um ponto em que não distinguia mais suas visões e uma efetiva tentativa de assassinato. Quando tentou cometer o ato, agiu como se estivesse numa de suas alucinações e, por isso, fracassou.

"Quanto à sua teoria sobre o fato srta. Landless ser Datchery, bom, meu caro amigo, fico feliz em lhe dizer que, para a felicidade daquele cavalheiro tão sério, a futura esposa do sr. Crisparkle não andou se disfarçando com calça nos hotéis de Cloisterham. Pobre Landless... Nunca vou me perdoar pela sua morte. Sem sombra de dúvida, seu assassino vai ter o destino que merece.

"E, agora, Watson, vamos falar de abelhas. Já ouviu dizer que plantam trigo-sarraceno perto das colmeias? Disseram-me que elas se desenvolvem maravilhosamente bem nessa planta."

Penetrando em Sherlock

A.A. MILNE

A única versão verídica das aventuras de Holmes

Poucas personagens no mundo da literatura infantil são tão queridas quanto Cristóvão e o Ursinho Pooh, criados por Alan Alexander Milne (1882-1956), que escreveu quatro livros icônicos para o próprio filho. Nascido em Londres, Milne foi para Cambridge, onde se tornou jornalista e acabou ocupando o cargo de editor assistente da revista *Punch*.

Embora não tenha sido um escritor prolífico em termos de narrativas de mistério, ele é o autor de uma das mais influentes histórias de detetives já escritas, *O mistério da casa vermelha* (1922), surgida bem no início da Era de Ouro desse gênero ficcional. Nessa obra muito popular, descrita por Alexander Woollcott como "uma das três melhores histórias de mistério de todos os tempos", Milne aborda de forma divertida — "ah, que engraçado!" — o crime através da personagem de Antony Gillingham, um detetive amador ligeiramente excêntrico, apelidado de "Maluco". Sua peça *The Fourth Wall* (1928) foi um sucesso. O público via o crime ser cometido e depois testemunhava cada etapa lógica da investigação para descobrir e prender o criminoso.

"Penetrando em Sherlock" foi o primeiro texto ficcional publicado por Milne, como ele próprio relata em seu livro *It's Too Late Now: the Autobiography of a Writer*" (1939). Foi submetido à apreciação da revista *Punch*, que a recusou, mas foi aceita pela

Vanity Fair de Londres. Descrevê-lo como sendo banal é supervalorizá-lo. E foi incluído aqui simplesmente como uma curiosidade, nada mais.

"Penetrando em Sherlock: a única versão verídica das aventuras de Holmes" foi publicado originalmente na edição de 15 de outubro de 1903 da revista *Vanity Fair*, em Londres.

PENETRANDO EM SHERLOCK

A.A. Milne

A única versão verídica das aventuras de Holmes

Foi no verão passado, em junho, que voltei inesperadamente ao nosso apartamento na Baker Street. Naquela tarde, eu tivera uma experiência inusitada ao visitar um paciente e, por conta do meu nervosismo e da minha animação, deixei o termômetro cair na garganta dele. Tentando me recompor, saí pelas ruas em direção à minha antiga residência e estava sentado em minha poltrona, pensando no meu velho ferimento quando, de repente, a porta se abriu e Holmes se enfiou debaixo da mesa. Eu me levantei, tropecei na chinela persa onde ficava o tabaco e desmaiei. Holmes enfiou seu penhoar e me ajudou a recobrar os sentidos.

— Holmes! — exclamei. — Achei que estivesse morto...

Um espasmo de dor percorreu suas sobrancelhas expressivas.

— Será que não podia confiar um pouco mais em mim? — perguntou ele num tom triste. — Vou lhe contar tudo. Está com tempo?

— Claro — respondi. — Um amigo aceitará de bom grado me substituir no trabalho enquanto isso.

Sua reação foi me observar com seus olhos penetrantes.

— Meu caríssimo Watson — disse ele —, você perdeu seu termômetro.

— Meu caro Holmes... — comecei, atônito.

Ele apontou para um nítido inchaço na própria garganta.

— Seu paciente era eu — revelou.

— Está entalado? — perguntei, ansioso.

— Está se movendo bem depressa — respondeu ele com a voz embargada pela emoção.

Uma pontada de dor foi denunciada por suas sobrancelhas expressivas. (A mobilidade de Holmes é notória nos clubes militares.) Em poucos segundos, o inchaço havia desaparecido.

— Mas por quê, meu caro Holmes...

Ele ergueu a mão num gesto para me calar e pegou um velho talão de cheque.

— O que pode tirar disso? — perguntou ele.

— O saldo — sugeri, cheio de esperança.

— Que conclusão pode tirar, foi o que eu quis dizer — replicou ele rispidamente.

Examinei o talão de cheques com todo o cuidado. Era do Banco Lloyd, estava pela metade e era muito, muito antigo. Tentei imaginar o que Holmes deduziria, mas não consegui. Finalmente, decidido a não perder muito dinheiro, arrisquei:

— O proprietário é do País de Gales.

Holmes sorriu, pegou o talão e fez o seguinte diagnóstico do caso:

— Ele é alto, destro e um bom boxeador; um gênio com o violino, tem um conhecimento ímpar do mundo do crime de Londres, poderes extraordinários de percepção, um cérebro afiado e perfeito; e, por fim, passou bastante escondido.

— Onde? — perguntei, tão interessado que nem tentei imaginar como ele tinha deduzido tanto com tão pouco.

— Em Portland.

Ele se sentou, farejou a cinza do meu charuto e observou:

— Ah! É um Flor de Dindigul... Bom, está acompanhando meu raciocínio, Watson? — Então, pegou a *Encyclopaedia Britannica* do escaninho e acrescentou: — O talão de cheque é meu.

— Mas... e Moriarty? — perguntei, quase sem fôlego.

— Esse sujeito não existe — disse ele. — É só o nome de uma sopa.

Extraído da caderneta de um detetive

P.G. WODEHOUSE

Um dos mais populares e queridos humoristas do século XX, sir Pelham "Plum" Grenville Wodehouse (1881-1975) teve uma longa, ilustre e prolífica carreira literária que começou com obras de diversos gêneros, inclusive histórias policiais. "Extraído da caderneta de um detetive" se assemelha a algumas das suas últimas incursões nesse gênero da literatura, que são normalmente sem sentido, tais como *Hot Water* (1932), *Pigs have Wings* (1952) e *Do Butlers Burgle Banks?* (1968).

Quando jovem, foi trabalhar num banco, mas, aos 22 anos, ganhava mais como escritor, por isso pediu demissão para se dedicar inteiramente a produzir contos, romances e até algumas peças de teatro, e teve bastante sucesso pelas sete décadas seguintes. Seu primeiro romance foi *The Pothunters* (1902), mas suas maiores criações, as personagens do ilustre Bertie Wooster e seu amigo e criado, Jeeves, só surgiram a partir da publicação de "Extricating Young Gussie" no jornal *The Saturday Evening Post*, em 1915. Wooster é um rapaz de bom coração, mas com algumas dificuldades intelectuais, que vive se metendo em situações difíceis, seja com a tia, com uma garota ou com a lei, e que confia em Jeeves para tirá-lo das enrascadas.

Wodehouse passou metade da vida nos Estados Unidos e a outra metade na Inglaterra. Naturalizou-se norte-americano em 1955. A partir de 1930, começou a escrever roteiros para cinema e televisão e libretos e letras para inúmeros musicais, entre eles *Any-*

thing Goes (1934), em que foi responsável pelo libreto, juntamente com Guy Bolton, enquanto as músicas e as letras são de autoria de Cole Porter.

Pouco antes de sua morte, foi sagrado cavaleiro e recebeu a Comanda da Ordem do Império Britânico concedida pela Rainha Elizabeth II.

"Extraído da caderneta de um detetive" foi inicialmente publicado na edição de maio de 1959 da revista *Punch* e, mais tarde, integrou a coletânea *The World of Mr. Mulliner* (Londres: Barrie & Jenkins, 1972).

EXTRAÍDO DA CADERNETA DE UM DETETIVE

P.G. Wodehouse

O velho general Malpus, Driscoll, da Suprema Corte, o jovem Freddie Ffinch-Ffinch e eu estávamos sentados junto à lareira do clube quando Adrian Mulliner, um detetive particular, deu um risinho discreto. É claro que ali era a sala para fumantes, onde risinhos discretos são permitidos.

— Será que os amigos estariam interessados em ouvir o relato do que sempre considerei o maior triunfo da minha carreira? — perguntou ele.

Todos dissemos que não, que não estávamos interessados, mas ele começou a contar mesmo assim.

— Relembrando meus anos de trabalho como detetive, me vêm à mente vários problemas cuja solução me deixou modestamente orgulhoso, mas, embora todos tenham, sem dúvida, apresentado aspectos interessantes e testado meus poderes ao extremo, não consigo pensar em nenhum dos meus feitos de raciocínio que tenha me dado mais prazer do que desmascarar o tal do Sherlock Holmes, atualmente mais conhecido como O Viciado da Baker Street.

A essa altura, o general Malpus olhou para o relógio de pulso, exclamou "Ó céus!" e saiu depressa, certamente por causa de algum compromisso que tinha esquecido até então.

— No começo, não tinha quase nada para acontecer — continuou Adrian Mulliner. — Mas, de repente, assim como o simples ato de farejar um lenço ou um sapato bastaria para pôr um dos cães farejadores do sr. Thurber em ação, o mesmo acontecia com a mais remota sugestão de algo que eu achasse interessante a ponto de me fazer seguir uma trilha. E a primeira coisa que chamou minha atenção naquela personagem sinistra foi sua situação financeira peculiar.

"Ali estava um homem que obviamente era obrigado a contar cada centavo, pois, quando nos é apresentado, de acordo com Stamford, amigo do dr. Watson, 'estava se queixando por não conseguir achar alguém que pudesse dividir com ele o ótimo apartamento que tinha acabado de encontrar e que era caro demais para o seu bolso'. Watson se oferece, então, para ser essa pessoa e eles se mudam para o tal apartamento que consistia em (estou citando literalmente) 'dois quartos confortáveis e uma ampla sala de estar', localizado no nº 221B da Baker Street.

"Ora, nunca morei nessa rua na virada do século, mas conheci uns cavalheiros idosos que moravam ali e todos me garantiram que, naquela época, um quarto, uma sala de estar e três refeições por dia custavam uma libra por semana. Um quarto a mais certamente aumentava o preço, mas trinta xelins deviam dar para o aluguel e nunca se duvidou de que um sujeito tão honesto quanto o dr. Watson fornecesse seus quinze xelins todo sábado. Deve-se, portanto, considerar que as despesas com chinelas persas, tabaco, disfarces, munição para os revólveres, cocaína e cordas sobressalentes para um violino deviam custar a Holmes cerca de duas libras por semana. E ele parecia bem satisfeito com essa vidinha modesta. Numa situação em que vocês ou eu não pouparíamos esforços para melhorar nossas finanças, ele simplesmente não se importava com o lado financeiro da sua profissão. Vamos considerar alguns exemplos aleatoriamente e ver o que ele fazia como 'detetive consultor'. Aonde vai, Driscoll?"

— Sair — respondeu o magistrado, realizando a ação correspondente.

Adrian Mulliner retomou seu relato:

— No início da parceria, Watson diz que constantemente era obrigado a se retirar para o quarto porque Holmes usava a sala para conversar com os eventuais clientes. "Preciso usar a sala para os negócios", dizia ele, "e essas pessoas são meus clientes." Quem eram esses clientes? "Um senhor grisalho, de aparência lamentável, seguido de perto por uma idosa malvestida." Depois desses, chegou "um funcionário da ferrovia envergando seu uniforme de belbutina". Um grupo como esse não renderia muito dinheiro e as coisas não apresentaram qualquer melhora considerável à medida que o tempo avançava, pois ele acaba contratado por uma estenógrafa, um cargo bem mediano no ramo do comércio na Inglaterra, um porteiro, um escriturário que trabalhava na City, um intérprete grego, a proprietária de uma pensão ("O senhor resolveu um caso para um dos meus hóspedes ano passado" e um estudante de Cambridge.

"Ele não ganhava dinheiro como detetive, muito pelo contrário: devia passar a maior parte do tempo numa situação bem precária. Em *Um estudo em vermelho*, o inspetor Gregson diz que tinha ocorrido um fato grave aquela noite em Lauriston Gardens, nº 3, nos arredores de Brixton Road, e que agradeceria muito se Holmes lhe fizesse o favor de contribuir com suas opiniões. Ora, lá foi Holmes, de cabriolé, da Baker Street até Brixton, trajeto que deve custar vários xelins. Ele enviou um longo telegrama (mais dois ou três xelins, no mínimo), convocou "meia dúzia dos meninos de rua mais sujos e esmolambados que já vi" e deu um xelim a cada um deles. Finalmente, ao visitar o policial Bunce, que havia descoberto o corpo, Holmes tirou do bolso meio soberano e, depois "de brincar com a moeda com ar pensativo", a entregou ao policial. Todo o desenrolar do caso deve ter lhe custado bem mais do que uma semana de aluguel na Baker Street e não havia a mínima hipótese de que esse dinheiro lhe fosse reembolsado pelo inspetor Gregson, já que, segundo o próprio Holmes, ele era um dos funcionários mais espertos da Scotland Yard.

"Inspetor Gregson! Inspetor Lestrade! Esse tipo de cliente! Fiquei refletindo sobre isso e não tardou muito para que a verdade surgisse à minha frente: não passavam de atores baratos, contratados para enganar o dr. Watson. Pois o que um investigador particular normal diria a si mesmo ao começar a trabalhar? Diria: 'Antes de eu aceitar o trabalho proposto por um cliente, preciso ter certeza de que ele tem condições de me pagar. O estímulo diário e o humilde adiantamento são a essência da profissão', e teria despachado aquela dona de pensão e aquele intérprete grego antes que tivessem tempo de piscar. No entanto, Holmes, que não dispunha de uma libra por semana para pagar pela moradia, nunca se importava com isso. Significativo, não?"

Com o que me pareceu mais uma desculpa esfarrapada, Freddie Ffinch-Ffinch alegou que precisava encontrar um homem a respeito de um cachorro, pediu licença e saiu.

— Mais tarde — prosseguiu Adrian Mulliner —, a coisa se tornou absolutamente ridícula, pois qualquer possibilidade de se acreditar que ele estava empenhado em algum trabalho lucrativo foi anulada por ele mesmo e por seus clientes. Citando Watson: Ele jogou uma carta amassada na minha direção. Era datada da noite passada e vinha de Montague Place.

Caro sr. Holmes,

Estou muito ansiosa para consultá-lo para saber se devo ou não aceitar o trabalho de governanta que me foi oferecido. Passarei aí amanhã, às dez e meia, se não for inconveniente para o senhor.

Cordialmente,
Violet Hunter

"Ora, que tipo de pagamento um investigador esperaria de uma governanta, mesmo uma com um emprego estável? Não muito mais do que poucos xelins. Mesmo assim, quando, duas semanas depois, a srta. Hunter lhe enviou um telegrama que dizia: 'Faça o favor de estar no Hotel Black Swan, em Winchester, amanhã ao meio-dia', Holmes largou tudo e pegou o trem das nove e meia da manhã."

Adrian Mulliner fez uma pausa e deu uma risadinha discreta.

— Está entendendo aonde isso tudo nos leva?

Respondi que não, que não estava entendendo nada. Eu era o único ali e precisava dizer alguma coisa.

— Ora, ora, homem! Você conhece os meus métodos. Trate de usá-los. Por que um homem é negligente com dinheiro?

— Porque tem uma boa fortuna.

— Exatamente.

— Mas você disse que este não era o caso de Holmes.

— Eu não disse nada disso. Esta era simplesmente a ilusão que ele estava tentando criar.

— Por quê?

— Porque precisava de uma fachada para cobrir suas verdadeiras atividades. Não havia necessidade de Sherlock Holmes se preocupar com pagamentos. Ganhava muito dinheiro com outra fonte. Onde se encontra muito dinheiro? No lugar de sempre! No mundo do crime. Sacos de dinheiro e nada de impostos. Se alguém quiser guardar alguns milhões para os tempos de vacas magras, não vai pegar um trem às nove e meia da manhã para se encontrar com uma governanta, vai é se tornar um mestre do crime e ficar sentado feito uma aranha, bem no meio da sua teia, comandando o grupo de assistentes que vão roubar joias e outros tesouros.

— Está querendo dizer...

— Exatamente. Ele era o professor Moriarty.

— Quem?

— Professor Moriarty.

— O pássaro com cabeça de réptil?

— Isso mesmo.

— Mas Holmes não tinha cabeça de réptil.

— Nem Moriarty.

— Holmes disse que ele tinha.

— Para quem? Para Watson. Assim, essa descrição se tornaria pública. Watson nunca viu Moriarty. Tudo que sabia sobre ele era o que Holmes lhe dizia. Bom, essa é a história toda, meu velho.

— A história toda?

— É.

— Não tem mais nada?

— Não.

Dei um risinho discreto.

O rubi de Khitmandu

HUGH KINGSMILL

(escrevendo sob o pseudônimo de
Arth r C n n D yle e E.W. H rn ng)

O escritor inglês Hugh Kingsmill Lunn (1889-1949), também jornalista, parodista, biógrafo, antologista e crítico literário, deixou de usar o último sobrenome, assumindo um pseudônimo parcial por motivos profissionais, segundo alegou. Talvez para não ser confundido com os irmãos, Arnold Lunn e Brian Lunn.

Embora Kingsmill seja descrito em várias obras de referência como autor de histórias de mistério, entre suas realizações literárias, na verdade, ele não escreveu nenhum romance sobre crimes, embora tenha feito alguns contos do gênero, e muitos foram reunidos no livro de paródias *The Table of Truth* (1933), que ele próprio apontava como um dos seus livros favoritos. Inúmeras biografias de sua autoria são notáveis, em especial *The Return of William Shakespeare* (1929), *Frank Harris* (1932), *Samuel Johnson* (1933) e *D.H. Lawrence* (1938).

A dupla autoria dessa história reflete a fama do já esquecido E.W. Hornung, criador da personagem Raffles, o célebre cavalheiro que era ladrão de joias. Embora ele só tenha aparecido em quatro livros entre 1899 e 1900, os contos que narram suas aventuras rivalizavam em popularidade com as de Sherlock Holmes no fim do século XIX e início do XX, e não era nada incomum os parodistas equipararem o detetive praticamente infalível com o arrombador de cofres também bem-sucedido.

"O rubi de Khitmandu" foi inicialmente publicado na edição de abril de 1932 do jornal *The Bookman*. Mais tarde, foi incluído no livro *The Table of Truth*, de seu autor (Londres: Jarrolds, 1933).

O RUBI DE KHITMANDU

Hugh Kingsmill

(Sinopse: O marajá de Khitmandu, que está hospedado no hotel Claridge, teve o seu famoso rubi de Khitmandu roubado. Sherlock Holmes segue as pistas que ligam o furto a Raffles. Este concorda em entregar a pedra a Holmes com a condição de que nem ele nem o seu comparsa Bunny sejam processados por isso. Raffles acabou de explicar a situação a Bunny. Os dois estão no quarto de Raffles, no hotel Albany.)

CAPÍTULO XV

(*Relato de Bunny*)

Gelei ao ouvir aquelas palavras impressionantes: Raffles, logo ele, estava jogando a toalha sem lutar, aceitando devolver o mais esplêndido de todos os esplêndidos troféus conquistados por suas habilidades e ousadia àquele detetive de meia-tigela depois de suplantar os cérebros mais brilhantes da melhor organização de combate ao crime do mundo! De repente, o gelo se tornou fogo, e eu estava de pé, falando de uma forma que nunca tinha feito com nenhum ser humano. Não me lembro do que disse. Mas se lembrasse, não iria registrar aqui. Acho que chorei. Sei que caí de joelhos. E Raffles ficou ali sentado sem dizer uma palavra! Eu o vejo imóvel, recostado numa poltrona luxuosa, olhando-me impassível por trás das pálpebras semicerradas. Havia um ligeiro sorriso estampado em seu belo rosto diabólico e suas mãos estavam erguidas, como que expressando desaprovação. Nem ao menos posso dar aos meus leitores uma ideia mais completa da aflição que me dominava a não ser registrando aqui que eu estava extremamente absorto na estranheza do espetáculo diante de mim. Raffles arrependido; Raffles condescendendo em me tranquilizar, enquanto que, em qualquer outra ocasião, semelhante inversão dos nossos papéis costumeiros teria me deixado com uma animação nem sempre justificada e com vergonha por ele. Porém, agora, já não me importava mais.

Ainda com as palmas voltadas na minha direção, ele cruzou as mãos. Eu já disse que, enquanto me contava a monstruosa decisão que havia tomado, ele segurava o rubi entre o polegar e o indicador da mão direita. Agora, a esquerda tinha trocado de lugar com a direita, que segurava o rubi. Acho que eu devia ter adivinhado desde o começo; acho que eu devia ter notado naquele sorriso o que precisei que meus próprios olhos me dissessem: também havia um rubi na sua mão direita! Era isso que ele estava tentando mostrar com as mãos erguidas! Juro que minha primeira sensação foi de imenso alívio ao ver que Raffles não estava se rebaixando para me tranquilizar; a segunda, porém, foi uma tremenda vergonha por ter sido idiota a ponto de acreditar, por um instante que fosse, que ele seria capaz de fazer uma coisa dessas. Então, entendi a importância dos dois rubis.

— Uma imitação? — perguntei, arquejando e voltando a me sentar na cadeira.

— Uma cópia perfeita.

— Para Holmes?

Ele fez que sim com a cabeça.

— Mas e se ele...

— É um risco que preciso correr.

— Então vou com você.

Um brilho selvagem iluminou seus olhos azuis frios como aço.

— Não quero que venha junto.

— Holmes pode descobrir. Tenho que dividir o risco com você.

— Seu tolo! Você vai é duplicá-lo!

— Raffles!

O grito sofrido escapou de mim antes mesmo que eu pudesse contê-lo, mas, se houve fraqueza nessa autotraição, não tive do que me queixar quando vi seus magníficos olhos se abrandarem.

— Não foi isso que eu quis dizer, Bunny — replicou ele.

— Então vai me levar junto! — exclamei e prendi a respiração por meio minuto, o que pareceu interminável, até que um aceno de concordância me trouxe de volta à realidade.

A mão que se estendeu para segurar a dele a encontrou no meio do caminho e uma piscadela desmentiu o tom de resignação sofrida que havia na frase que ele disse:

— Ah, que sujeito mais teimoso...

Nosso encontro com Holmes estava marcado às nove horas da noite seguinte. Os relógios de Londres marcavam oito e meia quando entrei no Albany. O meu caro vilão, com traje noturno, envergava aquelas roupas como só ele era capaz de fazer, e estava parado junto à mesa. Mas algo em sua atitude estancou o cumprimento prestes a se formar nos meus lábios. Meus olhos acompanharam o seu olhar e vi os dois rubis, um ao lado do outro, dentro dos estojos abertos.

— O que foi, Raffles? — perguntei. — Aconteceu alguma coisa?

— Isso não está nada bom, Bunny — respondeu ele, erguendo os olhos. — Não posso correr o risco. Com qualquer pessoa, eu me arriscaria e também não daria a mínima para as consequências. Mas Holmes... Não, Bunny! Fui um tolo em pensar nessa possibilidade...

Fiquei sem palavras. A amargura da decepção que eu sentia e a intensidade da minha desilusão subiram à minha garganta, quase me sufocando. Ver Raffles sendo derrotado era algo que eu poderia suportar, mas vê-lo abandonar a luta... A vergonha era tanta que não podia ser expressa em palavras.

— Ele vai perceber, Bunny. Ele vai perceber. — Raffles pegou um dos estojos. — Está vendo este entalhe aqui? — perguntou com brandura, como se seus olhos ardentes e um rosto bem vermelho fossem um convite a confidências. — Marquei este estojo porque é nele que está o verdadeiro e único rubi de Khitmandu, e juro pela minha vida que acho que eu não seria capaz de distinguir uma pedra da outra se embaralhassem os dois estojos.

— E, mesmo assim — consegui dizer com a voz rouca, sentindo a garganta seca —, acha que Holmes pode fazer o que você não poderia?

— Meu caro Bunny, pedras preciosas são um dos hobbies dele. O sujeito já escreveu até uma monografia sobre o tema, coisa que só descobri hoje. Não estou dizendo que ele vai descobrir minha imitação, mas estou quase certo de que não vou lhe dar essa chance.

Dizendo isto, virou-se e foi até o quarto pegar o sobretudo.

Não preciso lembrar aos pacientes leitores dessas crônicas sem qualquer mérito que não me destaco pela rapidez, seja de pensamento ou de ação. Excepcionalmente, porém, naquele momento minha cabeça e minhas mãos trabalharam com tanta segurança e rapidez como se fossem as do próprio Raffles, e os rubis foram trocados meio minuto antes de ele retornar e me encontrar de pé, com o chapéu e uma expressão nos olhos que deixou os dele com um ar inquiridor.

— Vou com você — afirmei.

Raffles estancou de imediato, fechando a cara.

— Ainda não entendeu, meu pobre tolo, que vou entregar a pedra verdadeira a Holmes?

— Isto pode ser uma armadilha.

— Eu me recuso a levá-lo comigo.

— Então, vou segui-lo.

Raffles pegou o estojo marcado, fechou-o e o enfiou no bolso do sobretudo. O meu engodo era para seu próprio bem, mas, apesar disso, senti uma pontada de dor ao ver aquilo, e outra quando o cofre se fechou sobre o rubi verdadeiro que estava no estojo do falso. E os olhos que se esforçavam para encarar os dele ficaram ainda mais envergonhados quando ele me perguntou se eu persistia com o intuito de lhe impor a minha companhia. Cerrando os dentes, que eu mal conseguia impedir que batessem, murmurei que aquilo era uma armadilha, que Holmes ia pegar a pedra e, então, chamar a polícia; portanto eu precisava enfrentar o perigo com ele, assim como sempre usufruí dos lucros do seu trabalho. Ele reagiu dando de ombros e girando sobre os calcanhares, e nem uma única palavra quebrou o silêncio que pairou entre nós durante o trajeto noturno para o norte da cidade.

Não se via qualquer tremor na mão esguia e forte que ergueu a aldraba da porta da Baker Street. Ele podia muito bem estar caminhando para um triunfo em vez da amargura da humilhação. Afinal, podia mesmo ser um triunfo! E ele o deveria a mim! Mas havia muito pouco entusiasmo no meu coração que batia acelerado enquanto eu o seguia escada acima, segurando com firmeza a chibata no meu bolso.

— Dois cavalheiros desejam vê-lo, senhor — disse, arquejando, a mulher que nos deixou entrar.

— E um deles — acrescentou uma voz insuportavelmente afetada, assim que entramos — teve a consideração de anunciar que está trazendo uma chibata de porte médio no bolso direito do sobretudo. Meu caro Watson, se tiver uma arma carregada, posso sugerir que faça o mesmo? Muito obrigado. Sem dúvida, ela está mais segura no seu bolso. Bom, sr. Raffles, trouxe a pedra?

Sem dizer uma palavra, Raffles tirou o estojo do bolso e o entregou a Holmes. Assim que o abriu, o sujeito que ele havia chamado de Watson se inclinou, com a respiração ruidosa. Mesmo sendo criminosos, não contive o orgulho ao comparar o belo rosto bronzeado do meu companheiro com a pele de Holmes, que era de um tom cadavérico de amarelo. E pensei também que a minha aparência, infelizmente de uma banalidade indiscutível, podia levar vantagem em comparação com a pele meio manchada, os olhos enevoados e o bigode arrepiado do assecla do detetive.

— Bela pedra, não é mesmo, Watson? — observou Holmes com o mesmo tom detestável, erguendo o rubi em direção à luz. — Bom, sr. Raffles, o senhor me poupou bastante trabalho desnecessário. A presteza com que se curvou ao inevitável demonstra bem que é um homem de inteligência excepcional. Suponho que não fará qualquer objeção ao meu desejo de examinar melhor essa pedra, certo?

— Na minha opinião, o senhor não estaria cumprindo seu dever com o seu cliente se descuidasse de uma precaução tão elementar.

A resposta foi perfeita, mas, afinal, fora uma observação feita por Raffles. E ele disse aquilo parado ali, no meio de um tapete de pele de urso já bem desgastado, com as pernas afastadas e de costas para a lareira. Como sempre, ocupava o centro do palco, totalmente à vontade, e eu poderia ter rido do grunhido desconcertado que Holmes soltou ao se levantar, andando no meio de toda aquela bagunça, indo para o aposento contíguo. Pelo relógio que ficava no console da lareira, passaram-se três minutos, três minutos que pareceram horas, até a porta voltar a se abrir. Com os dentes cerrados e os nervos retesados, mesmo nesse momento supremo eu percebia a tensão de Raffles, o que me deixou intrigado: o que ele teria a temer se acreditava que aquele era o rubi original? O rosto ameaçador do detetive me fez puxar a chibata mais para fora do bolso e o revólver do tal Watson ficou totalmente visível. Então, para o meu alívio, Holmes disse:

— Não preciso ocupar mais seu tempo, sr. Raffles. Mas, antes que se vá, devo lhe dizer uma coisa. Que esta seja sua última visita a esse apartamento.

Havia um tom de ameaça na lentidão com que ele pronunciou cada sílaba, coisa que não entendi e que teria me irritado se no meu coração houvesse espaço para outra emoção que não fosse a mais absoluta animação. Em meio a uma névoa, vi Raffles inclinar a cabeça com um ligeiro sorriso de desprezo. E não me lembro de mais nada até já estarmos na rua e o último som que eu esperava ouvir me trouxe de volta à realidade. Raffles estava rindo.

— Estou decepcionado com esse homem, Bunny — disse ele sem parar de rir. — Eu tinha certeza de que ele ia perceber, e já estava preparado para isso.

— Perceber? — balbuciei, tentando não admitir uma desconfiança impossível.

— É. Perceber a falsificação que meu amiguinho aqui, tão inocente, não tinha dúvidas de que era o único e verdadeiro rubi de Khitmandu.

— O quê?! — exclamei quase gritando. — Quer dizer que era a pedra falsa no estojo marcado?

Ele se virou e, em tom brutal, respondeu:

— É claro!

— Mas você disse que era o verdadeiro.

— Mais uma vez, repito: é claro!

De repente, entendi tudo. Era aquela história patética mais velha do que tudo. Ele não confiava em ninguém, só em si mesmo. Só ele poderia enganar Holmes com uma pedra falsa. Então, tentou me deixar de fora daquilo mentindo sobre devolver a joia. E a minha mão ignorante acabou transformando a mentira em realidade! Quando cambaleei, ele me segurou pelo braço.

— Seu idiota! Seu idiota dos infernos! — esbravejou, virando-me para que eu encarasse seus olhos ardentes. — O que foi que você fez?

— Troquei os estojos. Azar o seu!

— Você trocou os estojos? — questionou ele bem devagar, com os dentes cerrados.

— Enquanto você estava no quarto. Então, afinal de contas, a pedra que você lhe entregou *era* o único e verdadeiro rubi.

E a mão erguida para me bater tapou a minha boca enquanto eu continha a selvagem gargalhada entalada na minha garganta.

CAPÍTULO XVI

(*Narrativa do dr. Watson*)

Devo confessar que, assim que a porta se fechou às costas de Raffles e do seu lamentável comparsa, eu fiquei totalmente desconcertado diante do rumo inesperado dos acontecimentos. Não havia como interpretar errado a expressão séria de Holmes quando ele se juntou a nós depois de examinar a pedra. Logo percebi que sua suposição havia se comprovado e que Raffles substituíra o rubi original por um falso. A agitação quase risível do seu assecla, que enfiou a mão no bolso para tirar a chibata no momento em que meu amigo entrou, só confirmou o que eu supunha. Ficou evidente que ele estava tão atônito quanto eu no instante em que Holmes mandou Raffles embora em vez de denunciá-lo. Na verdade, seu suspiro de alívio ao sair da sala antes de Raffles foi tão óbvio que provocou em mim um impulso meio indefinido no sentido de corrigir o erro extraordinário que, a meu ver, Holmes havia cometido.

— Sente-se! — disse Holmes em tom mais ríspido do que de costume.

— Mas, Holmes! — exclamei. — Será possível que você não tenha se dado conta...

— Eu me dei conta de que, como sempre, você não se dá conta de nada. Pegue esta pedra. Guarde-a como se fosse um dos seus olhos. E traga ela de volta aqui amanhã às oito horas.

— Mas, Holmes, não estou entendendo...

— Não tenho tempo para discutir as limitações da sua inteligência.

Sempre me dispus a fazer concessões à impaciência natural do meu amigo por ter uma inteligência menos brilhante do que a dele. Mesmo assim, não deixei de ficar mortificado quando ele enfiou o estojo nas minhas mãos e foi me levando para o saguão. Mas o ar noturno e os passos rápidos com que fui descendo a Baker Street logo me ajudaram a recuperar a imparcialidade. Uma longa experiência com os extraordinários poderes do meu amigo tinham me ensinado que, na maioria das vezes, ele enxergava claramente quando eu estava na mais absoluta escuridão. Pensei que, sem dúvida, ele teria um excelente motivo para deixar os bandidos irem embora. Nenhum homem podia atacar mais prontamente e com consequências mais mortais do que Holmes; assim também nenhum homem sabia lidar como ele com o tempo e esperar com mais paciência até surgir uma oportunidade para intervir e obstruir qualquer possibilidade de alguém escapar. Enquanto tais ideias passavam pela minha cabeça, eu estava vagamente consciente dos dois homens andando à minha frente, a uma distância de cerca de cem metros. De repente, um deles cambaleou e teria caído se o seu companheiro não o tivesse segurado pelo braço. Minha primeira impressão foi de estar testemunhando o espetáculo, infelizmente tão comum em todas as cidades grandes, de dois bêbados se ajudando a chegar em casa. Mas, enquanto observava a dupla com um misto de pena e repulsa, o que havia segurado o braço do outro ergueu a mão como se fosse esbofeteá-lo. Encostei em meu revólver e já estava a ponto de dar um grito de alerta quando percebi que aqueles dois eram exatamente os indivíduos que estavam nos meus pensamentos. De imediato surgiu a necessidade de tomar cuidado. Parei, peguei meu cachimbo, enchi a fornalha e risquei um fósforo. Esse simples estratagema me permitiu ordenar as ideias. Era óbvio que aqueles bandidos tinham brigado. Lembrei-me do velho ditado que diz "quando ladrões brigam entre si, os homens honestos ficam a salvo" e me esforcei ao máximo para imaginar o que Holmes faria se estivesse no meu lugar. Segui-los a uma distância segura e agir quando fosse necessário me parecia a atitude que ele tomaria. Mas eu não podia negar que sua percepção do que a situação pudesse exigir provavelmente seria muito diferente da minha. Por um instante, fiquei tentado a voltar depressa e contar a Holmes as últimas novidades. Um momento de reflexão, porém, logo me convenceu de que, fazendo isso, sem sombra de dúvida eu me arriscaria a perder as minhas presas. E tinha mais um motivo (menos desculpável, suponho) para não voltar lá: a forma brusca como Holmes me botou para fora ainda me incomodava um pouco. Seria gratificante se eu conseguisse, ao menos desta vez, mostrar ao meu amigo autoritário que eu era capaz de fazer uma contribuição independente para a solução de um problema. Apressei, então, o passo e logo reduzi a distância que me separava do meu alvo para cerca de cinquenta metros. Era evidente que os dois continuavam brigando. O próprio Raffles estava em silêncio, mas a voz e os gestos exagerados do seu cúmplice demonstravam que a briga, fosse lá por qual motivo, prosseguia com o mesmo fervor.

Eles viraram em Picadilly e eu continuava em seu encalço quando, de repente, entraram no pátio do Albany. Por uma feliz coincidência, eu tinha estado ali durante algumas semanas, por motivos profissionais, atendendo ao chamado do meu velho amigo, o general Macdonagh, que estava à beira da morte. Portanto, eu conhecia o porteiro, que levou a mão ao quepe quando passei por ele às pressas. Assim que me dei conta de que era ali que Raffles morava, ficou claro qual seria o rumo a tomar. Ele estava enfiando a chave na porta quando apareci.

— Ó céus! — exclamou o seu comparsa. — É Watson!

— *Dr.* Watson, por favor, Bunny. — O canalha virou-se para mim com malícia. — Ora, se não é uma grata surpresa, doutor...

Ignorando a insolência dissimulada do sujeito, perguntei, em tom sério, se podíamos ter uma conversinha nos seus aposentos.

— Mas claro que sim, meu caro doutor. Qualquer amigo do sr. Holmes é nosso amigo também. Permita-me lhe mostrar o caminho.

Levei a mão ao revólver e, assim que a porta se fechou ao entrarmos, eu o saquei ao mesmo tempo em que mostrava o estojo com o falso rubi.

— Aqui está a sua joia falsificada! — exclamei, jogando o estojo em cima da mesa. — Passe para cá a verdadeira ou vou abatê-lo como a uma lebre.

Por mais que fosse um bandido experiente, Raffles não disfarçou o aborrecimento; já o seu desprezível assecla desabou no sofá dando um grito de terror.

— Tudo isso é muito inesperado, doutor — disse Raffles, pegando o estojo e abrindo-o. — Posso lhe perguntar se está seguindo instruções do sr. Holmes? Afinal, é com ele que estou lidando.

— Pois agora é comigo. Esta é a única coisa que precisa saber.

— Mas o sr. Holmes ficou plenamente satisfeito com a pedra que lhe entreguei...

— Não estou aqui para discutir. Vai obedecer às minhas ordens?

— É lamentável que Holmes tenha mandado que nos seguisse sozinho.

— *Sr.* Holmes, seu canalha! E ele não tem ideia do que estou fazendo.

— Jura? Então, tudo o que tenho a dizer é que ele não merece um escudeiro desses. Bom, Bunny, pelo visto nosso triunfo foi um tanto prematuro...

Um minuto mais tarde, eu estava no corredor carregando no bolso interno do paletó o estojo com a pedra genuína. Do outro lado da porta fechada, ouvi o que julguei ser o riso amargo e atônito de um vigarista derrotado. Em geral, tenho um temperamento contido, mas, admito, foi num estado de espírito que beirava a exultação que voltei para a Baker Street e irrompi pela casa de Holmes.

— Consegui! Consegui! — exclamei, sacudindo o estojo na mão.

— Será uma crise de *delirium tremens*? — perguntou ele friamente da sua poltrona.

Percebi que tinha um revólver nas mãos.

— Consegui o rubi verdadeiro, Holmes!

Com a agilidade de uma pantera, ele pulou da poltrona e arrancou o estojo da minha mão.

— Seu idiota! — esbravejou ele. — O que foi que você fez?

Frustrado e perplexo, contei minha história enquanto Holmes me fitava com o peito arfando e os olhos fuzilantes. Meus leitores já adivinharam a verdade que ele jogou na minha cara por meio de algumas frases soltas entremeadas de observações pessoais extremamente disparatadas. Raffles havia lhe trazido o rubi verdadeiro e Holmes, suspeitando de que ele fosse tentar recuperá-lo, havia me confiado a joia. O alerta que fizera ao ladrão, ao dizer que não voltasse mais àquela casa, estava explicado, assim como estava esclarecida a vigília do meu amigo, empunhando uma arma carregada quando apareci ali.

A prisão de Raffles e de seu cúmplice Bunny, realizada uns quinze dias depois, bem como a devolução do rubi ao proprietário legal, são fatos conhecidos por todos que leem os jornais. Durante esse período, o estado de saúde extremamente crítico do general Macdonagh ocupou toda a minha atenção. Ao seu falecimento, seguiram-se quase imediatamente a morte inesperada de outros dois pacientes e, sob a pressão dessas tristes fatalidades, não tive condições de visitar Holmes para saber, dos seus próprios lábios, os acontecimentos das etapas finais desse caso inesquecível.

A aventura do inseto notável

AUGUST DERLETH

August William Derleth (1909-1971) nasceu em Sauk City, no estado de Wisconsin, onde passou a vida inteira, boa parte da qual, ao que parece, trabalhando como datilógrafo enquanto escrevia mais de três mil histórias e artigos. Derleth publicou mais de cem livros, incluindo narrativas policiais (estreladas pelo juiz Peck e por Solar Pons, personagem no estilo de Sherlock Holmes), histórias sobrenaturais e o que ele considerava sua ficção mais séria: uma longa série de livros, narrativas, poemas, diários etc. sobre a vida na sua cidadezinha que ele rebatizou de Sac Prairie.

Quando ficou sabendo que Arthur Conan Doyle não pretendia escrever mais sobre Holmes, Derleth lhe mandou uma carta pedindo permissão para dar sequência a tais histórias. Com muita delicadeza, Doyle recusou seu pedido. Apesar disso, Derleth prosseguiu com seu intento inventando um nome que de longe lembrava o do célebre detetive e escreveu seus primeiros pastiches sobre Solar Pons. No fim das contas, a quantidade de histórias que escreveu sobre essa personagem acabou sendo maior do que a das que Doyle produziu sobre Sherlock Holmes.

Pons é praticamente um clone de Holmes. Ambos têm prodigiosos poderes de observação e de dedução, são capazes de descrever nos mínimos detalhes pessoas que acabaram de conhecer, deduzindo tudo em alguns segundos de observação. As histórias de Holmes são narradas pelo dr. John H. Watson e as de Pons, pelo dr. Lyndon Parker, com quem divide um apartamento na Praed Street, nº 7B; a senhoria de ambos se chama sra. Johnson. O irmão mais velho de Holmes, Mycroft, tem habilidades ainda mais incríveis que as de Sherlock e o mesmo acontece com o irmão de Solar Pons, Bancroft.

Entre as poucas diferenças existentes entre Holmes e Pons estão a época: as mais memoráveis aventuras do primeiro aconteceram por volta das décadas de 1880 e 1890, enquanto que Pons floresce nos anos 1920 e 1930. Este último também é mais animado que Holmes, com menos tendência à depressão e a períodos em que recorre ao uso de drogas.

Várias das suas histórias têm títulos tirados dos célebres casos não registrados a que Watson tantas vezes faz alusão, como "Ricoletti do pé torto (e sua abominável esposa)", "A muleta de alumínio", "O político, o farol e o corvo-marinho treinado", além da que consta aqui.

"A aventura do inseto notável" foi originalmente publicada em *Three Problems for Solar Pons* (Sauk City, Wisconsin: Mycroft & Moran, 1952).

A AVENTURA DO INSETO NOTÁVEL

August Derleth

— Ah, Parker! — exclamou Solar Pons assim que entrei no nosso apartamento da Praed Street, nº 7B, no final de uma tarde de verão nos primeiros anos da terceira década do século. — Você chegou bem a tempo para mais uma das nossas pequenas incursões pela vida criminosa de Londres que o deixam tão incompreensivelmente encantado.

— Pelo visto, aceitou um caso novo — falei.

— Digamos que concordei em atender um apelo.

Enquanto falava, Pons deixou de lado a pistola com que andara treinando a pontaria, um exercício abominável que deixava a sra. Johnson, nossa proprietária, bastante transtornada, como seria de se esperar... Procurou algo em meio aos papéis em cima da mesa e empurrou um cartão que foi parar na beirada, bem à minha frente, com a mensagem virada para cima.

Caro sr. Pons,

O sr. Humphrey sempre disse que o senhor era melhor do que a polícia, então, se não tiver problema, vou passar aí no final da tarde, depois que Julia chegar, e contar tudo que está acontecendo. O médico disse que está tudo bem com o sr. P., mas tenho minhas dúvidas.

Com todo respeito,

Sra. Flora White.

Enquanto eu lia o texto, Pons ficou me olhando com um brilho nos olhos.

— Um criptograma? — indaguei.

Ele começou a rir.

— Ora, vamos, Parker. Não é tão difícil assim! Ela só está aflita e talvez até indignada.

— Confesso que, para mim, nada aqui está claro.

— Não duvido... — replicou Pons secamente. — Mas, com alguma reflexão, tudo fica muito simples. Ela menciona um tal de sr. Humphrey e deduzo que seja aquele sujeito, Athos Humphrey, para quem investigamos sobre aquele caso do selo Penny Magenta. A consulta se trata de uma questão sobre a qual ela já tem a opinião de um médico. O médico, porém, não conseguiu tranquilizá-la nem aliviar a sua preocupação. Mas não pode vir imediatamente porque não tem condições de deixar o paciente sozinho. Portanto, pelo menos sabemos que o paciente ainda está vivo. Precisa esperar Julia chegar, o que vai acontecer no final da tarde. Não seria, então, absurdo supor que essa Julia é sua filha ou, ao menos, uma estudante que deve esperar as aulas terminarem para substituir a sra. White, liberando assim nossa possível cliente para nos procurar. A essa altura, isso já deve ter acontecido e é bem provável que ela esteja chegando no táxi que acabou de parar aqui em frente.

Fui até a janela e olhei para baixo. Havia de fato um táxi estacionado diante do nosso prédio e uma mulher de meia-idade, de porte avantajado, já subia os degraus do nº 7. Usava uma roupa simples, de ficar em casa, o que sugeria que tinha vindo direto do trabalho. Como única proteção, além do chapeuzinho de plumas absurdamente pequeno, era um xale fino demais, pois estava frio para agosto.

Em poucos instantes, a sra. Johnson lhe mostrou o caminho e ela ficou ali parada, olhando para nós dois, exibindo, no rosto corado, uma expressão indecisa. Até que sorriu para o meu companheiro sem muita convicção.

— O senhor é o sr. Pons, não é?

— Ao seu dispor, sra. White — respondeu Pons com uma delicadeza nada habitual. Enquanto isso, seus olhos sempre alertas observavam cada detalhe da aparência da nossa visitante. — Por favor, sente-se e conte-nos tudo sobre o probleminha que a tem preocupado.

Ela se sentou, mostrando-se cada vez mais confiante, afrouxou um pouco o xale no pescoço e começou a relatar as circunstâncias que a tinham trazido à nossa residência. Falava com um tom de voz animado e tinha um sotaque menos carregado do que o de alguém vindo do interior.

Contou-nos como foi "falar com o sr. 'Umphrey'"; que ele lhe "disse 'pra' procurar seu amigo Solar Pons" e que ela fez "o 'qui' ele mandou" assim que a sobrinha chegou da escola. Pons ficou ali sentado com toda paciência, ouvindo a introdução, esperando que a paciência fosse recompensada. Não a interrompeu desde que ela começou sua história.

Ela trabalhava como faxineira em várias residências. Hoje era o dia de Idomeno Persano, um solitário que morava em Hampstead Heath, um estrangeiro de origem hispânica que tinha vindo dos Estados Unidos. Ele havia comprado uma casa na orla da charneca onze anos atrás e, desde então, levava uma vida majoritariamente sedentária. Era conhecido por percorrer aqueles ermos em função do seu interesse em entomologia. Como colecionador de insetos e de informações a seu respeito, era conhecido pelas crianças dos arredores como um senhor bonzinho que estava sempre apto a lhes dar alguns pence ou um xelim por algum inseto que pudesse acrescentar à sua coleção.

Sob todos os aspectos, a vida de Persano parecia ser uma espécie de aposentadoria. A julgar pelo que a sra. White mencionou sobre ele viver divagando, devia ser um daqueles entomologistas que costumam enviar e receber espécimes. Sempre deu a impressão de ser um sujeito tranquilo, mas, certo dia, cerca de um mês atrás, recebeu um cartão-postal dos Estados Unidos que o deixou muitíssimo inquieto. Não havia nada escrito, a não ser o seu nome e o seu endereço, e a imagem era simplesmente um desenho engraçado. Mesmo assim, ele ficou bem agitado ao receber aquilo e desde então não pôs mais os pés para fora de casa.

Hoje, a sra. White havia se atrasado para o trabalho, portanto só chegou à casa do patrão depois do almoço. Ficou horrorizada ao encontrá-lo sentado diante da escrivaninha, num estado assustador. Achou até que ele tinha enlouquecido. Tentou acordá-lo daquele torpor, mas tudo que conseguiu foi fazê-lo balbuciar algumas palavras que soaram como "o inseto... desconhecido pela ciência". E também algo sobre "o cachorro", mas nunca houve nenhum cachorro na casa, e não havia um agora. E isso foi tudo. Ele estava olhando para um espécime que, aparentemente, havia chegado pelo correio. Era um verme dentro de uma caixa de fósforos comum.

— Ah, que bicho horroroso, sr. Pons! Cheguei a ficar toda "arrupiada" — disse ela em tom firme.

Logo tratou de chamar o médico. Era um rapaz substituto e admitiu não fazer ideia do que estava acontecendo com Persano. Nunca tinha deparado com uma doença assim, mas percebeu uma paralisia nos músculos e chegou à conclusão de que Persano havia sofrido um grave ataque cardíaco. A descrição feita pela sra. White sugeria o diagnóstico de problemas coronarianos. Ele lhe administrou um sedativo e recomendou que o paciente não saísse daquele local.

A sra. White, porém, não ficou satisfeita. Assim que o médico foi embora, falou com sr. 'Umphrey' e o resultado foi o bilhete que o mensageiro tinha lhe trazido. Agora, aqui estava ela. Será que o sr. Pons aceitaria ir até lá dar uma olhada no seu patrão?

— Por que achou que o médico estava enganado, sra. White? — perguntei, sem conseguir me conter.

— Foi a impressão que eu tive — respondeu ela com toda franqueza. — Pura intuição, meu senhor. Intuição feminina.

— Muito bem, sra. White — disse Pons num tom de voz tolerante, o que me irritou ainda mais. — Meu bom amigo Parker, como acontece com quase todos os médicos, sempre acha que seus colegas estão, de certa forma, acima de qualquer crítica ou questionamentos por parte dos leigos. Vou lá ver o sr. Persano, embora meus conhecimentos em medicina sejam lamentavelmente limitados.

— Este aqui — disse a nossa cliente — é o cartão que ele recebeu.

Ao dizer isso, entregou a Pons um cartão-postal colorido de um tipo muito comum nos Estados Unidos, um daqueles cartões que são enviados por pessoas viajando só para atormentar os amigos que não puderam tirar férias. O desenho era de um homem gordo correndo de um cachorrinho que havia rompido a coleira. Era um trabalho medíocre, com dizeres bastante característicos: "Nos divertindo loucamente em Fox Lake. Seria ótimo se você também estivesse aqui." E, no verso, não havia nada além do endereço de Persano e um carimbo de Chicago.

— Com toda certeza, é uma das mensagens mais inócuas que já vi — observei.

— Não é mesmo? — indagou Pons, com uma das sobrancelhas erguidas.

— Posso perfeitamente imaginar por que teria irritado Persano.

— Acho que a palavra usada foi "inquieto", não foi, sra. White?

— Isso mesmo, sr. Pons. Ele ficou tão inquieto que me assustei. Vi o desenho quando entreguei o cartão a ele e disse: "Seus amigos estão se divertindo muito nas férias." Assim que ele olhou "pro" cartão, ficou branco feito uma folha de papel e teve um acesso de tosse. Depois jogou o cartão "pra" longe sem dizer nada. Então peguei o cartão e o guardei. Foi isso.

Pons ficou remexendo no lóbulo da orelha direita sem desviar os olhos da nossa cliente.

— O sr. Persano é gordo, sra. White?

O rosto simplório da mulher se animou com prazer.

— É, sim, sr. Pons. Só não sei como descobriu isso. O sr. 'Umphrey' tinha toda razão ao dizer que o senhor é um espanto.

— E quantos anos acha que ele tem?

— Humm, uns sessenta e alguma coisa.

— Quando disse que seu patrão ficou "inquieto", estava sugerindo que ele tenha ficado com medo?

— Ele ficou inquieto — repetiu a mulher, franzindo a testa.

— Não zangado?

— Não, senhor. Inquieto. Assim, perturbado. Ficou sem cor, resmungou alguma coisa tão baixinho que não ouvi e jogou o cartão longe, como se não quisesse mais ver aquilo. Aí, peguei o cartão e o guardei comigo.

Pons continuou ali sentado por uns instantes, com os olhos fechados. Depois, pegou o relógio para ver as horas.

— São quase seis agora. O caso me parece ser um tanto urgente. A senhora mandou o táxi ficar esperando?

A sra. White confirmou com a cabeça.

— Julia vai ficar aflita — disse ela.

— Ótimo! — exclamou Pons ficando de pé num pulo. — Vamos com a senhora. Não há tempo a perder. Talvez até já seja tarde demais.

Tirou o velho robe de chambre roxo, jogou-o de lado e pegou a pelerine e o chapéu.

Durante o trajeto até o local onde nossa cliente havia passado por aquela experiência, Pons se manteve num silêncio meditativo, com a cabeça pendendo sobre o peito, os dedos magros escondidos com as mãos sob o queixo.

A casa na orla da charneca de Hampstead era bem isolada dos vizinhos. Uma cerca viva bem cerrada, alternando com um muro de pedras, contornava toda a construção. Era uma casa térrea e não muito grande. Nossa cliente logo saltou do táxi, seguida por Pons e deixando-me com o encargo de pagar a viagem. Ela nos guiou pela casa e encontramos ali uma jovem pálida que obviamente ficou aliviada ao ver alguém chegar.

— Alguma mudança, Julia? — perguntou a sra. White.

— Não, senhora. Ele está dormindo.

— Apareceu alguém por aqui?

— Não, senhora. Ninguém.

— Isso é bom. Pode ir "pra" casa agora. Ela é uma boa menina — disse, e, virando-se para nós, nossa cliente apontou para uma porta à sua esquerda. — É aqui, sr. Pons.

A luz de duas luminárias bem antiquadas revelou a cena em toda a sua crueza. O patrão da sra. White estava sentado numa velha poltrona bergère em estilo Chippendale, diante de uma vasta mesa não menos antiquada do que as luminárias que garantiam a iluminação fantasmagórica do aposento. Era um homem corpulento, mas bastava olhar para perceber que ele não estava dormindo, pois tinha os olhos abertos e fixos no curioso objeto que se encontrava à sua frente: uma caixa de fósforos aberta com um conteúdo que, para os meus olhos de leigo, mais parecia uma lagarta mais avantajada que as comuns. Um sorriso terrível, o chamado *risus sardonicus*, retorcia os lábios de Persano.

— Imagino que o sr. Persano seja mais o seu departamento, Parker — disse Pons em voz baixa.

Levei apenas um instante para confirmar suas suspeitas.

— Esse homem está morto, Pons! — exclamei.

— A possibilidade de o encontrarmos com vida era mínima — observou ele. Depois virou-se para a nossa cliente e acrescentou: — Temo que a senhora precise notificar a polícia, sra. White. Chame o inspetor Taylor, da Scotland Yard. Diga a ele que estou aqui.

A sra. White, cuja única reação diante da notícia da morte do seu patrão foi gemer de tristeza, conseguiu se recompor a ponto de nos dizer que naquela casa não tinha telefone. Ela precisaria ir à casa do vizinho.

Assim que nossa cliente saiu, Pons iniciou uma atividade febril. Pegou uma das luminárias e começou a examinar o quarto, ajoelhando-se em alguns locais, observando atentamente as paredes, as estantes de livros, a escrivaninha que ficava numa das paredes e, finalmente, o próprio cadáver, analisando as mãos e o rosto de Persano com um cuidado que, na minha opinião, parecia absurdo.

— A pele dele não está com uma cor peculiar, Parker? — perguntou ele, enfim. Admiti que estava. — Isso é consistente com uma trombose coronária?

— Não é nada comum...

— Percebeu essa ligeira descoloração em um dos dedos dele? — prosseguiu Pons. — Está meio inchado ali, não está?

— E tem um ferimento superficial. É verdade. Eu já tinha notado.

— Sem dúvida alguma, há inchaços e descolorações em algumas partes expostas do corpo — disse ele.

— Deixe que eu me antecipe às suas suposições, Pons — afirmei. — Se esse homem foi envenenado, não consigo pensar em nenhum veneno comum que corresponda a esses sintomas. Arsênico, antimônio, estricnina, ácido prússico, cianeto, atropina, todos estão descartados. Ainda não posso dizer que esse homem morreu de causas não naturais...

— Você não poderia ter se expressado com mais cautela — observou Pons secamente. — No entanto, posso considerar que os sintomas visíveis são inconsistentes com uma trombose coronária.

— É o que tudo indica.

Com isso, Pons pareceu satisfeito. Voltou sua atenção para a mesa diante do corpo de Persano. O tampo do móvel estava coberto de vários objetos que sugeriam que nosso homem andou tentando identificar o notável inseto quando foi atacado. Havia livros de entomologia e guias sobre vida de insetos abertos formando um semicírculo em torno da caixa de fósforos também aberta e do seu estranho ocupante. Mais adiante, no trecho na sombra que ficava fora do alcance da luminária, havia um estojo com insetos nos vários estágios de evolução, desde as larvas e passando pelas pupas. Isso também era um indício de que Persano estava procurando alguns pontos comuns entre aqueles insetos e o tal espécime que a ciência desconhecia.

Estendi a mão para pegar a caixa de fósforos, mas Pons segurou meu braço.

— Não, Parker. Não vamos alterar a cena. Por favor, observe a tampa da caixa que foi retirada. Não tem uns furinhos ali?

— A criatura precisaria de ar.

Pons riu.

— Graças aos céus pelos raiozinhos de humor que sua boa-fé nos proporciona! — exclamou ele. — O inseto está morto. Aliás, duvido que já tenha estado vivo. Além disso, o pacote estava embrulhado. Vamos só virar a tampa.

E foi o que fez. Logo ficou evidente que os furinhos formavam uma frase. Me unindo a Pons, me debrucei para decifrá-la.

"O cachorrinho pega o gatão."

Olhei imediatamente para Pons.

— Se for uma mensagem, está codificada.

— Com toda certeza, uma mensagem bem breve — objetou ele.

— Mas não passa de uma brincadeira de criança — protestei. — Não pode fazer sentido...

— Muito pouco, na verdade — concordou Pons. — Mesmo assim, imagino que possa nos ajudar a reconhecer a identidade do cavalheiro que provocou a morte de Idomeno Persano.

— Ora, vamos, Pons! Está brincando comigo!

— Não, não, trata-se de algo tão elementar que quase chega a ser decepcionante — replicou o meu amigo. — Você conhece os meus métodos, Parker, e dispõe de todos os fatos. Só precisa aplicá-los.

Dizendo isso, Pons se ajoelhou diante do lixo e começou a procurar cuidadosamente ali dentro até que encontrou uma caixa de uns quinze centímetros quadrados com um barbante e um papel de embrulho.

— Essa deve ser a embalagem dentro da qual o inseto foi enviado — disse ele, examinando a caixa. — Pelo visto, tudo foi muito bem pensado para que o espécime ficasse chacoalhando. Isso não lhe diz nada, Parker?

— É a forma habitual de enviar esses espécimes.

— Sem dúvida. — Ele ficou observando o papel de embrulho. — O endereço do remetente está completo: "Fowler. Upper Brook Street, nº 29." No entanto, foi postado em Wapping, pequeno detalhe que, ouso dizer, Persano não percebeu. Temos indícios de alguns cuidados com detalhes. Sem dúvida, Fowler devia ser um correspondente conhecido em termos de entomologia, mas não foi quem enviou esse inseto notável.

Nesse momento, a sra. White voltou bastante esbaforida. Logo atrás dela, vinha o jovem médico que ela certamente tinha chamado depois de telefonar para a Scotland Yard. E, por fim, surgiu o rosto soturno do inspetor Walter Taylor, um jovem de trinta e poucos anos, que, em diversas ocasiões, havia demonstrado uma habilidade incomum para solucionar os crimes ocorridos na sua jurisdição.

Ao chegar, o inspetor assumiu imediatamente a situação e, pouco depois, Pons e eu estávamos a caminho da Praed Street, nº 7B. Com a permissão do policial, Pons vinha trazendo, com um cuidado quase exagerado, um pacotinho com o inseto extraordinário que havia levado Idomeno Persano à loucura e à morte.

Mais uma vez em casa, ele abriu cautelosamente o pacote e pôs o bicho, ainda dentro da caixa de fósforos, debaixo do abajur da escrivaninha. Visto assim, era de fato imponente: peludo como uma lagarta, mas também chifrudo, como certos estágios de pupa. Ele não tinha só um chifre, mas quatro, dois se erguendo nas costas, perto da cabeça, e os dois outros virados de frente para os primeiros, porém saindo da outra extremidade do corpo. A cabeça do inseto não tinha pelos e exibia uma longa probóscide da qual surgia uma língua esguia que parecia trançada. Aparentemente, tinha umas quatro fileiras de patas, que se estendiam em duplas por todo o comprimento do corpo, lembrando, tanto pela quantidade quanto pela forma, as patas de uma centopeia. Um par de antenas se erguia da parte traseira da cabeça, tão grandes quanto os chifres, e a cauda era grossa e arredondada. O inseto devia ter uns dez centímetros de comprimento e pelo menos uns cinco de diâmetro.

— Já tinha visto algo assim? — perguntou Pons, encantado, com os olhos brilhando.

— Nunca. Como poderia ter visto se nem mesmo a ciência conhece?

— Ah, Parker, basta alguém lhe dizer alguma coisa e você já acredita como sendo definitiva. Tecnicamente, essa história de inseto desconhecido pela ciência não existe. Qualquer um que seja descoberto por um cientista pode ser logo classificado, mesmo que não seja imediatamente identificado com precisão.

— Pelo contrário — retruquei com certo humor. — Ele está bem ali, na nossa frente.

— Vou tentar dizer de outra maneira, Parker. Se a ciência desconhece o inseto, então o inseto não existe.

— Acho que estamos invertendo os papéis, Pons — falei, em tom áspero. — Não é você que vive me acusando de ser muito didático?

— Admito a minha culpa — retrucou ele. — Mas, neste caso, não vou poupá-lo. Este inseto é desconhecido pela ciência exatamente pelo motivo que eu disse: ele não existe.

— Mas está bem aqui, desmentindo você!

— Olhe novamente, por favor, meu caro amigo. Garanto que a cabeça dessa criatura tão interessante nada mais é do que a cabeça de uma mariposa beija-flor, também conhecida como mariposa-esfinge, muito provavelmente a do tipo comum, com listras, a *Deilephila lineata*. As patas elaboradas não passam de patas de centopeias habilmente inseridas aí; e eu diria que de umas seis delas. Esse tipo parece ser uma centopeia comumente encontrada no norte da América do Norte, a *Scutigera forceps*. Aparentemente, as antenas se originam de duas fontes: as que têm pelos sugerem que seja a *Actias luna*, ou mariposa da lua; as longas, finas e verdes certamente são de uma *Pterophylla camellifolia*, conhecida como bicho-folha. A pelagem também foi fabricada e os chifres, ah, Parker! Os chifres são uma obra-prima da arte do embuste! Sem dúvida, é um inseto notável! Você examinou bem de perto o machucado no dedo de Persano?

— Examinei com o cuidado de sempre — respondi, irritado.

— Na sua opinião, o que o provocou?

— Parecia um corte pequeno, como se ele tivesse espetado o dedo num prego ou numa farpa, embora o corte estivesse limpo.

— Então, se o pressionassem, você poderia sugerir que Persano morreu por causa de um veneno administrado pela presa de uma cobra?

— Já que a minha imaginação é, por necessidade científica, mais restrita do que a sua, Pons... — comecei, mas ele me interrompeu.

— Desse jeito.

Pegou um par de pinças e, com elas, ergueu o inseto notável de Idomeno Persano. De imediato, dos quatro chifres da criatura surgiram presas e, de duas delas, ainda saía um fluido marrom espesso.

— Só um deles atingiu o alvo — disse Pons secamente. — Pelo visto, foi o suficiente. — Fitou-me com os olhos brilhantes e acrescentou: — Creio que você tomou a louvável precaução de não incluir veneno de cobra na lista dos que garantia não terem provocado a morte de Persano.

Por um instante, fiquei atônito demais para responder.

— Mas tudo isso é mera especulação — protestei, afinal.

— Você mesmo eliminou praticamente todas as outras possibilidades — retrucou Pons. — Não me deixou escolha.

— Mas e o cachorro?! — exclamei.

— Que cachorro? — perguntou Pons, contendo o espanto.

— Se bem me lembro, a sra. White disse que Persano se referiu a um cachorro. O tal corte pode muito bem ter sido causado pelo dente de um cão.

— Ah, Parker, você está tomando o rumo errado — disse Pons com uma tolerância que eu achava bem irritante. — Esse tal cachorro não existe. A própria sra. White confirmou isso.

— Está sugerindo, então, que a sra. White entendeu errado as últimas palavras que o patrão pronunciou antes de morrer?

— De jeito nenhum. Eu diria que ela entendeu direitinho.

— Ah, bem. Persano falou de um cachorro, mas não havia cachorro algum — falei com uma rispidez que não passou despercebida ao meu amigo.

— Ora, vamos, Parker! — replicou Pons, sorrindo. — Não dá para esperar que você seja um mestre na minha profissão, assim como ninguém poderia esperar que eu fosse um mestre na sua. Vamos nos limitar a ver com que habilidade tudo isso foi feito.

Enquanto falava, começou a cortar com o maior cuidado a pelagem e o que havia por baixo. Toda essa cautela era para impedir que o mecanismo voltasse a ser acionado, um mecanismo que se revelava incrivelmente intricado e muito bem elaborado, pois acionava a armadilha e impulsionava o veneno através de uns saquinhos de borracha ligados às presas por tubos.

— Essas presas não são bem menores do que as comuns? — perguntei.

— Arriscando um palpite, eu diria que elas pertenciam a uma cobra-coral ou a uma cobra arlequim, *Micrurus fulvius*, bem comuns no sul dos Estados Unidos e no vale do Missisipi. Seu veneno é uma neurotoxina; pode ter sido utilizado, mas com certeza não estava puro. O mais provável é que tenha sido adulterado pela adição de algum veneno alcaloide para prolongar a morte de Persano e complicar qualquer medicação que ele pudesse tomar. A cobra pertence à espécie das proteróglifas, ou seja, suas presas ficam na parte anterior do maxilar superior. São o tipo mais comum naquelas latitudes. O "inseto" foi projetado para acionar as presas quando o tocassem e foi muito bem embalado para que não liberasse o veneno com os movimentos do manuseio do pacote durante a viagem. — Pons me lançou um olhar malicioso. — Essa dedução tem a sua aprovação, Parker?

— É totalmente hipotética.

— Vamos afastar a hipótese de ser improvável, assim como o próprio inseto. Considera que essa dedução está dentro dos limites da possibilidade?

— Eu não diria que não.

— Perfeito! Estamos fazendo algum progresso.

— Mas continuo achando que é uma maneira bem duvidosa de cometer um assassinato...

— Sem dúvida alguma. Se não tivesse funcionado, o autor tentaria novamente. Pretendia matar Persano. E conseguiu. Não temos qualquer registro de que já tivesse tentado outra vez. Persano era um homem muito reservado, mas sabia que alguma coisa ia acontecer. Tinha recebido um aviso.

— O cartão-postal?

Pons fez que sim com a cabeça.

— Vamos comparar a letra do postal com a do papel que embrulhava o pacote.

Bastou uma olhadela para nos revelar que a letra do papel que embrulhava o pacote com o inseto letal era completamente diferente da do cartão. No entanto, se Pons ficou desapontado, não o demonstrou; seus olhos se moviam de prazer e seus lábios finos esboçaram um sorriso.

— Vamos simplesmente mostrar para o inspetor Taylor. Nesse meio-tempo, ainda não são nove horas. Preciso encontrar algumas fontes de informação sem tardar. Se eu ainda não tiver voltado quando Taylor aparecer, faça o favor de segurá-lo aqui até eu chegar.

Com um sorriso irritantemente enigmático, Pons foi embora.

Já era quase meia-noite quando meu amigo voltou para o nosso apartamento. Uma neblina cerrada toldava as janelas do nº 7B e os sons de sempre da rua — tais como as badaladas do relógio que ficava a poucas quadras de distância, o ruído do trânsito, o trotar ocasional de um cabriolé — não eram mais audíveis.

O inspetor Taylor já estava esperando havia uma hora. Eu já tinha lhe mostrado o engenhoso instrumento mortal idealizado pelo assassino de Persano e ele observou atentamente o cartão-postal, mas acabou se confessando tão desnorteado quanto eu sobre o sentido daquilo. Mesmo assim, o inspetor tinha uma fé inabalável nas impressionantes deduções e síntese lógica do meu amigo, e não reclamou do seu atraso.

Pons entrou na sala tão discretamente que parecia querer nos assustar.

— Ah, Taylor, espero que não tenha esperado muito tempo — disse ele.

— Só uma hora — respondeu o inspetor.

— Por favor, queira me desculpar. Achei que, depois de identificar o assassino de Idomeno Persano, valia a pena procurá-lo para o senhor.

— Está brincando, sr. Pons!

— De jeito nenhum! O senhor vai encontrá-lo no "Sailor's Rest", em Wapping. É um sujeito baixinho, moreno, de origem italiana ou hispânica. Tem cabelo castanho e cacheado, começando a ficar grisalho nas têmporas. Também tem uma cicatriz bem feia na parte superior da testa que repuxa um pouco seu olho direito. E uma cicatriz menor no pescoço. Chama-se Angelo Perro. Seu motivo foi vingança. Persano o processou nos Estados Unidos doze anos atrás. Não perca tempo, pois assim que ele souber que Persano morreu vai embora de Londres na primeira ocasião. Passe aqui amanhã e eu lhe fornecerei todos os fatos.

O inspetor Taylor saiu quase sem conseguir balbuciar um agradecimento. Nem sequer lhe passou pela cabeça discutir o que Pons dissera.

— Com toda certeza, isso é bem extraordinário, mesmo se tratando de você, Pons — falei, antes que o eco dos passos de Taylor desaparecesse na escada.

— Está superestimando os meus poderes, Parker — retrucou Pons. — Na verdade, garanto que a questão era bem elementar.

— Creio que isso está além das minhas possibilidades... Pense bem... Você não sabia nada sobre esse tal de Persano. Não fez nenhuma investigação...

— Pelo contrário! Eu sabia muita coisa sobre ele — atalhou Pons. — Ele veio dos Estados Unidos e tinha renda própria. Era um amador em termos de entomologia. Morava sozinho. Não tinha telefone. Obviamente estava bem satisfeito com essa vida isolada. Por quê? A não ser que tivesse medo de alguém? Se tinha medo de alguém, deduzo que fosse lógico presumir que a fonte desse medo estivesse nos Estados Unidos.

— Mas de que forma o que ele temia se manifestou no cartão-postal a ponto de deixá-lo inquieto? — perguntei.

— Embora isso possa não lhe dizer nada, Parker — replicou ele, jogando o cartão para mim —, sem dúvida significava alguma coisa para Persano.

— Com certeza não pode ter sido pelo endereço. Só pode ter sido pela imagem, então.

— Excelente! Excelente! — exclamou Pons esfregando as mãos. — Você está fazendo progressos, Parker. Prossiga, por favor.

— Bom, então — continuei, animado com o entusiasmo do meu amigo —, esse desenho não pode dizer muito mais do que um homem grande e gordo fugindo de um cachorrinho que conseguiu romper a coleira.

— Meus parabéns, caro amigo!

Eu o encarei, creio, com a mais absoluta perplexidade.

— Mas, Pons, que outro significado pode ter?

— Nada além disso. Juntando essa informação com a sugestão de férias que aparece aí impressa, o cartão pode ser perfeitamente interpretado assim: "Suas férias terminaram. O cachorro está solto." Um homem gordo correndo para fugir de um cachorro. Persano era um sujeito robusto.

— Era mesmo!

— Muito bem, então. O cartão-postal é a primeira aparição de um "cachorro" no pequeno drama que está chegando ao desfecho pelas mãos hábeis do inspetor Taylor lá em Wapping. Como você bem lembrou horas atrás, a sra. White nos disse que seu falecido patrão murmurou várias vezes a palavra "cachorro" antes de cair prostrado em silêncio. Portanto, esta foi a segunda aparição. E, finalmente, a tampa dessa caixa de fósforos anuncia: "O cachorrinho pega o gatão." Meu caro amigo, as coisas poderiam ser mais evidentes?

— Nem sei o que dizer. Ainda tenho bem fresca na memória a sua enfática declaração de que não havia cachorro nenhum nessa história — repliquei friamente.

— Creio que as palavras que usei foram "esse tal cachorro". Você estava evidentemente se referindo a um animal quadrúpede, membro do gênero Canis da ordem dos carnívoros. Pois esse cachorro não existe na história.

— Você está se expressando cada vez mais por enigmas.

— Talvez um desses recortes possa ajudar.

Ao dizer isso, tirou do bolso três recortes do jornal *The Chicago Tribune* de sete semanas antes. Pegou um deles e o estendeu para mim.

— Isso deve elucidar a questão para você, Parker.

Era uma notícia breve que eu li com toda a atenção.

"Chicago, 29 de junho. Entre os prisioneiros de Ft. Leavenworth que tiveram a liberdade condicional decretada ontem estão quatro moradores de Chicago. São eles: Mao Hsuieh-Chang, Angelo Perro, Robert Salliker e Franz Witkenstein. Todos foram condenados em 1914 por transporte e distribuição de narcóticos. Cumpriram onze anos de prisão. As provas contra eles foram fornecidas pelo quinto membro do bando, conhecido como "Grande Id" Persano, que teve a pena suspensa por ter colaborado com a condenação dos comparsas. Não se teve mais notícias dele desde o julgamento. Os quatro ex-presidiários pretendem voltar para Chicago."

A matéria incluía fotos de dois desses prisioneiros e um deles era Perro. Pons deve ter passado nos hotéis e nas pousadas de Wapping com a foto nas mãos e acabou descobrindo que ele estava no "Sailor's Rest".

— Pelo visto, "Grande Id" era o patrão da nossa cliente — falei, devolvendo-lhe o recorte de jornal.

— Exatamente.

— Mas, por favor, diga-me como concluiu que Perro era o assassino.

— Ó céus, Parker... Está claro como água!

Balancei a cabeça.

— Eu teria pensado no chinês. A concepção do mecanismo do inseto é oriental.

— Admirável dedução. É bem provável que estivessem todos juntos nisso e que o inseto seja obra do chinês. Mas o assassino era Perro. Acho que sua educação na área de humanas foi lamentavelmente deixada em segundo plano.

"O cartão-postal, que trazia um carimbo de apenas dois dias depois da publicação dessa notícia, era o aviso de algum amigo de Persano, dizendo-lhe que o 'cachorrinho' estava solto. O 'cachorrinho' certamente tinha informações sobre o paradeiro de Persano e sabia como encontrá-lo, mesmo que este não fizesse ideia de que a sua vida em Londres era bem conhecida nos Estados Unidos. Persano logo entendeu a mensagem.

"Se Perro não quisesse que Persano soubesse quem pretendia matá-lo, talvez eu tivesse tido mais dificuldade para solucionar o caso. 'O cachorrinho paga o gatão.' Perro é baixinho. Persano era grande. Perro significa 'cachorro' em espanhol. Não preciso nem dizer que Persano significa 'persa' em espanhol, que é uma raça de gatos.

"Um quebra-cabeça bem engenhoso, Parker, mas, em última análise, elementar."

Um estudo de caligrafia

RING W. LARDNER

Entre as figuras proeminentes da literatura, existem diversos jornalistas esportivos. Enquanto alguns nomes célebres dessa "literatura sob pressão", como Ernest Hemingway e Jack London, ganharam fama depois de se voltarem para outras formas de prosa, alguns, entre os quais Ringgold Wilmer Lardner (1885-1933), jamais se afastaram muito dessa área.

Lardner conseguiu seu primeiro emprego como colunista esportivo ainda na adolescência e, por vários anos, passou de um jornal a outro até se firmar no *Chicago Tribune*, em 1913, jornal que ia publicar a sua coluna "In the Wake of the News". Embora seus textos se propusessem a ser jornalísticos, muitas vezes resvalavam para a sátira e, com frequência, eram totalmente ficcionais. Lardner acabou se tornando um dos maiores humoristas do país, e vários dos seus contos, especialmente sobre beisebol, tornaram-se verdadeiros clássicos. Seu primeiro livro de sucesso, *You Know Me Al* (1916), foi escrito na forma de cartas enviadas a um amigo por "Jack Keefe", jogador de beisebol de um time menos importante, usando uma linguagem peculiar e hilária.

O jornalista se decepcionou com seu amado esporte quando ficou sabendo do infame escândalo do "Black Sox": ele era muito próximo de alguns jogadores do time Chicago White Sox e sentiu-se traído quando eles participaram de um esquema para perder o jogo contra o Cincinnati Reds, no campeonato de 1919.

"Um estudo de caligrafia" foi publicado originalmente em 16 de março de 1915, na coluna "In the Wake of the News" do *Chicago Tribune* e cedido a mais de cem outros jornais.

UM ESTUDO DE CALIGRAFIA

Ring W. Lardner

— Não me agrada nada essa popularidade cada vez maior da datilografia — disse Sherlock Holmes, acomodado na poltrona mais confortável do mobiliário fornecido pela nossa senhoria, e enchendo o cachimbo, pela sexta vez em uma hora, com um tabaco particularmente fedorento. — Isso está estragando uma das melhores formas de se estudar a raça humana.

"É praticamente impossível tirar de uma carta datilografada alguma coisa relativa ao seu autor. No máximo, dá para saber se ele é bom ou não no uso da máquina. Mas a caligrafia de um homem dirá, a um observador cuidadoso, o que ele gosta ou não, de forma tão clara quanto se ele próprio o dissesse. E isso para não falar da sua ocupação, das suas características, dos seus mais íntimos pensamentos, dos seus...

— Está querendo dizer — interrompi — que pode descrever exatamente a vocação de um homem, suas peculiaridades e opiniões analisando sua caligrafia?

— Isso mesmo — respondeu o meu companheiro com um sorriso —, e, se quiser dar uma olhada no assunto, tenho certeza de que vai achar esse estudo tão interessante quanto a sua medicina e as suas cirurgias.

— Pois garanto que vou achar tudo isso uma bobagem — repliquei secamente.

— Experimente — disse Holmes, e, enfiando os dedos compridos no bolso interno do robe de chambre, tirou dali uma carta. — Dê só uma olhada — acrescentou, estendendo-a na minha direção — e conte-me o que descobriu sobre quem a escreveu.

Abri a carta sobre os joelhos e fiquei olhando por uns bons cinco minutos. Estava escrita no papel de um hotel, com uma letra graciosa e bastante legível. O conteúdo era o seguinte:

Editor: Chicago Tribune

Entre todas as baboseiras e coisas de má qualidade que já vi ou ouvi, o que é publicado sob o título "No rastro das notícias" deixa todas elas no chinelo.

Na minha opinião, se esse tal de R.W.L. fosse arrastado por essas notícias e desaparecesse no seu rastro, eu daria graças a Deus.

Decidi passar a ler um jornal diferente e, conversando com outros colegas caixeiros-viajantes, tive a impressão de que a opinião geral coincide com a minha, ou seja: L. já morreu e não sabe.

Atenciosamente,

XXXX

— Bom — disse Holmes, afinal —, o que descobriu sobre ele?

— Nada — respondi. — A não ser que tem uma letra clara e legível.

— Ah, Watson, Watson! — exclamou o meu companheiro, erguendo as mãos, horrorizado. — Onde está o seu cérebro?

— Na minha cabeça, espero — falei de forma um tanto áspera. — Mas não fico fazendo um alarde ridículo dos meus poderes de clarividência. Aliás, se não me engano, foi você quem puxou esse assunto. E, sem sombra de dúvida, é seu dever se retratar e admitir que estava dizendo bobagens, já que acho que este é o caso.

Holmes deu um sorriso discreto e, estendendo a mão, pegou de volta a carta que havia me entregado. Ficou em silêncio por alguns instantes, refletindo, e só então falou:

— Watson, se há alguma coisa que não é bobagem é isso aqui. Esse poder ou aptidão, ou seja lá que nome queira dar, tem sido de grande serventia para mim em alguns dos meus casos mais importantes. Vejo, porém, que você continua cético e, portanto, cabe a mim tentar convertê-lo. Já fiz um estudo desta carta em particular e vou expor as conclusões a que cheguei da forma mais sucinta possível.

"Para começo de conversa, sei que o autor da carta esteve recentemente em Sheboygan, no estado do Wisconsin. Está com algum tempo livre, talvez enquanto esteve hospedado no Grand Hotel (de propriedade de R.J. Warner, um estabelecimento que tem uma excelente localização, é acolhedor como uma casa, e protegido por um sistema elétrico de alarme de incêndio), ou talvez pouco depois de sair de lá. Não é um amigo pessoal do editor do *The Tribune*. Usa expressões coloquiais. Não tem paciência com determinada parte do jornal intitulada 'No rastro das notícias'. É impiedoso. É religioso. Só toma decisões depois de refletir com toda cautela e de trocar ideia com outras pessoas. É democrático. Demonstra interesse pela opinião dos colegas de trabalho e não se cansa de conversar com eles. É um vendedor ambulante. Falta-lhe consideração. Acho que é tudo. Entendeu?"

— Você é fabuloso, Holmes! — exclamei. — Mas certamente vai me dizer como chegou a determinadas conclusões. Por exemplo, como foi que deduziu que o autor da carta não tem consideração?

— Pela caligrafia, é claro — respondeu o meu companheiro. — Veja só a formação das letras nesta frase: "Decidi passar a ler um jornal diferente." Se você tivesse consideração pelos sentimentos dos outros, seria tão ríspido com o destinatário da sua carta? Não seria melhor deixar que o editor descobrisse aos poucos que ele já não era assinante do jornal?

— Mais claro impossível — admiti. — E quanto tempo você levou para dominar esse truque?

— Truque!? — exclamou Holmes, coçando a ponte do nariz aquilino com um palito de dentes de cabeça de ouro, num gesto bem nojento.

O caso de morte e mel

NEIL GAIMAN

Apontado como um dos dez escritores pós-modernos mais importantes do mundo, Neil Richard MacKinnon Gaiman (1960-) é também um dos mais queridos e populares. Sua produção literária inclui jornalismo, poesia, contos, romances, livros infantis e infantojuvenis e os quadrinhos e *graphic novels* responsáveis por sua fama inicial e talvez a maior delas.

Enquanto escrevia para a DC Comics, pediram-lhe para reviver uma personagem moribunda, o Sandman, e foi o que ele fez, transformando-o numa das séries de maior sucesso de todos os tempos. *Sandman* narra a história de Sonho, conhecido por vários nomes, inclusive Morfeu. A série teve início em janeiro de 1989 e terminou em março de 1996. O primeiro romance de Gaiman, *Belas maldições* (1990) foi escrito com Terry Pratchett; o primeiro trabalho que assinou sozinho foi uma série para a BBC intitulada *Lugar Nenhum* (1996). Entre suas várias outras obras, estão o romance fantástico/de terror *Coraline* (2002), destinado ao público infantojuvenil e que teve sua versão cinematográfica lançada em 2009 com o título *Coraline e o mundo secreto*; *Os filhos de Anansi* (2005), que ocupou o primeiro lugar da lista dos mais vendidos do *New York Times*; *Deuses americanos* (2001) e *O oceano no fim do caminho* (2013).

Seria um trabalho insano listar aqui todos os prêmios que o autor ganhou em diversos gêneros, inclusive terror, literatura fantástica, quadrinhos e livros infantis.

"O caso de morte e mel" foi publicado pela primeira vez na coletânea *A Study in Sherlock*, organizada por Laurie R. King e Leslie S. Klinger (Nova York: Bantam Books, 2011).

O CASO DE MORTE E MEL

Neil Gaiman

Por anos a fio, foi um mistério naquela região o que tinha acontecido com o velho fantasmagórico, aquele bárbaro que carregava uma enorme bolsa nas costas. Alguns supunham que ele havia sido assassinado e, mais tarde, escavaram o piso da cabaninha do Velho Gao, lá na encosta da colina, em busca de tesouros, mas não encontraram nada além de cinzas e algumas bandejinhas metálicas enegrecidas pelo fogo.

Isso foi depois que o Velho Gao desapareceu, entende. Antes que seu filho voltasse de Lijiang para levar as colmeias até o morro.

O problema é este, escreveu Holmes em 1899: tédio. E falta de interesse. Ou melhor, tudo está ficando fácil demais. Quando a alegria de solucionar crimes é o desafio, quando há a possibilidade de não poder fazê-lo, é nessas circunstâncias que os crimes apresentam algo que prendem nossa atenção. Quando, porém, todos os crimes são passíveis de serem solucionados e de forma tão simples, ora, não há motivo para tentar resolvê-los.

Veja: esse homem foi assassinado. Bom, então quer dizer que alguém o matou. Ele foi morto por um motivo ou por algumas razões: era um empecilho para alguém, tinha algo que outra pessoa desejava ou havia enfurecido qualquer um. Onde está o desafio?

Posso ler em detalhes o relato de um crime que deixou a polícia desnorteada e descobrir que já o solucionei, em boa parte, senão inteiramente, antes mesmo de ter terminado o artigo. Crimes são solucionados com uma facilidade excessiva. Eles se dissolvem. Por que chamar a polícia e solucionar seus mistérios? Continuo, então, deixando que sejam um desafio para eles, já que não o são para mim.

Só vivo quando encontro um desafio.

As abelhas nas colinas envoltas por uma névoa — colinas tão altas que há quem as chame de montanhas — zumbiam ao sol claro de verão enquanto voavam de flor em flor naquelas elevações. O Velho Gao ouvia aquele som com prazer. Seu primo, lá na aldeia do outro lado do vale, tinha dezenas e dezenas de colmeias, todas já cheinhas de mel, mesmo naquela época do ano, quando ainda era cedo. Além disso, o mel das suas abelhas era tão claro quanto jade branco. O Velho Gao não acreditava que aquele mel branco fosse mais saboroso que o amarelo ou o marrom-claro que as suas abelhas produziam, embora em pequenas quantidades, mas seu primo vendia o tal mel branco pelo dobro do preço que o Velho Gao conseguia pelo seu melhor produto.

Do lado da colina onde morava o seu primo, as abelhas eram diligentes, laboriosas, operárias de um tom marrom-dourado que traziam para as colmeias grandes quantidades de pólen e néctar. Já as do Velho Gao eram irritadiças e pretas, reluzentes como cartuchos de balas, que produziam o mel suficiente para as suas necessidades durante o inverno e só um pouquinho a mais, o bastante para o Velho Gao sair vendendo de porta em porta pela sua aldeia, e, em determinados períodos, conseguir um pequeno favo. Cobrava um pouco mais pelo favo de cria, cheio de larvas de abelhas, doces pedaços de proteína, mas isso quando tinha favo para vender, o que era raro, pois as abelhas ficavam bravas e irritadas, e só faziam o mínimo possível, mesmo quando se tratava de produzir mais abelhas. O Velho Gao, portanto, tinha plena consciência de que cada pedaço de favo que vendia correspondia a menos abelhas para fabricar o mel que ele poderia vender mais no final do ano.

O Velho Gao era tão irritadiço e ríspido quanto suas abelhas. Já foi casado, mas sua esposa morreu no parto. O filho que a matou viveu por uma semana e depois também morreu. Não haveria ninguém para recitar os ritos funerários para o Velho Gao, ninguém para limpar sua sepultura na época dos festivais ou para colocar oferendas sobre ela. Ninguém se lembraria dele quando morresse; ele seria tão imperceptível e esquecível quanto suas abelhas.

O velho forasteiro branco chegou às montanhas no fim da primavera daquele ano, assim que as estradas voltaram a ficar transitáveis, trazendo a tiracolo uma enorme bolsa marrom. O Velho Gao já ouvira falar a seu respeito quando o viu pela primeira vez.

— Tem um bárbaro procurando por abelhas — disse-lhe o primo.

O Velho Gao não falou nada. Tinha ido à casa do primo comprar um balde de favos de segunda categoria, danificados ou com paredes faltando, que logo mais teriam de ser descartados. Pagou bem barato para alimentar as próprias abelhas, e se vendesse algumas partes na cidade, ninguém ia dar nada por aquilo. Os dois estavam tomando chá na cabana do primo na encosta da colina. Quando a primavera chegava próximo do fim, época em que o primeiro mel começava a surgir, antes de qualquer geada, o primo de Gao saía da sua casa na aldeia e se mudava para a colina, para viver e dormir em meio às suas colmeias com medo de que aparecesse algum ladrão. Sua esposa e seus filhos levavam os favos e as garrafas de mel branco para vender lá embaixo.

O Velho Gao não tinha medo de ladrões. As abelhas pretas e reluzentes das suas colmeias não teriam piedade de quem as perturbasse. Ele dormia, então, na aldeia, a menos que já estivesse na época de coletar o mel.

— Vou mandar que ele o procure — disse o primo de Gao. — Responda às suas perguntas, mostre-lhe as suas abelhas e ele vai lhe pagar por isso.

— Ele fala a nossa língua?

— O dialeto dele é terrível. Disse que aprendeu com uns marinheiros e quase todos eram cantoneses. Mas ele aprende depressa, apesar de ser idoso.

O Velho Gao resmungou, nem um pouco interessado em marinheiros. A manhã já chegava ao fim e ele ainda tinha que caminhar por quatro horas, sob o calor daquele dia, para cruzar o vale até a sua aldeia. Terminou o chá. Seu primo bebia um chá muito melhor do que ele jamais conseguira comprar.

Chegou às suas colmeias antes de escurecer e pôs a maior parte dos favos quebrados nas mais fracas. Tinha onze colmeias. Seu primo tinha mais de cem. Ao fazer isso, foi picado duas vezes: uma no dorso da mão e outra na nuca. Já havia sido picado mais de mil vezes. Não saberia dizer quantas. Mal notava as picadas de outras abelhas, mas as das suas pretinhas sempre doíam, mesmo depois que o inchaço e a ardência já tinham passado.

No dia seguinte, um menino foi até a casa do Velho Gao na aldeia para lhe dizer que tinha alguém — um forasteiro gigantesco — procurando por ele. O Velho Gao limitou-se a resmungar. Com os passos firmes, foi seguindo o menino pela aldeia até que ele saiu correndo na frente e em pouco tempo tinha desaparecido.

O Velho Gao encontrou o estrangeiro sentado na varanda da casa da viúva Zhang, tomando chá. Tinha conhecido a mãe da viúva Zhang cinquenta anos atrás, pois ela tinha sido amiga da sua esposa. Mas já fazia anos que estava morta. Achava que nenhum dos conhecidos dela ainda estivesse vivo. A viúva Zhang lhe serviu uma xícara de chá, apresentou-o ao forasteiro idoso que, depois de tirar a bolsa do ombro, a tinha deixado junto à mesinha.

Ambos bebericaram o chá. Então, o estranho disse:

— Quero conhecer as suas abelhas.

A morte de Mycroft foi o fim do Império e ninguém sabia disso, a não ser nós dois. Ele estava deitado naquele quarto sem graça, coberto apenas por um fino lençol branco, como se já estivesse se tornando um fantasma da imaginação popular e só precisasse de uns furos nos olhos para completar.

Achei que a doença fosse abatê-lo, mas ele parecia maior do que nunca, com os dedos inchados feito salsichões brancos.

— Boa noite, Mycroft — falei. — Segundo o dr. Hopkins, você tem duas semanas de vida e declarou que eu não devia lhe dar esta informação sob qualquer circunstância que fosse.

— Esse sujeito é um imbecil — retrucou Mycroft, e dava para ouvir o chiado da sua respiração entre cada palavra. — Não vou chegar até sexta-feira.

— Pelo menos até sábado — falei.

— Você sempre foi otimista. Não, só até quinta à noite e, depois, não passarei de um exercício de geometria prática para Hopkins e os organizadores do funeral em Snigsby e Malterson, que, por causa dessas portas e desses corredores estreitos, vão ter dificuldade em tirar minha carcaça deste quarto e deste prédio.

— Andei pensando nisso — admiti. — Principalmente por causa da escada. Mas vão tirar as molduras da janela e baixá-lo até a rua como se fosse um grande piano.

Mycroft deu um risinho debochado ao ouvir isso.

— Estou com 54 anos, Sherlock. O governo britânico não sai da minha cabeça. Não essas bobagens de comícios e eleições, mas o negócio em si. Ninguém mais sabe o que as tropas que se movem pelas montanhas do Afeganistão têm a ver com as costas desoladas de Gales do Norte; ninguém mais tem noção do quadro completo. Imagine só a confusão que essa turma e seus filhos vão fazer com a independência da Índia...

Essa ideia nunca tinha passado pela minha cabeça.

— A Índia vai se tornar independente?

— É inevitável. No máximo, daqui a uns trinta anos. Recentemente, escrevi diversos memorandos sobre o assunto, e também sobre uma série de outros tópicos. Há memorandos sobre a Revolução Russa, que, aposto, deve ocorrer dentro de uma década; sobre a questão alemã e... ah, são tantas coisas... Não que eu espere que eles sejam lidos e compreendidos... — Mais um chiado. Os pulmões do meu irmão chacoalhavam feito as janelas de uma casa vazia. — Sabe, se eu fosse continuar vivendo, o Império Britânico poderia durar mais uns mil anos, trazendo paz e desenvolvimento para o mundo.

No passado, principalmente quando eu era criança, sempre que ouvia Mycroft fazer um desses pronunciamentos grandiosos, dizia algo para provocá-lo. Mas, agora não, não com ele no leito de morte. Além do mais, eu tinha certeza de que ele não estava se referindo ao Império em si, uma construção falível e cheia de defeitos, mas de um Império Britânico que só existia na sua mente, uma força gloriosa para a civilização e a prosperidade universal.

Eu não acredito, nem nunca acreditei, em impérios. Mas eu acreditava em Mycroft.

Mycroft Holmes. De 54 anos. Ele tinha presenciado a virada do século, mas a rainha ainda viveria alguns meses mais do que ele. Era quase trinta anos mais velha do que meu irmão, e, sob todos os aspectos, era um velho touro bem forte. Será que esse triste fim poderia ter sido evitado?

— Claro que você tem razão, Sherlock — disse Mycroft. — Se eu tivesse me esforçado para fazer exercícios. Se eu tivesse vivido à base de alpiste e folhas, em vez de comer aquelas bistecas imensas. Se eu tivesse saído para dançar com uma esposa e um cachorrinho e todas essas coisas tão diferentes da minha natureza. Talvez eu tivesse me presenteado com uns dez anos de vida, ou até um pouco mais. Mas o que isso representa no esquema geral das coisas? Quase nada. E, mais cedo ou mais tarde, minha hora teria chegado. Não. Sou da opinião que seriam necessários duzentos anos para treinar um funcionário para os serviços públicos. Imagine, então, para o serviço secreto...

Fiquei calado.

Aquele quarto esmaecido não tinha qualquer decoração nas paredes. Nenhuma das condecorações de Mycroft. Nenhuma ilustração, fotografia ou quadro. Comparei seus aposentos austeros com o meu apartamento entulhado da Baker Street e comecei a pensar, não pela primeira vez, na mente de Mycroft. Ele não precisava de nada no exterior, pois estava tudo ali dentro: tudo que ele tinha visto, tudo que tinha vivenciado, tudo que tinha lido. Se fechasse os olhos, poderia percorrer a National Gallery, esmiuçar a sala de leitura do British Museum, ou, o que era ainda mais provável, comparar relatórios de inteligência dos confins do Império com o preço da lã em Wigan e as estatísticas de desemprego em Hove, depois, a partir disso e apenas disso, determinar que um homem devia ser promovido ou que um traidor devia ser condenado a morte.

Mycroft soltou um chiado bem forte e, então, disse:

— É um crime, Sherlock.

— O que foi que você falou?

— Um crime. É um crime, meu irmão. Tão hediondo e monstruoso quanto os massacres de romances baratos que você investiga. Um crime contra o mundo, contra a natureza, contra a ordem.

— Devo admitir, meu caro, que não estou entendendo direito. O que é um crime?

— A minha morte — respondeu ele —, em termos específicos. E a morte em geral. — Ele me encarou nos olhos. — Estou falando sério — acrescentou. — Ora, não é um crime que merece ser investigado, meu caro Sherlock? Um crime que deveria prender sua atenção por mais tempo do que você levaria para descobrir que aquele pobre coitado que regia a fanfarra no Hyde Park foi assassinado pelo terceiro trompetista com uma preparação de estricnina.

— Arsênico — corrigi quase que automaticamente.

— Acho que vai acabar descobrindo — prosseguiu Mycroft, chiando — que o arsênico, embora presente na mistura, na verdade veio das lasquinhas de tinta verde da pintura do coreto e caiu na comida dele. Os sintomas do arsênico são ótimos para nos levar para o caminho errado. Não. Foi estricnina que matou o pobre coitado.

Mycroft não disse mais nada, nem naquele dia, nem em outro. Seu último suspiro foi na quinta-feira, já no final da tarde, e, na sexta, as personalidades eminentes de Snigsby e Malterson retiraram o caixão pela janela daquele quarto esmaecido e levaram com os restos mortais do meu irmão até a rua, como se fosse um grande piano.

No seu funeral, estávamos eu, meu amigo Watson, nossa prima Harriet e, obedecendo ao desejo expresso de Mycroft, mais ninguém. Os Serviços Públicos, o Ministério das Relações Exteriores e até mesmo o Clube Diógenes: todas essas instituições e seus representantes estavam ausentes. Mycroft tinha sido recluso em vida e seria igualmente recluso na morte. Portanto, lá estávamos nós três e o pároco que não o tinha conhecido e não fazia ideia de que o homem que ele estava conduzindo à sepultura era o braço mais onisciente do próprio governo britânico.

Quatro coveiros seguraram com firmeza as cordas e baixaram os restos mortais do meu irmão ao lugar do seu descanso final, e juro que fizeram o maior esforço para não reclamar do peso daquele caixão. Dei a cada um deles meia coroa de gorjeta.

Mycroft morreu aos 54 anos, e, enquanto o baixavam à sepultura, eu ainda ouvia, na minha imaginação, aquele chiado e aquela respiração entrecortada como se ele estivesse dizendo: "Ora, existe *um crime que merece ser investigado."*

O sotaque do estrangeiro não era tão ruim assim, embora seu vocabulário parecesse bastante limitado, mas, aparentemente, ele estava falando o dialeto local ou algo bem semelhante. Era um homem que aprendia depressa. O Velho Gao pigarreou e cuspiu no chão de terra. Não disse nada. Não queria levar o forasteiro para o alto da colina; não queria perturbar suas abelhas. A julgar por sua experiência, quanto menos as incomodasse, melhor elas faziam seu trabalho. E se elas picassem o tal sujeito, o que ele ia fazer?

O cabelo do estrangeiro era de um branco prateado e já bastante ralo; seu nariz, o primeiro nariz de um bárbaro que o Velho Gao já tinha visto, era enorme e recurvado, lembrando-lhe o bico de uma águia; a pele dele era tão queimada de sol quanto a do próprio Gao e tinhas rugas profundas. O Velho Gao não sabia ao certo se conseguiria interpretar sua expressão como fazia com qualquer pessoa, mas teve a impressão de que o homem era mais sério e, talvez, infeliz.

— Por quê?

— Eu estudo abelhas. Seu irmão me disse que você tem abelhas pretas e grandes. Uma espécie não muito comum.

O Velho Gao deu de ombros. Não corrigiu o outro com relação ao seu parentesco com o primo.

O forasteiro lhe perguntou se já tinha comido, e quando Gao respondeu que não, ele pediu que a viúva Zhang lhes trouxesse sopa, arroz e o que mais ela tivesse de bom na cozinha. O resultado foi um ensopado de fungos negros com legumes e um minúsculo peixe de rio transparente, pouco maior que um girino. Os dois comeram em silêncio. Quando terminaram, o estrangeiro disse:

— Eu ficaria honrado se me mostrasse suas abelhas.

O Velho Gao não disse nada, mas o outro pagou à viúva Zhang e pôs a bolsa nas costas. Então, ficou esperando. Quando o Velho Gao começou a andar, o estrangeiro foi atrás. Carregava a bolsa como se não pesasse nada. Era forte para um idoso, pensou o Velho Gao, e ficou se perguntando se todos esses bárbaros seriam tão fortes assim.

— De onde você é?

— Da Inglaterra — respondeu o forasteiro.

O Velho Gao se lembrou do pai lhe contando histórias sobre uma guerra com os ingleses, por questões de comércio e de ópio, mas aquilo tinha sido muito tempo atrás.

Começaram a subir a encosta da colina que talvez fosse a encosta de uma montanha. Era íngreme e muito rochosa para entalharem campos de plantio. O Velho Gao testou o ritmo do seu companheiro, andando mais depressa que de costume, e o outro o acompanhou, carregando a bolsa às costas.

No entanto, ele parou diversas vezes. Parou para observar flores, aquelas flores branquinhas que surgem em todo o vale no início da primavera, mas que, no final da estação, são encontradas apenas nas encostas. Havia uma abelha numa das flores e o forasteiro se ajoelhou para examiná-la. Depois, enfiou a mão no bolso, tirou uma lupa bem grande que usou para observar a abelha e fez anotações com uma letra incompreensível no bloquinho de bolso.

O Velho Gao nunca tinha visto uma lupa e se inclinou para observar a abelha tão preta, forte e diferente das outras que havia naquele vale.

— É uma das suas?

— É — respondeu o Velho Gao. — Ou é igual a elas.

— Então, temos que deixá-la seguir o caminho de casa — disse o estrangeiro, guardando a lupa sem perturbar a abelha.

The Croft
East Dene, Sussex

11 de agosto de 1922

Meu caro Watson,

Fiquei muito aborrecido com nossa discussão de hoje à tarde e, depois de muito refletir, estou disposto a mudar de opinião.

Admito que publique seu relato dos incidentes de 1903, mais especificamente do meu último caso antes da aposentadoria, mas com as seguintes condições.

Além das alterações habituais que você faria para proteger pessoas e lugares que efetivamente existem, sugiro que substitua toda a cena que encontramos (refiro-me ao jardim do professor Presbury, não vou dar mais detalhes aqui) por glândulas de macacos ou extratos para serem testados em símios ou lêmures e enviados por algum estrangeiro misterioso. Talvez o extrato obtido dos macacos tenha feito com que o professor Presbury se movesse como um símio — ou quem sabe como alguma espécie de "criatura rastejante"? — ou possa ter lhe dado a capacidade de subir pelas paredes de um prédio e em árvores. Sugiro até que ele tenha desenvolvido um rabo, mas isso deve ser excessivamente fantástico até mesmo para você, Watson, muito embora não mais fantasioso do que os floreios que sempre acrescentou às suas histórias sobre os acontecimentos da minha vida e do meu trabalho que, sem isso, ficariam muito enfadonhos.

Além do mais, escrevi o seguinte discurso que será proferido por mim mesmo no final da sua narrativa. Por favor, faça o possível para não fugir ao teor deste texto em que critico a longevidade e as necessidades tolas que levam as pessoas tolas a fazer coisas tolas para prolongar suas vidas tolas:

> Se fosse possível viver para sempre; se a juventude estivesse simplesmente aí, à nossa disposição, haveria um perigo real para a humanidade: tudo o que é material, sensual e mundano poderia prolongar sua vida inútil. O espiritual

não evitaria o chamado para algo superior. Seria a sobrevivência do menos forte. Que tipo de cloaca nosso pobre mundo não se tornaria?

Imagino que algo nesse sentido traria certa paz à minha mente. Por favor, mostre-me o texto pronto antes de mandá-lo para publicação.

Seu velho amigo e fiel servidor,
Sherlock Holmes

Lá pelo final da tarde, os dois chegaram às colmeias do Velho Gao. Eram umas caixas de madeira acinzentada empilhadas atrás de uma construção tão simples que mal poderia ser chamada de cabana. Quatro estacas, um telhado e uns pedaços de lona pendurados para proteger o local das fortes chuvas da primavera e dos temporais de verão. Um pequeno fogareiro a carvão servia tanto para aquecer (caso se estendesse uma manta sobre ele e se deitasse ali debaixo) quanto para cozinhar. Um estrado de madeira no meio do local, com um daqueles antigos travesseiros de cerâmica, servia de cama nas ocasiões em que o Velho Gao dormia ali na encosta da montanha, junto das suas abelhas, o que acontecia principalmente no outono, quando coletava a maior quantidade de mel. Era quase nada, se comparado à produção das colmeias do seu primo, mas era o bastante para, às vezes, passar dois ou três dias esperando que o favo que havia triturado e transformado numa pasta começasse a gotejar, filtrado por um pano, dentro dos baldes e dos potes que ele tinha levado para a colina. Por fim, misturava o restante, a cera pegajosa, os pedacinhos de pólen e a sujeira numa panela para extrair a cera e devolvia aquela água adocicada às abelhas. Descia, então, com o mel e os blocos de cera para vendê-los na aldeia.

Mostrou ao estrangeiro bárbaro as onze colmeias e, impassível, observou o homem cobrir o rosto com um véu e abrir uma delas, examinando primeiro as abelhas, depois o conteúdo de um alvéolo com larvas e, finalmente, a rainha, sempre usando a lupa. Não demonstrou medo nem qualquer incômodo: em tudo que fazia, os movimentos do forasteiro eram delicados e lentos, de forma que ele não foi picado, nem esmagou ou feriu nenhuma abelha. O Velho Gao ficou impressionado. Tinha certeza de que os bárbaros eram criaturas misteriosas, inescrutáveis, incapazes de serem compreendidas; aquele homem, porém, parecia felicíssimo por ter encontrado as abelhas de Gao. Inclusive, seus olhos brilhavam.

O Velho Gao acendeu o fogareiro para ferver um pouco de água. No entanto, muito antes de o carvão aquecer, o estrangeiro tirou da bolsa uma engenhoca de metal e vidro. Encheu a metade superior com água corrente, acendeu uma chama e, em pouco tempo, a água estava fumegando e borbulhando. Então, o homem pegou duas canecas de lata que também estavam na bolsa e algumas folhas de chá verde embrulhadas em papel. Jogou as folhas nas canecas e despejou água ali dentro.

Foi o melhor chá que o Velho Gao já tinha tomado: muito mais saboroso do que o do seu primo. Os dois se sentaram no chão, com as pernas cruzadas, para tomar a bebida.

— Eu gostaria de passar o verão aqui, nesta casa — disse o estrangeiro.

— Aqui? Mas isso nem é uma casa! — exclamou o Velho Gao. — Fique na aldeia. A viúva Zhang tem um quarto disponível.

— Quero ficar aqui — replicou o outro. — E também gostaria de alugar uma das suas colmeias.

Fazia muito tempo que o Velho Gao não ria. Havia gente na aldeia que achava que isso era impossível. Mesmo assim, ele riu nesse momento, uma risada espantada e divertida, coisa que ele parecia ter perdido.

— Estou falando sério — disse o estrangeiro.

Pôs quatro moedas de prata no chão, no meio dos dois. O Velho Gao não tinha percebido de onde ele as havia tirado. Eram três pesos mexicanos de prata, uma moeda que se tornara muito popular na China anos atrás, e um grande yuan também de prata. Era a quantidade de dinheiro que o velho Gao poderia ganhar vendendo mel durante um ano inteiro.

— Por essa quantia — prosseguiu o outro —, gostaria que alguém viesse me trazer comida. De três em três dias deve ser o suficiente.

O Velho Gao não disse nada. Terminou seu chá e se levantou. Afastou a lona que se abria para a clareira bem no topo da encosta. Seguiu para onde ficavam as onze colmeias: cada uma era formada por duas caixas com uma, duas, três ou até, no caso de uma, quatro melgueiras empilhadas. Levou o estrangeiro até a colmeia encimada por quatro melgueiras, cada uma delas repletas de favos.

— Esta aqui é a sua — disse ele.

Eram extratos de plantas. Aquilo era óbvio. Ao seu modo, funcionavam por um tempo limitado, mas também eram extremamente venenosos. Porém, ao observar o professor Presbury naqueles últimos dias — sua pele, seus olhos, seu andar —, me convenci de que ele não havia trilhado um caminho totalmente errado.

Peguei seu estojo com sementes, grãos, raízes e extratos já secos e pensei. Refleti. Ponderei. Cogitei. Era um problema intelectual e podia ser solucionado por meio do intelecto, como o meu velho professor de matemática sempre tentou demonstrar.

Eram extratos de plantas, e eram letais.

Os métodos que usei para torná-las não letais deixaram-nas praticamente ineficazes.

Não era um problema para três cachimbos. Eu desconfiava de que seriam necessários uns trezentos cachimbos até ter uma ideia inicial, talvez uma noção, de como processar as plantas permita que elas fossem ingeridas por seres humanos.

Não se tratava de uma linha de investigação que pudesse ser facilmente posta em prática na Baker Street. Foi por isso que, no outono de 1903, me mudei para Sussex e passei o inverno inteiro lendo todos os livros, folhetos e monografias publicados até então. Fiquei pensando na criação de abelhas e nos cuidados com elas. Então, no início de abril de 1904, contando apenas com conhecimentos teóricos, recebi de um fazendeiro local meu primeiro lote de abelhas.

Às vezes, acho que Watson não desconfiou de nada. Como sempre, a gloriosa estupidez de Watson continuava me surpreendendo e, em várias ocasiões, confiei mesmo nisso. Ainda assim, ele sabia como eu ficava quando não tinha com o que ocupar a mente, quando não tinha caso para solucionar. Ele conhecia o estado de apatia e depressão em que eu mergulhava quando não estava trabalhando em algum caso.

Como, então, podia acreditar que eu tivesse efetivamente me aposentado? Ele conhecia os meus métodos...

Na verdade, ele estava presente quando recebi minhas primeiras abelhas. Ficou olhando, de uma distância segura, enquanto eu despejava as abelhas do pacote, como se fosse um melaço caindo devagar e zumbindo dentro da colmeia vazia que esperava por elas.

Viu minha empolgação e não viu nada.

À medida que os anos passaram, fomos vendo o Império ruir, o governo incapaz de governar, aqueles pobres garotos heroicos serem mandados para morrer nas trincheiras da região de Flandres, todas essas coisas que só confirmaram minha opinião. Eu não estava fazendo a coisa certa. Estava fazendo a única coisa que havia para ser feita.

Enquanto meu rosto ia se tornando desconhecido; as juntas dos meus dedos começavam a inchar e a doer (menos do que deveriam, porém, o que atribuí às inúmeras picadas de abelhas que recebi no início do meu trabalho como apicultor); enquanto Watson, meu querido, bravo e obtuso Watson, começava a desbotar com o tempo, tornando-se pálido, encolhendo-se, ficando com a pele mais acinzentada e o bigode praticamente da mesma cor, minha decisão de concluir as pesquisas não diminuía; pelo contrário, só aumentava.

Dessa forma, minhas hipóteses iniciais foram testadas na região de South Downs, num apiário que eu mesmo planejei, onde todas as colmeias foram moldadas segundo o projeto de Langstroth. Acredito que cometi todos os erros que um apicultor principiante pode cometer ou já cometeu na vida, e também, em função das minhas investigações, uma colmeia de erros que nenhum apicultor jamais cometeu ou, tenho fé, voltará a cometer um dia. Acho que Watson teria batizado vários desses episódios como "O caso da colmeia envenenada", embora um título como "O mistério do Instituto de Mulheres Trespassadas" certamente teria chamado mais atenção para as minhas pesquisas, mesmo que ninguém se interessasse em investigar o caso. (Na verdade, repreendi a sra. Telford por ter simplesmente retirado um pote de mel da estante sem me consultar e lhe assegurei que, no futuro, ela receberia vários potes das colmeias mais regulares para usar nas receitas. Aquele mel das colmeias experimentais passou a ficar trancado assim que era recolhido. Acho que isso nunca gerou comentários.)

Fiz experimentos com abelhas holandesas, alemães e italianas, e também com abelhas vindas das regiões da Carníola e do Cáucaso. Lamentei a perda das nossas abelhas britânicas por causa de uma praga, e mesmo as que sobreviveram se misturaram a outras raças. Apesar de tudo, consegui trabalhar com uma pequena colmeia que encontrei e comprei, e que se desenvolveu a partir de um alvéolo e de uma célula da rainha originária de uma antiga abadia em Saint Albans: a meu ver, essas tinham uma ascendência britânica original.

Fiz experimentos durante boa parte de duas décadas até concluir que as abelhas que eu vinha procurando, se é que existiam, não eram encontradas na Inglaterra e não sobreviveriam à distância que teriam de percorrer para chegar às minhas mãos por uma remessa internacional. Eu precisava examinar abelhas na Índia. Talvez precisasse viajar até mais longe.

Eu tinha um conhecimento superficial de línguas.

Tinha as minhas sementes de flores, meus extratos e tinturas em xarope. Não precisava de mais nada.

Então, embalei tudo, tomei providências para que o chalé na região de Downs fosse limpo e arejado uma vez por semana, combinei com Master Wilkins — a quem, para sua óbvia tristeza, eu tinha me acostumado a chamar de "Jovem Villikins" — que ele inspecionasse as colmeias, vendesse o excesso de mel no mercado de Eastbourne e as preparasse para o inverno.

Disse-lhes que não sabia quando ia voltar.

Estou velho. Talvez ninguém espere que eu volte.

E, se for o caso, estarão certíssimos, estritamente falando.

O Velho Gao estava impressionado, para sua surpresa. Tinha passado a vida inteira entre as abelhas. Apesar disso, achava incrível ver como o estrangeiro sacudia as caixas para as abelhas saírem, com um movimento hábil dos pulsos, um jeito tão justo e preciso que elas ficavam mais espantadas do que furiosas, e simplesmente voavam ou se arrastavam de volta para as suas colmeias. Depois, ele empilhava as caixas repletas de favos em cima de uma das colmeias mais fracas e, assim, o Velho Gao continuava tendo o mel da colmeia que o outro havia alugado.

Foi assim que ele acabou ganhando um hóspede.

O Velho Gao deu algumas moedas à neta da viúva Zhang para que ela levasse comida para o forasteiro três vezes por semana: em geral, era arroz e legumes, juntamente com um pote de barro cheio — pelo menos estava cheio quando ela saía de casa — de sopa.

A cada dez dias, o próprio Gao subia a colina. No começo, ia verificar como estavam as colmeias, mas não tardou a descobrir que, com os cuidados do estrangeiro, todas as onze colmeias floresciam como nunca havia acontecido. Além disso, surgira uma décima segunda colmeia, formada a partir de um enxame de abelhas pretas que ele havia encontrado e capturado durante um passeio pelos arredores.

O Velho Gao voltou à cabana trazendo lenha. Então ele e o forasteiro passaram várias tardes trabalhando juntos sem trocar uma palavra, fazendo caixas extras para enfiar nas colmeias e construindo molduras para encher as caixas.

Certa tarde, o estrangeiro lhe disse que as molduras que estavam construindo tinham sido inventadas por um norte-americano havia apenas setenta anos. Para o Velho Gao, aquilo lhe pareceu uma grande bobagem, pois ele construía aquelas estruturas do jeito que aprendeu com o pai; era assim que todos faziam ali no vale e ele tinha certeza de que seu avô e o avô do seu avô já trabalhavam daquela forma, mas não disse nada.

Gostava da companhia daquele homem. Fabricavam colmeias juntos e o Velho Gao bem que gostaria que o estrangeiro fosse mais jovem. Assim, ficaria lá por muito tempo e ele teria para quem deixar suas colmeias quando morresse. Mas ambos eram velhos, pregando caixas juntos, com o cabelo ralo e branco, o rosto envelhecido e nenhum deles veria mais uma dúzia de invernos.

O Velho Gao percebeu que o forasteiro havia plantado um jardinzinho muito bem cuidado perto da sua colmeia, que ele tinha afastado das outras e coberto com uma tela. Havia criado também uma "porta dos fundos" para essa colmeia, de forma que só chegavam àquelas plantas as abelhas que saíssem dali. O Velho Gao também notou que, por baixo da tela, havia diversas bandejas cheias de um líquido que parecia uma solução açucarada: uma delas era de um tom vivo de vermelho, outra era verde, uma terceira, de um azul meio cintilante e outra ainda, amarela. Fez menção ao fato, mas o estrangeiro se limitou a balançar a cabeça e sorrir.

Mas as abelhas estavam lambendo os xaropes, amontoando-se nas laterais das bandejinhas de lata, usando a língua, ingerindo o conteúdo até não conseguir mais e, então, voltando para a colmeia.

O estrangeiro havia feito desenhos das abelhas do Velho Gao. Mostrou-lhe esses desenhos, tentando explicar em que elas se distinguiam de outras abelhas melíferas. Falou sobre espécies antigas preservadas em pedras por milhões de anos, mas o seu chinês não era suficiente e, para falar a verdade, o Velho Gao não estava interessado. Eram suas abelhas enquanto ele vivesse e, depois disso, seriam as abelhas daquelas encostas. Tinha trazido outras espécies para o local, mas elas adoeceram e morreram ou foram dizimadas por ataques das abelhas pretas que extraíram todo o seu mel e as deixaram morrendo de fome.

A última dessas visitas foi no fim do verão. O Velho Gao desceu a encosta da montanha e nunca mais voltou a ver o forasteiro.

Consegui.

Está funcionando. Já sinto uma estranha mistura de triunfo e desapontamento, como uma derrota, ou como se nuvens de tempestade ao longe estivessem afetando meus sentidos.

É estranho olhar para as minhas mãos e encontrar não as mãos que eu conhecia, mas as que me lembro de ter na minha juventude: articulações desinchadas e, no dorso, pelos escuros em vez de grisalhos.

Quantas pessoas essa busca já não derrotou? Era um problema sem solução aparente. Trezentos anos atrás, o primeiro imperador da China morreu e quase destruiu o império por sua causa e o que ele conseguiu com? Uns vinte anos?

Não sei se agi certo ou não (embora qualquer "aposentadoria" sem uma ocupação semelhante tivesse sido, literalmente, enlouquecedora).

Assumi a tarefa de Mycroft. Investiguei o problema. E, como era inevitável, cheguei a uma solução.

Será que devo contar para o mundo? Não. Não devo, não.

Mesmo assim, ainda tenho meio pote de mel marrom-escuro na bolsa; meio pote de mel que vale mais do que qualquer nação. (Fiquei tentado a escrever "que vale mais do que todo o chá da China", *talvez por causa da minha situação atual, mas tive medo de que até Watson desprezasse essa frase por ser um clichê.)*

E por falar em Watson...

Ainda preciso fazer uma coisa. É a única meta que me resta e não é nada ambiciosa. Preciso ir até Xangai e, de lá, pegar um navio para Southampton, a meio mundo de distância.

Quando eu chegar lá, preciso procurar Watson, se é que ele ainda está vivo — como imagino que esteja. Sei que é irracional, mas, apesar de tudo, tenho certeza de que, de uma forma ou de outra, eu descobriria se Watson tivesse partido desta para melhor.

Preciso comprar maquiagem teatral, disfarçar-me de velho para não assustá-lo, e convidá-lo para tomar um chá comigo.

E, tal como imagino, nesse chá da tarde as torradas amanteigadas serão servidas com mel.

Circulavam umas histórias sobre um bárbaro que havia passado pela aldeia em viagem rumo ao leste, mas as pessoas que contaram isso ao Velho Gao não acreditavam que pudesse ser o mesmo homem que tinha morado em sua cabana. Este outro era jovem e orgulhoso, com cabelo escuro. Não era o velho que circulara por aquela região na primavera, muito embora, segundo disse alguém, as bolsas dos dois fossem iguaizinhas.

O Velho Gao subiu a encosta da montanha para investigar, apesar de já ter ideia do que ia encontrar antes mesmo de chegar lá.

O forasteiro havia desaparecido, e a sua bolsa também.

Muita coisa, porém, tinha sido queimada. Era evidente. Papéis tinham sido queimados, o Velho Gao reconheceu a borda de um dos desenhos que o estrangeiro havia feito de uma das abelhas, mas o restante era cinza pura ou tinha queimado tanto que era impossível identificar o que quer que fosse, mesmo que o Velho Gao conseguisse ler aquela escrita bárbara. Mas não só papéis haviam sido queimados; parte da colmeia que o forasteiro alugara se tornara um monte de cinzas retorcidas e havia também uns pedaços de metal igualmente retorcidos e que deviam ser restos dos recipientes onde ficavam os tais xaropes de cores vibrantes.

Essas cores tinham sido adicionadas aos xaropes, pelo que lhe disse o forasteiro, para que pudesse identificá-los, mas o Velho Gao nunca lhe perguntou qual a finalidade disso.

Ele vasculhou a cabana feito um detetive, procurando por uma pista que lhe indicasse quem era o estranho ou qual seu paradeiro. Quatro moedas de prata haviam sido deixadas em cima do travesseiro de cerâmica — dois yuan e dois pesos —, e o Velho Gao as tirou dali.

Nos fundos da construção, ele encontrou um montinho de uma pasta já usada. As últimas abelhas do dia ainda rastejavam por ali, sugando qualquer doçura que restasse na superfície da cera pegajosa.

Depois de muito pensar, o Velho Gao pegou essa pasta, embrulhou-a num pano com todo cuidado e a guardou num pote que encheu de água. Esquentou a água no fogareiro, sem deixá-la ferver. Não tardou muito para a cera aparecer boiando na superfície, deixando as abelhas mortas, a terra, o pólen e a própolis dentro do pano.

O Velho Gao esperou esfriar.

Depois, foi lá para fora e ficou observando a lua, que já estava quase cheia. Quantos moradores da aldeia sabiam que seu filho tinha morrido ainda bebê? Lembrava-se da esposa, mas seu rosto era uma forma distante e ele não tinha nem quadros nem fotografias dela. Pensou que não havia nada na face da Terra em que ele se enquadrasse tão bem quanto o trabalho de cuidar das abelhas pretas e rápidas como uma bala ali na encosta daquela colina tão alta. Nenhum outro homem conhecia como ele o temperamento delas.

A água tinha esfriado. Ele tirou do pote a cera que se tornara um bloco sólido e a deixou na beira da cama enquanto terminava de esfriar. Tirou também o pano com a terra e as outras impurezas.

Como, lá do seu jeito, ele também era um detetive e sabia que, depois que eliminamos o impossível, o que sobra, por mais improvável que pareça, só pode ser a verdade, ele bebeu a água adocicada que tinha ficado no pote. Havia muito mel na pasta, mesmo depois que a maior parte já tinha gotejado pelo pano e sido coada. A água tinha gosto de mel, mas não se parecia com nenhum mel que o Velho Gao já tivesse provado. Tinha gosto de fumaça, de metal, flores estranhas e perfumes variados. Tinha um gosto, pensou Gao, parecido com o do sexo.

Bebeu tudo e, então, dormiu com a cabeça apoiada no travesseiro de cerâmica.

Quando acordasse, pensou, decidiria o que fazer com o primo que esperava herdar as doze colmeias da encosta.

Talvez aquele jovem que voltaria nos próximos dias fosse um filho ilegítimo. Ou talvez um filho mesmo. O Jovem Gao. Quem lembraria a essa altura? Mas isso não tinha a menor importância.

Ele iria até a cidade e, depois, voltaria e continuaria cuidando das abelhas pretas na encosta da montanha pelo tempo que os dias e as circunstâncias permitissem.

Assassinato em ré maior

ANTHONY BURGESS

Um dos maiores escritores da segunda metade do século XX, John Anthony Burgess Wilson (1917-1993) produziu 33 romances, e muitos conquistaram um enorme sucesso, mas sua obra mais famosa é *Laranja mecânica* (1962), o romance distópico em que se baseou o tão controverso, violento e perturbador filme de 1971, escrito e dirigido por Stanley Kubrick.

Sua obra inclui contos, crítica literária, roteiros, poesia, libretos, ensaios, paródias, literatura de viagem e traduções. Apesar de aclamado como romancista sofisticado e também autor de best-sellers, Burgess preferia ser considerado, antes de tudo, um compositor, tanto que produziu mais de 250 obras musicais, inclusive três sinfonias.

"Assassinato em ré maior" não foi sua única contribuição para a literatura sobre Sherlock Holmes. Na série produzida para a televisão, em 1979-1980, intitulada *Sherlock Holmes e Doutor Watson*, o nome de Burgess aparece nos créditos como autor e consultor em alguns episódios, sugerindo um nível de interesse e de conhecimento nem sempre reconhecido entre os aficionados pelo grande detetive. Nessa série, que teve 24 episódios, o papel de Holmes foi interpretado por Geoffrey Whitehead e o de Watson, por Donald Pickering. Vários desses episódios eram novas versões de outra série, também feita para a televisão em 1954-1955 e intitulada *Sherlock Holmes*, na qual Ronald Howard era Holmes e Howard Marion-Crawford era Watson.

"Assassinato em ré maior" foi inicialmente publicado no livro *The Devil's Mode*, de Anthony Burgess (Londres: Hutchinson, 1989).

ASSASSINATO EM RÉ MAIOR

Anthony Burgess

Sir Edwin Etheridge, o eminente especialista em doenças tropicais, teve a gentileza de me convidar para acompanhá-lo no exame de um dos seus pacientes na região de Marylebone. Sir Edwin estava achando que esse paciente, um rapaz que nunca tinha posto os pés fora da Inglaterra, sofria de uma enfermidade conhecida como *latah*, muito comum no arquipélago malaio, mas absolutamente desconhecida — pelo menos de acordo com os registros que, admito, nem sempre são confiáveis — no clima temperado do norte da Europa. Confirmei o diagnóstico inicial de sir Edwin: o jovem estava morbidamente sugestionável, imitando cada ato que visse ou que lhe fosse descrito, e, quando entrei no seu quarto, o encontrei exaurindo-se, convencido de que tinha se metamorfoseado numa bicicleta. Tal doença é incurável, mas intermitente: é de origem física, e não nervosa, e as crises podem ser amenizadas com repouso, solidão, opiáceos e bebidas maltadas bem quentes. Depois da consulta, enquanto eu descia a Marylebone Road, pareceu-me a coisa mais natural do mundo virar na Baker Street para visitar meu velho amigo que, segundo li no *Times*, tinha acabado de voltar de alguma missão não declarada em Marrakesh. A tal missão, como mais tarde acabou sendo revelado, foi o espantoso caso da palmeira venenosa marroquina que o mundo ainda não está preparado para ouvir.

Encontrei Holmes bastante agasalhado para um dia de julho em Londres, usando um robe de chambre, um cachecol e um turbante cravejado de joias que, como ele me diria mais tarde, tinha sido presente do mufti de Fez, oferecido para demonstrar a gratidão por um serviço prestado que meu amigo preferia não especificar. Estava bronzeado e visivelmente castigado por um calor maior que o nosso, mas, com exceção do turbante, não parecia ter ficado mais exótico durante sua temporada na terra dos Maometanos. Estava tentando inalar fumaça de um narguilé, mas acabou desistindo.

— O gosto da água de rosas é terrivelmente enjoativo, Watson — observou —, e o próprio tabaco, já muito suave, enfraquece ainda mais com o percurso que faz por esses engenhosos mas ridículos tubos.

Com um alívio visível, ele pegou um punhado do seu tabaco costumeiro dentro da chinela turca acima da lareira apagada, encheu o cachimbo recurvado, acendeu com um fósforo e então me lançou um olhar amistoso.

— Você esteve com sir Edwin Etheridge — disse ele. — Lá em St. John's Wood Road, imagino.

— Isso é incrível, Holmes! — exclamei. — Como sabe?

— Simples — respondeu o meu amigo, soltando uma baforada do cachimbo. — St. John's Wood Road é a única rua de Londres com sequoias vermelhas caducifólias e uma folha dessa árvore caiu prematuramente e está grudada na sola da sua bota esquerda. Quanto ao resto, sir Edwin Etheridge costuma chupar aquelas pastilhas de hortelã fabricadas em Baltimore como uma espécie de profilaxia. E você também chupou uma. Elas não são vendidas em Londres e não conheço nenhum outro homem que mande importá-las.

— Você é realmente notável, Holmes — comentei.

— Que nada, meu caro Watson. Andei dando uma olhada no *Times*, como você já deve ter notado, já que está amarfanhado aqui no chão. Este é um hábito feminino, suponho, mas benditas sejam as mulheres. Enfim, li com o intuito de me informar sobre os acontecimentos de importância nacional, coisa que, é claro, não desperta qualquer interesse naquele mundo fechado que é o Marrocos.

— Mas não há jornais franceses por lá?

— Há, sim, mas não noticiam nada sobre o império vizinho. Vi que vamos receber uma visita oficial do jovem rei da Espanha.

— Será sua majestade o infante Afonso XIII. — Não sei bem por que, mas tornei as coisas mais pomposas. — Acredito que sua mãe, a regente, a fascinante Maria Cristina, deverá acompanhá-lo.

— Muita gente simpatiza com o jovem monarca — disse Holmes —, principalmente aqui. Mas ele tem inimigos republicanos e anarquistas. A Espanha está numa situação de grande turbulência política, o que se reflete até mesmo na música espanhola contemporânea. — Olhou para o seu violino, que esperava por ele no estojo aberto, e, com todo carinho, começou a passar breu no arco. — Aquelas musiquinhas irritantes que ouvi dia e noite no Marrocos precisam sair da minha cabeça e dar lugar a algo mais complexo e civilizado, Watson. Só uma corda e, em geral, uma nota numa única corda. Nada que se assemelhe ao excelente Sarasate. — Começou a tocar uma melodia que, ele me garantiu, era espanhola. Mas eu podia identificar ali algo da herança mourisca daquele país, como um lamento desolado e remoto. Depois, num sobressalto, Holmes olhou para seu relógio de bolso, presente do duque de Northumberland. — Céus! — exclamou. — Vamos nos atrasar. Sarasate vai tocar agora à tarde no St. James's Hall.

Arrancou o turbante e o robe, foi a toda até o quarto de vestir para pôr um traje mais adequado para um evento em Londres. Como sempre, guardei para mim mesmo o que sentia com relação a Sarasate e, para ser sincero, com a música em geral. Eu não tinha o faro artístico de Holmes. Quanto a Sarasate, não podia negar que ele tocava maravilhosamente bem para um violinista estrangeiro, mas havia certa empáfia no seu jeito de tocar que eu achava particularmente desagradável. Holmes ignorava meus sentimentos e, envergando seu paletó de veludo azul com uma calça de tecido mais leve, num estilo meio mediterrâneo, uma camisa branca de seda encorpada e uma gravata-borboleta preta com um nó impecável, agia como se eu sentisse o mesmo prazer que ele.

— Vamos, Watson! — exclamou. — Venho tentando, do meu jeito terrivelmente amadorístico, aprender a tocar a última composição de Sarasate. Agora, o próprio mestre vai me ensinar seu segredo. O segredo do ré maior — acrescentou.

— Será que levo a minha maleta?

— Não, Watson. Não duvido que você carregue algum anestésico brando para ajudá-lo a suportar os momentos mais tediosos do recital.

E sorriu ao dizer isso, mas eu fiquei bastante constrangido ao perceber a visão tão acurada que ele tinha da minha atitude com relação à arte dos sons.

Eu tinha a impressão de que a tarde quente havia sucumbido à umidade do Mediterrâneo, como que por influência de Holmes. Foi difícil conseguir um cabriolé e, quando chegamos ao St. James's Hall, o concerto já tinha começado. Concederam-nos o privilégio especial de ir para nossos lugares no fundo da sala enquanto uma das peças estava sendo tocada. Logo me preparei para uma *siesta* mediterrânea. O grande Sarasate, do alto de seu virtuosismo, tocava no violino alguma complexa matemática de Bach acompanhado ao piano por um jovem bem-apessoado cujo tom de pele evidenciava que era tão ibérico quanto o mestre. Parecia nervoso, embora não com relação à sua habilidade com o instrumento. De vez em quando, olhava para trás, em direção à cortina que separava o palco das coxias e da área administrativa do local; de repente, porém, como se tranquilizado, voltava a se entregar de corpo e alma à música. Nesse meio-tempo, Holmes, com os olhos semicerrados, tamborilava nos próprios joelhos, marcando o ritmo da equação insuportavelmente longa que dominava o intelecto daqueles devotos da música, entre os quais vi um jovem irlandês de pele clara e barba ruiva que estava ganhando fama como crítico e polemista. Então peguei no sono.

Na verdade, dormi profundamente. E não foi a música que me acordou, mas os aplausos diante dos quais Sarasate se curvava com uma extravagância latina. Discretamente, olhei o relógio e descobri que boa parte do concerto havia escapado ao meu cérebro adormecido; deve até ter havido aplausos anteriores aos quais as minhas células cinzentas entorpecidas permaneceram incólumes. Aparentemente, Holmes não tinha percebido minha sonolência ou, caso a tenha notado, foi discreto o bastante para não me acordar nem para fazer comentários sobre a minha mais completa indiferença à arte que ele adora.

— A obra em questão — disse ele — vai começar agora, Watson.

E começou. Era uma peça selvagem na qual em momento algum menos de três ou quatro cordas entravam simultaneamente em ação, marcadas pelo ritmo que, por causa de uma breve visita a Granada, eu sabia que se chamava sapateado. Terminava com alguns acordes violentos e com uma única nota aguda que só mesmo um morcego acharia melodiosa.

— Bravo! — exclamou Holmes junto com o restante do público que aplaudia vigorosamente.

Então aquele ruído que, para mim, era uma demonstração excessiva de aprovação foi interrompido pelo som de um revólver. Viu-se a fumaça e sentiu-se o cheiro forte de alimentos fritos para o café da manhã. O jovem acompanhante gritou. Sua cabeça tombou no teclado do seu instrumento, fazendo um som terrível, e depois sua cabeça com olhos que já não enxergavam e a boca aberta de onde jorrava sangue sem parar, se ergueu, parecendo acusar o público inteiro de ter cometido um crime abominável contra a natureza. Surpreendentemente, os dedos da mão direita do moribundo pressionaram diversas vezes uma nota do teclado e, em seguida, produziu o que parecia uma sequência delirante de algumas notas diferentes que ficou repetindo e não teria parado se o chocalhar da morte não o houvesse dominado. O rapaz desabou no chão do palco. As mulheres na plateia gritaram. Nesse meio-tempo, o mestre Sarasate segurou firme seu tão valioso violino (um Stradivarius, como me diria Holmes mais tarde), como se esse fosse o alvo do tiro.

Como sempre, Holmes não tardou a agir.

— Evacuem a sala! — gritou.

O gerente do estabelecimento apareceu, trêmulo e com uma palidez cadavérica, e repetiu o mesmo comando de forma bem mais fraca. De maneira um tanto brusca, alguns funcionários surgiram para forçar o público horrorizado a ir embora dali. Ao sair, o jovem irlandês de barba ruiva acenou com a cabeça para Holmes, comentando algo sobre os dedos delicados do amador que podiam se antecipar às garras firmes dos profissionais metropolitanos, e acrescentando que era uma pena o que havia ocorrido, já que o jovem pianista espanhol parecia uma grande promessa.

— Venha, Watson — disse Holmes, indo para o palco a passos largos. — Ele perdeu muito sangue, mas pode estar vivo ainda.

Logo, porém, percebi que era tarde demais para qualquer auxílio que o conteúdo da minha maleta de médico pudesse lhe prestar. A parte de trás do seu crânio estava totalmente esfacelada.

Holmes se dirigiu a Sarasate num castelhano que me pareceu impecável, tratando-o com muita cortesia e muito respeito. Aparentemente, o violinista lhe disse que o rapaz, que se chamava Gonzáles, vinha sendo seu pianista, tanto na Espanha quanto nas turnês pelo exterior, há pouco mais de seis meses; que não sabia muita coisa sobre a sua vida, a não ser que ele ambicionava tornar-se um artista solo e um compositor e que, pelo que o mestre soubesse, não tinha nenhum inimigo pessoal. Mas há um detalhe: correram boatos desagradáveis em Barcelona sobre um caso que o jovem Gonzáles teria com uma mulher casada. No entanto, era improvável que um marido enfurecido, ou até mesmo mais de um, tivesse seguido o pianista até Londres para uma vingança tão ousada e espetacular. Parecendo distraído, Holmes concordou com a cabeça enquanto afrouxava o colarinho do morto.

— Uma atitude um tanto inútil — comentei.

Holmes não disse nada. Limitou-se a examinar a parte inferior da nuca do cadáver. Franziu o cenho. Ainda agachado, esfregou uma mão na outra como que para se limpar, e voltou a ficar de pé. Perguntou ao gerente que suava em bicas se havia alguma chance de o assassinato ter sido visto, fosse por ele mesmo ou por algum funcionário. Em caso negativo, se algum estranho teria entrado nas coxias e nos locais reservados aos artistas e ao pessoal do teatro e que ficava sob o cuidado de um ex-sargento dos fuzileiros, mas que, agora, estava protegido por um policial. Alguma ideia terrível passou de imediato pela cabeça do gerente, que, seguido por Holmes e por mim, saiu correndo por um corredor que levava a uma porta que dava para um beco lateral.

A tal porta estava desguarnecida por um motivo bem simples. Um idoso, envergando a calça de um uniforme militar, mas sem o paletó certamente por causa do calor, jazia morto, com a nuca perfurada por um tiro preciso. Pelo visto, o assassino chegara até as cortinas que separavam o palco da área dos escritórios e dos camarins.

— É absolutamente lamentável — disse o gerente, aflito — que não houvesse mais nenhum funcionário aqui nos fundos... Se bem que, por um ponto de vista mais egoísta, talvez isso não seja nada lamentável. É claro que tivemos a visita de um assassino a sangue-frio que não se deteria diante de qualquer obstáculo.

Holmes concordou com a cabeça e disse:

— Pobre Simpson. Eu o conhecia, Watson. Passou a vida conseguindo evitar ser morto por pistolas e espadas dos inimigos de Sua Majestade e acabou encontrando a morte durante uma merecida aposentadoria, enquanto folheava o jornal de esportes. Talvez... — prosseguiu ele, dirigindo-se ao gerente. — Será que o senhor poderia ter a gentileza de explicar por que o assassino só teve que enfrentar o coitado do Simpson? Em poucas palavras, onde estavam os outros funcionários do teatro?

— Essa história toda é bastante curiosa, sr. Holmes — respondeu o gerente enxugando a nuca com um lenço. — Recebi uma mensagem logo depois do início do recital, na verdade logo depois que o senhor e seu amigo sentaram-se na plateia. A mensagem dizia que o príncipe de Gales e alguns amigos estavam vindo assistir ao concerto, mas se atrasariam. Todos sabem que Sua Alteza Real é um admirador de Sarasate. Nos fundos do salão, há um pequeno camarote geralmente reservado para visitantes ilustres, como deve saber.

— Sem dúvida — disse Holmes. — Certa vez, o marajá de Johore me concedeu a honra de ser seu convidado nesse retiro exclusivo. Mas continue, por favor.

— Naturalmente, meus funcionários e eu — prosseguiu o gerente — nos reunimos na entrada do teatro e ficamos de plantão ali durante todo o recital, presumindo que nosso ilustre visitante só fosse chegar para os números finais.

E o homem continuou dizendo que, embora consideravelmente surpreso, permaneceu no vestíbulo até os aplausos finais, acatando a hipótese de que Sua Alteza Real, com a postura imperiosa, mas cordial que o caracterizava, houvesse ordenado que o violinista espanhol o brindasse com um bis na sala vazia onde só nosso futuro rei imperador estivesse presente. Tudo isso seria bastante compreensível, não fosse pelo problema essencial do crime em si.

— E a tal mensagem? — indagou Holmes. — Imagino que tenha sido por escrito. Posso vê-la?

O gerente tirou do bolso interno do paletó a folha de um bloco de notas encimada pelas armas do príncipe e assinada por um nome que todos sabiam que era o secretário particular de Sua Alteza Real. O texto era claro e polido. A data era de 7 de julho. Ao vê-la, Holmes fez um aceno de cabeça um tanto indiferente e, quando a polícia chegou, enfiou discretamente o papel num bolso lateral. O inspetor Stanley Hopkins respondeu prontamente à convocação que lhe foi levada, com uma eficiência admirável, por um dos assistentes do gerente num cabriolé bastante veloz.

— Um caso deplorável, inspetor — observou Holmes. — Dois assassinatos. O primeiro é explicado pelo segundo; para este, porém, ainda não encontramos nenhum motivo. Desejo-lhe sorte na investigação.

— O senhor não vai prestar consultoria neste caso, sr. Holmes? — perguntou o jovem inspetor que era muito inteligente.

Holmes negou com a cabeça.

No cabriolé que nos levava de volta a Baker Street, ele me disse:

— Estou demonstrando minha duplicidade habitual, Watson. Este caso me interessa muitíssimo. — Então, acrescentou com certo ar sonhador: — Stanley Hopkins, Stanley Hopkins. Esse nome me lembra o de um antigo professor que tive, Watson. Sempre volto aos meus tempos de juventude no Colégio Stoneyhurst, onde aprendi grego com um jovem padre cuja mente era de uma sensibilidade extrema. O nome dele era Gerard Manley Hopkins. — Deu uma risadinha. — Ele me fustigava com uma vela quando eu era um pocinho de obscurantismo. Mesmo assim, era o melhor entre os corvos mais jovens, sempre disposto a acertar um daqueles bolinhos bem secos com a gente lá na ágora. Nunca tinha a atitude sorrateira de ficar à socapa para aparecer de repente com aquelas sotainas escuras como faziam os outros que eram mais azucrinantes.

— Para mim, você está falando grego, Holmes — comentei.

— Os melhores dias da nossa vida, Watson — disse ele com um tom meio melancólico.

Jantamos cedo: lagosta fria e uma salada de frango regadas a um magnífico Borgonha branco bem gelado. Enquanto comíamos, Holmes se revelou profundamente preocupado com essa questão do assassinato de um estrangeiro em solo britânico ou, pelo menos, numa sala de concertos em Londres. Entregou-me a suposta mensagem real e pediu minha opinião. Li o bilhete com cuidado.

— Ele me parece perfeitamente normal — falei. — O protocolo foi cumprido, a formulação é a de praxe, ou, pelo menos, presumo que seja. Mas, como o gerente e seus funcionários foram enganados, o papel com o timbre real deve ter sido obtido através de alguma irregularidade.

— Admirável, Watson. Agora, faça o favor de examinar a data.

— É a data de hoje.

— Sem dúvida, mas o desenho do número sete não é o que seria de se esperar.

— Ah! — exclamei. — Já entendi o que quer dizer. Nós, britânicos, não cortamos o sete com esse tracinho horizontal. Este número foi escrito por alguém do continente.

— Exatamente. A mensagem foi escrita por um francês, um italiano ou, o que parece mais provável, um espanhol que tenha acesso ao papel timbrado de Sua Alteza Real. O inglês e, como você observou, a fórmula estão impecáveis. Mas o signatário não é britânico. Ele cometeu um ligeiro deslize ali. Quanto ao papel, só deve ficar disponível para alguém conceituado o bastante para ter acesso aos aposentos de Sua Alteza Real e que seja tão inescrupuloso a ponto de roubar uma folha do bloco. Alguma coisa no traçado da letra *e* nesta mensagem me leva a crer que seu signatário é espanhol.

Claro que posso estar redondamente enganado, mas duvido muito que o assassino não seja dessa nacionalidade.

— Um marido espanhol, com a impetuosidade característica da sua raça, realizando um ato sumário de vingança — afirmei.

— Não acredito que o motivo do crime tenha sido alguma questão doméstica. Você me viu afrouxar o colarinho do morto e até comentou, com uma rispidez profissional, que era um gesto inútil. Mas ignorava os meus motivos para fazer aquilo. — Holmes, que havia acendido o cachimbo, pegou um lápis e rabiscou um estranho símbolo na toalha de mesa. — Já viu algo assim, Watson? — perguntou, soltando uma baforada. Franzi a testa, fitando o tal desenho. Parecia a representação tosca de um pássaro de asas abertas, empoleirado sobre diversos traços verticais que podiam ser considerados um ninho. Balancei a cabeça. — Isto aqui, Watson, é a fênix erguendo-se das cinzas das chamas que a consumiram. É o símbolo dos separatistas catalães. Eles são republicanos, anarquistas e detestam o controle centralizador da monarquia castelhana. Este símbolo estava tatuado na nuca do homem assassinado. Ele devia ser um membro ativo de algum grupo conspirador.

— Por que resolveu procurar por isto? — perguntei.

— Totalmente por acaso, conheci um espanhol lá em Tanger que vociferava contra a monarquia que o havia exilado, e, ao enxugar a parte superior do corpo por causa do calor, revelou em seu peito uma tatuagem idêntica a esta.

— Está me dizendo — comecei, incrédulo — que ele estava despido? Ou, como dizem os franceses, que ele estava *en déshabillé*?

— Era uma casa de ópio na Kasbah, Watson — disse Holmes com toda calma. — Nesses locais, ninguém liga para os refinamentos de trajes. O sujeito me disse que a nuca é o lugar mais comum para se inscrever essa declaração de apoio à república da Catalunha, mas ele preferia o peito, onde, como declarou, podia vê-lo e sempre se lembrar do que significava. Será que, desde que a visita do jovem herdeiro espanhol a Londres foi anunciada, havia assassinos catalães circulando por aqui? Pareceu-me então natural examinar o corpo do pianista assassinado à procura de alguma indicação do seu posicionamento político.

— Então — observei —, é possível que esse jovem espanhol, tão dedicado à arte como parecia ser, se propusesse a matar o inocente e inofensivo Afonso XIII. Os serviços de inteligência da monarquia espanhola teriam, suponho, agido prontamente, embora na ilegalidade. Todas as forças da estabilidade europeia deveriam ficar agradecidas por esse futuro assassino ter sido assassinado.

— E o pobre soldado que fazia a segurança da porta? — replicou Holmes, me fitando com seus olhos penetrantes através da fumaça do seu cachimbo. — Ora, vamos, Watson! Um assassinato é sempre um crime. — E então começou a cantarolar, bem concentrado, o trecho de uma melodia que me parecia vagamente familiar. Sua repetição interminável foi interrompida pelo anúncio da chegada do inspetor Stanley Hopkins. — Eu estava esperando por ele, Watson — disse Holmes e, quando o jovem policial entrou na sala, recitou de forma desconcertante:

> "Pedi para ficar
> Onde o vento não ouse
> Silente, a vaga verde ao porto pouse;
> Longe, o clamor do mar."

Stanley Hopkins ficou boquiaberto, espantado como eu mesmo teria ficado se já não estivesse tão acostumado com o comportamento excêntrico do meu amigo. Antes que o inspetor perplexo dissesse uma palavra que fosse, Holmes declarou:

— Bom, inspetor, acredito tenha vindo até aqui triunfante.

Mas não havia nada de triunfante na atitude de Hopkins. Ele entregou a Holmes uma folha de papel escrita à mão em tinta roxa.

— Isto, sr. Holmes, foi encontrado no corpo do morto. Acho que está em espanhol, língua com a qual nem eu nem meus colegas estamos familiarizados. Suponho que o senhor esteja. Gostaria muito que nos ajudasse com a investigação traduzindo esse texto.

Holmes leu atentamente ambos os lados da folha.

— Ah, Watson — disse, enfim —, isto aqui tanto pode complicar as coisas como simplificá-las. Ainda não sei ao certo. Parece-me uma carta do pai do rapaz, implorando-lhe que pare de se intrometer nas questões dos republicanos e anarquistas e se concentre na prática da sua arte. E, com uma expressão bem batida, também apela para o testamento. Nenhum dos seus filhos que seja desleal para com a concepção de uma Espanha unificada merece herdar seu patrimônio. Pelo visto, o pai está seriamente doente e ameaça amaldiçoar, do seu leito de morte, o filho intransigente. Bem espanhol, creio eu. Altamente dramático. Alguns trechos têm um quê de árias de ópera. Precisamos do francês Bizet para musicá-los.

— Então — comecei —, pode ser que o jovem tenha anunciado que estava abandonando a causa, mas tinha informações que se propunha tornar públicas ou, no mínimo, revelar a um grupo particularmente interessado em obtê-las e foi, portanto, brutalmente assassinado antes que pudesse fazê-lo.

— Simplesmente brilhante, Watson! — disse Holmes e enrubesci ligeiramente de prazer. Era tão raro ele fazer elogios sem que houvesse algum sarcasmo... — E um indivíduo que matou duas vezes de forma tão impiedosa com toda certeza poderia matar novamente. Que providências foram tomadas pelas autoridades para garantir a segurança dos nossos visitantes reais, inspetor?

— Eles vão chegar hoje à noite, como deve saber, no último paquete vindo de Boulogne. Em Folkestone, serão imediatamente transferidos para um trem especial. Ficarão hospedados na embaixada da Espanha. Amanhã, seguem viagem para Windsor. Depois de amanhã, almoçarão com o primeiro-ministro. Haverá uma apresentação especial da opereta *Os gondoleiros*, do sr. Gilbert e do sr. Sullivan...

— Na qual se zomba da nobreza espanhola — observou Holmes. — Mas pouco importa. O senhor me forneceu o itinerário e a programação. Mas não me disse nada sobre as providências quanto à segurança.

— Eu estava chegando lá. Toda a força metropolitana vai estar ostensivamente presente em cada uma dessas ocasiões, e homens armados, à paisana, vão se espalhar por pontos estratégicos. Creio que não haja algo a temer.

— Espero que tenha razão, inspetor.

— A comitiva real vai deixar o país daqui a quatro dias, pelo barco que faz a travessia Dover-Calais e parte às 13h35. Mais uma vez, haverá um grande contingente policial tanto no porto quanto na própria embarcação. O secretário de Estado sabe da extrema importância de proteger um monarca visitante, ainda mais depois do lamentável incidente em que o czar foi cruelmente envenenado no Palácio de Cristal.

— Pessoalmente, tenho a convicção — disse Holmes, voltando a acender o cachimbo — de que o czar de todas as Rússias estava embriagado. Mais uma vez, porém, pouco importa. — Um policial uniformizado entrou. Primeiro, cumprimentou Holmes, e depois seu superior. — Esta casa está sempre aberta para os membros da força metropolitana — observou Holmes com um tom sarcástico, mas bem-humorado. — Podem entrar. Entrem todos. Seja muito bem-vindo, sargento. Suponho que traga notícias.

— Desculpe, senhor — disse o sargento e, voltando-se para Hopkins, acrescentou: — De certa forma, pegamos o sujeito, senhor.

— Como assim? Explique-se, homem! — esbravejou Hopkins.

— Bom, senhor, tem uma espécie de hotel espanhol, quer dizer, um local para onde os espanhóis vão quando querem ficar com seus conterrâneos. Fica lá em Elephant & Castle.

— Bem apropriado — observou Holmes de imediato. — Antigamente, era A Infanta de Castela. Mas com o tempo... Desculpem-me. Por favor, prossiga, sargento.

— Fomos até lá e ele deve ter ficado sabendo que estávamos chegando, pois subiu no telhado por meio de uma claraboia. São três andares. Não sabemos se escorregou ou se se jogou, senhor, mas quebrou a — do pescoço.

As convenções impressas do nosso reino determinam o uso de um travessão para indicar a expressão popular usada pelo sargento.

— Me desculpe, senhor — apressou-se em acrescentar.

— Tem certeza de que era o assassino, sargento? — perguntou Holmes.

— Bom, senhor, encontramos dinheiro espanhol com ele e também uma faca, o que eles chamam de *estilete*, e havia ainda um revólver com duas balas disparadas, senhor.

— Então, inspetor, é preciso comparar as balas retiradas dos dois cadáveres com as que continuam no tambor dessa arma. Acredito que era o nosso homem, sargento. Meus parabéns. Parece que a visita oficial de Sua Majestade, o infante, vai ocorrer sem maiores transtornos para a força metropolitana. E agora, inspetor, imagino que tenha relatórios a preencher. — Foi uma forma educada de mandar os dois visitantes embora. — Deve estar cansado, Watson — disse ele, então. — Quem sabe o sargento não faz a gentileza de apitar para chamar um cabriolé para você. Lá da rua, quero dizer. Vamos nos encontrar no Teatro Savoy às dez, com toda certeza. Imediatamente antes de as cortinas subirem. O sr. D'Oyly Carte sempre tem dois ingressos de cortesia esperando por mim na bilheteria. Vai ser interessante ver como nossos visitantes ibéricos reagem a uma farsa musical britânica.

Disse isso sem nenhuma animação, na verdade havia um tom sombrio em sua voz. E, deste modo, também fui dispensado.

Holmes e eu, envergando trajes noturnos e exibindo nossas condecorações, assistimos, como planejado, à apresentação de *Os gondoleiros*. Minhas medalhas eram bem ortodoxas, como as de qualquer veterano; Holmes, porém, tinha condecorações bem estranhas e, entre as menos ocultas, reconheci as três estrelas do Sião e a cruz retorcida da Bolívia. Tinham nos dado lugares excelentes bem próximos à orquestra. Sir Arthur Sullivan regeu a execução da própria obra. O infante parecia bem mais interessado nas instalações elétricas do que na encenação ou na música que vinham do palco, mas sua mãe reagia com demonstrações de apreciação às tiradas engraçadas que lhe eram explicadas pelo embaixador espanhol. Aquela experiência musical era muito mais condizente com o meu gosto do que o recital de Sarasate. Dei gargalhadas com as piadas mais picantes, enquanto Holmes me dava cotoveladas nas costelas; cantarolei as árias e os coros, talvez de forma bem pouco contida, afinal lady Esther Roscommon, que era uma das minhas pacientes e estava na fileira de trás, me cutucou para se queixar, com toda delicadeza, de que eu não só estava cantarolando alto demais, como também desafinava. Mas, como eu lhe disse no intervalo, nunca almejei qualquer talento musical. Quanto a Holmes, empunhando binóculos de ópera, fixava mais os olhos no público do que no que acontecia no palco.

Durante o intervalo, a comitiva real, num gesto bastante democrático, apareceu no bar do teatro. O jovem rei aceitou de muito bom grado um copo de limonada inglesa, no qual deixou a marca dos próprios lábios como qualquer criança que não fosse abençoada pela linhagem do sangue. Fiquei espantado ao ver que o grande Sarasate, envergando um traje imaculado e ostentando condecorações de ordens de vários estados estrangeiros, estava tomando uma taça de champanhe com ninguém menos que sir Arthur Sullivan. Comentei com Holmes, que fez uma reverência bem discreta para ambos e declarou que ficava impressionado ao ver um homem tão eminente na esfera da música mais sublime se dignando a se misturar socialmente com um simples promotor de entretenimento, mesmo que este houvesse sido honrado pela rainha com um título.

— Música é música — disse ele, acendendo o que julguei ser um charuto Panatela vindo de Tânger. — Ela tem várias moradas. Sir Arthur desceu ao nível que considera mais lucrativo, Watson, e não só em termos de recompensa financeira, ele também é conhecido por obras lamentáveis. Estão falando italiano. — Os ouvidos de Holmes eram muito mais aguçados que os meus. — Suas lembranças de convívio aristocrático devem soar muito mais impressionantes nessa língua do que na nossa! Mas o segundo sinal já tocou. Que desperdício para folhas tão esplêndidas!

Estava se referindo ao seu charuto que apagou, com tristeza, num dos receptáculos de latão espalhados pelo saguão.

Na segunda metade do espetáculo, Holmes dormiu profundamente. Eu não precisava mais sentir vergonha de ser um grosseirão inculto que sucumbiu ao sono durante um evento musical muito mais elevado. Afinal, como dissera Holmes, blasfemando de certa forma, a música tem várias moradas.

Na manhã seguinte, uma mensagem apressada de sir Edwin Etheridge, que me foi entregue durante o café da manhã, me convocava para outra consulta no quarto do seu paciente em St. John's Wood Road. O rapaz já não apresentava os sintomas da *latah*; parecia sofrer de uma rara doença chinesa que eu havia conhecido em Cingapura e em Hong Kong, chamada *shook jong*. Trata-se de uma enfermidade que provoca um grande sofrimento e tem uma descrição constrangedora fora de uma publicação médica, afinal seu sintoma principal é o medo que o paciente tem de que sua capacidade reprodutora esteja sendo removida por forças malignas conjuradas por uma imaginação exaltada. Para combater tais forças, que julga serem responsáveis pela redução progressiva do aparelho reprodutor, o enfermo tenta prevenir essa redução por meio de uma amputação, usando geralmente a faca mais afiada que encontrar. O único tratamento possível é a sedação profunda e, nos intervalos de consciência, uma dieta leve.

De forma muito natural, virei na Baker Street após a consulta, aproveitando o tempo bom que vinha se prolongando, com uma luminosidade decididamente hispânica. A boa sociedade de Londres parecia totalmente em paz. Holmes, usando o seu robe de chambre e um turbante mourisco, estava passando betume no arco do violino quando entrei na sala de visitas. Ele estava animadíssimo; eu, não. Fiquei um tanto nervoso diante da visão de uma doença que acreditava só existir entre os chineses, exatamente como havia ficado desconcertado quando, mais para o começo da semana, deparei com a *latah* (um pouco menos perniciosa), que considerava exclusiva de malaios histéricos. Ambas as enfermidades estavam agora se manifestando num jovem de sangue indubitavelmente anglo-saxão. Depois de desabafar, relatando a Holmes as minhas preocupações, disse, talvez com certa sabedoria:

— Provavelmente são mazelas infligidas às nossas ambições imperialistas pelos povos que sujeitamos.

— São o aspecto negativo do progresso — retrucou Holmes de forma bastante vaga, e, parecendo um pouco mais atento, prosseguiu: — Bem, Watson, parece que a visita real transcorreu sem infortúnios. As forças da dissidência ibérica não voltaram a erguer suas mãos ensanguentadas sobre o nosso solo. Apesar de tudo, ainda não estou totalmente tranquilo a este respeito. Talvez deva atribuir esta condição ao poder irracional da música. Não consigo tirar da cabeça a cena daquele rapaz infeliz caindo, enquanto sua vida se esvaía, sobre o instrumento que tocava com tanto talento e, depois, na agonia da morte, executar uma breve rapsódia de adeus que fazia pouco sentido melódico. — Passou o arco nas cordas do violino. — As notas foram estas, Watson. Eu as escrevi. Escrever algo é poder controlá-lo e, às vezes, exorcizá-lo.

Tocava olhando para um pedaço de papel que tinha apoiado no joelho direito. Uma súbita rajada de verão, um breve bafejo de julho entrou pela janela e jogou o tal papel no chão. Eu o peguei e dei uma olhada. Reconheci o traço firme de Holmes nas cinco linhas e nas notas que não significavam nada para mim. Minha atenção estava voltada para a *shook jong*. Revi a dor desesperada de um velho chinês que sofria dessa doença lá em Hong Kong. Eu o curei com o método da contrassugestão e, como prova de sua gratidão, ele me deu o único bem que tinha: uma flauta de bambu e uma pequena coletânea de canções chinesas.

— Uma pequena coletânea de canções chinesas que eu já tive — falei, quase comigo mesmo — eram simples, mas encantadoras. Achei aquelas partituras incrivelmente simples. Bem diferentes dos amontoados de bolas pretas que, devo admitir, fazem menos sentido para mim do que os letreiros de Kowloon. Eles usam apenas um sistema numérico. A primeira nota da escala é um; a segunda, dois, e assim por diante, até oito, se não me engano.

O que tinha sido um comentário inconsequente produziu um efeito espantoso em Holmes.

— Temos que correr! — exclamou ele, se levantando e arrancando o turbante e o robe. — Já devemos estar bem atrasados! — E começou a remexer nas obras de referência que ficavam na prateleira atrás da poltrona. Pegou um guia de viagem e disse: — Pelo que lembro, é às onze e quinze. Um vagão real está sendo acrescentado à composição regular que vai para Dover. Depressa, Watson! Desça enquanto me visto. Chame um cabriolé como se sua vida dependesse disso. Porque a vida de outras pessoas pode depender mesmo.

O grande relógio da estação ferroviária já marcava onze e dez quando nosso cabriolé parou. O cocheiro teve dificuldades em arranjar o troco do meu soberano.

— Fique com o troco, fique com o troco — gritei, seguindo Holmes que ainda não tinha me dito por que estávamos ali.

O local estava apinhado de gente. Por sorte, encontramos o inspetor Stanley Hopkins. Ele estava de serviço, postado bem alerta diante da grade da plataforma 12, de onde partiria o trem da balsa, e feliz da vida por toda aquela história estar chegando ao fim. A locomotiva soltava fumaça. A comitiva real já tinha embarcado. Holmes gritou em tom de urgência:

— Eles precisam ser retirados desse vagão imediatamente. Depois explico por quê.

— Impossível — replicou Hopkins, confuso. — Não posso dar uma ordem dessa.

— Então eu mesmo me encarrego de fazê-lo. Espere aqui, junto com o inspetor, Watson. Não deixe ninguém passar.

Então pulou na plataforma, gritando num espanhol fluente e num tom imperativo com os diplomatas e com o próprio embaixador, dizendo-lhes que era imprescindível que o jovem rei deixasse seu compartimento o mais rápido possível, juntamente com a mãe e toda a comitiva. Com uma impetuosidade infantil, o jovem Afonso XIII foi o primeiro a reagir ao único acontecimento empolgante daquela viagem: pulou do vagão, todo satisfeito na expectativa de uma aventura, não de um perigo efetivo. Foi só quando, seguindo as ordens peremptórias de Holmes, a comitiva real já tinha se afastado o bastante do vagão que o perigo que corriam se manifestou. Uma explosão considerável fez jorrar madeira e cacos de vidro por toda parte e, depois, só restaram a fumaça e o eco do estrondo nos confins da grande estação. Holmes correu na minha direção. Eu, obediente, tinha ficado ao lado de Hopkins diante da grade.

— Não deixaram ninguém entrar? Watson? Inspetor?

— Ninguém passou por aqui, sr. Holmes — respondeu Hopkins — a não ser...

— A não ser — falei, concluindo a frase que ele havia começado — seu maestro tão reverenciado, ou seja, o grande Sarasate.

— Sarasate? — Holmes ficou boquiaberto e, logo depois, assentiu. — Sarasate. Entendo.

— Ele estava com a comitiva do embaixador da Espanha — acrescentou Hopkins. — Entrou com eles, mas saiu logo depois, porque, segundo me disse, tinha um ensaio.

— Watson, seu tolo! Devia tê-lo detido. — Claro que a observação visava Hopkins, a quem ele se dirigiu em seguida: — Ele saiu carregando o estojo do violino?

— Não.

— Holmes! — exclamei, aborrecido. — Não vou permitir que me chame de tolo. Não diante de outras pessoas.

— Seu tolo! E vou repetir mil vezes: seu tolo! Mas, inspetor, suponho que ele estivesse com o estojo quando entrou com a comitiva da embaixada de quem veio se despedir?

— É verdade... Agora que mencionou, estava mesmo.

— Entrou com o estojo e saiu sem ele?

— Exatamente.

— Watson, seu tolo! Naquele estojo havia a bomba programada para explodir que ele colocou no compartimento real, provavelmente debaixo de um assento. E você o deixou escapar!

— Seu ídolo, Holmes! Seu deus do violino é um assassino. E não me chame de tolo!

— Para onde ele foi? — perguntou Holmes, dirigindo-se a Hopkins e ignorando minha reclamação.

— Boa pergunta, senhor — replicou o inspetor. — Para *onde* ele foi? Acredito que isso não tenha muita importância. Não deve ser difícil encontrar Sarasate.

— Para você, vai ser, sim — disse Holmes. — Ele não tinha ensaio nenhum. Não tinha mais qualquer concerto marcado neste país. Aposto que pegou um trem para Harwich, para Liverpool ou para qualquer outro porto de onde saiam navios para alguma terra fora da sua jurisdição. Claro que sempre pode telegrafar para a polícia local nas zonas portuárias, mas, a julgar por sua expressão, vejo que não tem a mínima intenção de fazer isso.

— Exatamente, sr. Holmes. Vai ser muito difícil acusá-lo de uma tentativa de massacre. É tudo uma simples suposição.

— Pois eu suponho que esteja certo, inspetor — retrucou Holmes, depois de uma longa pausa, durante a qual ficou olhando de forma sinistra para uma propaganda de sabonete Pears. — Vamos, Watson. Desculpe por tê-lo chamado de tolo.

De volta a Baker Street, Holmes tentou mais uma vez uma reconciliação ao abrir a garrafa de um conhaque bem antigo, presente de despedida de outro membro qualquer da realeza, embora, sendo maometano, seja possível supor que a posse de uma raridade dessa constituísse uma séria infração às leis da sua fé. Além disso, paira a dúvida de como ele teria incluído na sua adega uma parte dos tesouros de Napoleão que as autoridades britânicas de Santa Helena reivindicaram depois da morte do seu prisioneiro. Pois, com toda certeza, como indicavam claramente os dizeres do rótulo, aquele magnífico conhaque havia saído de um tonel que deve ter servido de consolo ao prisioneiro imperial.

— Devo confessar, Watson — disse Holmes, encarando com apreciação o líquido dourado na taça abaulada, parte de um conjunto que ganhara de um duque agradecido —, que eu estava fazendo suposições demais, presumindo, por exemplo, que você compartilhasse as minhas suspeitas. Mas você não sabia de nada, muito embora, inocentemente, tenha me fornecido a chave para a solução do mistério. Estou me referindo ao mistério do canto do cisne que o pobre rapaz assassinado dedilhou nas teclas do piano. Era a mensagem de um homem que se afogava no próprio sangue, Watson, portanto não podia falar como qualquer um de nós. Mas falou como pianista, e, como pianista, ele tinha algum conhecimento do sistema exótico de notação musical. O pai que ameaçou deserdá-lo, em vão, como foi demonstrado, havia integrado o serviço diplomático em Hong Kong. Naquela carta, se bem lembro, ele mencionava algo a respeito da educação que dera ao jovem algum conhecimento sobre a perenidade dos sistemas monárquicos, tanto na China, quanto na Rússia, e também na sua amada Espanha.

— E o que o pobre rapaz disse?

Depois de três taças daquele néctar soberbo, eu já estava suficientemente reconciliado com meu amigo.

— Em primeiro lugar, Watson, ele tocou a nota D. Não tenho o dom do ouvido perfeito, mas reconheci simplesmente porque a peça com a qual Sarasate concluiu seu recital era em D maior. O acorde final continuava nos meus ouvidos quando o rapaz moribundo tocou as teclas do piano. Ora, Watson, o que nós chamamos de D (e, por acaso, os alemães também) é chamado de ré pelos franceses, italianos e espanhóis. Em italiano, *re* quer dizer "rei", palavra bem semelhante à castelhana *rey* que significa a mesma coisa. Como fui tolo! Eu devia ter percebido que estávamos sendo alertados para algum incidente com relação ao monarca que viria nos visitar. As notas seguintes continham uma mensagem sucinta. Quebrei a cabeça em busca do possível significado, mas foi a observação que você fez hoje de manhã sobre o sistema de notação chinês através de números que me deu a resposta. E bem a tempo, devo acrescentar. Independentemente da clave em que fossem tocadas, as notas formariam a sequência numérica um-um-um-cinco (dó-dó-dó-sol, ou ré-ré-ré-lá, pouco importa). A mensagem completa era um-um-um-cinco-um-um-um-sete. A melodia criada não é lá muito interessante, uma espécie de brado deformado de uma fanfarra, mas o sentido é claríssimo agora que conhecemos o código: o rei está em perigo às onze e quinze da manhã do dia onze de julho. Eu é que fui tolo, Watson, por não perceber a importância de algo que poderia não ter passado do delírio de um moribundo, mas que, na verdade, era uma comunicação vital para quem fosse capaz de decifrá-la.

— O que o levou a suspeitar de Sarasate? — perguntei, servindo-me de mais uma dose generosa daquele licor delicioso.

— Bom, Watson, basta pensar nas origens dele. Seu nome completo é Pablo Martin Melitón de Sarasate y Navascuéz e ele é filho de Barcelona. Sendo, portanto, catalão e membro de uma família que se orgulha da uma tradição antimonarquista. Verifiquei esses dados em investigações cuidadosas na embaixada da Espanha. Na mesma ocasião, descobri o passado chinês do jovem Gonzáles que, na época, não significou nada para mim. As convicções republicanas da família Sarasate deveriam ter bastado para lançar alguma suspeita sobre ele, mas a gente sempre acha que um grande artista está, de certa forma, acima das intrigas sórdidas da política. Agora vejo que havia um sangue-frio atroz nos planos para que o assassinato do seu acompanhante fosse cometido só no final do recital. Matar o homem quando ele já tivesse desempenhado seu propósito artístico: esta deve ter sido a ordem rígida dada por Sarasate ao assassino. Não duvido que o jovem Gonzáles tenha se aberto com Sarasate, que, como seu colega músico e grande mestre, tinha aparentemente tudo para ser confiável. O rapaz deve ter lhe revelado sua intenção de trair os planos da organização. Não temos como saber o que motivou sua decisão. Talvez uma súbita demonstração de humanidade, uma tomada de consciência provocada pela carta do pai... O assassino cumpriu as ordens de Sarasate com máxima precisão. Fico tonto só de imaginar a aprovação do mestre quanto ao desfecho criminoso daquilo que foi, tenho que admitir, um concerto excepcionalmente brilhante.

— Para mim, esse brilhantismo se confirmou mais pelos aplausos alheios do que por qualquer avaliação minha. E, a meu ver, ele foi responsável por outro desempenho bem menos brilhante: a mensagem enviada pelo secretário de Sua Alteza Real e aquele exótico número sete.

— Sem dúvida, Watson. Lá no Teatro Savoy, você o viu conversando amigavelmente com sir Arthur Sullivan, um dos amigos íntimos do príncipe. *Grazie a Dio*, disse ele, entre outras coisas, que seu longo ciclo de recitais tinha se encerrado com aquela apresentação em Londres e, agora, ele poderia gozar de um merecido descanso. Como qualquer homem inescrupuloso o bastante para colaborar com um deboche pelas convenções, o sr. William Schwenck Gilbert estaria perfeitamente disposto a pegar uma ou mais folhas do bloco pessoal do príncipe e passá-las adiante sem ao menos perguntar por que alguém teria interesse naquilo.

— Bem, Holmes — falei —, estou achando que você não vai tentar fazer com que Sarasate receba a punição que merece, interrompendo sua carreira de violinista e mandando prendê-lo como o criminoso que ele é, sem dúvida.

— Com que provas, Watson? Como bem observou aquele jovem inspetor inteligente, tudo isso não passa de suposições.

— E se não fosse assim?

Holmes suspirou e pegou o violino e o arco.

— Ele é um artista supremo que o mundo não pode correr o risco de perder. Não repita minhas palavras, Watson, a nenhum dos seus amigos que frequentam a igreja, mas sou forçado a acreditar que a arte está acima da moral. Se, nesta mesma sala e diante dos meus olhos, Sarasate o estrangulasse, Watson, por causa da sua insensibilidade musical, enquanto um cúmplice me impedisse de interferir com uma pistola carregada e, depois, ele escrevesse uma confissão detalhada do crime assinada por Pablo Martin Melitón de Sarasate y Navascuéz, eu seria forçado a fechar os olhos para tal ato, rasgar a confissão, levar seu corpo para a sarjeta da Baker Street e ficar calado enquanto a polícia investigasse. Tudo isto porque o grande artista está acima dos princípios morais que oprimem os homens comuns. E, agora, Watson, sirva-se de um pouco mais desse nobre conhaque e ouça-me tocar essa peça de Sarasate. Garanto que vai achá-la menos magistral, mas com certeza perceberá o brilho da excelência da intenção.

E, então, ele se pôs de pé, organizou a estante de partitura, ajeitou o violino sob o queixo e começou reverentemente a mover o arco.

NO PRINCÍPIO

Uma noite com Sherlock Holmes

JAMES M. BARRIE

(publicado anonimamente)

Por coincidência, James Matthew Barrie e Arthur Conan Doyle, dois dos mais populares e bem-sucedidos escritores das eras Vitoriana e Eduardiana, estudaram na mesma época na Universidade de Edimburgo. A instituição exerceu grande influência sobre Doyle, pois foi lá que ele conheceu o dr. Joseph Bell, professor cujas habilidades em termos de observação e de dedução racional serviram de modelo para Sherlock Holmes.

Anos depois, Barrie e Doyle tornaram-se amigos, apesar da proximidade dos dois ter esfriado um pouco depois de um tempo, quando Barrie proibiu qualquer conversa sobre espiritualismo, tema ao qual Doyle dedicou a maior parte dos seus pensamentos e da sua energia nos vinte últimos anos de vida.

Tanto um quanto o outro publicaram livros com algum sucesso e ambos conheceram a fama e a fortuna iminente no mesmo ano, em 1891: Barrie com a publicação de *O pequeno ministro*; Doyle com a dos primeiros contos de Sherlock Holmes na *Strand Magazine* (depois dos dois primeiros romances da personagem: *Um estudo em vermelho*, de 1887, e *O signo dos quatro*, de 1890). A incrível exaltação de Holmes, Watson e Doyle que ocorreu em decorrência da publicação das histórias do detetive nessa revista (a primeira, "Um escândalo na Boêmia", saiu em julho de 1891, e as demais nos meses subsequentes) tornaram essa personagem um nome absolutamente familiar e, portanto, adequado a paródias. O primeiro autor a aproveitar a oportunidade foi Barrie, que escreveu anonimamente "Uma noite com Sherlock Holmes" apenas quatro meses depois da publicação de "Um escândalo na Boêmia". Seu texto saiu no exemplar de 28 de novembro de 1891 do *The Speaker: A Review of Politics, Lettres, Science and the Arts*, periódico londrino que teve vida breve e que também publicou obras de Oscar Wilde e de outros destaques da literatura britânica. Esta história se destaca por ser a primeira paródia de Holmes.

UMA NOITE COM SHERLOCK HOLMES

James M. Barrie

Sou um daqueles homens que se divertem fazendo qualquer coisa melhor do que outra pessoa. Daí a minha noite com Sherlock Holmes.

Sherlock Holmes é um detetive particular cujas aventuras o sr. Conan Doyle vem publicando na revista *Strand*. Para meu aborrecimento (porque odeio ouvir alguém ser elogiado, a menos que seja eu), a perspicácia, por exemplo, com que Holmes descobre, só de olhar para você, o que comeu no jantar da quinta-feira passada vem encantando a imprensa e o público, portanto achei que estava na hora de provocá-lo um pouco. Apresentei-me, então, ao sr. Conan Doyle e consegui persuadi-lo a me convidar à sua casa para conhecer Sherlock Holmes.

Para o pobre sr. Holmes, aquela acabou sendo uma noite bem movimentada. Eu estava determinado a atacá-lo com todas as armas e, seguindo meus planos, quando ele começou, cauteloso, mas com a melhor das disposições:

— Percebo, sr. Anon, pela condição do seu cortador de charutos, que o senhor não é aficionado por música.

Repliquei de forma afável:

— Sim, isso é óbvio.

O sr. Holmes, que estava numa poltrona na sua posição favorita (enrodilhado), se empertigou bruscamente e olhou, indignado, para nosso anfitrião, que se encontrava da mesma forma.

— Como é possível saber, só de olhar para o cortador de charutos do sr. Anon, que ele não é aficionado por música? — perguntou o sr. Doyle com um ar de surpresa que até parecia genuíno.

— Muito simples — respondeu o sr. Holmes, ainda me fitando, irritado.

— A coisa mais simples do mundo — concordei.

— Então, não preciso explicar?! — exclamou ele com certo desprezo.

— É totalmente desnecessário — repliquei.

Enchi o cachimbo para dar ao detetive e ao seu biógrafo a oportunidade de se entreolharem disfarçadamente e, depois, apontando para a cartola do sr. Holmes (que tinha ficado em cima da mesa), falei, com toda tranquilidade:

— Quer dizer que esteve no campo recentemente, sr. Holmes?

Ele mordeu o charuto com tanta força que a ponta acesa bateu na sua sobrancelha.

— O senhor me viu por lá? — perguntou em tom quase feroz.

— Não — respondi —, mas bastou olhar para sua cartola para saber que esteve fora da cidade.

— Rá! — exclamou ele, triunfante. — Quer dizer que foi só um palpite. Aliás…

— O senhor não levou a cartola nessa viagem — interrompi.

— Exatamente — disse ele, sorrindo.

— Mas como… — começou o sr. Conan Doyle.

— Ora — falei, na maior calma —, pode parecer impressionante para vocês que não estão acostumados a fazer deduções a partir de circunstâncias triviais — Holmes estremeceu —, mas isso não é nada para quem está sempre de olhos abertos. Assim que percebi que a cartola do sr. Holmes estava um pouco amassada na frente, como se tivesse recebido um golpe forte, soube que ele andara no campo recentemente.

— Por um bom tempo ou por uma estada breve? — indagou Holmes com sarcasmo.

(Suas boas maneiras haviam praticamente desaparecido.)

— No mínimo, uma semana — respondi.

— Verdade — replicou ele, desanimado.

— Sua cartola também me disse — prossegui — que o senhor veio até esta casa num fiacre… Não, num cabriolé.

— … — disse Sherlock Holmes.

— O senhor se importaria de ser mais explícito? — perguntou o nosso anfitrião.

— De forma alguma — repliquei. — Quando vi o amassado na cartola do sr. Holmes, soube que ele tinha esbarrado de forma inesperada em algum objeto sólido. Provavelmente o teto de um veículo onde teria esbarrado ao embarcar. Esse tipo de acidente é bem comum com os chapéus. Então, embora seu meio de transporte possa ter sido um fiacre, era mais provável que o sr. Holmes andasse de cabriolé.

— Como soube que eu estive no campo?

— Estou chegando lá. Claro que o senhor costuma usar cartola em Londres, mas, quem tem esse hábito também adquire, sem perceber, o costume de proteger seu chapéu. Vi, portanto, que esteve usando um chapéu-coco nos últimos tempos e se esqueceu de guardar a distância necessária para a altura da cartola Mas o senhor não é o tipo de homem que usaria um chapéu pequeno em Londres. Ficou óbvio, então, que tinha ido para o interior, onde os chapéus-coco são a regra, não a exceção.

O sr. Holmes, que, a cada instante, diminuía mais aos olhos do nosso anfitrião, tentou mudar de assunto.

— Hoje, enquanto eu estava almoçando num restaurante italiano — disse ele, dirigindo-se ao sr. Conan Doyle —, a forma como o garçom me entregou a conta me convenceu de que o pai dele já…

— Por falar nisso — interrompi —, lembra-se de que, quando estava saindo do restaurante, o senhor e outra pessoa quase brigaram bem na porta?

— Era o senhor?

— Se acha isso possível — falei calmamente —, tem péssima memória para rostos.

Ele resmungou qualquer coisa entre dentes.

— Foi assim que aconteceu, sr. Doyle — prossegui. — A porta do restaurante é dupla; numa está escrito "Empurre" e, na outra, "Puxe". Ora, o sr. Holmes e o estranho estavam em lados diferentes da porta e ambos a puxaram. Consequentemente, a porta não abriu até que um deles cedesse espaço para o outro. Os dois se entreolharam e foram embora.

— O senhor deve ter presenciado a cena — observou o nosso anfitrião.

— Não — repliquei —, soube disso assim que ouvi o sr. Holmes dizer que tinha ido almoçar num desses pequenos restaurantes. Todos têm essas portas com os letreiros "Empurre" e "Puxe", respectivamente. Ora, em 99 por cento dos casos, as pessoas empurram quando deveriam puxar e puxam quando deveriam empurrar. E também é muito comum alguém estar entrando no restaurante no momento em que um de nós está saindo. Daí a cena da porta. E, para concluir, o simples fato de ter cometido um erro tão tolo deixa as pessoas irritadas, e nos faz encarar o outro freguês como se a culpa fosse toda dele.

— Humm! — murmurou Holmes já furioso. — A folha deste charuto está se soltando, sr. Doyle.

— Pegue out... — começou nosso anfitrião, mas eu o interrompi.

— Posso afirmar, sr. Holmes, a partir da observação que fez, que está vindo diretamente do barbeiro.

Desta vez, ele ficou boquiaberto.

— E ele encerou seu bigode — prossegui (pois, naquela época, o sr. Holmes tinha bigode.)

— Quando me dei conta, ele já tinha começado — replicou o detetive.

— Exatamente — acrescentei — e, dentro do cabriolé, o senhor tentou desfazer esse trabalho com os dedos.

— Então — começou nosso anfitrião, entendendo tudo —, um pouco dessa cera ficou presa e está rasgando a folha do charuto!

— Isso mesmo — concordei. — Soube que ele estava vindo do barbeiro no momento em que apertei sua mão.

— Boa noite — disse o sr. Holmes, pegando a cartola (ele não é tão alto quanto me pareceu a princípio). — Tenho um encontro marcado às dez horas com um banqueiro que...

— Também andei observando isso — atalhei. — Eu sabia, pelo jeito como o senhor...

Mas ele já tinha ido embora.

Histórias que deram errado: *as aventuras de Sherlaw Kombs*

ROBERT BARR

(sob o pseudônimo de Luke Sharp)

O escritor, jornalista e contista britânico Robert Barr (1849-1912) é mais conhecido por *Os triunfos de Eugène Valmont* (1906), uma excelente coletânea de histórias sobre o detetive francês. A obra inclui uma das mais famosas e engenhosas narrativas de mistério de todos os tempos: "O círculo dos distraídos." Considerado o primeiro volume importante de histórias policiais humorísticas da literatura inglesa, a publicação foi selecionada por Ellery Queen para integrar seu trabalho pioneiro, *Queen's Quorum*, que descreve as 106 coletâneas de histórias policiais mais importantes escritas entre 1845 e 1950.

Talvez a maior contribuição de Barr para a ficção dos períodos Vitoriano e Eduardiano tenha sido o trabalho pioneiro *The Idler*, dedicado à literatura popular e que se tornou uma das principais revistas britânicas da época. Barr chamou o célebre humorista Jerome K. Jerome para ser coeditor do periódico e, em pouco tempo, estavam publicando vários dos mais importantes ilustradores e autores daquele período, tais como Mark Twain, Rudyard Kipling, Arthur Conan Doyle, E.W. Hornung, H.G. Wells e o próprio Barr. *The Idler* circulou na Grã-Bretanha de 1892 a 1911.

Como bom adepto da paródia, por duas vezes Barr escolheu Sherlock Holmes como seu alvo e foi um dos primeiros a ridicularizar o detetive, mas isto não abalou sua amizade com Conan

Doyle. Em sua autobiografia, Doyle o descreveu como "um vulcão anglo, ou melhor, escocês-americano, com um comportamento impetuoso, uma imensa riqueza de adjetivos fortes, mas, por baixo disso tudo, um coração bondoso".

"Histórias que deram errado: as aventuras de Sherlaw Kombs" foi inicialmente publicada sob o pseudônimo de Luke Sharp no exemplar de maio de 1892 da revista *The Idler*, e sua primeira edição em livro foi com o título "*The Great Pegram Mystery*", na coletânea *The Face and The Mask* organizada pelo próprio Robert Barr (Londres: Hutchinson, 1894), desta vez assinada com o nome do autor.

HISTÓRIAS QUE DERAM ERRADO: AS AVENTURAS DE SHERLAW KOMBS

Robert Barr

Fui até a casa do meu amigo Sherlaw Kombs para ouvir o que ele tinha a dizer sobre o mistério Pegram, como o caso vinha sendo chamado pelos jornais. Eu o encontrei tocando violino com uma expressão tranquila e serena, coisa que nunca tinha visto assim de tão perto. Eu sabia que essa expressão de calma angelical indicava que Kombs andava profundamente aborrecido com alguma coisa e acabei descobrindo que esse era o caso, pois um dos jornais matinais trazia uma matéria elogiando a presteza e a competência geral da Scotland Yard. O desprezo de Sherlaw Kombs por essa força policial era tão grande que ele nunca ia até lá nas férias e jamais admitiria que algo escocês possa servir para outra coisa além de exportação.

Numa atitude generosa, deixou de lado o violino, por ter uma afeição sincera por mim, e me recebeu com a gentileza de costume.

— Vim — comecei, abordando de imediato o assunto que tinha em mente — para saber o que acha do mistério de Pegram.

— Não ouvi falar — disse ele baixinho, como se Londres inteira não estivesse comentando.

Kombs era curiosamente ignorante a respeito de certos assuntos e anormalmente erudito a respeito de outros. Eu achava impossível, por exemplo, conversar sobre política com ele, já que meu amigo não sabia quem eram o marquês de Salisbury ou Gladstone. Era um detalhe que tornava sua amizade muito benéfica.

— O mistério de Pegram deixou até Gregory, da Scotland Yard, desnorteado.

— Ah, imagino... — replicou meu amigo com toda calma. — Qualquer movimento contínuo ou a quadratura do círculo deixariam Gregory desnorteado. É uma criança, esse Gregory...

Isso era algo de que sempre gostei em Kombs. Ele não sentia aquela inveja profissional que caracteriza tantos outros homens.

Encheu o cachimbo, afundou na poltrona confortável, pôs os pés no console da lareira e as mãos entrelaçadas na nuca.

— Fale-me sobre o caso. — Foi tudo que disse.

— O velho Barrie Kipson — principiei — era um corretor de ações que trabalhava na City. Morava em Pegram e tinha o costume de...

— Entre! — gritou Kombs, sem mudar de posição, mas com uma presteza que chegou a me assustar. Eu não tinha ouvido nenhuma batida. — Desculpe — disse ele, rindo —, minha reação foi um pouco prematura. Eu estava tão interessado no seu relato que falei antes de pensar, o que um detetive jamais deve fazer. Acontece que, em alguns instantes, vai chegar um sujeito aqui que vai me contar tudo sobre esse crime, portanto posso poupá-lo de gastar suas energias com isso.

— Ah, você tinha marcado com alguém. Neste caso, não quero atrapalhar — falei, me levantando.

— Sente-se. Não marquei com ninguém. Antes de mandá-lo entrar, eu nem sabia que estava vindo.

Eu o fitei, perplexo. Por mais habituado que estivesse com seus talentos extraordinários, aquele homem era, para mim, uma perpétua surpresa. Kombs continuou fumando tranquilamente, mas era óbvio que tinha gostado de me ver perturbado.

— Vejo que ficou surpreso. Mas nada poderia ser mais simples de explicar. Daqui onde estou, diante do espelho, vejo o reflexo de objetos na rua. Um homem parou, olhou para um dos meus cartões de visita e, depois, para o outro lado da rua. Reconheci meu cartão, porque, como você bem sabe, eles têm um tom vermelho-vivo. Se, como você disse, em Londres não se fala de outra coisa, é fácil deduzir que *ele* vá tocar nesse assunto e, provavelmente, quer contratar meus serviços. Qualquer um pode perceber isso. Além do mais, sempre existe... *Pode entrar!*

Desta vez, deu para ouvir um ruído na porta.

Um estranho entrou. Sherlaw Kombs não abandonou sua posição relaxada.

— Eu gostaria de ver o sr. Kombs, o detetive — disse o homem já no campo de visão do fumante.

— Este é o sr. Kombs — falei, uma vez que meu amigo continuava fumando tranquilamente e até parecia cochilar.

— Permita-me que eu me apresente — prosseguiu o estranho remexendo nos bolsos em busca de um cartão de visita.

— Não é necessário. O senhor é jornalista — disse Kombs.

— Ah! — exclamou o outro, surpreso —, quer dizer que o senhor me conhece?

— Nunca vi nem ouvi falar do senhor.

— Então como pode...

— Nada mais simples. O senhor trabalha para um jornal vespertino. Escreveu uma matéria criticando o livro de um amigo. Ele se ofendeu e o senhor lhe prestou toda solidariedade. Seu amigo nunca saberá quem o apunhalou, a menos que eu lhe conte.

— Que diabo! — bradou o jornalista, desabando numa cadeira, com o rosto lívido, e pegando um lenço para enxugar a testa.

— Exatamente — retrucou Kombs. — É o que eu diria diante de uma atitude tão vergonhosa. Mas o que fazer, como dizemos em francês...

Depois de recuperar o fôlego e se recompor até certo ponto, o visitante perguntou:

— O senhor se importaria de me dizer como nota esses detalhes em alguém que nunca viu na vida?

— Raramente faço isso — replicou Kombs, com toda compostura. — Mas, como cultivar o hábito da observação pode ser útil na profissão, e, embora esta seja uma possibilidade remota, possa até me beneficiar tornando seu jornal menos enfadonho, vou lhe dizer: seu polegar e seu indicador estão sujos de tinta, o que mostra que o senhor escreve muito. Essa categoria dos que escrevem muito se divide em duas subcategorias: a dos escriturários ou contadores, e a dos jornalistas. Os primeiros precisam fazer um trabalho muito limpo e, neste caso, pouca tinta se espalha. Seus dedos estão muito manchados e de um jeito bastante descuidado, portanto o senhor é jornalista. Está trazendo no bolso um jornal vespertino. Ninguém deveria carregar nenhum desses periódicos, mas o seu é uma edição especial que só deve ir para as ruas daqui a meia hora. Então, deve ter pegado antes de sair da redação e, para fazer isso, só pode ser um dos funcionários de lá. Uma resenha de livro está assinalada com lápis azul. Um jornalista sempre despreza qualquer artigo do seu jornal que ele não tenha escrito, portanto o senhor escreveu o artigo assinalado e, sem dúvida, está prestes a enviá-lo ao autor do livro a que se refere. Uma das especialidades do seu jornal é depreciar os livros que não são de autoria de um dos membros da redação. O fato de esse autor ser seu amigo foi mera suposição. Como vê, trata-se de um exemplo banal de observação comum...

— De fato, sr. Kombs, o senhor é o homem mais fabuloso do mundo. Sem dúvida, está no mesmo nível de Gregory... Ah, se está!

Uma ruga profunda surgiu na testa do meu amigo. Ele pôs o cachimbo na mesinha ao lado e pegou a pistola de seis tiros.

— Está pretendendo me insultar, senhor?

— Não, não... Garanto-lhe que não. O senhor poderia assumir a Scotland Yard amanhã mesmo... Estou sendo sincero. De verdade, senhor.

— Então, que Deus o ajude — bradou Kombs erguendo ostensivamente a arma.

— Não atire! — gritei. — Vai estragar o tapete. Além disso, Sherlaw, não percebe que o cavalheiro tem a melhor das intenções? Ele acredita efetivamente que está lhe fazendo um elogio.

— Talvez você tenha razão — replicou o detetive, largando a pistola ao lado do cachimbo, para grande alívio do terceiro indivíduo ali presente. Então, virando-se para este, disse, com a serenidade e a cortesia habituais: — Creio que disse que queria me ver. O que posso fazer, sr. Wilber Scribbings?

O jornalista se sobressaltou.

— Como sabe meu nome? — perguntou quase sem fôlego.

Kombs fez um gesto impaciente com a mão.

— Olhe dentro do seu chapéu se é que tem dúvidas quanto ao próprio nome.

Então percebi que dava para ver perfeitamente o nome Scribbings no chapéu que ele segurava nas mãos com a parte interna virada para a frente.

— Certamente já ouviu falar sobre o mistério de Pegram…

— Ora! — exclamou o detetive — Por favor, não chame esse caso de mistério. Isso não existe. A vida seria muito mais tolerável se *houvesse* algum mistério. Nada é original. Tudo já foi feito. O que me diz sobre o caso Pegram?

— O… há… caso Pegram tem deixado todo mundo desconcertado. O *Evening Blade* gostaria que o senhor investigasse para que o jornal pudesse publicar o resultado. O pagamento vai ser bom. O senhor aceita a proposta?

— Possivelmente. Fale sobre o caso.

— Achei que todos conhecessem os detalhes. O sr. Barrie Kipson morava em Pegram. Carregava um bilhete especial de primeira classe entre o terminal e a estação. Como de costume, voltava toda tarde para Pegram no trem das cinco e meia. Algumas semanas atrás, o sr. Kipson pegou uma gripe forte. Na sua primeira visita à City depois de recuperado, sacou cerca de trezentas libras e saiu do escritório na hora de sempre para pegar o trem das cinco e meia. Nunca mais foi visto com vida, pelo que se sabe. Foi encontrado em Brewster, num compartimento de primeira classe do Scotch Express, que não faz nenhuma parada entre Londres e Brewster. Tinha uma bala na cabeça e o dinheiro havia desaparecido, indicando claramente um caso de roubo e assassinato.

— E, se é que posso perguntar, onde está o mistério?

— Existe muita coisa inexplicável nessa história. Em primeiro lugar, por que ele estava no Scotch Express que sai às seis horas e não para em Pegram? Em segundo lugar, os funcionários encarregados de verificar as passagens o teriam impedido de embarcar quando ele mostrasse seu bilhete especial, e todos os bilhetes vendidos para o Scotch Express no dia 21 foram examinados. Em terceiro lugar, como o assassino escapou? Em quarto lugar, os passageiros dos dois compartimentos contíguos ao que o corpo foi encontrado não ouviram qualquer movimentação ou tiro disparado.

— Tem certeza de que o Scotch Express do dia 21 não parou em lugar nenhum entre Londres e Brewster?

— Agora que o senhor mencionou, na verdade parou, sim. Foi parado por um sinal nos arredores de Pegram. A parada durou só alguns minutos e, depois, quando a linha foi declarada desimpedida, prosseguiu viagem. Isso acontece com frequência, por causa do cruzamento que existe logo depois de Pegram.

O sr. Sherlaw Kombs ficou refletindo por uns instantes, fumando o cachimbo em silêncio.

— Suponho que queiram a solução a tempo para a edição de amanhã?

— Ó céus, não! O editor acha que, se o senhor tiver uma teoria em um mês, está perfeito.

— Meu caro senhor, não lido com teorias, mas com fatos. Se lhe for conveniente, passe aqui amanhã às oito. Poderei, então, lhe dar todos os detalhes necessários para a primeira edição. Não faz sentido perder tanto tempo com algo tão simples como esse caso Pegram. Boa tarde, senhor.

O sr. Scribbings ficou perplexo demais para responder ao cumprimento. Saiu sem falar absolutamente nada e o vi andar pela rua ainda com o chapéu na mão.

Sherlaw Kombs voltou à sua posição relaxada, com as mãos entrelaçadas na nuca. No começo, a fumaça saía dos seus lábios em baforadas rápidas, mas, depois, os intervalos ficaram mais espaçados. Notei que ele estava chegando a alguma conclusão, portanto não falei nada.

Por fim, ele falou daquele seu jeito totalmente sonhador.

— Não quero dar a impressão de estar apressando as coisas, Whatson, mas vou embarcar hoje à noite no Scotch Express. Você se importaria de me acompanhar?

— Pelo amor de Deus! — exclamei, olhando para o relógio. — Não vai dar tempo! Já passa das cinco!

— Temos muito tempo, Whatson... Muito tempo — murmurou ele, sem se alterar. — Vou levar um minuto e meio para tirar os chinelos e o robe de chambre, calçar as botas e vestir um casaco; três segundos para pôr o chapéu; 25 segundos para chegar à rua; 42 segundos para conseguir um cabriolé e, depois, estarei na estação sete minutos antes da partida do trem. Adoraria que viesse comigo.

Eu estava feliz da vida por ter o privilégio de acompanhá-lo. Era interessantíssimo observar o funcionamento de uma mente tão inescrutável. Enquanto andávamos sob o imponente teto metálico da estação, percebi sua expressão aborrecida.

— Chegamos quinze segundos antes — disse ele, olhando para o relógio da estação. — Não gosto quando acontecem esses erros de cálculo...

— O grande trem estava parado ali, pronto para sua longa viagem. O detetive deu um tapinha no ombro de um dos guardas.

— Suponho que tenha ouvido falar do tal mistério Pegram?

— Claro, senhor. Aconteceu exatamente neste trem.

— É mesmo? E o vagão do caso continua existindo?

— Bom, continua, sim — respondeu o guarda, baixando a voz —, mas é claro que temos que ser muito discretos a esse respeito, senhor. Caso contrário, as pessoas não iam querer viajar nele.

— Sem dúvida. Por acaso sabe se há alguém no compartimento onde o corpo foi encontrado?

— Uma senhora e um cavalheiro, senhor. Eu mesmo os levei até lá.

— Poderia me fazer um favor? — perguntou o detetive, enfiando disfarçadamente meio soberano na mão do guarda. — Pode ir até a janela e dizer aos dois, com discrição, como quem não quer nada, que a tragédia aconteceu naquele compartimento?

— Claro que sim, senhor.

Seguimos o guarda e, no momento em que ele fez a revelação, ouviu-se um grito contido vindo do vagão. De imediato, uma senhora saiu, e um cavalheiro veio atrás com o rosto bastante corado e olhou para o funcionário com um ar de repreensão. Entramos no compartimento já vazio e Kombs disse:

— Adoraríamos ficar sozinhos aqui até chegamos a Brewster.

— Vou tomar as providências necessárias, senhor — respondeu o guarda, fechando a porta.

Assim que o funcionário saiu, perguntei ao meu amigo o que ele esperava encontrar naquele vagão que pudesse lançar alguma luz sobre o caso.

— Nada. — Foi a resposta que ele me deu.

— Então, por que veio até aqui?

— Simplesmente para corroborar as conclusões a que já cheguei.

— E posso saber quais são essas conclusões?

— Claro — respondeu o detetive com um cansaço na voz. — Peço-lhe que preste atenção, antes de mais nada, ao fato de que este trem fica parado entre duas plataformas e, portanto, é possível embarcar nele por ambos os lados. Qualquer pessoa que frequente esta estação há anos saberia disso. O que mostra como o sr. Kipson entrou no trem imediatamente antes da sua partida.

— Mas a porta deste lado fica trancada — objetei, tentando abri-la.

— Claro. Mas cada portador de bilhete especial tem uma chave. Isso explica o fato de o guarda não o ter notado e também a ausência de passagem. Agora, deixe que eu lhe dê algumas explicações sobre a forte gripe. A temperatura do paciente sobe vários graus acima do normal e ele tem febre. Quando a doença passa, a temperatura cai três quartos de grau abaixo do normal. Esses dados não lhe devem ser desconhecidos, imagino, já que você é médico.

Admiti que era verdade.

— Bom, a consequência de tal queda da temperatura é que a mente convalescente começa a ter ideias suicidas. É neste momento que os amigos devem lhe dedicar todos os cuidados possíveis. Mas foi nesse instante que os amigos do sr. Barrie Kipson *não* lhe deram a devida atenção. Certamente se lembra do dia 21, não? Foi um dia muito deprimente. Havia neblina por todo lado e o chão estava coberto de lama. Pois bem, ele decide se matar. Quer evitar que o identifiquem, se possível, mas se esquece do bilhete especial. Minha experiência me diz que um indivíduo prestes a cometer um crime sempre se esquece de alguma coisa.

— Mas como explicaria o desaparecimento do dinheiro?

— O dinheiro não tem nada a ver com a história. Se fosse um homem sensato, e conhecesse a estupidez da Scotland Yard, provavelmente teria enviado aquelas notas a um inimigo. Se não, elas devem ter sido entregues a um amigo. Nada pode ser mais propício para preparar a mente para a autodestruição do que a perspectiva de passar a noite viajando no Scotch Express, e a vista das janelas do trem quando ele atravessa a zona norte de Londres é particularmente convidativa para pensamentos de aniquilação.

— O que foi feito da arma?

— É justamente quanto a este elemento que preciso confirmar algumas suposições. Com licença.

O sr. Sherlaw Kombs baixou a janela do lado direito e examinou minuciosamente as bordas com o auxílio de uma lupa. De repente, suspirou de alívio e voltou a erguer a vidraça.

— Exatamente como eu esperava — disse ele, se dirigindo mais a si mesmo do que a mim. — Há um ligeiro amassado na parte superior da moldura da janela. E é de tal natureza que só pode ter sido feito pelo gatilho de uma pistola caindo das mãos quase inertes de um suicida. Ele pretendia jogar a arma pela janela, mas não teve forças para isso. Ela poderia ter caído aqui dentro. Aliás, acredito que tenha batido nos trilhos e deve estar no mato, a pouco menos de três metros e meio do trilho externo. As únicas dúvidas que sobram são: onde o ato foi cometido e a exata posição da arma calculada em quilômetros a partir de Londres. Por sorte, isso é tão simples que nem precisa de explicações.

— Meu Deus, Sherlaw! — exclamei. — Como pode dizer que isso é simples? Para mim, parece algo impossível de ser calculado.

A essa altura, estávamos passando pela zona norte de Londres e o grande detetive se recostou no assento, fechando os olhos, dando uma nítida demonstração de *ennui*. Por fim, falou, cansado:

— É efetivamente elementar demais, Whatson, mas estou sempre disposto a satisfazer um amigo. Decerto vou ficar aliviado quando você for capaz de decifrar sozinho o ABC da investigação, muito embora eu nunca vá me negar a lhe ajudar com as palavras de mais de três sílabas. Tendo tomado a decisão de cometer suicídio, Kipson naturalmente pretendia fazê-lo antes de chegar a Brewster, porque lá as passagens voltam a ser controladas. Quando o trem começou a parar por causa do sinal próximo a Pegram, ele chegou à falsa conclusão de que estavam parando em Brewster. O fato de o tiro não ter sido ouvido é explicado por conta do ruído estridente dos freios a ar somado ao próprio barulho do trem. É provável que o apito também estivesse soando naquele momento. Sendo um trem veloz, deve parar o mais perto possível do sinal. O freio a ar garante a parada de um trem a uma distância de duas vezes o seu tamanho. Neste caso, digamos três. Pois bem. A três vezes o tamanho deste trem a partir dos postes de sinalização desde Londres, deduzindo-se metade do comprimento da extensão, já que este vagão está no meio, você vai encontrar a pistola.

— Que maravilha! — exclamei.

— Pura banalidade — murmurou ele.

Nesse instante, o apito soou estridente e sentimos o atrito dos freios a ar.

— Mais uma vez, o sinal de Pegram — afirmou Kombs, quase entusiasmado. — Isso é que é sorte! Vamos descer aqui, Whatson, e pôr essa história à prova.

Quando o trem parou, descemos pelo lado direito dos trilhos. A locomotiva ficou bufando, impaciente, sob a luz vermelha que se tornou verde na hora em que olhei. À medida que o trem voltou a se mover, numa velocidade cada vez maior, o detetive contou os vagões e anotou a quantidade. Já estava tudo escuro, e a fina linha da lua no seu quarto crescente pendendo do céu a oeste lançava uma estranha luz mortiça sobre os metais reluzentes. As lanternas traseiras do trem desapareceram numa curva e o sinal ficou vermelho novamente. A magia negra da solidão noturna naquele lugar estranho me deixou bastante impressionado, mas o detetive era um homem prático. Encostou as costas no poste do sinal e saiu andando pela via férrea, contando cada passo. Fui andando ao seu lado sem dizer nada. Por fim, ele parou e tirou uma trena do bolso. Desenrolou-a para atingir três metros e meio, olhando os números sob a luz clara da lua. Entregando-me uma das pontas, apoiou as juntas dos dedos nas barras metálicas e, com um gesto, me mandou descer pelo declive. Fui esticando a trena e, então, enfiei a mão na grama úmida para marcar o ponto certo.

— Meu Deus! — gritei, horrorizado. — O que é isso?

— É a pistola — respondeu Kombs baixinho.

E era mesmo.

A imprensa londrina não vai se esquecer tão cedo do alvoroço provocado pelo registro das investigações de Sherlaw Kombs que o *Evening Blade* publicou na íntegra no dia seguinte. E a minha história terminaria aqui. Quem dera... Num ato de desdém, Kombs entregou a pistola à Scotland Yard. Os policiais intrometidos agiram, tenho certeza, por inveja e encontraram na arma o nome do vendedor. Trataram de investigar. O vendedor testemunhou que, pelo que sabia, aquela pistola nunca estivera nas mãos do sr. Kipson. Tinha sido vendida a um criminoso que há tempos vinha sendo procurado pela polícia. O sujeito foi preso e testemunharia para a Coroa na esperança de que conseguissem enforcar seu cúmplice. Ao que parece, o sr. Kipson, que era um homem sisudo, taciturno e normalmente voltava para casa sozinho num vagão, fugindo dos olhares alheios, havia sido assassinado no caminho para a sua casa. Depois de roubá-lo, os malfeitores começaram a pensar em como se livrar do corpo, questão que sempre ocupa a mente dos melhores criminosos depois que o crime já foi cometido. Concordaram em deixá-lo na linha do trem para ser mutilado pelo Scotch Express que passaria por lá em pouco tempo. Antes que tivessem conseguido subir o aclive para colocar o corpo, o trem veio e parou. O guarda desceu e foi até o outro lado para falar com o maquinista. Logo os assassinos tiveram a ideia de deixar o corpo num vagão vazio da primeira classe. Abriram a porta com a chave do morto. Supõe-se que a pistola tenha caído quando eles estavam içando o corpo para dentro do vagão.

O estratagema da testemunha não funcionou e, num gesto ignóbil e insultante, a Scotland Yard enviou ao meu amigo Sherlaw Kombs um convite para assistir ao enforcamento de ambos os bandidos.

Sherlock Holmes vs. Conan Doyle

ANÔNIMO

As narrativas de Sherlock Holmes publicadas na revista *Strand*, entre 1891 e 1892, foram um sucesso nacional, portanto não foi surpresa alguma quando as doze primeiras foram reunidas e publicadas com o título *As aventuras de Sherlock Holmes* e o livro logo se tornou um best-seller. A primeira tiragem de dez mil exemplares saiu em 14 de outubro de 1892, mas a procura foi tanta que logo fizeram uma segunda e uma terceira tiragens. A obra nunca saiu do catálogo, seja na Grã-Bretanha ou nos Estados Unidos (onde saiu do prelo um dia depois do lançamento da edição britânica).

Com uma velocidade espantosa, a paródia escrita por um jornalista anônimo apareceu na edição de 29 de outubro de 1892 da revista londrina *The National Observer*. Esse periódico, que iniciou a sua vida como *Scots Observer*, acabou sendo transferido de Edimburgo (por coincidência, a terra natal de Arthur Conan Doyle) para Londres em 1889, e a partir de então recebeu o novo título de *National Observer*. Um dos editores era o célebre poeta William Ernest Henley. Entre os autores por eles publicados estavam Rudyard Kipling, George Bernard Shaw, Thomas Hardy, James M. Barrie, H.G. Wells e o desconhecido humorista que publicou anonimamente "Sherlock Holmes vs. Conan Doyle".

Neste breve episódio, uma das primeiríssimas paródias de Sherlock Holmes de que se tem notícia, o detetive diz o que pensa sobre o homem que parece entender tudo errado quando registra suas aventuras: Arthur Conan Doyle.

SHERLOCK HOLMES VS. CONAN DOYLE

Anônimo

Diante da recente publicação dos mais célebres casos do sr. Sherlock Holmes (como escreve o nosso redator), fui procurar o famoso detetive científico buscando elucidar, se possível, alguns dos mais conturbados e eletrizantes episódios presentes entre as suas aventuras.

Encontrei o renomado investigador, cuja fama já se espalhou pela Europa, sentando diante de uma lareira confortável nos seus aposentos mobiliados de forma aconchegante na Baker Street. Ele estava com o queixo inclinado na direção do peito, e seus olhos de lince estavam fixos no teto com aquela expressão de águia com a qual seus retratos já nos familiarizaram.

— Boa noite — disse ele quando entrei, mas não virou a cabeça nem desviou o olhar. — Não poderia ter chegado em melhor hora. Eu estava indo me deitar. Deseja me entrevistar — acrescentou e seus olhos me atravessaram de um lado a outro, literalmente.

— O senhor usa cartola aos domingos, gosta de torta de creme, o sr. William Watson é seu autor favorito e há dezessete anos e seis meses um primo seu faleceu.

— É verdade, sr. Holmes — balbuciei, totalmente atônito. — A mais absoluta verdade, mas como é possível...

— Muito simples — disse ele, sorrindo. — Além do mais, isso me salva do *ennui*. Isso e a cocaína. A vida, meu caro senhor (aliás, seu nome começa com a letra D, como vejo pelo seu lenço), só é interessante porque é misteriosa. As coisas comuns são simplesmente as que não são notáveis, e, se pudesse abrir todas as janelas e percorrer esta vasta cidade, descobriria estranhos segredos. Creio que não sou capaz de persuadi-lo da importância do improvável — acrescentou ele em tom pensativo.

— Vim até aqui, sr. Holmes... — comecei, depressa, pois, graças ao relato do dr. Conan Doyle sobre o seu fraco por esse tipo de reflexão, eu temia ser arrastado para coisas que estariam além das minhas possibilidades — Vim até aqui para lhe fazer algumas perguntas sobre o livro...

— Está se referindo — interrompeu ele — ao meu tratado sobre as 742 maneiras de dizer a palavra "maldição!".

— Não. Estou me referindo à coletânea das suas aventuras publicada pelo dr. Doyle.

— Já ouvi falar do sujeito — disse o sr. Holmes. — Faz parte do meu trabalho descobrir as coisas sobre todo tipo de gente. Mas não o conheço pessoalmente. Se olhar no meu catálogo, sob a rubrica "Plagiários"...

— Mas — objetei —, o dr. Doyle é um romancista.

— Sem dúvida, mas também é um plagiário. E da pior espécie, considerando-se que rouba da vida. Por estranho que pareça, já que não há nenhum concerto clássico esta noite, eu estava justamente começando a folhear o livro ao que o senhor se refere.

Fez um gesto em direção à mesa e voltou a se recostar na poltrona, rindo baixinho. Quando o vi juntar as pontas dos dedos das mãos e, fechando os olhos, exibir uma expressão de cansaço, imaginei o que viria pela frente. Tratei então de aproveitar a oportunidade e peguei meu caderno de anotações.

— Talvez seja até bom, meu bom homem — prosseguiu ele —, que as pessoas não se atenham à verdade; caso contrário, meu trabalho, que também é uma forma divertida de passar o tempo, não existiria. Este sujeito, um completo estranho para mim, escreveu um livro que pretende ser o relato das minhas aventuras. Na verdade, trata-se apenas de uma versão distorcida de alguns incidentes ínfimos que ocorreram durante a minha carreira profissional. Mas onde e como ele teve acesso a essas informações é algo que desconheço, embora já tenha chegado a uma conclusão.

"Percebe-se que Watson nunca conseguiria ficar de bico calado e ele era o indivíduo mais lerdo que já vi, como deve ter notado. Se um homem estivesse usando um casaco impermeável, ele perguntaria como eu sabia que não havia respingos nele. E, além disso, a Scotland Yard sempre teve inveja me mim. É possível que eles tenham me entregado.

"Mas, seja como for, isso não tem a menor importância. Aliás, o dr. Doyle, pelo que posso afirmar, também escreveu outros oito livros e aquele ali saiu originalmente sob a forma de folhetim numa revista por doze meses. Não é mesmo?"

— Certo, mas como...

— Trata-se simplesmente da faculdade da observação — replicou ele. — Ao examinar o livro, descobri isto. Também ficou óbvio que ele é um homem de poucos escrúpulos e não tem nenhum respeito pela verdade. É um indivíduo injusto, empenhado, como todos da sua classe, em fazer "cópias" sempre que der.

"Fui grosseiramente desvirtuado por ele. Acredita mesmo que eu tenha cometido aquela gafe em 'Um escândalo na Boêmia'? Imagina que eu tenha participado tão pouco em 'O polegar do engenheiro' ou em 'As faias acobreadas' como ele quer que acreditem? E supõe que eu tenha intervindo da forma tão ineficaz que ele apresenta em 'As cinco sementes de laranja'?"

— Na sua opinião, qual teria sido o objetivo dele, sr. Holmes?

O famoso detetive me encarou.

— Lucro — respondeu simplesmente.

Cheguei a me assustar.

— É — prosseguiu ele. — Tudo fica muito claro quando se descobre a explicação. Como pode ver, o livro é grande e sua edição deve ter sido cara; além do mais, foi publicado por uma editora que atinge milhões. Fica evidente, portanto, que já se previa um grande número de vendas. Por quê? Ora, supostamente, o livro contém um elemento popular e esse elemento popular sou eu.

"O que se deduz, portanto, é que esse tal de dr. Doyle deve ter ouvido falar de mim através de Watson ou da polícia. Logo percebeu que eu me encaixava no seu jogo (ou seja: dinheiro) e, depois de inventar histórias falsas a meu respeito, entregou-as a um editor igualmente inescrupuloso. Com meu nome e um relato bastante acurado dos meus casos interessantes, como 'O carbúnculo azul' ou 'A banda malhada', ele começou bem e, depois disso, qualquer outra coisa venderia também, mesmo banalidades como 'O polegar do engenheiro' ou 'O nobre solteirão'. Trata-se de um caso de degeneração moral."

— O que mais sabe sobre o dr. Doyle? — perguntei.

— É evidente que ele fuma, pois um fumante sempre atribui seu vício detestável ao seu herói. Não preciso nem dizer que nunca toquei em tabaco. É evidente também que ele não é abstêmio.

— Só mais uma pergunta e terminamos. O senhor sabe me dizer se o dr. Doyle é jovem ou velho?

O sr. Holmes se levantou e se aprumou.

— Basta eu lhe mostrar a cor do livro.

A pluma do duque

R.C. LEHMANN

(sob o pseudônimo de Cunnin Toil)

A vida plena e diversificada de Rudolph Chambers Lehmann (1856-1929) incluiu inúmeras carreiras diferentes. Ele participou da Regata Real de Henley por doze anos consecutivos (1877-1888) e chegou em último lugar em todas. Apesar disto, porém, escreveu *The Complete Oarsman* (1908), livro que, por muitos anos, foi a referência para os remadores, e trabalhou como treinador em Oxford, Cambridge, Trinity (Dublin) e Harvard.

Lehmann era advogado e foi *high sheriff*, o oficial legal responsável pelo condado de Buckinghamshire, onde sua família tinha uma propriedade grande o bastante para receber um nome: Fieldhead. Além disso, também foi eleito para o Parlamento para um mandato de quatro anos (1906-1910) como membro do Partido Liberal. Mas é na área da literatura que ele é mais lembrado atualmente. Ainda estudante de graduação na Universidade de Cambridge, foi um dos fundadores da *Granta*, revista que surgiu em 1889 e continua existindo até hoje. Por trinta anos, colaborou regularmente com a revista de humor britânica *Punch*, publicando poemas, paródias e esquetes e logo integrando seu conselho editorial. As histórias de Picklock Holes, primeira série de paródias de Sherlock Holmes, foram publicadas de agosto a novembro de 1894 e reunidas em livro em 1901, com o título *The Adventures of*

Picklock Holes. Existem ainda outras coletâneas de suas contribuições para a *Punch*, que são *A Spark Divine: A Book for Animal-Lovers* (1913) e *The Vagabond and Other Poems from Punch* (1918).

"A pluma do duque" foi inicialmente publicada na edição de 19 de agosto de 1893 dessa revista de humor. Mais tarde, e, desta vez, assinada com o nome do autor, foi parar no livro *The Adventures of Picklock Holes* (Londres: Bradbury, Agnew, 1901).

A PLUMA DO DUQUE

R.C. Lehmann

Haviam-se passado dois meses sem que eu tivesse notícias de Holes. Eu sabia que ele havia sido chamado a Irkutsk pelo czar da Rússia a fim de colaborar com a investigação do extraordinário roubo de uma das minas de prata do governo que certa noite desaparecera completa e misteriosamente. Todos os melhores cérebros da terrível polícia secreta, a terceira seção do governo do Império Russo, haviam se exaurido em vão tentando esclarecer esse mistério insondável. Seu fracasso provocou uma perigosa comoção nos domínios do czar; surgiram rumores de um vasto complô niilista que estaria prestes a abalar os alicerces da autocracia. Então, como último recurso, o monarca, que havia sido apresentado a Holes por Olga Fiaskoffskaia, a célebre agente secreta russa na corte de Lisboa, apelou para o famoso detetive, lhe pedindo que prestasse seu auxílio na solução de um crime que estava começando a tornar o grande czar branco motivo de piada em todos os bazares da Ásia Central. Holes, cuja mente brilhante andava meio ociosa nos últimos tempos, logo concordou em ajudar e a última vez que o vi foi dois meses antes do momento em que se inicia esta história, quando fui me despedir dele na estação de Charing Cross.

Já eu estava passando uma semana numa fazenda situada nos arredores do vilarejo de Blobley-in-the-Marsh. A cerca de quatro quilômetros dos portões da fazenda ficava Fourcastle Towers, a mansão ancestral do contra-almirante, duque de Dumpshire, o maior e mais estranho proprietário de terras da região. Eu conhecia superficialmente Sua Graça, a quem fui atender, quando ainda era aspirante, por ter pegado escarlatina. Desde então, voltei a vê-lo pouquíssimas vezes e, para falar a verdade, não fiz grandes esforços para conhecê-lo melhor. O duque, um dos mais arrogantes membros da aristocracia de sangue azul, estivera em praticamente todas as partes habitáveis do planeta no cumprimento das suas funções navais; eu prossegui com meus estudos de medicina e, a não ser pela visita bianual exigida pela etiqueta, praticamente não o via. Minha temporada na fazenda era um período de descanso. Andei trabalhando muito, e o velho ferimento causado por um sabre, minha única lembrança da campanha no Afeganistão, vinha me incomodando e fiquei feliz por poder deixar de lado todas as preocupações e o jaleco médico para descansar por uma semana no ambiente rústico e simples da fazenda Wurzelby.

Certa noite, dois dias depois de ter chegado, eu estava sentado na cozinha, perto do fogo, fumando. Para ficar mais confortável, havia colocado minha velha jaqueta militar. O vento do inverno soprava lá fora, mas, a não ser por isso, o único ruído que podia perturbar minha meditação era o tique-taque do relógio da cozinha. Eu estava pensando numa forma de começar o artigo sobre medicina moderna que ia escrever para a *Fortnightly Review*, quando uma ligeira tosse na altura do meu cotovelo fez com que eu me virasse. Ao meu lado, estava Picklock Holes, envolto numa daquelas peles pesadas usadas pelos mujiques. Foi ele quem rompeu o silêncio:

— Parece surpreso em me ver. Bom, talvez seja natural, mas, na verdade, meu caro amigo, você precisa usar seu tempo para coisas melhores do que tentar adivinhar o número de palavras da matéria principal do *Times* de anteontem.

Eu estava prestes a protestar, mas ele me deteve.

— Sei perfeitamente o que vai dizer, mas é inútil alegar que a vida no campo é monótona e que um homem precisa arranjar um jeito de fazer seu cérebro funcionar. Um trabalho assim é puro devaneio.

Tirou um fiapinho de lã (eu tinha cerzido algumas meias) da perna esquerda da minha calça e o examinou com curiosidade. Minha admiração por aquele homem não tinha limites...

— Foi assim que descobriu? — perguntei. — Pretende me dizer que só de ver esse fiapinho de lã na minha calça deduziu que eu estava tentando calcular o número de palavras do editorial do *Times*? Holes, Holes, será que nunca vai parar de me surpreender?

Ele não respondeu, mas exibiu o braço musculoso e injetou ali uma dose bem forte de morfina com uma seringa delicada de ouro lavrado encimada por um rubi.

— Foi um presente do czar — disse ele, respondendo à pergunta que não cheguei a formular. — Quando descobri a mina de prata desaparecida a bordo do iate do grão-duque Ivanoff, Sua Majestade Imperial me ofereceu primeiro o posto de chanceler em suas terras. Porém, me desculpei e lhe pedi esse brinquedinho. Bah! Os policiais russos são uns trapalhões...

No momento em que ele fez esse comentário, a porta se abriu e o sargento Bluff, da polícia de Dumpshire, entrou depressa.

— Mil perdões, senhor — disse ele, dirigindo-se a mim, visivelmente perturbado —, mas poderia dar um pulinho aqui fora comigo. Aconteceu algo bem estranho em...

Holes o interrompeu:

— Não diga mais nada. Veio nos falar do terrível incidente de roubo de caça em Hagley Wood. Estou sabendo de tudo e, apesar de estar cansado, vou ajudá-los a encontrar os criminosos.

Foi divertido ver a cara do sargento. Costumava ser um homem isento de emoções, mas, quando Holmes lhe disse aquilo, ficou roxo de perplexidade.

— Desculpe-me, senhor — replicou o policial —, não sabia que...

— Meu nome é Holes — declarou o meu amigo com toda calma.

— O quê?! Sr. Picklock Holes? O famoso detetive?

— Exatamente. Ao seu inteiro dispor. Mas estamos perdendo tempo. Vamos logo!

Era uma noite fria e caía uma chuva fina. Enquanto percorríamos a alameda, Holes conseguiu obter do sargento todas as informações que queria sobre a quantidade de faisões existentes na propriedade do duque, o tamanho das suas adegas, a extensão das suas posses e o nome do seu alfaiate em Londres. Bluff recuou um pouco depois do interrogatório e, com uma expressão atônita, sussurrou para mim:

— Que homem maravilhoso, esse tal de sr. Holes! Mas como é que ele sabia de um incidente de roubo de caça? *Eu mesmo não sabia de nada. Vim procurá-lo* para lhe falar do labrador que o senhor perdeu.

— Shhh — repliquei. — Não diga nada. Isso só aborreceria Holes e interferiria nas suas deduções. Ele sabe muito bem o que faz.

O sargento Bluff concordou com um grunhido; pouco depois, passamos diante dos portões de Fourcastle Towers e fomos levados até um grande saguão onde o duque nos esperava.

— A que devo a honra desta visita? — perguntou Sua Graça com toda a cortesia formal de alguém em cujas veias corre o sangue dos Cruzados. Em seguida, mudando de tom, passou a usar a linguagem feroz dos marinheiros: — Pelas barbas de Netuno! O que vocês três estão fazendo parados aqui desse jeito? Ora, que diabo, deviam...

Nunca saberemos o que ele ia dizer, pois Holmes se adiantou de repente:

— Cale-se, duque! — disse ele, em tom severo. — Viemos lhe dizer que houve um terrível incidente de caça: um roubo. O chefe do bando jaz inconsciente em Hagley Wood. Quer saber quem ele era?

Dizendo isto, ele pôs bem diante dos olhos aterrorizados do duque uma pluma da cauda de um faisão dourado.

— Encontrei isto no bolso do colete dele. — Foi tudo o que disse.

— Meu filho, meu filho! — gritou o nobre desafortunado. — Ah, Alured, Alured... Tinha que acabar assim!

E desabou no chão, com movimentos convulsivos.

— O conde Mountravers está na encruzilhada de Hagley Wood — prosseguiu Holes, dirigindo-se ao sargento. — Ele está inconsciente.

O rapaz foi condenado depois do inquérito policial e sentenciado a uma longa pena na prisão. Seu nobre pai nunca se recuperou de tal desgraça. Como de costume, Holes esclareceu o caso e sua participação nele.

— Encontrei o conde — contou-me mais tarde — no meu trajeto até sua fazenda. Quando ele ousou duvidar de uma das minhas histórias, eu o derrubei no chão. O resto foi bem fácil. Larápios? Ó céus, não havia nenhum. Mas é exatamente em casos como este que a engenhosidade entra em ação.

— Holes — falei. — Eu o admiro mais a cada dia.

O signo dos "400"

ROY L. MCCARDELL

Uma continuação de As aventuras de Sherlock Holmes

Roy L. McCardell (1870-1961), que se referia a si mesmo como o "Velho dr. McCardell", começou a escrever e a vender suas obras aos doze anos. Foi jornalista, humorista, resenhista e também compôs canções, poesia, esquetes, artigos, a peça de teatro *The Gay Life*, além de milhares de roteiros cinematográficos. *Puck*, a primeira revista humorística a fazer sucesso nos Estados Unidos, publicou seus trabalhos da adolescência. Depois que Arthur Brisbane o recrutou para o *Evening Sun*, ele continuou trabalhando para várias revistas e diversos jornais, inclusive o *New York World*. Durante a vida adulta, integrou a equipe de *Puck* e foi editor de inúmeros periódicos, como o *New Morning Telegraph* e a *Metropolitan Magazine*.

Na década de 1890, propôs a Ballard Smith, do *New York World*, que o jornal publicasse um suplemento semanal em cores aos domingos. Essa ideia logo frutificou sob a forma de *The Yellow Kid*, criado por Richard F. Outcault. O suplemento ficou famoso por ter inspirado o que passou a ser chamado de "jornalismo amarelo", publicações que usam manchetes ousadas para vender jornais, mas não trazem necessariamente notícias baseadas em fatos confirmados. Porém, *The Yellow Kid* ajudou a aumentar a circulação do *New York World,* que passou de 140.000 para 800.000 exemplares em seis meses.

McCardell geralmente é considerado o primeiro a receber salário de um estúdio cinematográfico. Na virada do século XX, ele foi contratado pela American Mutoscope and Biograph Company para produzir histórias e roteiros para filmes e escreveu mais de mil scripts, inclusive *A Fool There Was*, de 1915, estrelado por Theda Bara, cujo título em português é *Escravo de uma paixão*.

Sua prolífica carreira de escritor lhe trouxe sucesso em várias frentes, incluindo prêmios em dinheiro como vencedor de pelo menos duas competições importantes, recebendo mil dólares por um roteiro que apresentou ao *Morning Telegraph*, e dez mil dólares por *O diamante do céu*, roteiro para um seriado que foi comprado pela American Film Manufacturing Company.

"O signo dos '400': uma continuação de As aventuras de Sherlock Holmes" por anos foi creditado a R.K. Munkittrick, mas pesquisas recentes descobriram sua verdadeira autoria. O texto foi inicialmente publicado na edição de 24 de outubro de 1894 da revista *Puck*. É a única incursão de McCardell no universo de Holmes e Conan Doyle e, ao que tudo indica, a primeira paródia do detetive escrita por um norte-americano.

O SIGNO DOS "400"

Roy L. McCardell

Uma continuação de As aventuras de Sherlock Holmes

Nessa época, Holmes estava reduzindo o uso da cocaína e se injetando animadamente com morfina a 70%, sua solução favorita. De repente, bateram à porta. Era a nossa senhoria trazendo um telegrama. Holmes o abriu e o leu sem lhe dar muita atenção.

— Humm! — exclamou. — O que acha disso, Watson?

Peguei o papel e li: VENHA IMEDIATAMENTE. PRECISAMOS DO SENHOR. CHINCHBUGGE PLACE 72, S.W.

— Ora, é de Athelney Jones — observei.

— Exatamente — disse Holmes. — Chame um cabriolé.

Em pouco tempo estávamos no referido endereço. O número 72 da Chinchbugge Place era a residência citadina da viúva condessa de Coldslaw. Tratava-se de uma mansão antiquada, um pouco maltratada pelos anos. O velho chapéu enfiado numa falha do lambri de madeira da sala de desenho dava ao lugar um ar de negligência artística espontânea que nós dois percebemos ao mesmo tempo.

Athelney Jones veio nos receber na porta. Seu rosto mostrava perturbação.

— É muito estranho, cavalheiros — disse ele à guisa de saudação. — O boudoir de lady Coldslaw foi arrombado e seus célebres diamantes, roubados.

Sem dizer uma palavra, Holmes pegou sua lupa de bolso e examinou o ambiente.

— A história toda tem um ar de mistério — disse ele, baixinho.

Quando entramos na casa, lady Coldslaw estava absolutamente prostrada e não via ninguém. Fomos direto para a cena do crime. Não havia sinal de algo estranho no boudoir, a não ser as janelas e os móveis quebrados e os quadros retirados das paredes. Pelo visto, o ladrão havia tentado roubar também o papel de parede, mas não conseguiu. Tinha chovido na noite anterior e algumas pegadas enlameadas dirigiam-se à escrivaninha de onde as joias haviam sido roubadas. Por todo aposento, sentia-se um forte cheiro de charuto apagado. Com exceção desses detalhes praticamente imperceptíveis, o ladrão não tinha deixado vestígios da sua presença.

De repente, Sherlock Holmes se ajoelhou para examinar as pegadas com um estetoscópio.

— Humm! — exclamou ele. — Então, isso não lhe diz nada, Jones?

— Não, senhor — respondeu o detetive. — Mas espero que diga, pois há uma grande recompensa.

— É tudo muito simples, meu bom amigo — disse Holmes. — O roubo foi cometido às três da manhã de hoje, por um homem baixo, robusto, de meia-idade, oprimido e ligeiramente estrábico. Ele se chama Smythe e mora em Toff Terrace, nº 239.

Jones ficou perplexo.

— O quê? O major Smythe? Um dos homens mais respeitados e ricos da cidade? — questionou.

— Ele mesmo.

Em meia hora, estávamos junto à cama de Smythe. Apesar dos seus protestos, ele foi detido e levado para a prisão.

— Pelo amor de Deus, Holmes! — exclamei quando voltamos para casa. — Como resolveu esse caso com tanta facilidade?

— Ah, foi fácil. Extremamente fácil! — replicou ele. — Assim que entramos no aposento, percebi o cheiro de charuto. Era o cheiro de um cigarro que tinha sido dado a um marido pela esposa. Notei esse detalhe, pois fiz um breve estudo daquele odor. Ninguém além de um homem dominado pela esposa joga fora charutos assim. Depois, pelas pegadas, constatei que o tal indivíduo tivera apendicite. Ora, ninguém tem isso, a não ser os membros dos "400". Qual deles é dominado pela esposa e teve apendicite recentemente? O major Smythe, é claro! É um homem de meia--idade, corpulento e um pouco estrábico.

Não me contive e admirei o raciocínio do meu amigo, e lhe disse isso.

— Bom — replicou ele —, tudo é muito simples quando se sabe como fazer.

E, pelo que sabemos, foi assim que terminou o caso do assalto à mansão Coldslaw.

Devo acrescentar, porém, que a notória inveja de Jones o levou a recorrer aos mais vis estratagemas para desacreditar as descobertas do meu amigo tão habilidoso. Ele permitiu que o major Smythe apresentasse um álibi incontestável e, depois, cometeu a crueldade de deter um assaltante conhecido acusando-o do roubo sem qualquer prova e conseguiu sua condenação. Esse assaltante foi pego tentando penhorar alguns diamantes que *pareciam* fazer parte do conjunto roubado da casa em Chinchbugge Place.

Claro que Jones acabou ficando com todos os louros. Mostrei a Holmes as notícias nos jornais. Ele se limitou a rir e disse:

— Vê como são as coisas, Watson... A Scotland Yard acaba sempre merecendo a glória.

Ao perceber que ele ia começar a tocar "Sweet Marie" no violino, tratei de me injetar uma dose de morfina.

SEM HOLMES

Codeína (7%)

CHRISTOPHER MORLEY

Um dos maiores eruditos da história da literatura americana, Christopher Morley (1890-1957) foi romancista, poeta, contista, jornalista, dramaturgo e crítico literário, e a maioria de suas obras revelava delicadeza de espírito e um arraigado moralismo. No entanto, mais importantes do que qualquer outro aspecto de seu trabalho foram os livros e a alegria por eles proporcionada. Morley foi editor das *Familiar Quotations*, de Bartlett, e jurado do Book-of-the-Month Club por quase três décadas.

Seu primeiro romance, *Parnassus on Wheels* (1917), é a delicada história de um vendedor de livros e sua livraria puxada a cavalos com a qual ele viaja por toda a Nova Inglaterra. Quase uma continuação é *The Haunted Bookshop* (1919), cuja trama é um pouco mais movimentada e envolve o mesmo gentil e heroico livreiro e uma tentativa de assassinato do presidente Woodrow Wilson.

Os fãs de Sherlock Holmes estarão para sempre em débito com Morley, em diversas áreas. Em primeiro lugar, antes da criação do *Baker Street Journal*, o único lar literário dos ensaios e narrativas sherloquianos e outras informações (reais e imaginárias) a respeito de Holmes foi a coluna "The Bowling Green", assinada por Morley no *New York Evening Post*, no início da década de 1920, e, a partir de 1924, no *The Saturday Review of Literature*.

A editora Doubleday contratou Morley para escrever a introdução da Edição Especial das *Obras completas de Sherlock Holmes* em 1930, ano da morte de Arthur Conan Doyle. "In Memoriam" continua sendo, sem sombra de dúvida, o maior ensaio jamais escrito a respeito de Holmes e Watson. Alguns anos mais tarde, em 1934, foi ele a força motriz por traz da criação do Baker Street Irregulars, um dos diversos clubes por Morley organizados, dos quais o mais famoso, por muitos anos, foi o Three Hours for Lunch Club.

"Codeína (7%)" foi originalmente publicado na edição de novembro de 1945 da *Mistério Magazine de Ellery Queen* e, pela primeira vez em livro, no *To the Queen's Taste*, editado por Ellery Queen (Boston, Little, Brown, 1946).

CODEÍNA (7%)

Christopher Morley

Há muito tempo eu não me encontrava com Dove Dulcet, antigo agente literário e detetive amador — não desde que ele fora transferido para o Serviço de Espionagem Naval em 1939. Mas no último inverno o Baker Street Irregulars, aquele famoso clube de admiradores de Sherlock Holmes, convidou-o a participar do seu jantar anual. Dulcet é tímido e teria preferido não discursar, mas é claro que foi chamado a fazê-lo e nos presenteou com um pequeno improviso muito agradável, no qual, supus, as ocupações de Washington lhe tinham dado tempo para pensar.

O que Dulcet fez foi propor um brinde à desconhecida irmã de Sherlock Holmes. Ela seria muito mais moça do que Mycroft ou Sherlock, sugeriu ele. A base de sua alegoria foi a famosa frase de Sherlock para a srta. Hunter quando foi oferecida a ela aquela dúbia colocação como governanta em Copper Beeches.

— Não é um emprego para o qual eu gostaria de ver uma irmã minha se candidatar — disse Sherlock Holmes.

Dulcet afirmou que nenhum homem diria aquilo, a não ser que realmente tivesse uma irmã; e ofereceu engenhosas explicações da razão pela qual Watson nunca a havia mencionado.

Os Irregulars, que àquela altura estavam ficando um pouco barulhentos (era tarde da noite), acusaram Dulcet de "lunático" e caçoaram bastante dele. Há alguma coisa na aparência inocente de Dove, com seu rosto grande e insípido e a calva de marfim emoldurada por cabelos cor de açafrão, que encoraja zombarias bem-humoradas. Ele foi criticado quanto à suposta ineficiência de nossos Serviços de Espionagem — como o G2, por exemplo, foi pego fazendo a mudança de suas instalações no dia D, com todos os telefones e aparelhos desligados de modo que nem ao menos sabiam o que estava acontecendo. Ele respondeu que talvez aquilo fosse exatamente o que o G2 queria que as pessoas pensassem; talvez tivessem Planejado Daquela Maneira. Sugeriu suavemente (ele fala em voz tão baixa que as pessoas fazem realmente silêncio a fim de ouvi-lo) que, às vezes, o pessoal da Espionagem enxerga muito mais adiante do que imaginamos. Percebi que ele, então, fez uma pausa, como se tivesse algo mais a dizer e mudasse de ideia.

— E agora, senhores — concluiu ele —, vocês vão me perdoar se eu me desculpar e me retirar. Tenho um desses deliciosos quartos *fin-de-siècle* aqui no velho Murray Hill e mal posso esperar para me instalar. Vocês sabem do que estou falando, uma grande cama de bronze, cortinas de renda e uma escrivaninha cor-de-rosa com maravilhosos arabescos.

É claro que isso provocou uma gargalhada da audiência e percebi que, ao se sentar, ele me lançou uma rápida piscadela. Assim, segui-o até seu quarto.

— Foi uma engenhosa conjectura de sua parte — eu disse —, aquilo de Holmes ter uma irmã.

— De modo algum uma conjectura — retrucou ele. — Eu a conheci. Ou melhor, para ser exato, conheço sua filha. Violet Hargreave, ela trabalha para mim.

— Pelos céus! — exclamei. — *Hargreave*? O Departamento de Polícia de Nova York? Como mencionado em *The Dancing Men*?

— É claro! A mãe de Violet se casou com o amigo de Sherlock, Wilson Hargreave. Ela era Sibyl Holmes, uma das Holmes que ficou neste país. Eu não quis citar nomes no seu jantar. No nosso tipo de trabalho, isso não se faz. Quando fui para a Espionagem, levei Violet comigo. Ela é absolutamente indispensável. É excepcionalmente dotada para os idiomas; nós a usamos sobretudo como agente de além-mar.

Se eu tivesse feito mais perguntas, Dove se teria calado; ele sempre afirma que a primeira injeção que se recebe no trabalho para o Governo é uma transfusão de suco de ostra. Mas somos velhos amigos e ele confia em mim. Ele me serviu uma bebida e depois pegou a carteira que estava debaixo do travesseiro.

— Eu tinha isto no bolso, hoje à noite — disse, tirando dali uma carta. — Eu teria adorado comentar a respeito quando um dos seus sócios falou em criptografia, códigos, cifras etc. Os melhores códigos são os mais simples, em nada metódicos, mas baseados em algumas associações absolutamente pessoais. Ela está a salvo em casa, agora, então eu posso lhe mostrar como Violet costumava mandar as coisas de Berlim quando não era fácil. Às vezes, eram só algumas palavras em um postal; os nazistas nunca pareceram suspeitar de coisa tão ingênua quanto essa. Quando precisava dizer mais, ela usava algum papel de carta subtraído do Museu de História Natural para parecer profissional, e acrescentava um novo cabeçalho.

Examinei o papel. No alto da página havia a inscrição Museu Americano de História Natural e, logo abaixo:

Expedição do Professor Challenger
Ornitologia Oceânica
c/o S.Y. Matilda Briggs

— Ela não podia dizer muita coisa em um postal, não com uma caligrafia como esta — observei, dando uma olhada nas linhas pesadas de tinta.

— Muito diferente da letra pequena e clara do tio.

— Ela tem diversas caligrafias, conforme a ocasião. Vá em frente e leia a carta.

O texto era assim:

Caro amigo:

*Tudo muito interessante, e os cientistas alemães muito solícitos. Espero voltar pelo Pacífico, Havaí e ilhas Alleutas, estudando as migrações de gaivotas e albatrozes. Se puder levar Kodiak terei fotos maravilhosas. Albatrozes (*phalacrocorax carbo, *uma espécie de corvo-marinho, perigoso para os guardiães dos faróis) mantêm horários regulares e voam para Midway ou Wake em outubro, para as Alleutas em junho. Espero encontrar correspondência em Honolulu antes que você retome os documentos de Conk-Singleton.*

Sempre sua,

Violet H. Hargreave

— Ela é realmente ornitóloga, não é? — perguntei.

— Assim acreditou o censor em Berlim, quando deixou passar a carta. Nada mais lhe chama a atenção?

— Bem, eu não trouxe minhas lentes convexas — respondi. — Há marcas-d'água secretas no papel? A única coisa que percebo é que com certeza um pesquisador científico deveria saber soletrar corretamente os topônimos. Aleutas não se escreve com um L só?

— Muito bem. Sem dúvida isso faria rir o censor alemão; ele pensaria ser mais um americano ignorante. Você pode ter certeza absoluta de que quaisquer membros da família Holmes conhecem ortografia muito bem. Esse era o nosso código. Sempre que Violet comete um erro de ortografia, eu sei que há um duplo sentido. Então, gaivotas e albatrozes são os japoneses.

— Mas ela é muito boa! E as alusões aos casos de Holmes... Claro que entendi. Cormorant e guardiães de faróis... isso sugere políticos; o conto *A inquilina de rosto coberto*; significa levar este aviso ao governo. Mas, e quanto a Conk-Singleton?

— Você não se lembra do final de *Os seis napoleões*? Holmes diz: antes de se apoderar dos documentos de Conk-Singleton, *guarde a pérola no cofre*. Exatamente o que não fizemos com Pearl Harbor.

— Mas qual é a data desta carta? — questionei, surpreso. — Ora, é primavera de 1941, seis meses antes de Pearl Harbor.

— Eu lhe disse que precisamos trabalhar à frente do tempo — disse Dove. — Violet tinha acabado de receber um aviso, em Berlim, relacionado aos termos secretos da aliança Japão-Alemanha.

Hitler disse aos japoneses que estaria em Moscou no Natal e que seria perfeitamente seguro que eles atacassem em dezembro. E você pode conferir aquelas datas das gaivotas, que aliás coincidem com as migrações dos pássaros. Os japoneses desembarcaram em Attu e Kiska em junho, exatamente como ela disse.

— Eu sempre me perguntei o que eles imaginaram poder fazer naqueles rochedos esquecidos por Deus.

— Talvez tenham sido atraídos pelo nome daquele grupo. Nunca o viu no mapa? São as ilhas Rat, ilhas do Rato.

Eu começava a compreender o espírito do código de Baker Street.

— Santo Deus, até o nome do iate, *Matilda Briggs*... em *O vampiro de Sussex*. Porque, sim, aquela era a história do Rato Gigante de Sumatra...

— Para a qual o mundo *não está preparado* — Dove terminou por mim.

— Caramba! O Departamento de Estado deve ter dado saltos de alegria quando você decodificou isto para eles.

Dove se manteve em discreto silêncio.

Examinei mais uma vez a carta.

— Kodiak... eles acharam que ela quis dizer Kodak. Imagino que vocês não poderiam se enganar, era uma clara referência aos japoneses?

— Bem, aí Violet foi realmente adorável. Você comentou sobre a caligrafia.

— Sim, ela deve ter usado uma caneta com a ponta muito grossa.

— Ela se inspirou em uma ideia de seu tio Mycroft. Você se lembra de sua inesquecível observação, em *O intérprete grego*, a respeito da carta escrita com uma J-pen, que é a marca de uma caneta de ponta grossa... por um homem de meia-idade de frágil compleição.

— Acho que é o meu caso — comentei, em voz baixa. — Ainda não entendi.

— J-pen... Japão.

Terminamos o que Dove chamava de nosso bom e velho trago. Eu dava tratos à bola.

— Sempre que você recebe uma carta com erros de ortografia — perguntei, me sentindo culpado —, você suspeita de um significado secreto? Céus, você acredita que, quando os locutores pronunciam errado uma palavra no rádio estão mesmo falando em código?

— Saia daqui — disse Dove. — Eu quero descansar.

O caso da sra. Hudson

LAURIE R. KING

Autores de paródias e pastiches de Sherlock Holmes tomaram muitas liberdades com o personagem, mas poucas foram tão controversas quanto a decisão de Laurie R. King (1952–) de casá-lo, circunstância na qual poucos leitores do cânone esperariam encontrá-lo. Ainda assim, a série de Mary Russell e Holmes foi tão admirada e amada pelos leitores que se tornou presença frequente nas listas nacionais de mais vendidos.

Quando Mary tinha quinze anos, conheceu um cavalheiro mais velho que logo soube ser Sherlock Holmes, aposentado e criando abelhas em Sussex. Ele a orientou em seus primeiros anos como investigadora e desenvolveu-se entre os dois forte amizade, que resultou em um acordo de casamento, sete anos depois do seu primeiro encontro. Mary Russell foi apresentada em *The Beekeeper's Apprentice* (1994), a primeira de mais de uma dúzia de aventuras.

Com Leslie S. Klinger, King coeditou várias obras de não ficção sobre Sherlock Holmes (os dois volumes de *The Grand Game*, 2011-2012) e duas antologias de contos inspirados no cânone de Holmes: *A Study in Sherlock* (2011) e *In the Company of Sherlock Holmes* (2014).

King produziu também uma segunda bem-sucedida série de romances de detetive estrelada por Kate Martinelli, uma oficial de polícia lésbica de São Francisco, apresentada em *A Grave Talent* (1993), que recebeu o Prêmio Edgar de melhor primeiro romance do ano e, na Inglaterra, o prêmio John Creasey Dagger de melhor primeiro romance da Associação de Escritores de Crime. Entre os sete livros de King que não fizeram parte de séries está *Califia's Daughters* (2004), romance de ficção científica assinado sob o pseudônimo de Leigh Richards.

"O caso da sra. Hudson" foi originalmente publicado em *Crime Through Time*, editado por Miriam Grace Monfredo e Sharan Newman (New York, Berkley, 1977).

O CASO DA SRA. HUDSON

Laurie R. King

Conforme já observado por outro biógrafo, a sra. Hudson foi uma das senhorias mais sofredoras. Nos anos em que Sherlock Holmes viveu sob seu teto em Baker Street, ela enfrentou com dignidade suas horas irregulares, seu mau humor, suas fedorentas e às vezes perigosas experiências químicas, suas (também) às vezes fedorentas e até mesmo perigosas visitas e todas as outras exigências feitas à sua moradia e à sua pessoa. E mesmo assim, longe de se regozijar quando Holmes trocou Londres pela amplidão banhada pelo mar em Sussex Downs, em menos de três meses ela entregou a propriedade a um agente imobiliário e o seguiu, para cuidar da casa dele como antes cuidara da sua própria. Quando, uma vez, ousei perguntar-lhe o motivo, em uma noite festiva na qual ela havia bebido mais do que pretendia, ela respondeu que o próprio diabo precisava de alguém que tomasse conta dele e que sentia calafrios só de saber que o sr. Holmes não estava recebendo os cuidados aos quais se havia acostumado. Além disso, acrescentou em um sussurro, menos de uma semana depois de instalados os novos inquilinos, ela descobriu que enlouqueceria de tédio.

Assim, graças ao desejo dessa boa mulher de continuar a sofrer a serviço do gênio, a vida de Holmes continuou como antes.

Não que ele fosse grato, ou sequer tivesse consciência do seu sacrifício. Ele continuou, como eu disse, exatamente como antes, se irritando quando as arrumações dela removiam algum item vital ou quando sua habitual ausência nos dias de compras significava que ele precisava preparar o próprio café. No fundo de sua alma misógina, ele não estava realmente convencido de que as mulheres tinham pensamentos, direitos ou vidas próprias.

Isso pode ser injusto; ele com certeza estava sempre mais do que pronto para descartar membros do próprio sexo. Não há dúvida, entretanto, que uma mulher, fosse uma senhora ou uma governanta, desencadeava nele uma reação automática de cortês desinteresse mesclado a uma vaga impaciência: para interessá-lo por um caso, era preciso um alto grau de determinação por parte de qualquer cliente potencial que por acaso fosse mulher.

À sra. Hudson, porém, não faltava determinação. Naquele dia de outubro de 1918, ela o perseguiu por toda a casa e escadas acima, conseguindo afinal encurralá-lo no laboratório, onde continuou a pressioná-lo com os detalhes de sua curiosa experiência. Sua inflexível persistência escocesa, contudo, pouco podia contra a carapaça de fleuma inglesa com que ele a enfrentava. Permaneci à soleira da porta, testemunha do encontro da força irresistível com o objeto inabalável.

— Não, sra. Hudson, absolutamente não. Estou ocupado.

Para prová-lo (embora ao chegar à sua casa vinte minutos antes eu o tivesse encontrado folheando os jornais), ele se virou para a bancada manchada de ácido, em busca de algumas provetas e dois longos tubos de vidro.

— Tudo o que estou lhe pedindo é que monte uma pequena armadilha — disse ela, o nervosismo intensificando seu sotaque.

Holmes bufou.

— Uma armadilha de ursos na cozinha, talvez? Ah, uma ideia ótima, sra. Hudson.

— O senhor não está me ouvindo, sr. 'Olmes. Eu já lhe disse, quero que o senhor monte uma simples câmera, para que eu possa ver quem está entrando sem permissão e se apoderando das minhas coisas.

— Camundongos, sra. Hudson. O campo está cheio deles.

Ele introduziu um conta-gotas em um jarro e transferiu um pouco de líquido para uma proveta vazia.

— *Camundongos!* — Ela estava chocada. — Na *minha* cozinha? Ora, sr. Holmes, *faça-me o favor*.

Holmes tinha ido longe demais, e sabia disso.

— Minhas desculpas, sra. Hudson. Talvez tenha sido o gato?

— E o que faria um gato com uma agulha e um carretel? — perguntou ela, preocupada. — Ainda que o bicho pudesse abrir o trinco do meu estojo de costura.

— Talvez Russell...?

— O senhor sabe muito bem que Mary passou as últimas quatro semanas na Universidade.

— Ah, muito bem. Peça a Will para trocar as fechaduras das portas.

Ele lhe deu as costas, em uma otimista tentativa de encerrar a conversa.

— Eu não quero trocar as fechaduras, quero saber quem é. Coisas têm desaparecido de todos os vizinhos, coisas pequenas, na maioria das vezes, mas isso não é bom.

Eu vinha observando os movimentos de Holmes, primeiro distraidamente, depois com mais atenção, e então dei um passo para dentro da sala e segurei a manga do vestido da sra. Hudson.

— Sra. Hudson, vou ajudá-la com isso. Tenho certeza de que posso dar um jeito de ocultar uma câmera com flash. Venha, vamos descer e decidir onde colocá-la.

— Mas eu pensei...

— Venha comigo, sra. Hudson.

— Mary, você tem certeza?

— Agora, sra. Hudson.

Aumentei o aperto em seu braço nada pequeno e puxei-a, exatamente quando Holmes abriu os dedos na ponta do conta-gotas e deixou que a substância ali dentro pingasse na mistura já em ebulição na proveta. Ele não estava prestando atenção à experiência; uma nuvem tóxica de gás verde começou no mesmo instante a sair pela boca do tubo de ensaio. A sra. Hudson e eu descemos apressadas a escada, deixando Holmes se dirigir às cegas para as venezianas e, furioso, abri-las em um safanão, tossindo e xingando.

Uma vez em sua cozinha, a inata hospitalidade da sra. Hudson voltou a se manifestar e precisei esperar até que ela preparasse uma fornada de bolos de frutas, me interrogasse a respeito de meus progressos e minha dieta em Oxford, naquele que era meu segundo ano lá. Ela pôs então a chaleira no fogo, lavou as tigelas e varreu o chão, antes de enfim se sentar à minha frente, do outro lado da mesa de madeira macia e escovada.

— A senhora estava dizendo — comecei — que houve uma série de invasões e pequenos roubos.

— Comida e um pouco de leite, de vez em quando. Em geral coisas velhas, uma ponta de pão e um pedaço de queijo seco. Algumas meias de lã do cesto de costuras, dois cobertores velhos que eu pretendia doar à igreja. E, como eu disse, duas agulhas e um carretel de linha preta do estojo de costura.

Ela indicou com a cabeça a elegante peça de marcenaria com tampo almofadado que ficava em frente à sua cadeira, junto à lareira, e fui obrigada a concordar que nenhum gato poderia abrir aquele trinco.

— Bebidas?

— Nunca. E nunca senti falta do dinheiro para as despesas domésticas que guardo no carrinho de chá nem de qualquer coisa de valor. A sra. Prinnings, lá da estrada, afirma que o ladrão lhe levou um anel, mas ela é terrivelmente esquecida, ora se é.

— Como ele entra?

— Acho que deve ter uma chave. — Vendo minha expressão, ela se apressou em explicar: — Há sempre uma delas no gancho da porta dos fundos e, um dia, na semana passada, quando Will precisou, eu não consegui encontrá-la. Achei que ele talvez a tivesse pego emprestada e se esquecido de devolver, já aconteceu antes, mas pode ter sido o ladrão. Admito que eu nem sempre sou boa para fechar todas as janelas à noite. E é provável que ele tenha entrado assim da primeira vez.

— Então troque as fechaduras.

— O problema, Mary, é que não consigo deixar de achar que se trata de alguma pobre alma passando necessidades e, embora eu com certeza não o queira entrando e saindo daqui, quero saber quem é para saber o que fazer. Você está entendendo?

Eu entendia. Havia um punhado de ex-soldados vivendo nos arredores de Oxford, com traumas de guerra sérios a ponto de serem incapazes de simples interações sociais, que dormiam nas ruas e sobreviviam com o pouco que lhes restava. Figuras trágicas, e ninguém gostaria de ser responsável pela sua inanição.

— Quantas pessoas, nesta região, tiveram suas casas invadidas?

— Quase todas, desde que isso começou, no final de setembro. Desde então, os que têm trancas as usam. Os outros parecem pensar tratar-se de duendes ou esquecimentos.

— Duendes?

— Os feéricos são uma turma engraçada — disse ela. Olhei-a com atenção, para ter certeza de que estava brincando, mas não consegui saber.

Algum sinal invisível fez com que ela se levantasse e fosse até o fogão e, é claro, os bolos estavam perfeitos e dourados. Nós os comemos com manteiga fresca e tomamos chá (a sra. Hudson subiu as escadas com uma bandeja e voltou sem comentários, mas lacrimejando) e depois dedicamos nossa inteligência conjunta ao problema de fotografar os intrusos.

Voltei na manhã seguinte, sábado, com uma série de equipamentos. Peguei emprestado um martelo, pregos e toras de madeira com o velho Will, o faz-tudo, e, com seu neto, um pedaço de linha de pesca. Por tentativa e erro, a sra. Hudson (interrompida regularmente por garotos de entrega, gritos do andar de cima e telefonemas) e eu conseguimos montar uma armadilha na porta da cozinha.

Nos estágios finais dessa delicada operação, quando me empoleirei na escada de madeira para ajustar a câmera, ouvi ao longe a voz de Holmes se elevar para, na biblioteca, desligar o telefone aos gritos. Depois de alguns minutos, fez-se silêncio e logo depois sua cabeça apareceu ao nível da minha cintura.

Ele não fez pouco dos meus esforços. Agiu como se eu não estivesse ali, como se tivesse encontrado a sra. Hudson abrindo uma massa de torta e não segurando um punhado de cunhas que eu usaria em meus ajustes.

— Sra. Hudson, é provável que eu me ausente por alguns dias. A senhora poderia me separar alguns colarinhos limpos e seus complementos?

— Agora, sr. Holmes?

— A qualquer momento nos próximos dez minutos estará bem — respondeu ele, generoso.

E, virando-se, saiu sem me lançar sequer um olhar. Inclinei--me para chamá-lo enquanto ele passava pela porta.

— Volto amanhã para Oxford, Holmes.

— Foi gentileza sua ter vindo, Russell — retrucou ele, e desapareceu, subindo os degraus.

— Pode deixar as cunhas comigo, sra. Hudson — informei-a. — Estou quase terminando.

Pude ver sua hesitação, considerando se rebelar, mas nós duas sabíamos muito bem que, com ou sem roupas limpas, Holmes sairia em dez minutos e, embora eu o tivesse deixado ir de camisas encardidas, sem o menor problema, estava em jogo o orgulho profissional da sra. Hudson. Ela colocou as cunhas no degrau superior da escada de madeira e saiu apressada.

Ela e Holmes chegaram ao mesmo tempo à sala central do velho chalé e no exato momento em que eu acabava de descer da escadinha para examinar meu trabalho. Voltei os olhos para Holmes e o encontrei vestido para ir à cidade, calçando um par de luvas de couro preto.

— Um caso, Holmes?

— Apenas uma consulta, por enquanto. A Scotland Yard andou refletindo sobre nosso sucesso com o sequestro de Jessica Simpson e, em seus esforços para solucionar o último sequestro, decidiu que eu deveria buscar eventuais lacunas em seus procedimentos. Apenas papelada, Russell — acrescentou. — Nada que a entusiasme.

— É o caso Oberdorfer? — perguntei.

Quase um mês transcorrera desde que duas crianças, Sarah, de doze anos, e seu irmão Louis, de sete, haviam desaparecido no Hyde Park, debaixo do nariz de sua ama. Os dois eram órfãos, filhos de um industrial do ramo têxtil com fábricas em três países e sua esposa francesa, possuidora de fortuna própria. O irmão do industrial, que se refugiara em Londres durante a guerra, oferecera de antemão uma alta soma de recompensa pelo resgate. Ainda estava à espera.

— Há novidades?

— Nenhuma. Nenhum pedido de resgate, nenhuma pista, nada. A Scotland Yard está conjecturando tratar-se de um arroubo de sentimento antigermânico que foi longe demais, como foi o caso da destruição das vitrines dos lojistas alemães, tão comum nos primeiros meses da guerra. Lestrade é de opinião que o sequestrador seja um amador que entrou em pânico com a própria audácia e matou-os, e acredita que os corpos serão encontrados qualquer dia desses, sem dúvida pelo cão de algum desportista.

Ele fez uma careta, arrumou as pontas do cachecol, abotoou o casaco para se proteger do frio outonal e tirou a maleta das mãos da sra. Hudson

— Bem, boa sorte, Holmes — desejei.

— A sorte nada tem a ver com isto — declarou ele, austero.

Depois que ele se foi, a sra. Hudson e eu passamos um bom momento nos olhando, silenciadas pela lembrança do que, muito provavelmente, era um vil assassinato e também pela reveladora falta de entusiasmo e otimismo na atitude do homem que acabara de nos deixar. Não importava o que Holmes dissesse, nosso sucesso no caso Simpson, dois meses antes, fora guiado pela sorte, e eu de modo algum desejava unir forças em um segundo caso de sequestro, em especial em um que, ao que tudo indicava, não teria solução.

Suspirei, e voltamos à minha armadinha. Expliquei como funcionava a câmera, disse a ela para mandar revelar o filme e imprimir as fotos e depois guardei as ferramentas e me preparei para, por minha vez, partir.

— A senhora me informará se obtivermos algum resultado? — pedi. — Eu poderia tentar voltar no próximo fim de semana, mas...

— Não, não, Mary, você não deve deixar que isto interfira nos seus estudos. Eu escreverei para contar o que houve.

Passei com cuidado por cima da linha de pesca esticada e parei à porta.

— E a senhora me dirá se Holmes parecer precisar de qualquer assistência nesse caso dos Oberdorfer?

— Assim farei.

Saí, meditando com tristeza sobre a ironia de um homem que em geral evitava crianças como a peste (à exceção daqueles adultos em miniatura que ele recolhera das ruas para formar seus "Irregulares", na época de Baker Street) parecer rodeado delas nos últimos tempos.

Voltei a Oxford e aos meus estudos e, verdade seja dita, a primeira vez em que pensei no problema da sra. Hudson foi mais de uma semana depois, em uma quarta-feira, quando me dei conta de que, pela segunda semana consecutiva, sua inevitável carta das terças-feiras não havia chegado. Não esperei a primeira, embora ela muitas vezes escrevesse mesmo que me tivesse visto na véspera, mas não escrever depois de oito dias era sem precedentes.

Telefonei naquela noite para o chalé. Holmes ainda estava fora, acreditava a sra. Hudson que entrevistando o tio Oberdorfer em Paris, e ela mesma soava diferente. Parecia distraída e disse apenas que tinha estado muito ocupada para escrever, desculpou-se e me indagou se eu queria alguma coisa em especial.

Muito surpresa, gaguejei uma pergunta relativa à nossa armadilha da câmera.

— Ah, sim — disse ela. — A câmera. Não, não, não deu em nada. Mesmo assim, foi uma boa ideia, Mary. Obrigada. Bem, preciso desligar agora, querida, cuide-se.

A ligação foi cortada e eu recoloquei o fone no lugar lentamente. Ela nem ao menos perguntara se eu estava comendo direito.

Fui assaltada por um súbito e absurdo desejo de partir no mesmo instante para Sussex. Consegui resistir, mas no sábado pela manhã lá estava eu no trem para o Sul e, no sábado à tarde minha mão estava na porta da cozinha do chalé de Holmes.

Um momento depois, meu nariz estava encostado à porta, na verdade achatado de encontro a ela, porque a porta não se abriu. Estava trancada.

Aquela porta nunca era trancada, com certeza não durante o dia quando havia alguém em casa, e mesmo assim eu podia jurar que tinha ouvido o som de movimentação lá dentro. Quando tentei olhar pela janela, meus olhos se depararam com um pano de prato alegremente estampado, preso com cuidado por todas as bordas.

— Sra. Hudson? — chamei. Não houve resposta.

Talvez a movimentação fosse do gato. Dei a volta à casa, tentei as portas francesas, encontrei-as também trancadas e continuei até a porta da frente, só para vê-la se entreabrir quando estiquei a mão. A sra. Hudson parou diante da fresta, seu sapato resistente plantado com firmeza de encontro à beirada inferior da porta.

— Sra. Hudson, aí está a senhora! Eu começava a pensar que tivesse saído.

— Olá, Mary. Estou surpresa por vê-la de volta tão cedo. O sr. Holmes ainda não voltou do continente, sinto muito.

— Na verdade, eu vim vê-la.

— Ah, Mary, que pena, mas eu realmente não posso deixá-la entrar. Estou aproveitando a ausência do sr. Holmes para faxinar a casa e as coisas estão em um estado deplorável. Você deveria ter me consultado primeiro, querida.

Um rápido olhar para seu cabelo penteado e sem lenço e sua mão limpa na porta deixou óbvio que tal faxina pesada não era sua preocupação daquele momento. Mas ela não parecia amedrontada, como se estivesse sendo mantida refém ou algo parecido; parecia apenas determinada. Ainda assim, eu precisava mantê-la à porta o máximo de tempo possível, enquanto buscava uma pista para seu estranho comportamento.

Tal era minha intenção; entretanto, cada pergunta era recebida por um leve recuo para dentro da casa e um estreitamento da abertura, até que por fim, com um clique, a porta se fechou diante de mim. Ouvi o ruído da tranca sendo colocada e, depois, os passos firmes da sra. Hudson recuando até a cozinha.

Fiquei parada, longe da casa, francamente atônita. Não podia sequer espiar, pois as janelas da sala de estar que davam para a cozinha tinham suas cortinas muito bem fechadas. Considerei e descartei a ideia de um confronto direto e concluí que a única maneira de lidar com aquilo seria a dissimulação.

A sra. Hudson me conhecia bem o bastante para esperar aquilo de mim, fato do qual eu tinha plena consciência, então tomei o cuidado de me afastar naquela tarde, chegando mesmo a lhe telefonar de minha própria casa, a vários quilômetros de distância, para que se certificasse de que eu não estava do lado de fora do chalé, observando suas cortinas. Ela também sabia que eu precisaria pegar o trem de domingo à noite a fim de estar presente às aulas de segunda-feira pela manhã, e começaria então a relaxar. Foi no domingo à noite, porém, que tomei posição do lado de fora da janela da cozinha.

Por muito tempo, tudo o que ouvi foram sons de alguém ocupado na cozinha — uma faca em uma tábua, uma colher raspando o lado de uma panela, o barulho de uma tigela indo para o fundo da pia de pedra. Então, sem aviso, por volta das nove horas, a sra. Hudson falou.

— Olá, meu benzinho. Dormiu bem?

— Sempre acho que eu deveria dizer "bom dia", mas já é noite — disse uma voz, em resposta.

E fiquei tão perplexa que quase derrubei um vaso de temperos. A voz era de uma criança, cheia de sono, mas aguda: uma criança com um leve sotaque alemão.

Já basta, pensei. Fiquei tentada a jogar o vaso de temperos pela janela e simplesmente entrar por ali, mas não tinha certeza das condições do coração da sra. Hudson. Em vez disso, dei a volta pela casa, em silêncio, senti a resistência à minha chave e acabei encontrando a grande escada ao lado do galpão do jardim e encostando-a à janela de Holmes. Claro que o homem tinha janelas à prova de arrombamentos. Por fim, frustrada, usei uma pedra e, por mais depressa que a sra. Hudson tenha reagido ao ruído de vidros quebrados, eu ainda a encontrei ao pé da escada interna e passei por ela, fingindo ir para a sua esquerda e escorregando pela direita.

A cozinha estava vazia.

Mas a tranca ainda estava na porta, portanto o dono da voz alemã estava ali em algum lugar. Ignorei a furiosa escocesa às minhas costas e passei os olhos pelo cenário: panelas de comida que ela não teria preparado só para ela, mesa posta para três (em um dos lugares havia um garfo bem pequeno e uma caneca de porcelana decorada com porquinhos de chapéus-coco e fraques) e duas novas escovas de cabelo em cima de uma toalha ao lado da pia.

— Diga-lhes que apareçam — pedi.

Ela deu um profundo suspiro.

— Você não sabe o que está fazendo, Mary.

— Claro que não. Como posso saber de alguma coisa se a senhora me mantém no escuro?

— Ah, muito bem. Eu deveria saber que você persistiria até descobrir. Eu pretendia tirá-los daqui, mas… — Ela se interrompeu, e levantou a voz. — Sarah, Louis, venham cá.

Eles surgiram, não, como eu esperava, vindos da copa, mas engatinhando para fora do pequeno armário do canto. Quando estavam de pé na cozinha, me olhando com ar de medo, a sra. Hudson fez as apresentações.

— Sarah e Louis Oberdorfer, srta. Mary Russell. Não se preocupem, ela é amiga. Uma amiga muito intrometida.

Ela fungou e se virou para pegar mais um prato e talheres no aparador e colocá-los à mesa — no extremo oposto dos três lugares que já estavam postos.

— Os Oberdorfer — falei. — Como é possível que tenham chegado até aqui? Holmes os trouxe? A senhora não sabe que a polícia de dois países está à procura deles?

Sarah, de doze anos, me olhou com fúria. Seu irmão de sete anos se escondeu atrás dela, cheio de medo. A sra. Hudson, em um gesto decidido, pôs a chaleira no fogão.

— É claro que sei. E não, o sr. Holmes não sabe que eles estão aqui.

— Mas ele está trabalhando no caso. Como a senhora pôde…

Ela me interrompeu. Queixo empinado, cabelos grisalhos estremecendo, virou-se para mim com uma colher de pau na mão.

— Não comece agora a me acusar de ser uma traidora, Mary Russell, não antes de saber o que eu sei.

Nós nos encaramos, cada uma de um lado da mesa da cozinha, a velha e robusta governanta escocesa e a magricela estudante de Oxford, até que percebi, ao mesmo tempo, que fosse o que fosse que ela estivesse cozinhando tinha um cheiro sublime e que talvez eu devesse mesmo descobrir o que ela sabia. Fizemos uma trégua e nos sentamos à mesa para partilhar o pão.

Foi preciso algum tempo para que os vários segmentos da história fossem esclarecidos, narrados pela sra. Hudson (contando como, na ausência de Holmes, pôde dormir à tarde a fim de aguardar sentada, noite após noite, que a porta fosse enfim aberta pelo ladrão) e por Sarah Oberdorfer (que descreveu com frieza como planejara e se preparara, com mapas, roupas quentes e dinheiro suficiente para começar e só pareceu se abalar ao narrar como havia sido obrigada a levar uma vida de crime), com eventuais contribuições do pequeno Louis (que considerava a coisa toda uma grande brincadeira, desde a aventura de se esconder entre as bagagens, no trem de Londres, até a emoção de perambular por Downs, sem supervisão, ao luar). Ainda mais tempo foi necessário para que tudo ficasse claro em minha mente. Na verdade, até meia-noite, quando as duas crianças, que desde o começo dormiam de dia e se mantinham ativos à noite, para melhor evitar serem descobertas, fossem esticadas no tapete em frente à lareira da sala ao lado, colorindo figuras.

— Só para ter certeza de que compreendi tudo — eu disse à sra. Hudson, me sentindo um tanto cansada —, deixe-me recapitular. Primeiro, eles disseram que não foram sequestrados, que fugiram, por conta própria, do seu tio James Oberdorfer, porque acreditavam que ele estava tentando matá-los a fim de herdar a propriedade de seu falecido irmão, o pai de ambos.

— Pode-se ver que Sarah acredita nisso.

Suspirei.

— Ah, admito que sim. Ninguém fugiria de uma casa confortável, se esconderia em um vagão de bagagens e passaria três semanas em um buraco, vivendo de comida roubada, se não acreditasse nisso. E sim, admito que parece ter havido uma série muito estranha de acidentes.

A máquina investigativa da sra. Hudson, embora não tão azeitada quanto a de seu empregador, era tão vigorosa quanto labiríntica: ela havia descoberto, através da irmã da criada de outra senhoria, que tinha um amigo que… e assim por diante.

Havia uma grande soma de dinheiro envolvida, com fábricas não só ali e na França como também na Alemanha, onde a guerra parecia prestes a chegar ao sangrento fim. Aqueles eram dois órfãos muito ricos, sem qualquer parente além de um tio. Um tio que, segundo boatos colhidos por baixo dos panos pela rede de informantes da sra. Hudson, demonstrava um afeto falso e raso pelo seu encargo. Segurei a cabeça com as mãos.

Tudo se baseava nos relatos de Sarah. Fosse outra criança, eu poderia descartar como sendo propensa a histórias fantasiosas, mas aqueles sérios olhos castanhos, desafiando-me a não acreditar… Eu via por que a sra. Hudson, de modo algum um alvo fácil para uma história triste, os pusera debaixo das asas.

— E a senhora diz que o lacaio presenciou o quase afogamento? — perguntei, sem levantar os olhos.

— Se ele não tivesse acorrido, os dois estariam perdidos, foi o que ele disse. E a criada que comeu um pouco do pudim especial que o tio levou para as crianças passou realmente muito mal.

— Mas não há provas.

— Não.

Ela não facilitava as coisas para mim. Nós duas sabíamos que Holmes, com suas atitudes em relação a crianças, e em especial a meninas, teria devolvido aqueles dois ao tio. Ah, ele mandaria um duro recado ao homem, avisando-o de que ele, Holmes, passaria a ter interesse pessoal quanto à segurança dos herdeiros Oberdorfer, mas, afinal de contas, acidentes eram coisas imprevisíveis, sobretudo se Oberdorfer escolhesse retornar ao caos da Alemanha devastada pela guerra. Se ele considerasse que a herança valia o risco e tomasse cuidado para que não houvesse prova alguma…

Não havia prova alguma ali, de qualquer forma, e aquele era um caso que eu *não* poderia discutir com Holmes.

— E a senhora está planejando mandá-los para sua prima em Wiltshire?

— É uma bela e saudável fazenda, perto de uma boa escola, e quem questionaria mais duas crianças deixadas órfãs por bombas de zepelins?

— Mas só até que Sarah complete dezesseis anos?

— Três anos e pouco. E então ela seria uma senhorita... não legalmente, é claro, mas os advogados lhe dariam ouvidos.

Eu mesma só tinha dezoito anos, e podia compreender que as autoridades que rejeitariam acusações de alguém de doze dariam toda atenção a uma contida mocinha de dezesseis. Ora, até Holmes...

— Muito bem, sra. Hudson, a senhora venceu. Vou ajudá-la a levá-los para Wiltshire.

Eu não estava lá quando Holmes voltou, uma semana depois, exausto e irritado com seu fracasso em ajudar a Scotland Yard. A sra. Hudson nada disse, apenas lhe serviu o jantar, entregou os jornais e foi cuidar das suas coisas. Nada disse naquele momento e nada disse mais tarde, na mesma noite, quando Holmes, que levara sua coleção de documentos para a poltrona de vime em frente à lareira e se preparava para se instalar, deu um violento salto e se inclinou para revirar por alguns instantes as almofadas e se voltar, acusatório, para a governanta, com o toco roído de um lápis de cor na palma de sua mão estendida.

Ela nunca disse nada, nem mesmo três anos depois, quando o jovem herdeiro e sua irmã mais velha (com o cabelo cuidadosamente arrumado, usando um chapéu de senhora e um vestido um pouco adulto demais para sua jovem e magra estrutura) se materializaram como por milagre no escritório de um advogado em Londres, provocando comoção em três países. Contudo, em diversas ocasiões ao longo dos anos, sempre que Holmes lhe fazia alguma solicitação sobremaneira enervante para sua paciência, observei a mais sofredora das senhorias respirar fundo, concentrar-se em algo distante e fazer um rápido aceno, antes de seguir seu caminho, plácida, com um minúsculo e satisfeito sorriso no rosto.

O problema final

BLISS AUSTIN

Em sua vida de destacado engenheiro químico e metalúrgico, o dr. James Bliss Austin (1904-1988) é hoje celebrado por seus dois excepcionais passatempos: a preservação de carimbos japoneses históricos e o fato de ser um dos mais eminentes sherloquianos de sua geração. Austin estava no primeiro grupo de quinze a receber uma investidura nos Baker Street Irregulars (1944). Como vários outros primeiros membros dos BSI, tornou-se um notável colecionador das primeiras edições assinadas por Conan Doyle e suas traduções estrangeiras.

Hoje, a própria assinatura de Austin é avidamente procurada por estudantes contemporâneos de Sherlock Holmes. Por mais de quarenta anos, ele foi um frequente colaborador em antologias, revistas e panfletos em edições limitadas a respeito do Grande Detetive. Entre as joias por ele produzidas estão "What Son Was Watson?" (1944), "Thumbing His Way to Fame" (1946), "The Atomic Holmeses" (1947), "On the Writing of Some of the Most Remarkable Books Ever Penned" (1978) e "William Gillette on the Air" (1982). Embora preferisse, como objetos culturais, a crítica literária e textos a respeito de originais, Austin também escreveu poesia sherloquiana e retrospectivas históricas. Só em raras ocasiões aventurou-se no mundo dos contos ficcionais.

Austin preparou o texto aqui apresentado para um concurso de gênero detetivesco da *Mistério Magazine de Ellery Queen*. Mais de oitocentos escritos foram recebidos e os melhores quinze publicados em livro intitulado *The Queen's Awards*. À guisa de gracejo, os protagonistas de Austin eram também os juízes do concurso e seus comparsas sherloquianos: Christopher Morley e Howard Haycraft, como também Frederic Dannay e Manfred B. Lee, que, juntos, eram Ellery Queen. O quarteto gostou tanto da brincadeira que surpreendeu Austin com uma menção honrosa e incluiu "O problema final" na última parte da antologia, como "dividendos e bônus" para seus leitores.

"O problema final" foi originalmente publicado em *The Queen's Awards* (Boston, Little, Brown, 1946).

O PROBLEMA FINAL

Bliss Austin

Christopher Morley esticou o braço em um gesto amplo e, com uma mesura, empurrou Howard Haycraft para dentro do escritório de Ellery Queen. Tratava-se de uma grande sala de 4,5 metros quadrados, inteiramente revestida, do piso ao teto, por estantes repletas de livros, na verdade tão repletas que não havia mais espaço nas prateleiras para as centenas de outros volumes que atulhavam a sala. Pilhas de livros, inclinadas como a Torre de Pisa, elevavam-se do chão, de tampos de mesas, até mesmo de cadeiras, a tal ponto que Queen tinha dificuldade para encontrar lugares para acomodar seus convidados. Por fim, conseguiu descobrir duas cadeiras confortáveis, para onde encaminhou os visitantes. Instalou-se então em uma poltrona de couro vermelho, tendo de um lado uma heterogênea coleção de exemplares de *Strand*, *Black Cat* e *Golden Book*, e do outro uma mesinha de fumar que servia como cemitério particular para inúmeros cadáveres de charutos, cigarros e cinzas de cachimbo. O efeito do conjunto parecia montado para dar a aparência de um trono, a ponto de Haycraft não se contar e citar:

— *The King was in the counting house…*

— Não, não — riu Morley. — *The Queen was in the parlor…*[2]

---

2 As duas frases citadas são versos de uma cantiga de roda inglesa, e se poderiam traduzir por "O rei estava na tesouraria" e "A rainha estava no salão". Com a tradução, se perderia o intencional trocadinho com o nome do personagem, Ellery Queen, visto que *queen*, em português, é rainha. (N.T.)

Para surpresa deles, Ellery Queen não se juntou às risadas. Em vez disso, semblante anuviado, levantou-se da poltrona e foi até sua escrivaninha, na qual, de uma gaveta, tirou uma carta de baralho.

— Por falar em reis e rainhas — comentou ele —, o que me dizem disto?

— Sem dúvida — respondeu Haycraft —, é um rei de espadas. Qual é o problema?

— Apenas este — disse Ellery. — Isto chegou com a correspondência da manhã, em um envelope sem timbre com o endereço datilografado e o carimbo do correio de Nova York. Sinceramente, estou um tanto perturbado, porque não consigo imaginar quem me mandou isto... ou por quê.

— Com certeza algum amigo seu permitiu-se uma brincadeira de mau gosto — sugeriu Morley. — Vejo que a carta é de um baralho da marca Bicycle. Talvez alguém cujo original você rejeitou esteja ameaçando atropelá-lo.

— Ou — acrescentou Haycraft — alguém está tentando derrubar a rainha com um rei.[3]

— O que seria uma bela jogada — retrucou Queen, entrando na brincadeira dos outros.

Ele recolocou a carta na gaveta da escrivaninha e voltava para a poltrona quando reparou na pilha de cinzas na mesinha de fumar.

— Perdão, cavalheiros — disse ele. — Descuidei-me dos meus deveres de anfitrião.

E, empurrando algumas revistas velhas, revelou uma série de caixas e recipientes contendo charutos, cigarros e fumo de cachimbo.

— O que você está fumando, Ellery? — perguntou Haycraft, apanhando um cigarro.

— Isto — respondeu Queen, tirando do bolso um grosso e aromático charuto.

— Um Merlinda! — arquejou Morley, reconhecendo a anilha. — Desde quando a *MMEQ* sustenta você neste nível?

— Desde as notícias a respeito do Concurso de Contos, para ser exato — revelou Ellery, acendendo o charuto. — Lamento não

---

3 Continuando com o trocadilho, aqui a referência é a uma jogada de xadrez, em que a rainha (Queen) é derrubada pelo rei (King). (N.T.)

ter um para cada um de nós, mas vocês acharão bastante bons os Cabañas que há na caixa. Meu charuto tem uma história. E posso contá-la a vocês, já que diz respeito a um dos originais apresentados no concurso.

"Há vários dias, recebi um conto de um jovem chamado Hugh Ashton, um doutorando em Hale. Até onde consegui descobrir, ele nunca havia escrito antes e, para uma primeira tentativa, o resultado é surpreendente. Não quero influenciar seu julgamento, mas não me importo em dizer-lhes que se trata de uma joia; como dizemos em Hollywood, é colossal!

"Infelizmente, o original precisa de alguma edição. O próprio Ashton parece se dar conta disso porque, pouco depois do conto ter chegado, ele me telefonou dizendo que um amigo que dá aula na faculdade se ofereceu para aprimorá-lo. Esse professor deveria estar em Nova York ontem, por isso ele pedia, como um favor especial, que eu o encontrasse no Hale Club e lhe devolvesse o original, com quaisquer sugestões que eu considerasse dever fazer. Concordei em me encontrar com o professor, por duas razões. Primeiro, porque o conto de Ashton é tão bom que não quero perdê-lo e, segundo, porque fiquei intrigado com o nome do professor. Qual vocês imaginam que fosse?"

— Elementar, meu caro Queen — disse Morley. — Era Moriarty. James Moriarty, eu diria.

— Isso mesmo — concordou Queen. — Então, fui ontem pela manhã ao Hale Club e, quando me aproximava da porta, um homem saiu e me abordou: "Sr. Queen? Professor Moriarty."

— Como ele é? — perguntou Haycraft.

— Aposto que sei — intrometeu-se Morley. E, fechando os olhos como se para ajudar a memória, recitou: — Ele é extremamente alto e magro, sua testa bem grande e saliente e os olhos extremamente fundos. Bem barbeado, pálido e de aparência asséptica, com algo professoral em seus traços. Os ombros, de tanto estudo, são curvados e seu rosto se projeta para a frente e está sempre oscilando de um lado para o outro, em um movimento curiosamente reptiliano. Seus olhos arregalados o examinam com grande curiosidade.

— *Bravo!* — falou Ellery, rindo. — Não é exatamente assim, mas serve. Continuando, eu o observava com atenção quando ele me surpreendeu ao comentar...

— Não me diga — interrompeu outra vez Morley — que ele realmente afirmou que você tinha menos desenvolvimento frontal do que ele esperava?

— Exatamente — concordou Queen. — Eu lhe disse que era evidente que ele era um grande estudioso de Sherlock Holmes, ao que ele sorriu e me respondeu que os Moriarty sempre foram. E me convidou para o Clube, onde tomamos coquetéis de ostra sem molho coquetel, ora bolas! No final, troquei o original do conto por este charuto.

Nesse ponto, Queen se calou e olhou para o charuto com alguma apreensão, como se não estivesse certo de que a troca tivesse sido um bom negócio.

— O professor prometeu fazer de imediato a edição, portanto muito em breve vocês terão a oportunidade de ler o conto, espero. E agora vamos nos dedicar a selecionar os contos ganhadores do primeiro concurso de contos da *MMEQ*. Temos, como sabem, quinze finalistas até agora.

Ele se levantou e se dirigiu à escrivaninha na qual havia uma pilha de quinze originais, mas antes de lá chegar começou a cambalear e tropeçar. Abriu a boca como se fosse dizer alguma coisa, mas pareceu ter dificuldade para respirar. De repente, caiu para a frente e se estatelou no chão, derrubando várias pilhas de livros e revistas e sendo quase soterrado por elas. Haycraft e Morley, perplexos, permaneceram imóveis em suas cadeiras, mas, por fim, despertaram e correram para Ellery. Quando chegaram a seu lado e afastaram os livros, era tarde demais.

Ellery Queen estava morto.

Algum tempo depois, o médico de Ellery, dr. Dundy, entrou no escritório acompanhado de dois homens que Morley e Haycraft, postos em triste silêncio, reconheceram como o pai de Ellery, inspetor Richard Queen, e o sargento Thomas Velie.

— Inspetor — disse Morley —, nunca imaginei que o conheceria sob tão perturbadoras circunstâncias. Isto é simplesmente aterrador.

O inspetor, abalado, afundou em uma poltrona e murmurou uma resposta que ninguém ouviu. Seus olhos, em geral tão brilhantes e atentos, estavam enevoados por um filtro opaco. Pela primeira vez na vida, aparentava a idade que tinha. Ficou sentado, sem reação, como um homem em profundo estado de choque.

Morley desviou o olhar e logo se voltou para o médico.

— Bem, qual é o veredicto? — perguntou.

— Não temos certeza — respondeu o doutor. — E por isso gostaríamos da sua ajuda. Podem os senhores nos contar exatamente o que aconteceu?

— Não há muito a contar. Ellery, Haycraft e eu formamos o júri do Concurso de Contos que a *Mistério Magazine* de Ellery está promovendo. Ellery solicitou nossa presença aqui hoje pela manhã, a fim de discutirmos a seleção final dos ganhadores do prêmio. Estávamos aqui há apenas poucos minutos; na verdade, Ellery dirigia-se à escrivaninha quando caiu no chão...

— Eu gostaria de esclarecer sobretudo os sintomas apresentados por ele — disse o médico, com um olhar para o inspetor. — Pelo que compreendi, ele tentou dizer alguma coisa, mas não conseguiu, seu rosto ficou lívido e convulso e os dentes trincaram. Correto?

— Correto — concordou Morley.

Nesse momento, o inspetor se levantou e falou claramente pela primeira vez.

— Ellery parecia de bom humor?

— Bastante — disse Haycraft. — Salvo por estar confuso devido ao fato de alguém lhe ter enviado um rei de espadas pelo correio matinal.

— Quem fez isso? — quis saber o sargento Velie.

— Ele não sabia — respondeu Morley. — Mas, se quiser vê-lo, está guardado na escrivaninha.

Velie foi depressa à escrivaninha, encontrou a carta e entregou-a ao inspetor, que a examinou com ar distante.

O dr. Dundy retomou suas perguntas.

— Houve alguma outra coisa inusitada?

— Nada demais — disse Morley. — Ele nos falou de um conto extraordinariamente bom, submetido por um estudante de Hale; Ashton, creio que era o nome. Mas que era um tanto mal redigido e precisava de uma edição. No dia seguinte, Ashton telefonou para Ellery a fim de dizer que um amigo dele, professor da Universidade de Hale, havia se oferecido para reescrever o conto. E pediu a Ellery que encontrasse tal professor ontem, no Hale Club. Ellery assim fez, e isso é tudo.

— Ele lhes ofereceu algo para beber? — perguntou Velie. — Aquele licor cremoso de Bristol de Harvey, do qual tanto gostava?

— Não. Apenas cigarros e charutos — respondeu Morley.

— O que Ellery fumou? — perguntou o médico.

— Um charuto que lhe foi dado pelo professor de Hale — disse Haycraft. — Estava quase na metade quando...

O inspetor se levantou de repente da poltrona, atento e veloz diante da possibilidade de uma pista.

— Um charuto fumado pela metade? Onde está a guimba?

— Agora que falamos nisso, eu não a vi — comentou Morley. — Deve estar no chão, em algum lugar.

O sargento Velie começou a vasculhar por entre os livros e revistas derrubados. Os outros se juntaram a ele quando um grito meio abafado partiu do médico, que surgiu de debaixo da escrivaninha com uma guimba de charuto na mão.

— É isto? — perguntou ele.

Morley deu uma olhada na anilha e fez que sim.

Sem nada acrescentar, o médico entregou a guimba ao inspetor, que a examinou com atenção e depois a cheirou. Entregou-a de volta ao doutor, que também a cheirou e colocou com cuidado sobre a mesa.

— Eu gostaria de ter me enganado — disse ele ao inspetor —, mas acredito que, afinal, se trate de um caso para o senhor.

O inspetor estremeceu, os olhos voltando a se enevoar. E então, a névoa desapareceu tão depressa quanto havia surgido. Ele aprumou os ombros estreitos e virou-se para Morley e Haycraft.

— Senhores — disse ele —, o significado do rei de espadas está agora bem claro. Alguém estava ameaçando a vida de Ellery. Assim suspeitou o dr. Dundy, tão logo ouviu os sintomas. Agora, não há mais dúvidas. O charuto fede a cianeto. Ellery foi assassinado.

— Santo Deus, *não*! — gritou Morley.

O inspetor continuou, a voz soando fraca e tensa:

— Agora, estou duplamente envolvido e, pelos céus, hei de encontrar o homem que fez isso, nem que seja a última coisa que faça! Velie, ligue para a Central e alerte os rapazes enquanto faço algumas perguntas a estes senhores.

Enquanto Velie desaparecia, ele continuou:

— A primeira coisa que quero saber é o nome do professor que deu o charuto a Ellery.

— James Moriarty — informou Haycraft, hesitante.

— Por favor — retrucou o inspetor. — Não é hora para quaisquer de suas malditas gracinhas dos Baker Street Irregulars.

— Pois acredite, inspetor — interveio Morley —, isso foi exatamente o que Ellery nos disse.

— Tudo bem, tudo bem, esqueçam — disse o inspetor. — O que mais vocês sabem a respeito dele? Onde mora? O que ensina?

— Tudo o que sabemos é que Ashton disse que ele dava aulas em Hale — respondeu Haycraft.

— Ele comentou algo sobre sua aparência? — rebateu o inspetor, sem qualquer esforço para disfarçar sua crescente impaciência.

— Só por alto — disse Morley. — Ao ouvir o nome, citei a descrição do verdadeiro Moriarty dada pelo dr. Watson em *O problema final*. Ellery disse que não era exatamente igual, mas servia.

Ele foi até uma prateleira, tirou um livro, folheou-o e ofereceu o volume aberto ao inspetor.

— Leia o senhor mesmo.

Nesse momento, o sargento Velie voltou. O inspetor ignorou o livro nas mãos de Morley.

— Não há mais nada a ser obtido aqui — disse o inspetor —, mas eu gostaria de saber onde posso encontrar ambos os senhores, a qualquer momento.

— Se não se importar — respondeu Morley —, Haycraft e eu gostaríamos de levar estes originais para a minha casa e examiná-los. Eis aqui meu endereço e telefone.

— Tome nota, Velie — disse o inspetor, já saindo da sala.

Enquanto Morley falava com Velie, Haycraft apanhava os originais na escrivaninha.

— Quem imaginaria — comentou Morley depois que Velie se foi — que o Concurso de Contos se transformaria em uma Competição em Homenagem a Ellery Queen?

Naquela mesma tarde, Morley e Haycraft estavam sentados no escritório enfumaçado de Morley. Os originais da *MMEQ* continuavam intocados sobre a escrivaninha de Morley; nenhum dos dois tivera coragem de olhar para eles. Haviam discutido durante horas o assassinato de Ellery e agora se mantinham em um silêncio enlutado. De repente, o telefone tocou. Morley correu para o aparelho, derrubando a cadeira em sua pressa.

— Alô — atendeu. — Sim... sim... com certeza eu posso. Vou perguntar a Howard... É Velie — disse a Haycraft. — O inspetor quer saber se podemos encontrá-lo na Central às nove da manhã e ir a Old Haven por um dia ou dois.

— Tente me impedir — respondeu Haycraft.

Morley voltou a falar com Velie. Seguiu-se uma longa pausa, durante a qual Morley ouviu com atenção. Por fim, com um simples "Tchau", desligou.

— Velie diz que não existe um professor Moriarty na Universidade de Hale, nem qualquer pessoa que corresponda à descrição que temos.

— Não posso dizer que estou surpreso — afirmou Haycraft.

— Nem eu — concordou Morley. — O que me surpreende é que hoje pela manhã um corpo tenha sido encontrado esmagado perto de Old Haven, aos pés de um grande penhasco chamado North Rock. Era o corpo de Hugh Ashton.

Na manhã seguinte, no trem para Old Haven, Morley e Haycraft começaram uma enxurrada de perguntas, mas o inspetor os silenciou de imediato.

— Eu ainda não sei muito mais do que os senhores — disse ele —, exceto por ter vagamente confirmado a descrição do professor. Acabamos de ir ao Hale Club e interrogamos o porteiro que estava de serviço quando Ellery e o professor entraram. Ele reconheceu Ellery de uma fotografia recém-publicada em conexão com algum assunto dos Baker Street Irregulars. O outro sujeito, ele não conhecia e sequer lhe deu atenção, salvo por se lembrar que era alto e sombrio, o que, com certeza, não ajuda muito. Como nenhum dos dois era sócio do Clube, ele foi questioná-los quando o camarada alto explicou que ambos tinham um encontro marcado com o professor Gill, do Departamento de Química, e perguntou se ele já havia chegado. O porteiro se virou para examinar o quadro que indica quais sócios estão no prédio e, ao se virar de volta, viu os dois desaparecerem escada acima, em direção ao salão. Algum tempo depois, desceram as escadas e se encaminharam para a porta, onde Ellery se despediu e saiu. O camarada alto voltou a subir as escadas e, depois disso, ninguém mais o viu. O professor Gill, é claro, nunca apareceu. Acabo de falar com ele pelo telefone e ele diz nunca ter marcado tal encontro, não conhecer Moriarty algum e não imaginar quem possa se encaixar naquela descrição. Gill conhece, conhecia, Hugh Ashton, que frequentou algumas de suas aulas.

— Mas e quanto a Ashton? — perguntou Morley.

— Era um estudante de Química, vivendo com alguns outros alunos em um pequeno dormitório no último andar do laboratório de Química. Parece ter sido bastante inteligente, não muito bem de vida, e querido por alunos e professores. Na antevéspera, ele saiu ao cair da noite, dizendo a um amigo que ia dar uma volta. Nunca voltou e ontem pela manhã seu corpo foi encontrado aos pés de North Rock. Presumiu-se que havia caído do penhasco. Nosso maior problema, porém, é encontrar o tal professor Moriarty.

— Nós, com certeza, ainda não sabemos muito a respeito dele — disse Haycraft.

— A não ser — retrucou o inspetor — que é alto, sombrio, esquelético e tem uma testa proeminente.

— Eu não estaria tão seguro quanto isso — afirmou Morley. — Ademais, o senhor não mencionou os itens realmente importantes.

— Tais como? — perguntou o inspetor.

— Primeiro — respondeu Morley —, ele é sem sombra de dúvida um perspicaz estudioso de Sherlock Holmes. Segundo, tem um exagerado senso de humor, talento para o drama e inclinação para o bizarro. Terceiro, conhecia Hugh Ashton. Quarto, é um homem de recursos consideráveis e tem o instinto de um assassino nato; uma combinação das mais perigosas.

O inspetor não recebeu bem aquela pequena reprimenda.

— Às vezes — rosnou ele — eu gostaria que vocês, homens adultos, se esquecessem de toda essa bobagem de Baker Street Irregulars.

Ao chegarem à estação de Old Haven, um jovem louro, alto e robusto aproximou-se deles e dirigiu-se ao inspetor.

— Inspetor Queen, suponho? Meu nome é Moran. O chefe me pediu para me colocar à sua disposição durante sua visita aqui. Estou feliz por conhecê-lo e estar a seu serviço, embora preferisse que fosse em circunstâncias menos trágicas. O senhor pode contar conosco para fazer todo o possível para ajudá-lo a encontrar o assassino de Ellery.

— Obrigado — respondeu o inspetor. — É um prazer conhecê-lo, coronel; ouvi falar muito a seu respeito.

Morley quase deu um pulo.

— Coronel! Santo Deus, o que mais teremos?

— Não sei quais os seus planos, inspetor — disse Moran —, mas o chefe pensou que o senhor talvez quisesse conversar com o reitor da Universidade e com o professor Gill, portanto marcou uma entrevista com ambos para as onze horas. Como os senhores ainda têm vinte minutos, sugiro que vão para o hotel e se registrem. Meu carro está aqui e será um prazer levá-los.

— Diga-me, coronel — perguntou o inspetor, enquanto rodavam devagar pelas ruas tortuosas da cidade —, como me reconheceu tão depressa?

Moran riu.

— Você conhece meus métodos, Watson! Foi Morley quem me deu a primeira pista. Eu sabia que viriam em quatro e já havia visto fotos de Morley e Haycraft nos anúncios da *Mystery Magazine* de seu filho. Devo confessar que não reconheceria Haycraft por aquela fotografia, mas a barba de Morley é inconfundível. Uma vez identificado o grupo, o resto foi fácil. O sargento Velie era tão obviamente ele mesmo que eu soube que o senhor deveria ser o inspetor Queen.

Detectando naquela explicação um sabor sherloquiano, o inspetor mudou rapidamente de assunto.

— Alguma novidade a respeito de Ashton?

— Ainda nada — respondeu Moran —, mas o relatório do legista será entregue ainda hoje pela manhã. Aliás, eu conheci Ashton quando cursávamos ambos os primeiros anos da faculdade. Frequentamos algumas aulas de Química e atuamos juntos em algumas produções do Departamento de Arte Dramática. Depois de formados, ele optou por uma pós-graduação e eu me alistei na Força Aérea.

E, olhando para Morley, continuou:

— Cheguei a tenente-coronel antes de acabar levando um tiro e sendo passado para a Reserva. É daí que vem o "coronel". Quando voltei, ingressei na polícia de Old Haven, onde tinha alguns conhecidos da época de faculdade, quando pregava algumas peças nos colegas. Bem, aqui está o hotel.

Não demorou muito para se instalarem e, pouco tempo depois, chegaram todos à reitoria, onde o reitor e o professor Gill os aguardavam. Estavam ambos muito perturbados pela dupla tragédia e muito ansiosos para ajudar no que pudessem. Mas, depois de duas horas de perguntas e discussões, não haviam feito quaisquer progressos. O grupo estava prestes a sair para almoçar quando houve um telefonema para Moran.

— É o relatório do legista — informou ele ao desligar. — Receio que não nos ajude muito. A não ser pelo fato de que Ashton não morreu da queda de North Rock. Foi, primeiro, envenenado com cianeto e, depois, jogado lá de cima.

O almoço, no qual os visitantes de Nova York se juntaram a Moran e ao professor Gill, foi deprimente. Quando terminou, o inspetor pediu para ver o quarto de Ashton.

— Sem dúvida — respondeu o professor Gill, ao que Moran acrescentou que os conduziria ao laboratório de Química.

O laboratório provou ser um grande amontoado de tijolos vermelhos e pedras, encimado por torres e ameias decoradas com uma série de pequenos escudos, cada um ostentando a réplica de algum tipo de utensílio químico. Para grande desgosto do professor Gill, Moran insistiu em levá-los até o final do prédio para lhes mostrar um escudo no qual os arquitetos haviam colocado uma caneca espumante de cerveja. Conduziu-os então através de um grande arco gótico e por uma pequena escadaria em caracol que os levou ao andar de cima, para um corredor curto com uma fileira de portas de carvalho em um dos lados. Foi direto para a terceira, que abriu com uma chave etiquetada que tirou do bolso; o quarto era pequeno, com espaço apenas suficiente para a cama, um armário e uma escrivaninha. As paredes de gesso eram decoradas com uma coleção de pinups do tipo geralmente visto em quartos de estudantes. Em uma das paredes havia uma pequena estante repleta de livros de Química e histórias de detetive.

— Examinamos tudo com muito cuidado — disse o coronal Moran —, mas não encontramos coisa alguma que valesse a pena. Nada foi retirado, então os senhores são bem-vindos para ver o que lhes poderá ser útil.

O inspetor e Velie efetuaram um rápido, mas completo, trabalho de busca no quarto, nada encontrando que lançasse alguma luz sobre o caso.

— Tanto quanto eu posso ver — considerou o inspetor —, isso não nos diz grande coisa, salvo que Ashton era diligente, metódico e apreciador de histórias de detetive.

— Há, porém, algo que me intriga — disse Morley. — Onde está o original escrito por Ashton?

— Suponho que Moriarty, quem quer que seja, o tenha consigo — opinou Moran.

— Mas, em geral, um autor guarda uma cópia — retrucou Morley. — Com certeza deve haver algumas anotações, ou um primeiro esboço. Moran, você disse que nada foi retirado?

— Nada.

— Então vou dar mais uma olhada — afirmou Morley.

Depois de alguns minutos de busca, Morley começou a se interessar por algumas folhas de papel-carbono. De repente, examinou uma folha com muita atenção, depois outra.

— Temos alguma coisa! — exclamou. — Alguns destes carbonos foram usados para escrever o esboço de um conto!

O inspetor se apoderou dos carbonos e estudou-os à contraluz.

— Vou ficar com eles — declarou. — Podem ser a pista que estamos procurando.

— O senhor não gostaria — sugeriu Moran — de ir a North Rock ver onde foi encontrado o corpo de Ashton?

— É o próximo passo — concordou o inspetor.

Pouco depois, estavam todos de pé na base do alto e perpendicular penhasco de rocha vermelha, olhando para o ponto onde os restos destroçados de Hugh Ashton haviam sido descobertos na manhã da véspera. Pouco havia a ser visto além de algumas pedras manchadas de sangue. Estavam prestes a sair quando ouviram um súbito ruído vindo do alto. Olhando para cima, horrorizaram-se ao ver uma grande pedra rolando na direção eles. Estava quase alcançando-os, quando de repente fez uma curva e, com grande estrondo, passou por eles a um metro de distância.

Morley apontou o punho para o céu.

— Isto é demais… é demasiado demais!

O inspetor começou a escalar a trilha que subia a encosta por trás, os outros seguindo, animados. Chegando ao topo, não viram sinal de ninguém. Morley caiu de joelhos e examinou a grama.

— O que você está procurando, Chris? — perguntou Haycraft, ainda ofegante.

Morley se levantou.

— Veja isto! — disse ele, segurando a anilha de um charuto Merlinda.

— O que há? — questionou Moran.

— Não percebe o que significa? — indagou Morley.

— Suponho que você queira dizer que isto prova que Moriarty esteve aqui — observou o inspetor Queen, pensativo.

Voltaram todos ao hotel, para jantar. O inspetor continuava pensativo. Quando, após a refeição, terminaram de fumar, ele pediu licença e se retirou para o quarto, onde apanhou as folhas de papel-carbono e as examinou. Mais tarde, em um estado de ânimo visivelmente melhor, começou a tomar notas. Ainda mais tarde, com um sorriso amargo, juntou as folhas com um prendedor, mudou de roupa e foi para a cama.

Mais ou menos ao mesmo tempo, em um quarto não longe dali, Morley bateu a cinza do cachimbo e murmurou:

— Só pode ser isto!

E foi também para a cama.

Pareceu ao inspetor Queen que mal adormecera quando acordou com a sensação de que havia alguém em seu quarto. Olhando em volta, achou que a escuridão parecia mais densa perto de sua escrivaninha. Sentou-se, mas, ao fazer isso, a sombra mais escura se moveu. De repente, alguma coisa explodiu em seu queixo e ele foi jogado de costas. Recuperando-se, rolou para fora da cama exatamente a tempo de ver um vulto negro sair pela porta e mergulhar no corredor. A porta se fechou com um estrondo, mas ele a reabriu poucos segundos depois e no mesmo instante colidiu com uma massa corpulenta. Ambos caíram no chão, presos nos braços um do outro. De repente, seu oponente relaxou.

— Acalme-se, inspetor — disse a voz do sargento Velie. — Sou só eu. O que houve?

— É exatamente o que eu gostaria de saber! — respondeu o inspetor, perplexo.

Com a ajuda do sargento e esfregando muito o queixo, voltou para a cama.

— Agora — disse ele, encarando Velie —, o que você está fazendo no meu quarto?

— Eu? — surpreendeu-se Velie. — Eu dormia profundamente no quarto ao lado quando o ouvi gritar, então vim correndo e dei de encontro com o senhor. O que aconteceu?

— Eu acordei e me dei conta de que havia alguém no quarto, junto à minha escrivaninha. Antes que eu pudesse fazer qualquer coisa, fui atingido no queixo e derrubado. Então, quem quer que me tenha atacado saiu batendo a porta.

— Levaram alguma coisa?

— Raios me partam se eu sei — retrucou o inspetor. — Vamos dar uma olhada.

Ele desceu da cama e correu à escrivaninha.

— Agora estou entendendo — disse.

O papel-carbono e suas anotações haviam desaparecido.

Na manhã seguinte, logo cedo, Morley e Haycraft estavam no gabinete de Moran, à espera do inspetor. Moran relatou os acontecimentos da noite, conforme lhe contara Velie pelo telefone. A despeito de todas as diligências da polícia, conduzidas pelo próprio Moran, não havia pistas da identidade do invasor noturno nem qualquer sinal dos papéis desaparecidos.

— Bem — disse Haycraft —, os carbonos não nos adiantam muito, agora que sumiram, mas pelo menos sabemos que eram importantes.

— Eu não teria tanta certeza — retrucou Morley. — Na verdade, estou inclinado a acreditar que não passam de um engodo. Vejam, eles não se enquadram no padrão.

— Uma dedução sherloquiana, sem dúvida — disse a voz vinda da porta, onde estava parado um exausto inspetor Queen. — Deixe-me apenas lhe dizer, sr. Morley, que aqueles carbonos solucionaram o caso. O ladrão, seja quem for, não chegou a tempo. Eu já havia obtido o que queria desde o final da tarde, e o que descobri nos levará ao assassino de Ellery e Ashton. Não apenas isso, como esclarece um caso há muito em aberto em Nova York.

Morley pareceu perturbado. Penteou a barba com os dedos e depois comentou, devagar:

— Pergunto-me se poderia falar com o senhor a sós, inspetor.

— Não agora — respondeu o inspetor. — Quero dar alguns telefonemas para Nova York. Não quero ser precipitado, como algumas pessoas que conheço.

Depois do que pareceram horas de telefonemas, o inspetor voltou.

— Ainda não tenho todas as respostas — informou ele —, mas tenho o suficiente para saber que estou no caminho certo. Moran, você tem um baralho?

— Não — respondeu Moran —, mas posso conseguir um.

Ele saiu, voltando poucos minutos depois com um maço de cartas intacto.

— E agora eu poderia ter um envelope, por favor? — pediu o inspetor.

Enquanto Moran o buscava, o inspetor tirou do baralho o ás de espadas.

— Lamento ainda não lhes poder explicar tudo, mas acho que encontramos quem mandou a Ellery o rei de espadas, e creio que seria um belo gesto deixá-lo saber que o ás é mais forte do que o rei.

Ele deslizou o ás para dentro de um envelope selado, rabiscou nele um endereço e foi pessoalmente despachá-lo. Quando voltou, Morley mais uma vez perguntou se poderia lhe falar a sós.

Os dois se retiraram para a sala ao lado, mas retornaram em poucos minutos, Morley ruborizado e o inspetor furioso.

— Não ouvirei mais essas idiotices a respeito de Sherlock Holmes! — gritou ele.

— Um dia — murmurou Morley, enquanto ele e Haycraft saíam —, o senhor não achará isso tão idiota.

Era o meio da tarde quando Morley e Haycraft decidiram arriscar nova visita ao gabinete de Moran. Encontraram o inspetor, Velie e Moran no meio de acalorada discussão. Pouco antes, o inspetor havia recebido um telefonema de alguém em Old Haven, telefonema que havia sido rastreado até uma farmácia na esquina. O interlocutor o convidara para se encontrar com ele à meia-noite, na porta dos fundos do laboratório de Química, que levava a um grande terreno baldio, em parte um parque, pontilhado por grupos de árvores e arbustos e cruzado por várias trilhas. A voz deixara claro que o inspetor deveria comparecer sozinho, que qualquer tentativa de levar alguém consigo resultaria em desastre. O inspetor concordara em ir desacompanhado e estava a ponto de fazer algumas perguntas quando o misterioso interlocutor desligou.

Velie e Moran estavam agora objetando quanto à sua promessa de ir sozinho. Diziam que era por demais perigoso. Mas o inspetor não ouvia quaisquer argumentos. Insistia em poder tomar conta de si mesmo. Morley e Haycraft tentaram apresentar suas tímidas opiniões, mas o inspetor permaneceu inflexível. Por fim, Morley e Haycraft, vendo que nada o convenceria, saíram, anunciando que voltariam ao hotel e se juntariam aos outros para o jantar. Mas não foram diretamente para o hotel. Por insistência de Morley, telefonaram primeiro para o professor Gill.

Pouco antes das 22h30, três vultos chegaram à porta dos fundos do laboratório. Um deles abriu a porta e todos entraram, cautelosos, atravessando então a sala escura até uma grande janela panorâmica na parede oposta.

— Daqui — disse o professor Gill a Morley e Haycraft — podemos ter uma boa visão da porta que leva ao pátio, sem sermos vistos.

Olharam em volta e divisaram o contorno de uma janela panorâmica similar, do outro lado da porta. Os três homens se instalaram para aguardar a chegada do inspetor. O tempo se arrastava. Todos estavam nervosos e o cheiro do lugar começou a oprimir tanto Morley quanto Haycraft. Em determinado momento, pensaram ouvir sons vindos do corredor, como se alguém estivesse se movendo na sala atrás da porta, mas aqueles tênues ruídos logo cessaram e, a partir de então, houve apenas o silêncio de um prédio vazio.

Por volta de quinze para a meia-noite, ouviram alguém caminhando ao longo de uma das trilhas que levavam à porta e perceberam o brilho de uma lanterna. Foi o professor Gill quem reconheceu o visitante.

— Ora, é o vigia do laboratório — disse ele. — Que diabos ele está fazendo aqui?

O homem fez uma apressada busca na moita de arbustos mais próxima. Por fim, foi até a porta do laboratório, abriu-a e entrou.

Gill fez um movimento no sentido de interceptar o vigia, mas Morley objetou.

— Seria fatal, se alguém nos visse.

— Então é melhor nos escondermos — disse Gill —, porque daqui a um minuto ele estará examinando este lugar.

Mal tiveram tempo de se ocultar — Morley atrás de um banco de cilindros, Haycraft atrás de um grande tanque cheio d'água e o professor Gill em um exaustor — antes que a porta se abrisse e o vigia acendesse as luzes. Não vendo nada fora do comum, apagou-as depressa e se afastou pelo corredor. Rastejando para fora dos esconderijos, os três homens viram luzes brilhando na janela panorâmica junto à porta. Aquele brilho também se apagou rapidamente e eles ouviram o som dos passos do vigia enfraquecer à medida que ele atravessava o corredor.

Aquele pequeno incidente aumentou a tensão; os três ficavam mais impacientes a cada minuto. Haycraft, que usava um relógio com mostrador luminoso, acompanhava lentamente o passar da hora. Dois minutos para a meia-noite, Morley, olhos colados na janela, deu um silencioso alerta: alguém subia a trilha em direção à porta. Logo reconheceram o inspetor, que avançava com cuidado, perscrutando os diversos grupos de arbustos e se dirigindo para a porta. Então ele começou a andar nervosamente de um lado para outro, subindo e descendo a trilha enquanto os três homens no laboratório aguardavam, tensos, o aparecimento do misterioso estranho. Os minutos se arrastavam de modo insuportável. De repente, houve um som, mas não vindo do pátio. Passos abafados vinham do corredor do segundo andar. Poderia o vigia estar voltando? O som dos passos ficou mais alto. A porta se abriu e dela emergiu um vulto alto e escuro. Ao som da porta se abrindo, o inspetor havia recuado para a sombra de um grande arvoredo, mas foi avistado pelo vulto sombrio.

— O senhor, é claro, não me conhece — disse o vulto. — Permita que eu me apresente. Professor James Moriarty.

O inspetor saiu da escuridão. A voz, obviamente imitando a do professor Moriarty em um famoso programa de rádio, continuou:

— Arrisco-me a dizer que o senhor não me esperava.

— Sinceramente, não — retrucou o inspetor. — Mas, já que está aqui, aproveitarei sua presença. Você e eu temos muitas pendências a esclarecer.

— É verdade — disse o professor. — Por exemplo, vejo-me posto em tal posição durante sua incessante perseguição e corro real perigo de perder minha liberdade. A situação está se tornando impossível.

Ao ouvir tal citação de *O problema final*, Morley teve enorme dificuldade para se conter.

Moriarty continuou:

— Tenho certeza de que um homem com a sua inteligência perceberá que só há uma solução para este caso. É necessário que o senhor recue.

— Antes disso, eu o verei na cadeira elétrica — retrucou o inspetor.

— Era o que eu receava — prosseguiu o professor. — Parece lamentável, mas fiz o que pude. Agora, o senhor deu tal rumo às coisas que me resta um único recurso.

De repente, viu-se um clarão partir da mão direita do professor. O inspetor cambaleou e caiu de joelhos. Três rápidos clarões brilharam na janela panorâmica ao lado da porta. Desta vez, foi o professor quem cambaleou e caiu. Morley e Haycraft, esgueirando-se pelos caixilhos de sua janela, viram, perplexos, o sargento Velie surgir da mesma maneira da janela ao lado da porta.

Correram todos para o lado do inspetor. Era tarde demais. Viraram-se com fúria para o outro vulto.

— Vejam — exclamou Haycraft —, ele está usando uma peruca!

Arrancaram a peruca e dirigiram a luz para o rosto do assassino.

Era o rosto do coronel Moran.

Vários dias depois, um grupo entristecido se reunia no escritório de Morley.

— Este caso ilustra uma vez mais — dizia Morley enquanto servia as bebidas — que insensatez é desconsiderar os ensinamentos de Holmes. Chocou-me desde o princípio o modo como todo o caso se revestia da tradição holmesiana. O uso do nome de James Moriarty e a óbvia personificação do professor como descrito no cânone foram absolutamente transparentes. Quando encontrei um coronel Moran também envolvido, pareceu-me evidente demais, sobretudo quando me dei conta de que Moran possuía todas as qualificações do professor. Haycraft há de se lembrar que eu disse ao inspetor Queen que Moriarty era um apaixonado estudioso de Holmes e tinha exagerado senso de humor, talento para o drama, gosto pelo bizarro e instintos assassinos. Moran tinha tudo isso. Uma das primeiras observações que fez ao chegarmos foi "Você conhece meus métodos, Watson!". Além disso, nos disse que, quando estudante universitário, gostava de pregar peças nos colegas e insistiu em nos mostrar o escudo com a caneca de cerveja. Disse-nos ainda que ele e Ashton haviam atuado em produções do Departamento de Arte Dramática, o que indicava não apenas um gosto pelo drama como alguma experiência em maquiagem. Por fim, não era irracional supor que um jovem que se distinguira na guerra pela selvageria de suas táticas fosse um assassino nato. Bem, eu lhe dei o benefício da dúvida porque não fui capaz de perceber qualquer motivo plausível. Mas, quando aquela rocha foi empurrada, tudo passou dos limites. Aquilo foi obviamente plagiado da descrição de Holmes do que acontecera em Reichenbach Falls e tornou patente o envolvimento de um Moran. Antes de morrer, Moran admitiu ter encomendado o deslocamento da pedra, mas se recusou a divulgar o nome de seu cúmplice. Quanto mais eu pensava, mais me convencia de que Moran estava envolvido, e naquela noite me decidi a expor o caso ao inspetor. Mas ele, teimoso, se recusou a me ouvir, embora seja justo dizer que tinha boas razões para fazê-lo, uma vez que também estava no caminho certo.

"O resto da história, obtive de Moran em seu leito de morte no hospital. Parece que, por razões que talvez nunca saibamos, ele partilhava do segredo de um notório assassino que, há vários anos, deixara perplexa a polícia de Nova York. O assassino, suponho, era alguém que lhe era caro.

"Uma noite, uma discussão de bêbados na qual Ashton estava presente, ele deixou escapar algumas coisas que Ashton, muito interessado em crimes e histórias de detetive, reconheceu como significativas. Ashton começou a fazer pequenas chantagens com Moran. Moran ficou contrariado e tentou blefar. Mais ou menos nessa época, Ellery anunciou o Concurso de Contos, então Ashton escreveu o caso de modo que a polícia de Nova York pudesse compreender e mandou o original para Ellery. Disse então a Moran o que fez e afirmou que só recuperaria o manuscrito se Moran lhe pagasse uma boa quantia.

"Moran não conseguiria levantar tanto dinheiro e receava também que Ellery já pudesse ter compreendido a pista fornecida pelo conto, portanto resolveu acabar tanto com Ellery quanto com Ashton. Sabemos como assassinou Ellery com cianeto, obtido no laboratório de Ashton. Matou Ashton mais ou menos da mesma maneira: ofereceu-lhe uma bebida envenenada, carregou o corpo e jogou-o do penhasco. Na qualidade de oficial de polícia, conseguiu ser um dos primeiros a chegar ao quarto de Ashton, de modo a poder destruir todos os traços do original. Infelizmente para ele, esqueceu-se do papel-carbono, que precisou depois roubar do quarto do inspetor. Mas o inspetor já chegara à verdade, como Moran soube pelo endereço para o qual o inspetor remeteu o ás de espadas. Foi quando telefonou ao inspetor e organizou o encontro fatal.

"Foi esperto por parte de Moran mandar o vigia noturno examinar os arbustos e as salas do laboratório para ver se não havia ninguém por lá, mas o vigia, graças aos céus, não fez um bom trabalho. Enquanto isso, Moran se disfarçou e apareceu mais uma vez como James Moriarty."

Fez-se silêncio quando Morley se calou.

Então, Haycraft ergueu seu copo.

— In memoriam… aos Queen — brindou.

— In memoriam… aos Queen — ecoaram os outros.

— De qualquer forma — disse Morley, pousando o copo —, Sherlock Holmes voltou do seu encontro com Moriarty, e eu não ficaria de todo surpreso se os Queen, *père et fils*, conseguirem fazer o mesmo.

DE OUTRO LUGAR

A aventura do lobo fantasma

ANTHONY BOUCHER

É incomum que um autor alcance grande sucesso em mais de um gênero, mas William Anthony Parker White (1911–1968), pseudônimo Anthony Boucher, teve carreira notável como escritor tanto de mistério quanto de ficção científica, assim como firmou seu nome enquanto primoroso crítico, tradutor, editor e antologista. Nascido em Oakland, Califórnia, diplomou-se em Artes pela Universidade da Carolina do Sul e completou um mestrado em Língua Alemã na Universidade da Califórnia (Berkeley). Mais tarde, tornou-se suficientemente fluente em francês, espanhol e português para traduzir histórias de mistério para o inglês, tornando-se o primeiro a traduzir Jorge Luís Borges para a língua inglesa. Sob o pseudônimo de Boucher, escreveu bem recebidos e leves romances de detetive, começando com *The Case of the Seven of Calvary* (1937), seguido por *Nine Times Nine* (1940), que foi considerada a nona melhor história de crime de quarto fechado de todos os tempos por um júri composto de escritores e críticos; foi escrito sob o pseudônimo de H.H. Holmes, um infame assassino em série do século XIX. Sua produção foi intensa na década de 1940, quando escrevia pelo menos três scripts por semana para programas de rádio populares, como *Sherlock Holmes*, *The Adventures of Ellery Queen* e *The Casebook of Gregory Hood*. Escreveu também inúmeras séries de ficção científica e contos de fantasia e, como H. H. Holmes, resenhou livros do mesmo gênero para o *San Francisco Chronicle* e o *Chicago Sun-Times*. Produziu antologias dos gêneros ficção científica, fantasia e mistério. Foi, durante muito tempo, resenhista de mistério no *The New York Times* (1951-1968) e na *Mistério Magazine de Ellery Queen* (1957-1968). Em 1946, foi um dos fundadores do Clube de Escritores de Mistério da América. Em sua homenagem, a anual Convenção Mundial de Mistério é conhecida como "Bouchercon" e o prêmio Anthony Awards também recebeu seu nome.

"A aventura do lobo fantasma" foi originalmente publicada em *The Illustrious Clients Second Case-Book*, editado por J.N. Williamson (Indianápolis, Indiana, impressão especial para *Illustrious Clients*, 1949).

A AVENTURA DO LOBO FANTASMA

Anthony Boucher

Foi em uma tarde fria de janeiro, em 1889, que me sentei em frente à lareira, na minha casa de Paddington, absolutamente exaurido por algumas horas de atividades extenuantes do tipo que não praticava desde nossa perseguição ao nativo das ilhas Andaman, no Tâmisa. Não me mexi ao ouvir a campainha, não me lembrando, até o quinto toque, de que, entre as situações vexatórias do dia, estava o fato de ser a tarde de folga da criada. Enchendo meu cachimbo com a mistura de fumo Arcadia a fim de restaurar o ânimo desgastado, atendi com relutância ao chamado.

Foi com um misto de alegria e apreensão que avistei à soleira a figura familiar do meu amigo Sherlock Holmes. Por mais satisfeito que estivesse ao vê-lo, receei que ele pudesse me achar, no estado em que me encontrava, lamentavelmente lento para reagir ao desafio de qualquer caso que pudesse estar em andamento. Holmes, porém, parecia tão entregue à inatividade quanto eu e, após nos cumprimentarmos, não fez nada além de me seguir até a lareira, afundar na poltrona ao lado e, como bom companheiro, encher seu infame cachimbo feito de argila negra.

— Londres está ficando entediante — queixou-se Holmes, enquanto eu executava os devidos rituais com o tântalo e gasogênio,[4] seu presente de casamento para nós. — E o tédio, meu caro Watson, é a única doença insuportável. Já se passaram dois meses desde que minha fingida enfermidade, que tanto o preocupou, permitiu ao inspetor Morton prender aquele demônio, o sr. Culverton Smith; e durante todo este tempo nem um único problema interessante cruzou o meu caminho. Ora, os jornais dedicaram algum espaço, sem dúvida, àquele caso miserável das opalas de Tagliaferro; mas até um menino de quatro anos teria visto que o ladrão só poderia ser um hindu albino.

Ele se interrompeu e me olhou com alguma preocupação.

— Meu caro amigo, você não está doente, está?

— É a friagem de janeiro — apressei-me em responder. — Tome, isto vai nos animar.

— *Ennui*...[5] — murmurou Holmes. — Os franceses, Watson, têm algumas palavras inestimáveis. Considere, também, o uso que fazem de nossa própria palavra, *spleen*... Precisamos do idioma de minha avó para descrever meu estado atual. A gratidão concretamente expressa pela família real da Holanda seria por si só suficiente para manter minhas modestas necessidades por muito tempo, mas meu cérebro precisa de um caso. Preciso afiar os dentes, Watson, em qualquer osso que puder encontrar.

Depois de uma pausa e um gole, ele continuou:

— Esta tarde, fui ao Diogenes Club, mas Mycroft estava envolvido em uma missão a tal ponto secreta que sua natureza não podia ser revelada nem mesmo a mim. Precisei de meros cinco minutos para deduzir, pela cinza ao lado da poltrona habitual de Mycroft e a mancha de tinta roxa no dedo indicador esquerdo do recepcionista, que sua missão estava relacionada a certo jovem galante, ocupante de um alto posto, cujas atividades eu faria bem em

4 Era chamado "tântalo" um suporte para garrafas de cristal com bebidas destiladas (uísque, conhaque etc.) cujas tampas ficavam bloqueadas por uma barra de metal, a fim de que o consumo das bebidas fosse controlado. O "gasogênio" era o equivalente vitoriano de uma garrafa gaseificadora. (N.T.)

5 Tédio — em francês no original. (N.T.)

ignorar. Então vim vê-lo, meu velho amigo, na esperança de que sua clínica, cada vez maior, acredito, pudesse ter produzido algum probleminha de algum modo desafiador, ainda que insignificante.

— Nenhum problema — respondi, cansado. E acrescentei: — Na minha clínica.

— Se eu não puder encontrar distração estimulante em algum lugar...

Sua voz em geral incisiva fraquejou, e o polegar de sua mão direita fez o significativo gesto de comprimir uma seringa hipodérmica.

— Em nome de Deus, Holmes! — exclamei. — Você não voltaria àquilo!

Ele ficou sentado em silêncio por algum tempo, fumando e sorrindo. Então perguntou, casualmente:

— Polar ou pardo?

— Polar — respondi, sem pensar. Então pulei para ficar de pé. — Holmes — exclamei —, assim é demais! Que você queira alguma diversão estimulante, como diz, posso compreender; mas que invada a privacidade de seus amigos, espionando-os em seus momentos em família, como um investigador dos mais mesquinhos...

Sua bem-vinda gargalhada e um gesto de sua mão comprida e fina interromperam minha indignação.

— Watson, Watson — lamentou ele, sacudindo a cabeça. — Você nunca vai aprender que eu não pratico nem magia negra nem espionagens furtivas? Quando encontro um rapaz saudável em um estado de absoluta exaustão, com poeira nas mãos e no joelho de suas calças, o tapete enrugado e a mobília fora do lugar, e mais ainda quando ele estremece à minha casual alusão a um menino de quatro anos, é óbvio que ele passou a tarde brincando com uma criança, e pelo menos parte dela de quatro, imitando animais. Para alguém que o conhece como eu, Watson, é igualmente óbvio que a criança o consideraria mais aceitável no papel de um urso. Só faltava perguntar "polar ou pardo", embora, diante da sua predileção por narrativas de aventuras árticas, a resposta também deveria ser óbvia. Lamento parecer estar perdendo o jeito.

— Agora... — comecei.

— Eu sei — ele me interrompeu com algum azedume. — Agora tudo está absolutamente claro, uma vez explicado. Ver a questão explicada... devo salientar, é o desejado. Devo, entretanto, continuar a deduzir que a criança pertence a uma amiga da sua esposa, uma vez que não me recordo de casais com filhos no seu próprio círculo social, e que sua esposa e a mãe da criança saíram juntas. Provavelmente, considerando dia e hora, foram a uma matinê. E é bem possível, considerando-se a temporada, a uma pantomima... o que talvez indique uma criança mais velha na família, levada ao teatro enquanto a outra, jovem demais para uma aparição pública, foi deixada com o gentil marido da amiga.

— Holmes, o rei James I deveria ter conhecido você antes de escrever seus tratados de bruxaria.

— Ora, Watson — protestou meu amigo. — Isso foi mera adivinhação. Mas não há qualquer adivinhação ao concluir, pelo choro fraco que ouço vir do andar de cima, que o rapazinho em questão acordou de sua sesta e pede atenção.

— Este — anunciei a Holmes, depois de ter feito minha melhor canhestra tentativa de refrescar a criança depois de sua soneca — é o senhorzinho Elias Whitney.

— Ah? Uma homenagem, sem dúvida, ao falecido diretor da Faculdade de Teologia de St. George?

— Seu sobrinho — respondi, maravilhado como sempre com aquele homem que tinha na ponta da língua todos os fatos da vida inglesa. — Sua mãe, Kate, é uma querida amiga de Mary. Seu pai...

Mas o sigilo profissional me obrigou a não dizer mais a respeito do pobre pai, mal imaginando o quanto a perversa propensão que naquele momento me provocava, enquanto médico, tanta preocupação, me levaria mais tarde à aventura que relatei, em outro lugar, com o título de "O homem do lábio torcido".

— Ah, olá, rapazinho — disse Holmes, bem-humorado.

O pequeno Elias contemplou, sério, os olhos penetrantes, os traços de falcão, os lábios firmes e sensíveis do meu amigo, e deu seu veredicto.

— Homem engraçado — declarou.

Não pude reprimir um sorriso, nem uma agitada ansiedade ao imaginar que espécies de animais seria Holmes obrigado a imitar para divertir o mocinho. Mas me vi desapontado em minha expectativa quando o pequeno Elias desprezou as tentações do tapete que havia sido o Círculo Ártico, instalou-se na almofada ao pé da lareira, e pediu:

— Conta história.

Os olhos de Holmes cintilaram.

— Ele encontrou seu ponto fraco, Watson, meu caro: um rematado contador de histórias, dentro e fora da escola. Bem, se ele deseja animais, conte nossas experiências em Baskerville.

Eu estava prestes a protestar sobre aquela macabra narrativa não ser adequada a jovens ouvidos quando o próprio menino disse:

— Não. Conta história do urso fantasma.

— Ele veio ao lugar certo — observou Holmes. — Seus ancestrais escoceses, meu caro amigo, deviam se reunir para contar histórias de fantasmas.

— Ele está falando — expliquei, paciente — do urso polar, como o que tive a honra de representar. Não, Elias, sinto muito, mas não sei nenhuma história de ursos polares. Mas me lembro de que, na infância, eu sempre gostava de ouvir histórias de lobos. Será que você se interessaria por uma delas?

— Lobo fantasma? — sugeriu Elias.

— Não tenho certeza, mas desconfio seriamente de que não existe melhor que um lobo polar. Este lobo é apenas um lobo comum, daqueles que se pode encontrar, pelo menos em contos de fadas, em qualquer esquina. Ele vivia em um canto escuro da floresta...

— Esquinas na floresta? — Elias perguntou, interessado.

Holmes voltara a encher o copo no tântalo e a se acomodar na poltrona.

— Por favor, continue, Watson — insistiu. — Acho contos de fada especialmente adequados para você, considerando os toques românticos em suas narrativas de minhas próprias aventuras. Estou ansioso para vê-lo em ação.

— Não — respondi a Elias. — Não há esquinas na floresta, só uma longa trilha exposta ao vento que leva de um chalé para o outro. Então, no primeiro chalé vivia uma garotinha chamada Chapeuzinho Vermelho.

— Eu sei da Pezinho Vermelho — disse Elias.

Eu me senti um pouco rejeitado.

— Você prefere outra história, então?

— Não. Gosto de Pezinho Vermelho. Conta Pezinho Vermelho.

— O público — observou Holmes — sempre prefere uma história que já conhece.

Contei a "Pezinho Vermelho". Como a história talvez seja conhecida do leitor desde os seus próprios dias de berçário, omitirei aqui os detalhes da narrativa, que repeti sem nada excluir, como nos foi diversas vezes contada por nossa antiga babá naqueles dias felizes e ensolarados quando Harry e eu éramos pequenos. Contei o primeiro encontro com o lobo, descrevi as práticas nefastas do lobo com a avó, o pavoroso encontro de Chapeuzinho Vermelho com o lobo disfarçado, sua gradual conscientização do grande perigo que corria, a entrada final do galante lenhador (que descrevi, confesso, com alguns dos mais marcantes traços físicos do meu amigo) e sua destruição do lobo e recuperação da avó — um detalhe, sou levado a perceber, muitas vezes omitido das versões mais modernas.

Fiquei envaidecido pela atenção extasiada do pequeno Elias, e não apenas envaidecido, mas intrigado, com a igualmente extasiada atenção de Sherlock Holmes. À medida que eu avançava na narrativa, seus olhos se iluminavam, ele acompanhava cada palavra e logo, depois de um gesto automático de busca pelos ausentes chinelos persas, apanhou a bolsa de fumo, encheu o cachimbo e se cercou daquelas venenosas nuvens que eu me acostumara a associar aos estágios finais da solução de um problema.

Quando terminei, ele se pôs de pé e deu vários passos rápidos pela sala.

— Aí está, Watson! — exclamou, e sua voz havia recuperado a vida. — Elias!

Ele apontou um longo indicador para o menino, que visivelmente se encolheu.

— Você quer saber a *verdade* a respeito de Chapeuzinho Vermelho?

— Saber idade da Pezinho Vermelho? — repetiu a criança, apática.

— Como podem os homens ser tolos! — lançou Holmes para si mesmo. — Repetir essa história geração após geração e nunca perceber o seu significado! E eis que nas próprias palavras desta criança havia uma pista da verdade. *Lobo fantasma*... Com certeza você percebeu, Watson.

— Percebi o quê? — gaguejei.

— Há dois pontos essenciais. Concentre-se neles, Watson. Primeiro, Chapeuzinho Vermelho só se deu conta da aparência lupina da "avó" pouco a pouco, quase traço a traço. Segundo, depois que o lobo foi morto, lá estava a avó.

— Mas, meu caro Holmes...

— Você ainda não compreendeu? Então ouça. — Seus olhos faiscavam. — Tratava-se, na verdade, de um lobo fantasma: era um *lobisomem*, um lobo que não passa da forma lupina de um ser humano malévolo e antropófago. E esse ser humano era... *a avó*!

"É perfeitamente claro. Chapeuzinho Vermelho não olhou e viu na mesma hora que o vulto na cama era um lobo. Não! Pouco a pouco, ela percebeu o surgimento de características lupinas. É óbvio que ela estava observando o lobisomem se transformar de ser humano para lobo.

"E, quando o lobo foi morto, lá estava a avó. Não pulando viva da barriga... isso é evidentemente uma racionalização posterior, impossível até pelos padrões dos contos de fada. Mas lá estava a avó, deitada no chão, estirada pelo golpe do machado do lenhador... porque o lobisomem, quando morto, sempre volta à forma humana."

— Holmes — arquejei —, você tem razão. Deve ser essa a verdade. Tão simples e tão surpreendente. E depois de todos esses séculos, só você...

Com um rápido movimento de seu corpo flexível, Holmes girou na direção do pequeno Elias.

— Agora, meu rapaz, você sabe. Diga à sua mãe que, enquanto ela assistia à pantomima, você, meu jovem, foi o primeiro menino do mundo a conhecer a verdade a respeito de Chapeuzinho Vermelho!

O menino ficou em silêncio por alguns instantes, olhando fixo para o homem à sua frente. Então, sua boca se abriu e seus olhos se esbugalharam. Continuou em silêncio pelo que me pareceram minutos, mas por fim um lamento angustiado saiu daquele rosto horrivelmente distorcido. Em todas as aventuras que compartilhei com meu amigo Sherlock Holmes, eu nunca ouvira um grito de tão pura e indisfarçada raiva, agonia e frustração.

Tão alto foi o grito que não ouvimos a chave na porta da frente. Nosso primeiro aviso da volta das senhoras foi a tempestuosa entrada de Kate Whitney, que correu à almofada, pegou o rebento angustiado no colo e em vão tentou acalmar seu berreiro.

Minha esposa, entrando com a jovem Isa, ainda hipnotizada pela pantomima, virou-se para mim, em fúria.

— James! — exclamou, alto o suficiente para ser ouvida acima de toda aquela choradeira. — O que você *fez* com aquela criança?

— James — observou Sherlock Holmes. — Um apelido carinhoso, sem dúvida? E pensar que eu o conheço há tanto tempo, meu caro amigo, sem me dar ao trabalho de descobrir que a inicial do seu nome do meio deve ser de Hamish.

Mary virou-se para encará-lo.

— Sr. Holmes — cumprimentou ela, com pérfida polidez.

Seus olhos absorveram o tapete enrugado, os móveis fora do lugar, o reduzido nível do tântalo.

A voz de Kate Whitney continuava a repetir:

— O que os homens fizeram com você?

Por fim, o senhorzinho Elias conseguiu controlar sua histeria o bastante para apontar um dedo delator para Sherlock Holmes.

— Homem mau! — disse ele, acusador. — Homem mau estragou Pezinho Vermelho. Estragou tudo!

E voltou a seus ruídos vociferantes.

Falei tão alto e com tanta calma quanto consegui:

— Quanto àquele pequeno problema do Escândalo da Vacinação no Vaticano, meu velho, você não acha que podemos conversar a respeito no meu consultório?

A fúria nos olhos de Mary amansou um pouco. Junto ao meu ouvido, ela cochichou:

— Outra comissão?

E murmurei:

— O percentual de sempre.

Ela se acalmou, e chegou a me deixar levar conosco o tântalo.

— Pois então — disse mais tarde Sherlock Holmes — você presenciou o típico exemplo da reação do público à verdade. Nunca se deve esperar uma atitude científica da mente popular, que sempre prefere a falsidade aceita à verdade ignorada. Tenho pensado em escrever uma pequena monografia a respeito de tais ilusórias tradições; tenho certeza, por exemplo, de que, desde que seu amigo Doyle escreveu a lenda relativa ao que ele denomina *Marie Celeste* o nome correto de *Mary Celeste* caiu em total desuso. E ainda assim devemos tentar, onde pudermos, restabelecer a verdade e desdenhar a hostilidade pública. *Populus me sibilat...*

—*... at numni* — parafraseei, desanimado, recordando minha infeliz meia-promessa a Mary — *desunt in arca...*[6]

---

6 Em latim no original. Em uma tradução livre: *O povo me vaia... em casa... ao contemplar o cofre...* Paráfrase de uma citação de Horácio por A.C. Doyle no conto "Um estudo em vermelho": *"O povo me vaia nas ruas, mas em casa me aplaudo ao contemplar meu dinheiro no cofre."* (N.T.)

As joias da coroa de Marte

POUL ANDERSON

Escritor de ficção científica, mitologia nórdica e realismo mágico, imensamente popular, bem-sucedido, e aclamado pela crítica, Poul William Anderson (1926-2001) era famoso por sua pesquisa meticulosa, chamando sua obra de "fantasia com rebites"; se ele se referisse a determinado tipo de armadura, descrevia com minúcias sua produção.

Escreveu mais de cem livros, a maioria versando sobre liberdade individual e livre-arbítrio, oriundos de sua admiração pelos Pais Fundadores e pela Constituição. Embora sua posição filosófica tenha atraído a inimizade de seus colegas mais esquerdistas, ele continuou a ser uma figura popular na comunidade literária, sendo indicado para a presidência dos Escritores de Ficção Científica e Fantasia da América, nomeado Grande Mestre e incluído no Hall da Fama de Ficção Científica e Fantasia. Ganhou inúmeros prêmios literários, incluindo sete Hugos e três Nebulas.

Anderson interessou-se a vida inteira por Sherlock Holmes, observando que "há uma considerável justaposição entre os apreciadores de ficção científica e os do grande detetive". Não podem haver dúvidas de que sua afeição pelos temas sherloquianos deve sua origem a Karen Kruse, que fundou uma sociedade de Sherlock Holmes ainda no ensino médio. Ele a conheceu em 1952, em uma convenção mundial de ficção científica em Chicago. Casaram-se em 1953 e permaneceram juntos até sua morte.

Outros contos sherloquianos de Anderson foram "The Adventure of the Misplaced Hound", escrito com Gordon R. Dickson (1953), "Eve Times Four" (1960), e o muito elogiado "The Queen of Air and Darkness" (1971).

"As joias da coroa de Marte" foi originalmente publicado na edição de fevereiro de 1958 da *Mistério Magazine de Ellery Queen* e incluído pela primeira vez em livro no volume *A Treasury of Great Science Fiction*, organizado por Anthony Boucher (Garden City, Nova York, Doubleday, 1959).

AS JOIAS DA COROA DE MARTE

Poul Anderson

O sinal foi recebido quando a nave ainda estava a um quarto de milhão de milhas de distância, e vozes gravadas convocavam os técnicos. Não havia pressa, pois a ZX28749, também chamada *Jane Brackney*, estava no horário; mas aterrissar uma nave sem tripulação é sempre uma operação delicada. Homens e máquinas se preparavam para recebê-la quando descesse, mas era a equipe de controle quem ditava as ordens.

Yamagata, Steinmann e Ramanowitz estavam na torre de controle, com Hollyday a postos para qualquer emergência. Se os circuitos *viessem* a falhar — nunca tinha acontecido, mas uma nave a propulsão nuclear, com mil toneladas de carga, batendo no porto poderia acabar com a vida humana em Phobos. Por isso Hollyday vigiava um painel de comandos, pronto para acionar o que fosse preciso.

Os dedos finos de Yamagata dançavam sobre os mostradores do radar. Seus olhos estavam fixos na tela.

— Peguei — disse ele.

Steinmann fez uma leitura da distância e Ramanowitz calculou a velocidade pelo Dopplerscope. Uma rápida consulta a um computador mostrou que os números eram quase os previstos.

— Dá pra relaxar — disse Yamagata, pegando um cigarro. — Ela ainda vai demorar para entrar na faixa de controle.

Seus olhos percorreram a sala lotada e a janela. Da torre, ele avistava todo o espaçoporto: inexpressivo, cheio de lojas e galpões, e alojamentos no subsolo. O campo de concreto liso se interrompia devido à curvatura do pequeno satélite. Ele estava sempre de frente para Marte, e a estação ficava na outra ponta, mas ele se lembrava de como o planeta pairava, enorme, sobre o hemisfério oposto, um disco suave e avermelhado embaçado pelo ar rarefeito, salpicado de manchas marrom-esverdeadas de terrenos aráveis. Embora Phobos fosse cercada de vácuo, não era possível ver as grandes estrelas do espaço: o sol e os holofotes eram brilhantes demais.

Ouviu-se uma batida à porta. Hollyday foi até lá, quase deslizando na gravidade espectral e abriu-a.

— Ninguém tem permissão para entrar durante um pouso — informou.

Hollyday era um homem louro atarracado de semblante agradável e aberto, e seu tom de voz soava menos peremptório do que as palavras.

— Polícia.

O recém-chegado, musculoso, rosto redondo e expressão grave, estava à paisana, de túnica e calça de pijama, o que era esperado; todos no pequeno assentamento conheciam o inspetor Gregg. Mas ele empunhava um revólver, o que não era comum.

Yamagata voltou a olhar para fora e viu os quatro guardas do porto no campo, em trajes espaciais oficiais, observando a equipe de solo. Estavam armados.

— Qual é o problema? — perguntou.

— Nenhum... espero. — Gregg entrou e tentou sorrir. — Mas a *Jane* traz uma carga bastante incomum.

Os olhos de Ramanowitz se acenderam em seu grande rosto rechonchudo.

— Ahn? Por que não fomos informados?

— Foi proposital. Segredos. As joias da coroa de Marte estão a bordo.

Gregg procurou um cigarro na túnica.

Hollyday e Steinmann se entreolharam, balançando a cabeça. Yamagata assobiou.

— Em uma nave-robô? — indagou.

— Aham. Uma nave-robô é o único meio de transporte do qual não podem ser roubadas. Houve três tentativas quando foram à Terra em um cruzeiro comum, e detesto pensar em quantas mais quando estavam no Museu Britânico. Um guarda perdeu a vida. Agora, meus rapazes vão retirá-las antes que qualquer outra criatura encoste naquela nave e escoltá-las diretamente para Sabaeus.

— Quanto será que valem? — perguntou-se Ramanowitz.

— Ah... poderiam ser avaliadas na Terra em talvez meio bilhão de dólares das Nações Unidas — disse Gregg. — Mas seria melhor para o ladrão fazer os marcianos pagarem para tê-las de volta... não, a Terra teria que pagar, imagino, já que a responsabilidade é nossa.

Ele soprou nuvens nervosas.

— As joias foram secretamente colocadas na *Jane*, última coisa antes de ela sair para sua ronda regular. Eu mesmo só soube quando um mensageiro especial, no cruzeiro desta semana, me transmitiu a informação. Nenhuma chance de que algum ladrão saiba que estão aqui, até que estejam, em segurança, de volta a Marte. E elas voltarão *em segurança*!

— Algumas pessoas sabiam, desde o começo — disse Yamagata, pensativo. — Estou falando da tripulação de carga, lá na Terra.

— Pois é, tem isso. — Greg sorriu. — O mensageiro disse que muitos deles já deixaram o serviço, desde então, mas é claro que há sempre uma grande rotatividade entre os peões espaciais. São uma turma irrequieta.

Seu olhar passeou por Steinmann e Hollyday, que haviam, ambos, trabalhado há pouco tempo na Estação da Terra e chegado a Marte poucas naves atrás. Os cruzeiros percorriam uma rota hiperbólica e chegavam em duas semanas; as naves-robô seguiam a órbita Hohmann A, mais tranquila e econômica, e precisavam de 248 dias. Um homem que soubesse que a nave transportava as joias poderia sair da Terra, chegar a Marte muito antes da carga e conseguir um emprego — Phobos estava sempre com falta de pessoal.

— Não olhe para mim! — disse Steinmann, rindo. — Chuck e eu sabíamos disso, é claro, mas estávamos sob restrições de segurança. Não dissemos nada a ninguém.

— É. Eu saberia, se tivessem dito — concordou Gregg. — As fofocas voam, por aqui. Não se ofendam, por favor, mas estou aqui para assegurar que nenhum de vocês, rapazes, saia desta torre até que as joias estejam a bordo da nossa própria nave.

— Ah, tudo bem. Isso vai render horas extras.

— Se eu quisesse enriquecer depressa, teria continuado no garimpo — acrescentou Hollyday.

— Quando é que você vai parar de andar por aí com aquele contador Geiger, nas suas horas de folga? — perguntou Yamagata. — Phobos não tem nada além de ferro e granito.

— Tenho ideias próprias a respeito — disse Hollyday, decidido.

— Que diabos, todo mundo precisa de um hobby neste buraco esquecido por Deus — declarou Ramanowitz. — Eu talvez tentasse a sorte com esses brilhantes só pela adrenalina... — Ele parou de repente, consciente do olhar de Gregg.

— Tudo bem — disse Yamagata. — Aqui vamos nós. Inspetor, por favor saia do caminho e, por amor à sua própria vida, não interrompa.

A *Jane* se aproximava à deriva, sua velocidade na órbita cuidadosamente pré-calculada quase idêntica à de Phobos. Quase, mas não de todo — surgiram os inevitáveis pequenos fatores subversores, que os propulsores remotamente controlados precisavam compensar, e depois havia o problema de pousá-la. A equipe se posicionou e todos passaram a trabalhar freneticamente.

Em queda livre, a *Jane* chegou a mil milhas de Phobos, um esferoide com 150 mil metros de raio, grande e maciço, mas um nada diante da incrível massa do satélite. E mesmo assim Phobos é uma insignificante bolinha sem atmosfera, medíocre mesmo ao lado de seu planeta de sétima grandeza. Dimensões astronômicas são simples e literalmente incompreensíveis.

Quando a nave estava perto o bastante, o rádio dirigiu seus giroscópios para movimentá-la, com muita delicadeza, até que sua antena de captação apontasse diretamente para o campo. Seus propulsores foram então cortados, um mero sussurro de empuxo. Ela estava quase acima do espaçoporto, seu caminho tangenciando a curvatura da lua. Depois de um instante, Yamagata bateu com força nas teclas e os foguetes dispararam com fúria, cortando o céu em um visível clarão vermelho. Ele os desacelerou de novo, checou os dados e disparou-os com menos força.

— Ok — grunhiu ele —, vamos trazer ela.

Sua velocidade relativa à órbita e à rotação de Phobos era agora zero, e a nave estava caindo. Yamagata girou-a até que os propulsores apontassem para baixo, na vertical. Então se sentou e enxugou o rosto enquanto Ramanowitz assumia; o trabalho exigia demais dos nervos para que um único homem o realizasse do começo ao fim. Ramanowitz, com esforço, obrigou a obstinada massa a se deslocar algumas jardas para dentro da plataforma. Steinmann completou a tarefa, acomodando-a no cais como um ovo em uma xícara. Desligou os propulsores e fez-se silêncio.

— Ufa! Chuck, que tal um gole? — Yamagata estendeu os dedos trêmulos.

Hollyday sorriu e lhe entregou uma garrafa. Ela circulou alegremente. Gregg recusou. Seus olhos estavam fixos no campo, onde um técnico checava a radioatividade. O veredicto foi zero, e ele viu seus guardas correrem pelo concreto para cercar a grande nave com armas. Um deles subiu, abriu a escotilha e deslizou para dentro.

Pareceu passar muito tempo antes que ele emergisse. E então ele veio correndo. Gregg soltou um palavrão e apertou o botão do rádio da torre.

— Ei! Ybarra! Qual é o problema?

O homem estremeceu ao responder:

— Senhor... Senhor inspetor... as joias da coroa sumiram.

Sabaeus, é claro, é apenas um nome humano para a velha cidade aninhada nos trópicos marcianos, na junção dos "canais" Phison e Eufrates. Bocas terráqueas simplesmente não conseguem formar as sílabas de High Chlannach, embora grosseiras aproximações sejam possíveis. E os humanos também jamais construíram uma cidade exclusivamente de torres mais largas no topo do que na base ou viveram em uma delas por vinte mil anos. Se o tivessem feito, porém, teriam encorajado um afluxo de turistas ávidos; mas os marcianos preferiam maneiras mais dignas de fazer dinheiro, mesmo que sua fama de parcimônia tenha de há muito superado a dos escoceses. O resultado é que, apesar do intenso comércio interplanetário e de ser Phobos um porto do Tratado, humanos ainda são visões raras em Sabaeus.

Descendo apressado as avenidas entre os cogumelos de pedra, Gregg se sentia exposto. Agradecia ao traje espacial por disfarçá-lo. Não que os sérios marcianos o encarassem; eles ladravam, o que era pior.

A Rua Dos Que Preparam o Alimento Em Fornos é uma rua tranquila, entregue a artesões, filósofos e apartamentos residenciais. Não se verá por lá uma dança de acasalamento ou um desfile dos Pequenos Alabardeiros: nada mais animado do que uma contínua discussão de quatro dias sobre a natureza relativística da classe inválida ou uma ocasional troca de tiros. As últimas se devem ao detetive particular mais famoso do planeta, que ali tem seu ninho.

Gregg sempre achou estranho estar em Marte, sob o céu de azul profundo e frio e o sol emaciado, entre ruídos abafados pelo ar rarefeito e carente de oxigênio. Mas tinha muita estima por Syaloch, e quando subiu a escada e sacudiu o chocalho do lado de fora do apartamento do segundo andar, foi recebido e entrou, se sentiu como se escapasse de um pesadelo.

— Ah, Krech! — O investigador pôs de lado o instrumento de cordas que estivera tocando e sua figura magra assomou sobre o visitante. — Inesberado brazer em bê-lo. Entre, meu camarrada, bor vabor entre.

Ele se orgulhava de falar bem a língua da Terra — mas algumas simples trocas de letras não passam a ideia do carregado e sibilante sotaque marciano.

O inspetor caminhou com cuidado pela sala alta e estreita. As cobras brilhantes que a iluminavam depois que escurecia dormiam enrodilhadas no chão de pedra, em um emaranhado de papéis, espécimes e armas; areia enferrujada cobria os peitoris das janelas góticas. Syaloch só limpava o próprio corpo. Em um canto havia um pequeno laboratório de Química. O resto das paredes estava coberto de prateleiras com a literatura criminalista de três planetas; livros marcianos, microcomputadores terráqueos, pedras falantes venusianas. Em um canto, patrioticamente, glifos representando a Geratriz reinante haviam sido gravados a tiros. Um terráqueo não conseguiria se sentar no mobiliário nativo trapezoide, mas Syaloch, cortês, providenciara cadeiras e tubos: sua clientela também era triplanetária.

— Assumo que você está aqui para um assunto oficial, mas confidencial.

Syaloch apanhou um cachimbo de boca larga. Os marcianos adotaram com alegria o fumo, embora em sua atmosfera o tabaco devesse incluir permanganato de potássio.

Gregg teve um sobressalto.

— Como diabos você sabe disso?

— Elementar, meu camarada. Seus gestos estão muito agitados, e eu sei que nada além de uma crise em sua profissão causaria tal efeito.

Gregg deu uma risada irônica.

Syaloch era um bípede de mais de dois metros, cuja aparência lembrava vagamente a de uma cegonha. Mas a cabeça esguia, de bico vermelho e crista no final do pescoço sinuoso, era grande demais, os olhos amarelos fundos demais; as penas brancas eram mais como as de um pinguim do que de uma ave voadora, exceto pela emplumada cauda azul. Em vez de asas havia esqueléticos braços vermelhos terminados por mãos de quatro dedos. E toda a postura era ereta demais para um pássaro.

Gregg voltou à realidade. Deus do céu! A cidade estava cinzenta e silenciosa: o sol deslizava para oeste, sobre os campos agrícolas de Sinus Sabaeus e o deserto de Aeria: ele mal conseguia perceber o ronco de uma esteira rolante passando abaixo das janelas — e ele ali, sentado com uma história que poderia destruir o Sistema Solar!

Suas mãos, enluvadas por causa do frio, se retorciam.

— É, é confidencial, com certeza. Se conseguir resolver este caso, você poderá cobrar o quanto quiser.

O brilho nos olhos de Syaloch fez com que lamentasse ter dito aquilo, mas ele foi em frente.

— Há um porém. Qual é a sua opinião em relação aos terráqueos?

— Não tenho preconceitos. É o cérebro que conta, e não se está coberto de penas, pelos ou placas de ossos.

— Não, eu compreendo. Mas alguns marcianos não gostam de nós. Perturbamos um antigo modo de vida... não conseguimos evitar, se devemos negociar com vocês...

— *K'teh*. O comércio, como um todo, é benéfico. Seu combustível e máquinas, e o fumo, é clarro, parra nosso *kantz* e *snull*. E também estávamos ficando muito... bolorrentos. E, é claro, as viagens espaciais adicionaram toda uma nova dimensão à criminologia. Sim, eu gosto da Terra.

— Então vai nos ajudar? E guardar silêncio a respeito de uma coisa que poderia fazer com que sua federação planetária nos chutasse para fora de Phobos?

A terceira pálpebra se fechou, transformando o rosto bicudo em uma máscara.

— Ainda não faço promessas, Gregg.

— Bem... droga, tudo bem, eu vou ter que correr o risco. — O policial engoliu em seco. — Você sabe das joias da coroa.

— Foram emprestadas à Terra para exibição e estudos científicos.

— Depois de anos de negociação. Não há relíquia mais preciosa em todo Marte... e vocês eram uma civilização antiga enquanto ainda caçávamos mamutes. Pois muito bem. Foram roubadas.

Syaloch abriu os olhos, mas seu único outro movimento foi um aceno de cabeça.

— Elas foram postas em uma nave-robô na Estação da Terra. Quando a nave chegou a Phobos, haviam desaparecido. Nós quase destruímos a nave tentando encontrá-las... examinamos toda a carga, pedaço por pedaço... e elas não estão lá.

Syaloch reacendeu o cachimbo, um elaborado processo de pedra e aço em um mundo em que os fósforos não queimavam. Só quando houve fumaça ele sugeriu:

— É possível que a nave tenha sido abordada no caminho?

— Não, não é possível. Todas as naves espaciais no Sistema são registradas, e seu paradeiro é detectado a qualquer momento. Ademais, imagine tentar encontrar um pontinho em centenas de milhões de milhas cúbicas e emparelhar com ele.... nenhuma nave já construída poderia levar tanto combustível. E, lembre-se, nunca foi anunciado que as joias voltariam dessa maneira. Só a polícia das Nações Unidas e a equipe da Estação Terra poderiam saber até que a nave houvesse decolado... e então seria tarde demais.

— Muito interressante.

— Se uma palavra a respeito disso for divulgada — disse Gregg, infeliz —, você pode imaginar o resultado. Suponho que ainda tenhamos alguns amigos no seu Parlamento.

— Na Câmara dos Ativos, sssim... alguns. Não na Câmara dos Filósofos, que, clarro, é a câmara superior.

— Isso poderia resultar em um hiato de vinte anos no tráfego Terra-Marte... talvez em uma permanente quebra de relações. Droga, Syaloch, você *precisa* me ajudar a encontrar as pedras!

— Hm-m-m. Peço que me desculpe. Isto requer pensamento.

O marciano pegou seu instrumento curvo e ensaiou alguns acordes. Gregg suspirou.

O pôr do sol incolor terminou, a noite já caíra com a enervante rapidez marciana e as cobras luminosas emitiam uma claridade azul quando Syaloch largou a semirrabeca.

— Temo que eu deva visitar Phobos pessoalmente — disse ele. — Há muitos desconhecimentos a analisar e nunca é bom teorizar antes que todos os dados tenham sido colhidos. — Uma mão ossuda bateu no ombro de Gregg. — Vamos, vamos, velho camarrada. Estou muito grato a você. A vida estava se tornando infernalmente insípida. Agora, como diria meu ilustre predecessor terráqueo, os dados foram lançados... e o jogo é bem grande!

Um marciano não tem muita dificuldade para se adaptar à atmosfera terrestre, precisando apenas de uma hora em uma câmara de compressão e um filtro no bico para eliminar o excesso de oxigênio e umidade. Syaloch andava livremente pela plataforma do porto, de filtro, cachimbo e chapéu, reclamando consigo mesmo do calor e do ar pesado.

Vestiu um traje espacial e saiu para inspecionar a *Jane Brackney*. A nave havia sido posta de lado para dar lugar às que ainda chegariam e estava na borda de um penhasco, no final do campo, brilhando à intensa claridade espacial. Gregg e Yamagata o acompanhavam.

— Vocês foram mesmo minuciosos — observou o detetive. — O revestimento foi quase todo arrancado.

O esferoide parecia um ovo que tivesse passado por uma forma de waffle: uma rede quadriculada de vigas e braceleiras sobre um fino invólucro de alumínio. Os propulsores, escotilhas e antena do rádio eram as únicas quebras no padrão quadriculado, cuja profundidade era de cerca de trinta centímetros e cujos quadrados ocupavam uma jarda em torno do "equador".

Yamagata deu uma risada tensa.

— Não. Os guardas passaram cada polegada dela pelo fluoroscópio, mas esta é a aparência normal dessas naves de carga. Elas nunca pousam na Terra, vocês sabem, ou em qualquer lugar onde haja ar, portanto um revestimento seria desnecessário. E, como não há ninguém em trânsito a bordo, não precisamos nos preocupar com isolamento ou estanquidade. Artigos perecíveis são introduzidos em compartimentos lacrados.

— Compreendo. E onde estavam guardadas as joias da coroa?

— Deveriam estar em um armário perto do giroscópio — respondeu Gregg. — Estavam em uma caixa selada, cerca de 15 cm de altura, 15 de largura e 30 de comprimento.

Ele sacudiu a cabeça, como se fosse difícil de acreditar que uma caixa tão pequena pudesse conter tanta morte em potencial.

— Ah... mas elas *foram* postas no armário?

— Falei com a Terra pelo rádio e recebi um relatório completo — disse Gregg. — A nave foi carregada como de hábito, na estação satélite, e depois foi estacionada a uma distância de um quarto de milha até a hora de partir. Para tirá-la do caminho, você compreende. Ficou imóvel na mesma órbita, presa por um cabo de luz; procedimento absolutamente padrão. No último minuto, sem que ninguém fosse avisado de antemão, as joias da coroa foram levadas da Terra e escondidas a bordo.

— Por um guarda especial?

— Não. Só técnicos licenciados têm permissão para subir a bordo de uma nave em órbita, a não ser em emergências de vida ou morte. Um dos membros regulares da tripulação da estação, um sujeito chamado Carter, recebeu as instruções de onde colocá-las. Foi observado pela polícia enquanto se içava pelo cabo e entrava pela escotilha. — Gregg apontou para uma pequena porta junto à antena do rádio. — Ele saiu, fechou-a e voltou pelo cabo. Por via das dúvidas, foi imediatamente revistado pela polícia, assim como seu traje espacial, e decididamente não estava com as joias. Não havia razão para suspeitar dele, um funcionário bom e diligente, embora eu deva admitir que ele desapareceu desde então. A *Jane* foi disparada poucos minutos depois e seus propulsores foram observados até serem desligados e ela seguir em queda livre. E essa foi a última vez que alguém a viu até que chegasse aqui... sem as joias.

— E na órbita correta — acrescentou Yamagata. — Se tivesse sido abordada, isso a teria afastado da órbita o suficiente para que percebêssemos quando chegou. Transferência do momentum entre ela e a outra nave.

— Compreendo.

Por trás da viseira, o bico de Syaloch traçou uma acentuada curva preta contra o céu.

— Então vejamos, Gregg, as joias estavam realmente dentro da caixa quando ela foi entregue?

— Você quer dizer na Estação da Terra? Ah, estavam sim. A operação envolveu quatro inspetores-chefes das Nações Unidas e o quartel-general diz que todos estão acima de qualquer suspeita. Quando transmiti a notícia do roubo, eles insistiram em ter seus próprios alojamentos e pertences revistados, e passaram voluntariamente pelo polígrafo.

— E seus próprios guardas em Phobos?

— Mesma coisa — disse o policial, muito sério. — Eu impus um embargo: ninguém, além de mim, deixou este assentamento desde que a perda foi descoberta. Todos os cômodos, túneis e depósitos foram revistados.

Ele tentou coçar a cabeça, tentativa frustrada quando se está dentro de um traje espacial.

— Não posso manter essas restrições por muito tempo. Naves estão chegando e os destinatários querem suas mercadorias.

— *Hnachla.* Isso nos limita o tempo. — Syaloch balançou a cabeça. — Sabem de uma coisa? Esta é uma fascinante variação do velho crime de quarto fechado. Uma nave-robô em trânsito é um quarto fechado no sentido mais clássico.

Ele se afastou.

Gregg olhou desolado para o horizonte selvagem, para a rocha nua perpendicular a seus pés, e outra vez para o campo. É impressionante como a visão prega peças, quando não há oxigênio, mesmo sob uma claridade intensa. Aquele sujeito cruzando o campo ali, debaixo do ofuscante brilho do sol e dos holofotes, não passava de um pontilhado de sombra e luz... que diabos ele está fazendo? Amarrando os sapatos, será possível? Não, ele estava andando normalmente...

— Eu gostaria de passar todo mundo em Phobos pelo escâner — disse Gregg em tom violento —, mas a lei não permite, a não ser que os suspeitos se disponham... e só meus próprios homens se dispuseram.

— Com razão, meu caro amigo — disse Syaloch. — Devemos pelo menos ter o privilégio da privacidade em nosso próprio crânio. E isso tornaria a investigação insuportavelmente brutal.

— Estou me lixando solenemente para brutalidades! — reagiu Gregg. — Só quero aquela caixa, com as joias da coroa marciana a salvo dentro dela.

— Nã-nã! A impaciência tem sido a ruína de muitos promissores jovens policiais, como creio me lembrar de ter meu antepassado espiritual terráqueo salientado para um homem da Scotland Yard que... hmm... pode até ter sido um antepassado físico seu, Gregg. Parece que devemos tentar outro enfoque. Há alguém em Phobos que possa ter sabido que as joias estavam a bordo desta nave?

— Há, sim. Apenas dois homens. Já verifiquei que nunca burlaram a segurança nem contaram a ninguém até que o segredo foi revelado.

— E quem são?

— Técnicos, Hollyday e Steinmann. Estavam trabalhando na Estação da Terra quando a *Jane* foi carregada. Saíram pouco depois, não ao mesmo tempo; vieram para cá por cruzeiro e conseguiram emprego. Pode apostar que os alojamentos deles foram revistados!

— Talvez — murmurou Syaloch — valesse a pena interrogar os cavalheiros em questão.

Steinmann, um ruivo magro, usava a truculência como um manto. Hollyday parecia apenas preocupado. Isso não era prova de culpa — todos tinham sido muito cobrados, nos últimos tempos. Sentaram-se na delegacia de polícia, com Gregg atrás da mesa e Syaloch encostado à parede, fumando e olhando para eles com enigmáticos olhos amarelos.

— Que droga! Eu já repeti milhares de vezes, até enjoar! — Steinmann fechou os punhos e encarou o marciano com olhos injetados. — Eu nunca encostei nas coisas e não sei quem encostou. Um homem não tem direito de mudar de emprego?

— Por favor — disse o detetive, calmo. — Quanto mais vocês ajudarem, mais cedo podemos terminar este trabalho. Presumo que conhecessem o homem que botou a caixa na nave?

— Claro. Todo mundo conhecia John Carter. Todo mundo conhece todo mundo em uma estação satélite. — O terráqueo empinou o queixo. — É por isso que nenhum de nós vai ser escaneado. Não vamos expor todos os nossos pensamentos para sujeitos que encontramos cinquenta vezes por dia. Ficaríamos loucos!

— Eu nunca fiz esse pedido — declarou Syaloch.

— Carter era um bom amigo meu — informou Hollyday.

— Sei — grunhiu Gregg. — E ele também saiu de lá, mais ou menos na mesma época em que vocês pediram demissão, foi para os lados da Terra e nunca mais foi visto. O QG me disse que você e ele andavam muito juntos. Sobre o que conversavam?

— O de sempre — disse Hollyday, dando de ombros. — Bebida, mulheres e música. Não ouvi falar dele desde que saí da Terra.

— Quem disse que Carter roubou a caixa? — perguntou Steinmann. — Ele só ficou cansado de viver no espaço e largou o emprego. Ele não poderia ter roubado as joias: ele foi revistado.

— E ele não poderia tê-las escondido em algum lugar para que um amigo as pegasse? — indagou Syaloch.

— Escondido? Onde? Aquelas naves não têm compartimentos secretos — disse Steinmann, em tom cansado. — E ele só esteve a bordo da *Jane* por poucos minutos, só o suficiente para pôr a caixa onde deveria. — Seus olhos fulminaram Gregg. — Vamos admitir: as únicas pessoas que, em qualquer lugar do percurso, tiveram chances de mexer nas joias foram os nossos queridos policiais.

O inspetor ficou vermelho e se ergueu na cadeira.

— Olhe aqui, seu...

— Nós acreditamos na *sua* palavra quando disse que é inocente — rosnou Steinmann. — Por que sua palavra deveria valer mais do que a minha?

Syaloch fez um gesto para acalmar os dois homens.

— Por favor. Brigas são antifilosóficas. — Seu bico se abriu e emitiu um ruído, o equivalente marciano de um sorriso. — Algum de vocês teria, talvez, uma teoria? Estou aberto a todas as ideias.

Houve uma calmaria. E então Hollyday murmurou:

— É. Eu tenho uma.

Syaloch fechou os olhos e fumou em silêncio, à espera.

O sorriso de Hollyday era puro nervoso.

— Só que, se eu estiver certo, vocês nunca mais verão aquelas joias.

Gregg quase engasgou.

— Eu já andei um bocado pelo Sistema Solar — disse Hollyday. — A gente fica solitário no espaço. Nunca temos ideia de como é grande e solitário até estarmos lá, sozinhos. E eu fiz exatamente isso. Sou um prospector amador de urânio, até agora sem sorte. Não consigo acreditar que a gente saiba tudo a respeito do Universo, ou que só haja vácuo entre os planetas.

— Você está falando dos caroções? — bufou Gregg.

— Pode chamar de superstição. Mas se a gente passa muito tempo no espaço... bem, a gente *sabe*. Existem seres por lá, seres de gás, seres de radiação, qualquer coisa que você imaginar... tem algo vivo no espaço.

— E que uso teria uma caixa de joias para um caroção?

Hollyday abriu as mãos.

— E eu lá sei? Talvez a gente incomode eles, atravessando seu reino escuro com os nossos foguetinhos. Roubar as joias da coroa seria um bom jeito de perturbar o comércio de Marte, não é?

Só o cachimbo de Syaloch quebrava o silêncio pesado. Mas seu borbulhar parecia quase irreverente.

— Bem... — Gregg, impotente, revirava nas mãos um peso de papel feito de meteorito. — Bem, sr. Syaloch, o senhor quer fazer mais perguntas?

— Só uma. — A terceira pálpebra se abriu e encarou Steinmann com frieza. — Por gentileza, meu bom homem, qual é o seu passatempo?

— Ahn? Xadrez. Eu jogo xadrez. O que isso tem a ver? — Steinmann baixou a cabeça e fitou-os com ar soturno.

— Nada mais?

— E o que mais se tem pra fazer?

Syaloch olhou para o inspetor, que acenou concordando.

— Compreendo. Obrigado. Talvez possamos jogar algum dia. Também tenho alguma habilidade. É tudo por hoje, senhores.

Os dois saíram, movendo-se como objetos em um sonho enevoado através da pouca gravidade.

— E então? — Os olhos de Gregg suplicavam a Syaloch. — O que fazemos agora?

— Muito pouco. Eu acho que... sssim... enquanto estou aqui, gostaria de observar os técnicos em ação. Na minha profissão, é preciso ter um amplo conhecimento de todas as profissões.

Gregg suspirou.

Ramanowitz fez as honras da casa. A *Kim Brackney* chegou e estava sendo descarregada. Eles atravessaram um enxame de homens em trajes espaciais.

— Os guardas vão ter que levantar logo aquele embargo — disse Ramanowitz. — Ou isso ou declarar por que o instauraram. Nossos armazéns estão explodindo.

— Seria uma boa política fazer isso — concordou Syaloch. — Ah, me diga... este é o equipamento padrão para todas as estações?

— Ah, o senhor se refere às roupas dos rapazes e ao material que usam? Com certeza, mesma coisa em todos os lugares.

— Posso examiná-los mais de perto?

— Ahn?

Senhor, livrai-me da visita dos bombeiros!, pensou Ramanowitz.

E acenou para chamar um mecânico.

— O sr. Syaloch gostaria que você lhe explicasse seus trajes — disse, sem disfarçar o sarcasmo.

— Claro. Traje especial regular daqui, reforçado nas costuras. — As mãos enluvadas se moveram, apontando. — Serpentinas de aquecimento ligadas a esta bateria de capacitância. Dez horas de abastecimento nos tanques de ar. As ferramentas são encaixadas nestes ganchos, para que não saiam por aí à deriva. Esta latinha presa ao meu cinto contém tinta, que pulverizo por este bocal.

— Porque as naves espaciais precisam ser pintadas? — perguntou Syaloch. — Não há nada que possa corroer o metal.

— Bem, senhor, nós só chamamos de tinta. Na verdade, é visgo, para selar quaisquer vazamentos no casco até podermos instalar uma nova placa, ou para marcar qualquer outro tipo de dano. Furos de meteoros e coisa parecida.

O mecânico apertou um gatilho e um jato fino e quase invisível foi lançado, solidificando-se ao bater no chão.

— Mas o remendo não fica muito à vista, não é? — objetou o marciano. — Eu, pelo menos, tenho dificuldade para ver com clareza no vácuo.

— É verdade. A luz não se difunde, então... bem, de qualquer maneira, a coisa é radioativa. Não a ponto de ser perigosa, só o suficiente para que a equipe de reparos possa encontrar o lugar com um contador Geiger.

— Entendo. Qual é a meia-vida?

— Ah, não tenho certeza. Seis meses, talvez? Deveria permanecer detectável por um ano.

— Obrigado.

Syaloch se afastou. Ramanowitz precisou dar saltos para emparelhar com aquelas pernas compridas.

— O senhor acha que Carter pode ter escondido a caixa em sua lata de tinta? — indagou o humano.

— Não, dificilmente. A lata é muito pequena e eu parto do princípio de que ele foi revistado com rigor. — Syaloch parou e fez uma reverência. — O senhor foi muito gentil e paciente, sr. Ramanowitz. Já terminei, e posso encontrar o inspetor sem a sua ajuda.

— Para quê?

— Para lhe dizer que suspenda o embargo, é claro. — Syaloch sibilou duramente. — E depois preciso pegar o próximo voo para Marte. Se eu me apressar, ainda conseguirei ir ao concerto em Sabaeus, hoje à noite. — Sua voz assumiu um tom sonhador. — Será a première de *Variações sobre um tema de Mendelssohn*, de Hanyech, transcrita para a escala da Royal Chlannach. Deve ser um tanto peculiar.

Três dias depois, chegou a carta. Syaloch se desculpou e deixou um ilustre cliente de cócoras, enquanto a lia. Depois acenou com a cabeça para o outro marciano.

— Será de seu interesse saber, senhor, que os Estimáveis Diademas chegaram em Phobos e estão sendo devolvidos neste momento.

O cliente, um ministro de Estado da Câmara dos Ativos, piscou.

— Perdão, livre-incubado Syaloch, mas o que você tem a ver com isso?

— Ah... Sou amigo do desemplumado chefe de polícia. Ele achou que eu gostaria de saber.

— *Hraa*. Você não esteve em Phobos há pouco tempo?

— Um caso sem importância.

O detetive dobrou com cuidado a carta, polvilhou-a com sal e comeu-a. Marcianos adoram papel, sobretudo folhas terráqueas oficiais de baixa qualidade.

— Mas o senhor estava dizendo...?

O parlamentar respondeu, com expressão ausente. Ele não sonharia em violar a privacidade — não, jamais! —, mas, se possuísse visão de raio-X, teria lido:

Meu caro Syaloch,

Você estava absolutamente certo. Seu crime de quarto fechado está resolvido. Recuperamos as joias, tudo está em perfeito estado e a mesma nave pela qual segue esta carta irá depositá-las nos cofres. É uma pena que o público nunca possa conhecer os fatos — dois planetas lhe deveriam ser gratos —, mas agradecerei eu mesmo por todos e insisto que qualquer conta que deseje me enviar lhe será paga na íntegra. Mesmo que a Assembleia precise fazer uma doação especial, o que receio será preciso.

Confesso que sua ideia de suspender de imediato o embargo me pareceu um tanto desmedida, mas funcionou. Botei meus rapazes em campo, é claro, revistando Phobos com contadores Geiger, mas Hollyday encontrou a caixa antes de nós. O que, sem dúvida, nos poupou muitos aborrecimentos. Eu o prendi quando voltava para seus aposentos e levava a caixa entre as amostras de minério. Ele confessou, e você estava certo o tempo todo.

Como é mesmo aquilo que você me citou, a frase daquele terráqueo que tanto admira? "Quando se eliminou o impossível, tudo o que resta, por mais improvável, deve ser verdade." Algo assim. Com certeza se aplica a este caso.

Como você concluiu, a caixa deve ter sido levada para a nave na Estação da Terra e deixada lá — não havia outra possibilidade. Carter teve a ideia em meio minuto, quando recebeu ordens para apanhar a coisa e colocar a bordo da Jane. *Ele entrou, tudo bem, mas, ao sair, ainda tinha a caixa em seu poder. Naquela luz incerta, ninguém o viu "guardá-la" entre quatro vigas ao lado da escotilha.*

Ora, como você observou, se as joias não estavam dentro da nave, e também não estavam fora *da nave, só poderiam estar* na *nave. A gravidade as manteria no lugar. Quando a* Jane *decolou, a pressão da aceleração deslizou a caixa para trás, mas é claro que a rede de ferro quadriculada impediu que se perdesse; ela se prendeu à trave posterior e lá ficou. Até chegar em Marte! E então a gravidade da nave a manteve segura até mesmo em queda livre, já que ambas estavam na mesma órbita.*

Hollyday disse que Carter lhe contou tudo. Carter não podia ir pessoalmente a Marte sem levantar suspeitas e ser observado todo o tempo depois que se descobrisse o sumiço das joias. Precisava de um cúmplice. Hollyday foi para Phobos e começou a prospectar, como cobertura para a busca das joias, que faria mais tarde.

Como você me mostrou, quando a nave estivesse a mil milhas deste hangar, a gravidade de Phobos seria mais potente do que a dela. Todo peão de voo sabe que as naves-robô não começam a desacelerar até estarem bem perto; que depois ficam quase em linha perpendicular à superfície e que o lado com a antena do rádio e a escotilha — o lado em que Carter tinha posto a caixa — é girado para ficar de frente para a estação. A força centrífuga da rotação jogou a caixa para fora da nave, atirando-a na direção de Phobos, e não para longe. Carter sabia que essa rotação é lenta e suave, portanto a força não seria suficiente para que a caixa se afastasse com velocidade e se perdesse no espaço. Teria que cair na direção do satélite. Ficando a Estação de Phobos do lado oposto a Marte, não havia o risco de a caixa roubada continuar a cair até atingir o planeta.

Portanto, exatamente como você deduziu, as joias da coroa caíram em Phobos. Claro que Carter havia pulverizado a caixa com um pouco de radioatividade quando a guardou, e Hollyday se valeu disso para rastreá-la entre todas aquelas rochas e fendas. Para ser exato, sua trajetória seguiu a curva exata desta lua, portanto ela pousou a cerca de cinco milhas da estação.

Steinmann ficou atrás de mim para saber por que você o inquiriu a respeito do seu passatempo. Você se esqueceu de me dizer, mas deduzi por mim mesmo e expliquei. Já que ninguém mais sabia qual era a carga, ele ou Hollyday tinham que estar envolvidos, e o culpado precisaria de alguma desculpa para sair e procurar a caixa. Jogar xadrez não fornece esse tipo de álibi. Tenho razão? Pelo menos, minha dedução prova que tenho estudado o mesmo cânone que você segue. A propósito, Steinmann pergunta se você se importaria de sair com ele na próxima vez que ele tiver licença para visitar o planeta.

Hollyday sabe onde Carter está escondido, e nós já enviamos por rádio essa informação à Terra. O problema é que não podemos proces-

sar nenhum deles sem admitir os fatos. Ah, bem, existem essas tais de listas de desafetos.

Preciso terminar agora, para pegar o malote. Irei visitá-lo em breve; não profissionalmente, espero!

Com admiração,

Inspetor Gregg.

Mas o ministro de Estado não possuía visão de raio-X. Ele se recusou a fazer especulações não proveitosas e expôs seu problema. Alguém, em algum lugar de Sabaeus, estava *farnikand* as *kraters* e uma alarmante *zaksnautry* começava entre os *hyukus*. Pareceu a Syaloch um caso interessante.

Sherlock entre os espíritos

ANÔNIMO

Há fortes indicações de que Gilbert Keith Chesterton (1874-1936) fosse um grande fã de Sherlock Holmes e de Arthur Conan Doyle. Além de escritor popular e bem-sucedido, sobretudo por seus cinco volumes de histórias sobre o padre Brown, Chesterton era um ilustrador cujas caricaturas foram publicadas em inúmeras revistas e livros, e, com frequência, fazia de Holmes o objeto de suas tintas coloridas.

Ainda jovem, desistiu das outras investidas artísticas para se dedicar a diversos gêneros literários, inclusive poesia, jornalismo, histórias de detetive, religião, biografia e crítica artística e literária, tornando-se uma voz profundamente influente tanto no pensamento religioso quanto em literatura e fundando a importante e epônima revista *G.K.'s Weekly* (1925-1936), depois de ter editado por sete anos sua predecessora, *The New Witness*.

Havia em suas páginas artigos teológicos e políticos assinados por autores da importância de H.G. Wells e George Bernard Shaw, mas também textos versando sobre espiritualismo, a grande preocupação dos últimos anos de vida de Conan Doyle. Chesterton também se interessou por esse campo de estudos e publicou esta paródia anônima de Holmes e seu encontro com um médium. Especulou-se que o próprio Chesterton a tivesse escrito, mas não há provas que determinem a verdade.

"Sherlock entre os espíritos" foi originalmente publicado na edição de 15 de agosto de 1925 da *G.K.'s Weekly*.

SHERLOCK ENTRE OS ESPÍRITOS

Anônimo

A sessão espírita que meu amigo Conan Doyle me induziu a realizar nos meus velhos aposentos em Baker Street acabava de terminar. Tinha sido uma tremenda revelação. O médium, dr. Magog, que eu a princípio considerei um charlatão (uma vez que minha formação havia sido estritamente científica e racional) devido a seus longos cabelos e barba brancos e seu nome lituano, surpreendeu-me com a exatidão de suas sugestões. Ele chegou a converter o outro amigo de sir Arthur, o dr. Challenger, de quem os leitores da *Strand Magazine* devem se lembrar por ter descoberto um mundo de animais pré-históricos, dos quais parece partilhar atitudes e aparência. Ele havia começado com sérias dúvidas, que expressou arremessando a mesa para o fundo da sala e desrespeitando vários dos presentes em busca da verdade; mas no meio do processo explodiu em soluços que sacudiram o prédio.

Eu compreendia seus sentimentos. O médium mencionava coisas que só poderiam ser do conhecimento dos círculos mais íntimos; como um soco dado em uma menina quando ela era criança, agora lembrado pelo espírito do irmão dela, morto na guerra. Às vezes, tal intimidade chegava a ser angustiante, como a imagem trazida até nós de uma menina chorando em um remoto castelo na França e a sombria admissão, por um dos jovens ali presentes, de que aquela lembrança lhe provocava remorsos. Talvez o caso mais notável tenha sido aquele em que o espírito de uma filha disse ao pai para não negligenciar sua aparência devido à tristeza pela sua morte, pois os Seres Resplandecentes gostariam de vê-lo de monóculo e polainas. Agora, o homem em questão estava indescritivelmente desgrenhado e maltrapilho, mas admitiu que de fato, em dias mais felizes, usara tais adereços.

Meditava eu a respeito de tudo isso depois que os outros saíram, quando ouvi passos na escada, dizendo-me que um deles estava de volta. O próprio dr. Magog entrou na sala, dizendo:

— Esqueci meu chapéu. Reunião interessante, não é mesmo?

— O senhor realmente me surpreendeu — comentei.

— Você já me disse isso muitas vezes, meu caro Watson — retrucou ele.

Pus-me de pé em um pulo e fiquei rígido, em incrédulo assombro, pois percebera um tom de algo mais surpreendente do que quaisquer surpresas psíquicas.

Ele se sentou languidamente e tirou a peruca branca, revelando a inequívoca testa protuberante do maior detetive do mundo.

— Se você empregasse meus métodos, Watson — disse ele —, saberia que um homem nunca esquece o próprio chapéu, a não ser que esteja usando uma peruca. Foi um lapso deplorável. Bem, você viu, eu converti Challenger.

— Um feito incrível — observei. — O descobridor do mundo pré-histórico.

— Uma ocupação muito apropriada, Watson — comentou ele. — Eu deveria dizer que os poderes de observação científica do dr. Challenger equivaliam a avistar um dos maiores plesiosauros a alguns metros de distância. Com um pouco mais de atenção e detalhes, ele poderia até ver um mamute no capacho.

— Mas como você conseguiu tudo isso? — perguntei. — Como você sabia daquele incidente de infância, por exemplo?

— A moça era atraente, saudável e tinha dentes falsos. Era muito provável que os tivesse perdido devido a um soco, e quem poderia lhe ter dado um soco se não o irmão?

— E quanto ao monóculo e polainas? — indaguei.

— Eu mesmo escrevi uma pequena monografia sobre "O monóculo do crime", e nós vimos um pouco do seu efeito devastador quando examinamos aquele probleminha do Porta-chapéus Assombrado. O homem tinha marcas diferentes nas órbitas dos olhos, que só poderiam ter sido produzidas por um monóculo. Alguma vez você viu um homem desalinhado e com a barba por fazer usando um monóculo? Sua barba era eriçada como a de todos os homens que já se barbearam. Arrisquei nas polainas, mas fui cuidadoso o bastante para dizer que era assim que as inteligências superiores gostariam de vê-lo. Gosto não se discute.

— E como você sabia — perguntei, baixando a voz — que o rapaz havia partido o coração de uma senhora em um castelo?

— Ele não partiu — esclareceu Sherlock Holmes —, mas, pela expressão dele, eu soube que seria o último dos homens a negar aquilo. Um tanto óbvio, Watson. Você poderia me passar meu violino?

O caso dos patriarcas desaparecidos

LOGAN CLENDENING

Embora eminente erudito e colecionador de Sherlock Holmes, Logan Clendening (1884–1945) caiu no esquecimento, a não ser por este único conto, que Ellery Queen descreveu como "um dos mais curtos e mais inteligentes pastiches de Sherlock Holmes jamais concebido", e Edgar W. Smith, o diretor dos Baker Street Irregulars, chamou de texto clássico, chegando a sugerir "O tratado do umbigo" como um possível título alternativo.

Nascido em Kansas City, Missouri, Clendening tornou-se um dos maiores médicos da cidade e foi um dos seus cidadãos mais estimados, tão famoso por sua sagacidade e charme quanto por sua erudição literária e perícia médica. Sua coluna, "Dieta e Saúde", foi reproduzida em quase quatro centenas de jornais, e seu livro mais importante, *The Human Body* (1927), foi um best-seller que continuou a ser impresso por muitos anos, em sucessivas edições. Seu sucesso encorajou-o a desistir do consultório particular em prol do jornalismo e da literatura. Seu senso de humor veio a público quando lhe perguntaram por que abandonara o consultório particular. Sua resposta: "Meu filho, neste país há várias lápides registrando o meu progresso no campo cirúrgico. Posso dizer que desisti quase por aclamação universal."

Quando o grande erudito, colecionador e especialista sherloquiano Vincent Starrett foi obrigado, por dificuldades financeiras, a vender sua coleção de Holmes, Challenger lhe escreveu: "Eu soube que você acabou de se separar de sua coleção, e penso que gostaria de começar outra. Por que não começar com a minha? Ela é pequena, mas decente — contém algumas das melhores peças das quais você poderá ter problemas para encontrar duplicatas —, e vou encaixotá-la hoje à tarde e encaminhá-la para você amanhã pela manhã. Se a aceitar, você realmente me livrará de uma grande preocupação."

"A caixa", escreveu Starrett em sua autobiografia, *Born in a Bookshop* (1965), "continha cerca de vinte dos mais desejáveis itens do gênero, inclusive a desesperadamente rara primeira edição de *Um estudo em vermelho*. Foi o núcleo de uma nova coleção... Acredito que nenhum gesto mais bonito tenha jamais sido feito de um colecionador para outro."

"O caso dos patriarcas desaparecidos" foi impresso em uma edição especial de trinta exemplares para os amigos de Edwin B. Hill (Ysleta, Texas, 1934).

O CASO DOS PATRIARCAS DESAPARECIDOS

Logan Clendening

Sherlock Holmes está morto. Aos oitenta anos, faleceu tranquilamente durante o sono. E no mesmo instante subiu ao Céu.

A chegada de poucos novos imigrantes às ruas celestiais causou muita comoção. Dizem que só o aparecimento de Napoleão no Inferno se igualou à recepção do grande detetive. A despeito do forte nevoeiro que emanava do Jordão, Holmes foi na mesma hora embarcado em uma carruagem para a audiência com a Divina Presença. Após a costumeira troca de amenidades, Jeová disse:

— Sr. Holmes, nós também temos nossos problemas. Adão e Eva desapareceram. A bem da verdade, não são vistos há quase duas eras. Eles costumavam ser uma grande atração para os visitantes e nós gostaríamos que se encarregasse de encontrá-los.

Por alguns instantes, Holmes pareceu pensativo.

— Receamos que sua aparência, quando vistos pela última vez, não lhe fornecerá qualquer pista — continuou Jeová. — Um homem muda em duas eras.

Holmes levantou a mão comprida e fina.

— Seria possível fazer um comunicado geral de que uma competição entre um corpo inabalável e uma força irresistível será encenada? Naquele grande campo ao final da rua... do Senhor, presumo que assim se chame?

O comunicado foi feito e logo as ruas ficaram apinhadas de uma multidão que se movia devagar. Encostado ao divino pórtico, Holmes, impassível, observava.

De repente, ele disparou em meio à multidão, agarrou um patriarca e sua velha companheira lamurienta e levou-os à Divina Presença.

— Muito bem! — afirmou a Deidade. — Adão, você tem nos causado grande ansiedade. Mas, sr. Holmes, diga-me como os encontrou.

— Elementar, meu caro Deus — disse Sherlock Holmes. — Eles não têm umbigos.

O diabo e Sherlock Holmes

LOREN D. ESTLEMAN

Uma profunda afeição por Sherlock Holmes resultou na publicação dos dois primeiros livros de Loren D. Estleman (1952–), *Sherlock Holmes vs. Dracula*, ou *The Adventure of the Sanguinary Count* (1978) e *Dr. Jekyll and Mr. Holmes* (1979), assim como a recente coletânea de contos *The Perils of Sherlock Holmes* (2012).

No entanto, dentre seus setenta livros publicados, Estleman é mais conhecido pelos 23 romances sobre o detetive particular Amos Walker, de Detroit. Começando com *Motor City Blue* (1980), essa série tem sido elogiada por fãs tão heterogêneos quanto Harlan Coben, Steve Forbes, John D. MacDonald, John Lescroart e o Amazing Kreskin. Como um dos escritores mais celebrados da América, Estleman recebeu o Eye, o prêmio honorífico dos Escritores Americanos de Histórias de Detetive, associação que também lhe concedeu quatro prêmios Shamus.

Ele foi indicado para um National Book Award e um Edgar Award e recebeu vinte outros prêmios literários, em especial o prêmio Owen Wister por Contribuições Vitalícias à Literatura de Faroeste, a maior honra concedida aos Escritores Americanos de Histórias de Faroeste.

"O diabo e Sherlock Holmes" foi originalmente publicado em *Ghosts in Baker Street*, organizado por Martin H. Greenberg, Jon Lellenberg, e Daniel Stashower (Nova York, Carroll & Graf, 2006).

O DIABO E SHERLOCK HOLMES

Loren D. Estleman

O ano de 1899 ocupa um lugar especial em minhas lembranças; não por ter sido o penúltimo do século (os numerólogos assim afirmam, mas a opinião popular discorda), mas por ter sido o único período, em minha longa e estimulante relação com Sherlock Holmes em que recorri, como cliente, a seus inestimáveis serviços.

Era o último dia de abril e, como não me havia ainda decidido a investir em ações sul-africanas, eu estava atualizando minhas recordações com a ajuda de números recentes do *Times* e do *Telegraph* referentes à evolução da ácida relação entre bôeres e britânicos em Johanesburgo. O dia era domingo e meu consultório estava vazio. Tal situação apresentava a feliz perspectiva de estudo ininterrupto fora do ambiente melancólico dos meus solitários aposentos, na ausência de minha esposa, bem como um refúgio dos problemas pessoais de safra mais recente.

Fiquei, então, um tanto descontente ao ser obrigado a abandonar a pilha de seções descartadas para atender à campainha.

— Ah, Watson! — saudou-me Sherlock Holmes. — Quando o encontro desperdiçando o resto do dia em conferências com seu talão de cheques, pergunto-me se deveria ter vindo arrastanto correntes, para assombrá-lo até desistir de seu destino de avareza.

Era sempre um prazer encontrar meu amigo mais antigo, e apertei sua mão antes de me dar conta de que, mais uma vez, ele invadia minhas reflexões pessoais. Só depois de guardar seu chapéu, sobretudo e bengala, e de estarmos confortavelmente instalados em minhas poltronas surradas com copos de conhaque na mão para afastar o frio primaveril perguntei-lhe por que sortilégios havia ele adivinhado minha recente ocupação.

— A tinta de impressão em suas mãos, em um dia em que nenhum jornal é entregue, é uma prova; o resto é suposição, baseada no conhecimento de causa e na única história que despertou o interesse de todos os jornais do país nesta última semana. Tendo vivido a guerra em primeira mão, você dificilmente seria um entusiasta de retóricas agressivas; mas é um investidor crônico, que se orgulha de sua determinação de, antes de arriscar, arrancar qualquer vestígio de informação a respeito de um empreendimento. O resto é mera aritmética.

— Você não perdeu o jeito — afirmei, sacudindo a cabeça.

— E no entanto receio que isso possa ocorrer, se passar mais uma semana neste marasmo. Não resta na nossa ilha um único criminoso com imaginação. Emigraram todos para a América, a fim de concorrer a cargos públicos.

Seu tom era brincalhão, mas ele parecia desanimado. Reconheci, alarmado, a expressão de desespero que, no passado, o levara a práticas nada saudáveis. Em vez disso, ele recorrera a mim, e eu estava sinceramente feliz por servir de substituto.

— Bem, não pretendo pedir-lhe que investigue os *forasteiros* da África do Sul.

Ele jogou na lareira o cigarro que acabara de acender, em um gesto de irritação.

— O custo seria um desperdício. Qualquer um com olhos na cabeça pode ver que haverá guerra, e que não haverá dias de folga para as tropas de Sua Majestade. Ouça meu conselho e restrinja suas apostas ao turfe.

Holmes era uma companhia espinhosa quando estava agitado. Por sorte, não precisei ir muito longe para encontrar um assunto capaz de afastar o tédio que, no caso dele, podia ser fatal. A situação atraíra minha atenção nos últimos dias, quase tanto quanto o conflito na Costa do Marfim. Era preciso, no entanto, abordar a questão com cuidado, uma vez que as circunstâncias eram um anátema para suas enregeladas faculdades de raciocínio.

— A bem da verdade — provoquei-o —, tenho me deparado com uma questão que talvez apresente algumas características interessantes. Hesito, porém, em trazê-la à baila.

— Meu camarada, este não é o momento de vida para se tornar discreto. Não combina com você. — Ele levantou a cabeça, como faz um cão quando o vento sopra da direção de um bosque onde há uma caça.

— Meu caro Holmes, vamos fazer de conta que eu nada disse. O caso está aquém de sua capacidade.

— Você é um livro aberto, incapaz de lançar a isca oscilante de um salafrário. Seja você mesmo e deixe as técnicas de psicologia reversa para os colegas do dr. Freud.

A despeito da ironia de sua fala, ele estava exatamente na pista certa.

— É só porque conheço seus pontos de vista quanto ao assunto.

— Que assunto é esse?

— O sobrenatural.

— Arre! Poupe-me das suas histórias de bicho-papão.

Ele fingiu desapontamento, mas eu o conhecia bem demais para me fiar nas aparências. Ele era capaz de disfarçar seu aspecto físico com perucas e narizes de borracha, mas não sua curiosidade latente.

— Você talvez saiba que eu dou consultoria médica à equipe do hospital St. Porphyry, em Battersea.

— Eu conheço o St. Poor — disse ele. — Meu testemunho na Corte mandou para lá um assassino, livrando-o do cadafalso, e há também por lá pelo menos dois ladrões de banco, tremulando diante de crédulos peritos médicos, que deveriam estar apodrecendo no cárcere.

Não fui capaz de saber se ele desejava o encarceramento dos ladrões ou dos médicos. De qualquer forma, fiquei irritado.

— O St. Porphyry é líder no moderno tratamento dos lunáticos. Não é um covil de charlatões.

— Eu não pretendi dizer que era. Por favor, continue. Essa propensão para ocultar a particularidade mais importante até o final pode agradar aos leitores dos seus contos, mas esgota minha dose de paciência.

— Em resumo — declarei —, temos lá, no momento, um paciente que está convencido de ser o diabo.

Ele balançou a cabeça, pensativo.

— Estamos no caminho do equilíbrio. Bedlam tem dois Cristos e um Moisés.

— Conseguiram convencer alguém além deles mesmos?

Ele percebeu minha intenção e acendeu outro cigarro com exagerada despreocupação. Eu soube, então, que ele estava farejando o fosso que eu havia cavado e coberto com folhas.

— Não surpreende que esse aí tenha encontrado entre os internos algumas almas atormentadas que concordam com ele. Ver um urso sendo atacado por cães é um passatempo mais emocionante.

— Não são apenas alguns pacientes, Holmes — expliquei, aumentando a armadilha. — Há pelo menos duas enfermeiras da equipe, além de um médico, que partilham da convicção inabalável de que o sujeito é satanás encarnado.

Em menos de uma hora, estávamos em uma carruagem a caminho de Battersea, os postes telegráficos marcando os quilômetros no compasso do funcionamento do cérebro de Holmes. Ele me cobriu de perguntas, com a intenção de juntar os nacos de informação que eu já lhe havia fornecido em uma narrativa cronológica. Esse era um velho truque dele, não diferente do processo de mesmerização; ele me atormentava por conta de cada detalhe, por mais mundano que fosse, e desse modo me fazia recordar incidentes que me haviam sido relatados e que eu mesmo presenciara, mas dos quais já me esquecera.

Com minha clínica estagnada, eu afinal sucumbira aos persistentes rogos de meu amigo e colega, dr. James Menitor, alienista-chefe no St. Porphyry, para observar, duas vezes por semana, o comportamento de seus pacientes mais desafiadores e dar minha opinião em relação ao seu tratamento. Para tanto, suspeito que ele tenha imaginado que minha maciça exposição às técnicas detetivescas de Holmes seria útil, e, sem dúvida, fiquei bastante lisonjeado com sua insistência e intrigado pela distração para recusar por mais tempo.

O dr. Menitor estava sobremaneira ansioso para ouvir minha opinião a respeito de um paciente conhecido apenas como John Smith... Neste ponto da narrativa, fui interrompido por uma fungada irônica de Holmes.

— *Un nom de romance*[7] — disse ele —, que nem ao menos tem a virtude da originalidade. Se não encontro imaginação em meus criminosos, que ao menos eu a veja nos meus lunáticos.

— Foi a equipe que o batizou assim, na falta de qualquer outra identificação. O dr. Menitor insiste em tratar os pacientes como indivíduos, e não como meros números. Smith foi detido abordando pedestres ao longo do Tâmisa e levado pela Scotland Yard para observação. Ele parece ter dito ao guarda que estava cumprindo sua expedição anual para arrebanhar almas.

— Eu não me tinha dado conta de que há uma temporada. Quando foi isso?

— Há três dias. Foi uma sorte você ter vindo me ver agora, pois o sr. Smith avisou que voltará para o outro mundo hoje à noite.

— *Walpurgisnacht*[8] — disse Holmes.

— Saúde! — exclamei, pois achei que tivesse espirrado.

— Obrigado, mas não estou resfriado. *Walpurgisnacht* é uma superstição, nada digna de discussão em nossa era científica, mas talvez interessante para uma mente iludida. O seu John Smith tem sotaque estrangeiro?

---

7 Um nome de romance (em francês no original). O comentário de Holmes deve-se à banalidade do nome fictício de John Smith, equivalente em português a João da Silva. (N.T.)

8 Noite da Walpurgia, ou de Santa Valburga, festa cristã originária do paganismo, celebrada na noite de 30 de abril para 1º de maio, quando se acendem fogueiras para afugentar espíritos malignos e almas penadas que estejam vagando por entre os vivos. Em alemão no original. (N.T.)

— Não. A bem da verdade, sua maneira de se expressar é a da alta sociedade britânica. Pergunto-me se ninguém registrou seu desaparecimento.

— Conheço muitas famílias no West End que com boas razões não o fariam, nesse tipo de situação. — Ele deu de ombros. — Parece que sou, então, culpado de um *non sequitur.*[9] A data talvez não seja importante. O que ele fez para apoiar sua alegação, além de vagar pelos corredores do hospital, apanhando mosquitos?

— Gostaria que fosse o caso. Ele já quase provocou a morte de um paciente e pôs em causa a carreira de uma enfermeira cujo comportamento profissional era impecável antes de sua chegada.

Os olhos de Holmes se iluminaram ao reflexo do fósforo com que acendeu o cachimbo. Violência e desgraça eram detalhes muito caros à sua alma de detetive.

Continuei meu relato. Em seu primeiro dia de internação, Smith foi visto em conversas particulares e sussurradas com um rapaz chamado Tom Turner, que sofria da convicção de ser Sócrates, o antigo sábio grego. O dr. Menitor estava contente com os progressos de Turner desde que ele fora admitido, seis meses antes, usando um lençol enrolado no corpo à guisa de toga, curvado e falando em uma voz alquebrada pela idade, quando de fato mal completara 24 anos; por vontade própria, ele retomara os trajes contemporâneos e começara até mesmo a zombar de sua ilusão com humor autodepreciativo, sinal encorajador de que a sanidade começava a voltar.

Tudo mudou depois do seu encontro com John Smith.

Minutos depois dos dois se separarem, o jovem Turner abriu um armário de material de limpeza e só foi impedido de ingerir o conteúdo de uma garrafa de água sanitária pela enérgica intervenção de um servente que por acaso passava por ali. Amarrado à uma cama da enfermaria, o rapaz delirava, em sua voz alquebrada de idoso, dizendo que precisava da cicuta, ou como poderia Sócrates cumprir seu destino?

---

9 Afirmação sem qualquer referência lógica ao que foi dito anteriormente. Em latim no original. (N.T.)

— Um louco que lê Plutarco. Talvez não tão estranho, afinal.

— Holmes, por favor! — exclamei, lamentando sua insensibilidade.

— *Mea culpa*, meu amigo. Continue, por gentileza, e tratarei de não ser impertinente.

Mais calmo, prossegui.

Confrontado pelo dr. Menitor depois do incidente, John Smith sorriu sem emoção.

— Bom médico — disse ele —, quando Turner era Sócrates, valia a pena estreitar relações com ele, mas, como mero almofadinha de classe média, era um tédio. Estou abarrotado de Tom Turners, mas meu inventário de grandes filósofos é perigosamente pequeno.

— Holmes, nem Menitor nem eu sabemos explicar o que exatamente terá Smith dito a Turner para fazer retroceder o trabalho de meses — admiti. — Ele se recusa a nos falar do assunto.

— E quanto à enfermeira que caiu em desgraça?

— Martha Brant trabalhou vinte anos no St. Porphyry, sem uma só mancha em sua folha de serviços. Era a sua chave do armário que estava com Turner quando ele foi pego em flagrante.

— Roubada?

— Entregue, segundo ela mesma.

— Hum.

— Quando interrogada, ela confessou ter tirado a chave do chaveiro e entregado a Turner. Insistiu em dizer que o fez por ter sido assim instruída por Smith. Ela ficou histérica durante o interrogatório. O dr. Menitor foi obrigado a sedá-la com morfina e isolá-la em um quarto privativo, onde permanece, atendida por outra enfermeira da equipe. Antes de perder a consciência, a srta. Brant continuou a afirmar que Smith é o Príncipe das Mentiras, exatamente como se proclama.

— O que foi feito de Smith nesse meio-tempo?

— No momento, ele está trancado na ala dos criminosos. Isso, no entanto, não o impediu de exercer uma influência nociva sobre todo o hospital. Desde seu encarceramento, um enfermeiro antes confiável foi despedido por roubar comida da despensa e vender para o dono de uma taberna da vizinhança, e a agitação dos pacientes cresceu a ponto de Menitor se recusar a dar um passo para fora do próprio consultório sem antes ter no bolso um revólver carregado. Os enfermeiros estão todos de prontidão, porque há o receio de um motim.

"É com meu amigo que me preocupo. Ele foi obrigado a substituir a enfermeira responsável pela srta. Brant e encarregá-la de tarefas menores em outra ala do hospital; a pobre moça passou a concordar com a outra, considerando que Smith é o diabo. É bem verdade que ela é católica devota, pertencente a uma ordem que acredita em obsessão demoníaca e nos efeitos purificadores do exorcismo. A própria srta. Brant, porém, é uma criatura pé no chão, de quem nunca antes se ouviu qualquer opinião que não fosse muito bem fundamentada na ciência médica. E, quando lá estive ontem, encontrei Menitor em estado de violenta agitação, e relutante em descartar as Artes Obscuras como causa de seus problemas atuais. Temo que a situação o tenha desequilibrado.

"Espero que você me considere seu cliente neste caso", concluí.

— Hum — repetiu Holmes, fumando o cachimbo. — Sob circunstâncias ordinárias, eu descartaria esse tal de Smith como nada mais do que um hábil estudioso dos princípios ensinados pelo falecido Franz Mesmer. Duvido, entretanto, que mesmo aquele respeitável médico fosse capaz de hipnotizar toda a população de um hospital londrino.

— É mais do que isso. Eu conheci o sujeito e posso declarar com absoluta certeza que nunca encontrei alguém que me impressionasse tanto quanto ele, enquanto encarnação viva do mal. Isso aconteceu antes do incidente de Turner e não trocamos mais do que os cumprimentos de praxe; ainda assim, sua simples presença me encheu de pavor.

— A insanidade é contagiosa, Watson. Já vi acontecer antes, e nenhuma dose de persuasão me fará admitir que a exposição prolongada a ela é menos perigosa do que um surto de varíola. Reduza suas visitas ao St. Poor antes que também a contraia. Eu nunca fui estimulado pelo seu intelecto, mas aprendi a confiar em seu férreo pragmatismo. A sensatez não é comum, e sabedoria é tudo menos convencional. Você deve protegê-las como se fossem as joias da coroa.

— Então sua teoria é que essa situação pode ser explicada como histeria coletiva?

— Recuso-me a teorizar até que tenha conhecido pessoalmente o sr. John Smith.

O Hospital St. Porphyry era em estilo georgiano, mas apenas na medida em que havia sido reconstruído a partir das ruínas da Reforma. Parte dele datava de Guilherme, o Conquistador, e conheci certa vez um antiquário que insistia ter sido a construção erguida onde antes havia um templo romano. Foi sucessivamente um forte, uma prisão e uma abadia, mas o acréscimo de alguns elementos arquitetônicos modernos amenizou um pouco as trevas medievais que eu sempre sentia ao entrar em seus domínios; mas não naquele dia. O próprio ar rastejava com os horrores do sacrifício humano.

A medonha sensação se intensificou quando cruzamos o portal. Um enfermeiro nervoso nos conduziu pelo estreito corredor que levava da sala de estar — cuja pesada porta era mantida bem trancada — ao consultório do dr. Menitor, nos fundos. Um sólido cassetete de borracha pendia de uma correia presa ao redor do seu pulso, e ele o agarrava com tanta força que seus nós dos dedos estavam brancos. Enquanto andávamos, as velhas paredes pareciam murmurar um aviso indecifrável; era o som dos pacientes, resmungando sozinhos por trás das portas fechadas. Aquele confinamento geral não era, de modo algum, prática comum naquele estabelecimento. Tinha sido adotado depois da minha última visita.

Encontramos Menitor em avançado estado de agitação nervosa, pior do que quando o deixei, menos de vinte horas antes. Parecia ter perdido peso, e seu rosto abatido estava tão branco quanto seu cabelo, que eu teria jurado ainda exibir vestígios de sua original cor escura ao nos despedirmos. Apertou nossas mãos sem prestar atenção, dispensou o enfermeiro com ar distraído e se dirigiu ao meu companheiro em um tom de lamúria que não lhe era comum.

— Estou honrado, sr. Holmes — disse ele —, mas receio que nem mesmo suas habilidades são páreo para o destino que se abateu sobre esta instituição à qual dediquei toda a minha vida profissional. O St. Porphyry está condenado.

— Aconteceu alguma coisa desde que saí daqui? — perguntei, assustado com sua resignação.

— Dois dos meus melhores enfermeiros se demitiram e eu precisei armar os outros, o que de pouco adiantou. Nenhum deles chega perto do Quarto Seis, sequer para empurrar uma bandeja com pão pela abertura da porta. "O diabo não morre de fome", disse um deles quando tentei repreendê-lo por insubordinação. E quem sou eu para culpar alguém? Eu preferiria enfrentar um bando de leões de Rider Haggard a me aproximar daquela colônia do inferno.

— Ora, vamos. — Holmes estava impaciente. — Raciocine: se a afirmação de Smith é genuína, nenhuma porta construída pela mão do homem é capaz de detê-lo. Sua permanência no quarto é prova suficiente de que ele é louco, ou um charlatão.

— O senhor não o conhece, sr. Holmes. Nós somos apenas seus joguetes. Dá-lhe prazer, agora, continuar onde está e transformar bravos homens em covardes e boas mulheres em ajudantes do demo. Quando se cansar disso, vai deslizar pelas barras e ordenar às entranhas do submundo que se abram e nos devorem.

Sua voz esganiçou até uma gargalhada estridente — interrompida de repente, como se controlada por alguma força que por qualquer razão ele ainda retinha.

Entrei em ação sem esperar por um sinal de Holmes. Com as mãos em seus ombros, obriguei-o a se sentar em uma poltrona, fui até o armário onde ele mantinha uma garrafa de conhaque, servi uma dose generosa em um copo e ordenei que bebesse.

Ele bebeu metade do elixir de um só gole. Aquilo pareceu fortificá-lo. Tomou outro gole e pôs o copo no canto da escrivaninha. A cor voltou às suas faces pálidas.

— Obrigado, John. Peço desculpas, sr. Holmes. Não me importo em confessar que questionei minha própria racionalidade diante deste caso. É mais reconfortante acreditar que enlouqueci do que aceitar a única outra explicação que se apresenta.

O tom glacial de Holmes foi tão estimulante quanto a bebida.

— Apenas os sãos questionam a própria sanidade, doutor. No entanto, até que este caso esteja encerrado, sugiro que deixe Haggard de lado e dirija a sua atenção para os srs. Gilbert e Sullivan. Seus shoguns e piratas são mais saudáveis, em tempos difíceis. Mais tarde, talvez, o senhor concorde em colaborar comigo em uma monografia a respeito da natureza instável da mente criminosa em geral. Sem sombra de dúvida, somente um indivíduo irracional pensaria em cometer um crime enquanto Sherlock Holmes estiver ativo.

— Bendito seja, cavalheiro, pela tentativa. Mas receio ter passado do ponto em que uma observação ultrajante afastará a desolação da minha alma. Smith arrebanhou o último, e esse desafortunado sou eu.

Nesse momento, o relógio sobre a lareira bateu sete horas. Menitor estremeceu.

— Restam cinco horas! — gemeu. — Ele se comprometeu a sair deste mundo à meia-noite, e todos nós o acompanharemos.

— Eu, pelo menos, nunca embarco em uma longa viagem sem antes conhecer o capitão — disse Holmes. — Onde está a chave do Quarto Seis?

Uma grande dose de persuasão e outra ingestão de conhaque foram necessárias antes que o dr. Menitor abrisse mão da chave do quarto no qual John Smith havia sido trancafiado. Ele a trazia, como o poético albatroz, em uma corda em volta do pescoço. Holmes tomou-a de sua mão e me instruiu a ficar com Menitor.

Sacudi a cabeça.

— Eu vou com você. Já enfrentamos juntos todo tipo de demônios. Por que não o próprio Senhor das Trevas?

— Seu outro amigo precisa mais de você.

— Ele vai dormir. Derramei uma leve solução de morfina em seu segundo copo.

De fato, Menitor já estava inconsciente na poltrona, o rosto com uma expressão mais calma do que vinha apresentando há dias.

Holmes assentiu rapidamente.

— Sendo assim, vamos lidar com este mal que não vem para o bem.

A ala dos criminosos ocupava grande parte da antiga fortaleza, com o Quarto Seis no último piso. Resistentes barras nas janelas separavam o ocupante de uma queda de trinta metros até as rochas lá embaixo. Eu tinha levado meu velho revólver militar e Holmes me instruiu a ficar para trás, com a arma engatilhada e na mão, enquanto ele girava a chave na fechadura.

Tal precaução revelou-se desnecessária, pois encontramos o paciente calmamente sentado no catre que era a única mobília do quarto. Suas roupas, limpas, mas simples, eram os trajes remendados e doados ao hospital pelas instituições de caridade locais, e os sapatos eram os que calçava quando foi levado para lá, de verniz brilhante, adequados ao terno formal do qual todas as etiquetas de alfaiataria haviam sido removidas.

Na aparência, pouco havia em John Smith que confirmasse sua demoníaca alegação. Ele era claro, com uma cabeleira revolta de cachos louros, bigodes precisando ser aparados e o rosto pontilhado por uma barba loura que atestava três dias sem uma lâmina. Estava uns cinco quilos acima do peso. Eu teria julgado sua idade em torno dos trinta anos, mas havia alguma coisa em seus olhos — grandes, e do azul mais claro que se podia imaginar — que sugeria a desolação de um quarto desabitado, como se tivessem testemunhado mais de uma vida e se mantido inalterados.

Havia, também, um ar de zombaria em seu sorriso, ilusoriamente polido e acolhedor, que parecia reduzir à insignificância tudo e todos a quem o dirigisse. Não sei se foram tais traços ou o próprio homem que me encheram de tanto pavor e repugnância. Fechei a porta e me encostei a ela, revólver agora no bolso, mas ainda engatilhado e na minha mão.

— Sr. Sherlock Holmes — cumprimentou ele em sua voz macia e modulada, tornada ainda mais gentil pelo sotaque de West End. — As gravuras nos periódicos não lhe fazem justiça. O senhor tem a testa de um filósofo.

— É mesmo? Um conhecido cavalheiro que já faleceu observou uma vez que minha testa era menos protuberante do que ele havia imaginado.

— O caro professor Moriarty. Obrigado por esse inesperado presente. Eu não o receberia lá embaixo pela próxima década se o senhor não o tivesse arremessado naquelas cataratas.

Holmes não se impressionou com aquela esperteza; a história de seu último encontro com aquele vilão acadêmico era bem conhecida dos leitores, pelo relato que publiquei na revista *The Strand*.

— Devo tratá-lo informalmente de Lúcifer, ou por Vossa Majestade das Trevas? — perguntou Holmes, sem se alterar. — Ignoro o protocolo.

— Smith estará bem. Eu mesmo tenho dificuldade para me lembrar de todos os meus títulos. Como o senhor se saiu naquele episódio de Milverton, aliás? O caso Dreyfus me distraiu.

Diante da pergunta, Holmes hesitou, e eu mal consegui disfarçar meu assombro. O caso do falecido chantagista Charles Augustus Milverton só fora concluído há pouco tempo, de maneira chocante, e as circunstâncias me impediam por tempo indeterminado de torná-lo público. O envolvimento de Holmes era desconhecido até mesmo da Scotland Yard.

Ele mudou de assunto, dissimulando sua própria reflexão quanto às fontes de Smith.

— Vim lhe perguntar qual foi sua motivação para tentar destruir Tom Turner — informou. — Não aceitarei aquela historinha que contou ao dr. Menitor.

Smith retrucou:

— Preciso me divertir. Preparar guerras e corromper governos requer intensa concentração por longos períodos. O senhor tem suas exóticas experiências químicas para distraí-lo do trabalho que realiza em prol dos seus clientes; eu tenho minha busca por almas desprezíveis. Requintadas miniaturas, é como as chamo. Espero um dia lhe mostrar minha coleção.

— É uma pena que Turner tenha escapado da sua rede.

— Por sorte, o St. Porphyry me oferece inúmeras outras possibilidades. — O paciente parecia indiferente às investidas de Holmes.

— Assim me disseram. Uma carreira arruinada, outra manchada e uma terceira seriamente prejudicada. Adicionará uma violenta insurreição às suas amostras?

— Infelizmente, talvez não haja tempo. Parto à meia-noite.

— Sente tanta falta assim de casa?

— Ainda não vou para casa. Se Menitor lhe deu essa impressão, ele me compreendeu mal. Passei férias agradáveis aqui, mas há trabalho para mim em Whitehall e no resto do continente. Seu Ministro das Relações Exteriores dá sinais claros de estar sendo por demais razoável em Bloemfontein, e o kaiser está conformado demais com as fronteiras do seu país. Além disso, os americanos se convenceram da indestrutibilidade dos seus presidentes. Isso pode justificar uma viagem além-mar. Afinal, não há risco de as coisas em casa pegarem fogo na minha ausência. — Ele deu uma risadinha.

— Desgraçado! — exclamei, incapaz de me conter.

Ele voltou para mim aquele sorriso satânico e, com ele, aqueles olhos vazios e desalmados.

— Eu o parabenizo, doutor. Em termos de ciência detetivesca, o senhor continua o macaco treinado de Holmes, mas como mestre do clássico eufemismo britânico o senhor não tem igual.

— O seu próprio talento para o óbvio é quase tão grande — observou Holmes. — Que falta de originalidade escolher a noite de hoje, entre tantas, para planejar sua fuga!

— Não se pode chamar de fuga. Foi agradável ter permanecido tanto tempo internado. *Walpurgisnacht*, essa rápida excursão em que os mortos andam e as bruxas se reúnem, exerce um efeito paralisante para os que ainda acreditam. Porém, é preciso que se renove de tempos em tempos. Talvez, depois desta noite, o senhor também venha a acreditar.

Holmes faz uma leve mesura.

— Aceito o desafio, sr. Smith. Voltaremos à meia-noite.

— Devo, então, oferecer-lhe reinos?

O detetive parou com a mão na porta.

— Como disse?

— Seria uma honra tê-lo sentado à minha direita por toda a eternidade, uma vez que sua mente é quase tão astuta e traiçoeira quanto a minha. Pensando melhor, porém, reinos lhe ofereceriam pouca tentação, como poderia atestar qualquer monarca de opereta que tenha tentado comprar sua lealdade com promessas de grande riqueza. Cocaína, talvez. Ou morfina: alqueires e barris intermináveis. Meus campos de papoula são incomensuráveis. O senhor nunca mais precisaria sofrer os horrores da realidade estática.

Fora do quarto, Holmes trancou a porta, a mão trêmula e fraca ao girar a chave. Desceu comigo o primeiro lance de escadas, um dedo nos lábios. No patamar, parou.

— Aqui não podemos ser ouvidos, Watson. Qual é a sua opinião?

— Ele é cruel o bastante para ser quem diz que é. Eu deveria tê-lo abatido com minha pistola por aquele desprezível último comentário.

— Estou falando do horário. Faltam apenas quatro horas e meia para meia-noite e ele se comprometeu a deixar este lugar ainda hoje.

— Não confio nele, Holmes. Quaisquer diabruras que tenha planejado não vão demorar.

— Discordo. À sua maneira, ele se considera um camarada honrado. Charlatões nunca trapaceiam. Isso lhes roubaria o triunfo.

— Mas como ele sabia do caso Milverton?

— Aquilo foi um tanto inesperado, não? Milverton pode ter tido um comparsa, afinal... ou o próprio Smith, ou alguém com quem ele tenha conversado. Informação contrabandeada é um truque de salão. Leitores de mente e espíritas o usam há anos. Perguntaremos a ele depois das 12 badaladas. Por quanto tempo Menitor vai dormir?

— Até amanhã pela manhã, eu diria.

— Enquanto ele estiver incomunicável, você é a maior autoridade médica no St. Poor. Aconselho-o a pôr alguém de guarda à porta de Smith e outro lá fora, na base da torre. Suspeito que nosso amigo esteja por demais enamorado de suas habilidades secretas para tentar algo tão vulgar quanto uma fuga à força ou um ataque às grades de sua janela, sem falar na queda vertiginosa que o aguardaria; ainda assim, todo cuidado é pouco. Enquanto esperamos, sugiro que aproveitemos as benesses daquela taverna que você mencionou mais cedo.

A expressão de Holmes era de impaciência. Não trazia qualquer vestígio do irritadiço *ennui* que o dominava no meu consultório. Embora relutante em admiti-lo, eu devia agradecer ao diabo por isso, pelo menos.

— Você deve pensar na questão como se tivesse tomado emprestado do nosso século e devesse pagar toda a quantia — explicava Holmes. — Você não devolveria 99 guinéus e imaginaria ter quitado uma dívida de cem. Assim, não pode considerar que o século XX tenha começado antes que o ano de 1900 tenha terminado.

Tínhamos feito uma refeição de salsichas com purê na nossa mesa de canto e relaxávamos agora com uísques e soda; saboreando-os devagar para que suas propriedades depressivas não nos roubassem os reflexos dos quais poderíamos precisar no final da noite. Holmes se recusara a falar de Smith desde que entramos na taverna.

— Compreendo, agora que você explicou — eu disse —, mas duvido que seu exemplo impedirá que toda Londres compareça ao espetáculo pirotécnico sobre o Tâmisa no próximo 1º de janeiro.

— Aparências são habilidosamente enganadoras, muito semelhantes ao nosso amigo Smith.

Vi, então, que ele estava pronto para voltar ao motivo de nossa ida a Battersea.

— Quer dizer que sua teoria é de que ele esteja se fazendo passar por louco?

— Ainda não tenho certeza. Os loucos mentem melhor do que a maioria, porque conseguem convencer a si mesmos tanto quanto a seus ouvintes. Se ele estiver fingindo, saberemos, caso depois da meia-noite ele continue sendo hóspede do St. Poor. Um lunático, uma vez confrontado com a prova de sua alucinação, ou fica muito agitado ou coloca outra no lugar daquela que o traiu. Um mentiroso tenta explicá-la. Mentirosos clássicos são invariavelmente racionais.

— Mas qual poderia ser sua motivação?

— Isso ainda veremos. Ele pode estar agindo mancomunado com um cúmplice, distraindo-me de algum outro crime cometido em algum lugar um tanto distante deste para o qual fomos atraídos: sua posição na equipe e sua reputação como meu parceiro podem lhes ter dado essa ideia.

"Sim. Acho que esse cenário é mais provável do que Smith estar se divertindo fazendo travessuras e pondo a culpa no colo de satã. Ou assim espero. Nestes tempos de tentação, qualquer homem do clero inescrupuloso ou lascivo é capaz da última hipótese. Não sou especialista em gente normal."

— O que você acha que ele quis dizer quando falou em África, Alemanha e América?

— Se eu fosse Belzebu, ou fingisse ser, não poderia pensar em melhores lugares para calamidades.

O taberneiro avisou que o estabelecimento fecharia em breve. Era um sujeito atarracado, com cara de rato, bem o oposto do alegre e rubicundo cervejeiro da velha lenda inglesa, e exatamente o tipo que iria comprar provisões de um enfermeiro de hospital sem fazer perguntas.

— Para que precisamos de relógios, quando temos comerciantes? — perguntou Holmes. — Vamos observar o paciente do Quarto Seis abrir suas asas escamosas e voar ao som de mortais atormentados?

Havia outro enfermeiro à porta, com o porte físico de um lutador, segurando o cassetete como se fosse uma extensão do seu braço direito. Seu antecessor o informara do nosso retorno previsto. Ele relatou que tudo estava calmo. Depois de uma rápida visita ao consultório do dr. Menitor para confirmar que ele continuava a dormir profundamente sob a manta com que eu o cobrira, reuni-me a Holmes, que conservava consigo a chave da cela de John Smith. Agarrei o revólver enquanto ele destrancava a porta.

Smith parecia não ter se mexido durante a nossa ausência. Estava sentado, mãos descansando sobre as coxas e o sorriso zombeteiro firme no lugar.

— Que tal a comida? — perguntou.

Holmes não se abalou com aquela suposição do nosso recente paradeiro.

— Você é inconsistente. Se realmente pode ler nossas mentes, saberia a resposta a essa pergunta.

— O senhor está me confundindo com meu antigo mestre. Eu não sou onisciente.

— Sendo assim, a comida era medíocre, mas o preço acima da média, o que é surpreendente, diante do ar de *laissez-faire*[10] do proprietário em relação à fonte dos seus estoques. Nós lhe teríamos trazido uma amostra, mas isso poderia desacelerar o seu voo.

Smith deu outra risadinha, daquele jeito que me dava calafrios.

— Sentirei sua falta, Holmes. É uma pena que minhas férias não possam ser prolongadas. Eu teria apreciado capturar sua alma. Poderia fazer para ela um novo mostruário no centro.

— E pensar que há apenas algumas horas você me ofereceu um assento à cabeceira da mesa.

— Aquela oferta expirou.

— Ainda assim, você me enaltece. O dr. Watson é uma presa melhor. Ele tem a mais bela alma de toda a Inglaterra, e o coração mais nobre.

Smith coçou o queixo, pensativo, como se esperasse encontrar nele uma barba pontuda saída de um guia infantil ilustrado das Sagradas Escrituras.

— Não me vou para sempre. Se eu voltar dentro de um ano, apostará a bela alma do seu amigo que eu não consigo vencê-lo em uma disputa de esperteza?

— Que disparate! — exclamei; e olhei para Holmes em busca de apoio.

Mas sua reação me surpreendeu e enervou. Quando ele se divertia, seu próprio risinho gelado era quase igual ao de Smith. Em vez disso, pareceu empalidecer ainda mais, e ergueu o queixo em um gesto de teimosia.

---

10 Indiferença — em francês no original. (N.T.)

— Você me perdoará se eu declinar do convite — foi tudo o que disse.

Smith deu de ombros.

— Falta apenas um minuto para a meia-noite.

— Você não tem relógio — afirmei.

— Eu sabia as horas antes que existissem pêndulos ou cronômetros.

Apalpei o colete em busca do relógio, ansioso para provar que ele estava errado, ainda que por segundos. Holmes interrompeu meu gesto com um quase infinitesimal aceno de cabeça. Seus olhos permaneceram fixos em Smith. Apertei o revólver no bolso, com força suficiente para que minha mão doesse.

A primeira badalada do sino de ferro do Big Ben penetrou nos grossos muros da fortaleza.

— Um minuto, precisamente — disse Smith. — Não imagino que vá aceitar minha palavra.

O sino bateu pela segunda vez; terceira, quarta. Nós três continuávamos absolutamente inertes.

Na sétima badalada, a sombra de uma nuvem contra a lua dividiu o rosto de Smith em exatas metades de luz e escuridão, transformando-o em uma máscara de arlequim. Nenhum de nós se moveu.

Oito.

Nove. A sombra passou; todo o seu rosto voltou a se iluminar.

Dez.

Onze. Outra nuvem, maior e mais densa do que a anterior, cobriu a luz. O homem sentado no catre era um vulto mergulhado nas trevas. Quase apertei o gatilho, em minha apreensão quanto ao que ele poderia estar aprontando na penumbra. Só meu treinamento militar e minha longa exposição aos nervos de aço de Holmes detiveram meu tiro.

Chegou a badalada final. Ela pareceu reverberar por muito tempo depois de terminada. Seguiu-se o silêncio, tão profundo quanto o túmulo.

— Muito bem! — lançou Holmes. — Acorde, Smith. Santa Valburga voou e você ainda está conosco.

O luar caía agora sobre o homem sentado. Ele levantou a cabeça. O alívio me inundou. Relaxei a pressão na arma. O sangue voltou a circular na minha mão.

John Smith piscou, olhou em volta.

— Que lugar é este? — Seu olhar pousou em Holmes. — Quem diabos é você?

Até hoje, não consigo compreender de todo a mudança que se produziu no homem do Quarto Seis depois que o Big Ben terminou sua contagem atemporal. Ele ainda tinha os mesmo traços físicos; pálido, olhos azuis, mais para robusto, mas o sorriso zombeteiro havia desaparecido e os olhos se tornado expressivos, como se quem tivesse desertado dali dias antes retornasse agora. Mais inquietante do que tudo, o sotaque da alta sociedade britânica desaparecera, substituído pelos tons um pouco anasalados dos americanos.

— Parem de me encarar, seus palermas, e digam para onde me trouxeram. Por Deus, vocês se verão com lorde Penderbroke antes que o dia termine. Ele me espera para jantar.

A história do jovem não se alterou, nem mesmo quando Holmes admitiu seu fracasso e mandou buscar o inspetor Lestrade, cuja técnica brutal de obter confissões compensava bastante das suas deficiências como investigador prático. E foi posteriormente corroborada quando o próprio lorde Penderbroke foi convocado e confirmou a identidade do rapaz como Jeffrey Vestle, filho do industrial de Boston, Cornelius Vestle, que o mandara para Londres a fim de pedir em casamento a filha de Sua Excelência e mesclar sua fortuna americana com sangue nobre. O jovem Vestle deixara de comparecer ao compromisso para jantar, três dias antes, e a polícia passou em revista os hospitais e necrotérios regulares para determinar se ele sofrera algum infortúnio; hospitais particulares e asilos de lunáticos estavam no final da lista.

Lestrade, reunido com Holmes e comigo no consultório do dr. Menitor, estava envergonhado.

— Ouso dizer que o senhor levou vantagem sobre mim desta vez, sr. Holmes. Os guardas que trouxeram o sujeito para cá não o reconheceram pela descrição.

Holmes estava sério.

— Não serei eu a acusá-lo, inspetor. Quando a primeira pedra for atirada, o senhor dificilmente será atingido.

Lestrade agradeceu, embora estivesse claro que ele não sabia o que concluir daquela observação, ou do humor sombrio com que havia sido feita.

O mistério do diabo do Hospital St. Porphyry foi o primeiro em que eu fui o cliente, mas foi também o primeiro que escolhi para tornar público sem uma solução.

O dr. Menitor ficou satisfeito, pois, com a partida de "John Smith", extinguiu-se também a maldição que parecia haver atingido sua instituição. Ele apagou a advertência na ficha da enfermeira Brant e readmitiu o enfermeiro temporariamente larápio, atribuindo seus lapsos à tensão gerada pelo excesso de trabalho, ao que também imputou sua própria crise emocional, e agradeceu profusamente a Holmes e a mim por nossa intervenção.

O próprio Holmes nunca se refere ao caso, salvo para apresentá-lo como um exemplo de *amnesia dysplacia*, uma temporária perda de identidade por parte do jovem Vestle, complicada por demência e provocada por estresse, possivelmente devido às suas núpcias próximas.

— Eu poderia, no lugar dele, ter sido atingido pelo mesmo mal — disse ele. — Conheci a filha de Penderbroke. — Mas seu humor caiu no vazio.

Ele considera seu papel no caso como o de um observador passivo e, portanto, não como um de seus sucessos. Vejo-me inclinado a concordar, mas por outra razão.

Não sei se aquele "John Smith" era o diabo, tendo ocupado o corpo de Jeffrey Vestle em breves férias de sua agenda lotada; não sou capaz de dizer se a explicação científica de Holmes para o fenômeno — com a qual, sou obrigado a acrescentar, concorda o dr. Menitor — não é a correta. Espero ardentemente que seja. O que não explica, entretanto, como Smith/Vestle sabia do caso Milverton, mantido em segredo como foi pelas duas únicas pessoas que o poderiam ter divulgado (e que nunca o fariam, uma vez que isso nos permitiria uma acusação de cumplicidade no assassinato). Por ocasião do referido incidente, o jovem de Boston estava a mil milhas de distância, em Massachusetts, e sem qualquer possibilidade de ser conectado a Milverton ou ao seu destino. Sou incapaz de estabelecer tal conexão e bastante sensível ao fato de Holmes evitar tocar nesse assunto.

Falta de provas não é prova, e a prova que possuo é, na melhor das hipóteses, circunstancial.

Meses depois de Smith deixar o corpo de Vestle, a Conferência de Bloemfontein, na África do Sul, recebeu com pesar a recusa do ministro britânico das Relações Exteriores em recuar em sua posição política, e um ultimato de Paul Krueger, o líder bôer, precipitando nossa nação em um longo e trágico conflito armado com os bôeres.

Menos de dois anos depois, a 6 de setembro de 1901, William McKinley, o presidente americano, foi mortalmente baleado por um assassino solitário em Buffalo, Nova York.

O mundo inteiro sabe o que aconteceu em agosto de 1914, quando o kaiser Guilherme II invadiu a França, violando a neutralidade da Bélgica e levando a Alemanha à guerra com a Inglaterra e depois com o mundo. Aquela previsão de Smith demorou para se tornar realidade, mas seus efeitos ficarão conosco por pelo menos mais um século.

Tenha ou não Sherlock Holmes se digladiado com o diabo, ou exista ou não o diabo, sei que o mal está presente em nosso mundo. Sei, ainda, que há um grande bem, e me vi diante de ambos no Quarto Seis do St. Poor.

Por um breve instante, meu amigo deixou de lado suas convicções práticas e se recusou, mesmo que de brincadeira, a apostar minha alma com satã. Repito uma vez mais que ele foi o melhor e mais sábio homem que conheci; e desafio você, leitor, a apontar alguém melhor e mais sábio.

MANTENDO A LEMBRANÇA VIVA

O estranho caso dos roubos no Megatério

S.C. ROBERTS

No mundo de Sherlock Holmes, sir Sydney Castle Roberts (1887-1966) foi o famoso autor de clássicos volumes holmesianos como *Doctor Watson: Prolegomena to the Study of a Biographical Problem* (1931), um folheto que foi o primeiro estudo inteiramente dedicado a Watson; *Christmas Eve* (1936), peça em um ato parodiando Holmes, que Roberts mandou imprimir para presentear seus amigos e conhecidos da comunidade sherloquiana; e *Holmes and Watson: A Miscellany* (1953), uma coletânea de ensaios acadêmicos a respeito do grande detetive e seu amanuense. Sua estima por Holmes e o tempo dedicado a escrever e ler sobre ele valeram-lhe a presidência da Sociedade Londrina de Sherlock Holmes.

As façanhas de Robert, porém, foram muito além de Holmes. Ele foi reconhecido como figura exponencial da vida editorial e educacional britânica, exercendo as funções de secretário da Cambridge University Press, de 1922 a 1948, mestre do Pembroke College, Cambridge, de 1948 a 1958, vice-chancellor da Universidade de Cambridge, de 1949 a 1951, e presidente do British Film Institute, de 1952 a 1056. Foi agraciado com o título de sir em 1958. Há três retratos de Robert nas paredes da National Portrait Gallery, em Londres.

Entre suas muitas obras há livros sobre edição e sobre Cambrige, além de biografias como *The Story of Doctor Johnson: Being an Introduction to Boswell's Life* (1919), *Doctor Johnson in Cam-*

bridge: Essays in Boswellian Imitation (1922), *Lord Macaulay: The Pre-eminent Victorian* (1927), and *Adventures with Authors* (1966).

"O estranho caso dos roubos no Megatério" foi inicialmente publicado como um folheto impresso em uma edição particular de 125 exemplares (Cambridge, University Press, 1945). Em edição comercial, foi impresso pela primeira vez em *Holmes and Watson: A Miscellany* (London, Oxford University Press, 1953).

O ESTRANHO CASO DOS ROUBOS NO MEGATÉRIO

S.C. Roberts

Já tive ocasião, no decorrer destas reminiscências de meu amigo Sherlock Holmes, de me referir à sua preferência pelo Diogenes Club, o clube que reunia os homens menos sociáveis de Londres e onde era proibido falar, exceto no Salão dos Estrangeiros. Até onde sei, era o único clube pelo qual Holmes se sentia atraído, e não me pareceu pouco curioso o fato de que tenha sido chamado para solucionar o extraordinário mistério dos roubos no Megatério.

Era uma tarde monótona de novembro, e Holmes, desanimado, desistindo de examinar alguns recortes de jornais velhos, puxou sua cadeira para perto da minha e tirou do bolso o relógio.

— Como o tempo tem passado devagar, meu caro Watson — observou —, desde a bem-sucedida conclusão daquele pequeno episódio em uma aldeia solitária do oeste do país. Aqui estamos de volta aos milhões de Londres, e ninguém nos quer.

Ele foi até a janela, entreabriu-a e espiou Baker Street através das brumas de novembro.

— Não, Watson, estou enganado. Acredito que receberemos uma visita.

— Há alguém à porta?

— Ainda não. Mas uma carruagem parou do outro lado da rua. O passageiro desembarcou e está havendo uma acalorada altercação relativa ao preço cobrado. Não consigo ouvir os detalhes da discussão, mas é animada.

Alguns minutos depois, a visita foi introduzida na sala de estar — um tipo alto e curvado, com a barba branca emaranhada, pobremente vestido e um tanto desleixado. Gaguejava um pouco ao falar.

— S-sr. Sherlock Holmes? — perguntou.

— É o meu nome — respondeu Holmes. — E este é meu amigo, dr. Watson.

O visitante curvou a cabeça em um gesto brusco e Holmes continuou:

— E a quem tenho a honra de me dirigir?

— Meu n-nome é Wiskerton... Professor Wiskerton... e me atrevi a visitá-lo devido a um caso por demais notável e intrigante.

— Estamos habituados a casos intrigantes nesta sala, professor.

— Ah, mas não como este. Veja, além das minhas atividades como p-professor, eu sou um dos mais antigos membros do...

— Megatério?

— Meu caro senhor, como soube?

— Ah, não decifrei enigma algum. Por acaso ouvi uma observação sua ao cocheiro de que sua viagem havia começado em Waterloo Place. Ficou claro que o senhor partiu de um dos dois clubes lá existentes e, por alguma razão, eu não o associaria às Forças Armadas.

— O senhor tem ab-bsoluta razão, é claro. O cocheiro daquela carruagem era um patife ganancioso. É escandaloso que...

— Mas o senhor não veio me consultar a respeito da extorsão de um cocheiro.

— Não, não. Claro que não. É sobre...

— O Megatério.

— Exatamente. Veja bem, eu sou um dos m-membros mais antigos e faço parte do comitê tem alguns anos. Dificilmente preciso lhe dizer que posição ocupa o Megatério no mundo da aprendizagem, sr. Holmes.

— O dr. Watson, não duvido, tem veneração pela instituição. Por mim, prefiro a atmosfera relaxante do Diogenes.

— Do q-quê?

— O Diogenes Club.

— N-nunca ouvi falar.

— Exatamente. É um clube do qual as pessoas não devem ouvir falar... Mas queira me desculpar pela digressão. O que estava dizendo?

— Eu estava d-dizendo que aconteceu uma coisa muito angustiante. Em primeiro lugar, devo explicar que, além da n-nobre coleção de livros na biblioteca do Megatério, coleção que é um dos nossos bens mais valiosos, temos disponíveis, a qualquer momento, uma série de livros para empréstimo e...

— E os estão perdendo?

— Bem... sim, na verdade estamos. Mas como soube?

— Eu não soube. Apenas deduzi. De modo geral, quando um cliente começa a me descrever seus bens, é porque houve algum inconveniente relacionado a eles.

— Mas isto é m-mais do que um inconveniente, sr. Holmes. É uma desgraça, um ultraje, um...

— Mas, de fato, o que aconteceu?

— Ah, eu ia ch-chegar lá. Mas talvez seja mais simples eu lhe mostrar este documento e deixar que ele fale por si mesmo. P-pessoalmente, acho que circulá-lo foi um erro, mas o comitê não me ouviu e agora a história estará por toda Londres e nós sequer nos aproximamos de uma solução.

O professor Wiskerton revirou os bolsos e apresentou um documento impresso, com as palavras *Privado e Confidencial* datilografadas em vermelho e em negrito.

— O que acha d-disso, sr. Holmes? Não é extraordinário? Temos um clube cujos membros são selecionados entre os mais ilustres representantes das Artes e das Ciências e é esta a maneira com que tratam os b-bens do clube.

Holmes não deu atenção às divagações do professor e continuou a ler o documento.

— O senhor me trouxe um caso bastante interessante, professor — disse ele, ao terminar.

— Mas é mais do que interessante, sr. Holmes. É surpreendente. É inexplicável.

— Se fosse um caso de fácil explicação, deixaria de ser interessante e, ademais, o senhor não teria gasto dinheiro em uma carruagem para me visitar.

— Isso, suponho, é verdade. Mas qual é o seu conselho, sr. Holmes?

— O senhor precisa me dar algum tempo, professor. Poderia, talvez, me fazer primeiro a gentileza de responder a algumas perguntas?

— De bom grado.

— Este documento afirma que seu comitê considera que nenhum funcionário está implicado. O senhor concorda com tal parecer?

— Não c-concordo com coisa alguma, sr. Holmes. Como alguém que p-passou boa parte da vida entre livros e bibliotecas, tudo o que se refere a maus-tratos de livros me é repugnante. Livros são a minha vida, sr. Holmes. Mas talvez o senhor não pense do mesmo jeito.

— Pelo contrário, professor. Nutro um interesse genuíno pelo assunto. No que me diz respeito, porém, transito nos atalhos da bibliofilia associada à minha própria profissão.

Holmes andou até uma estante e tirou um volume que, há muito tempo, me era bastante familiar.

— Veja, professor — ele continuou. — Permitindo-me agora abandonar a falsa modéstia, esta é uma pequena monografia de minha autoria, *Da distinção entre as cinzas dos diversos fumos*.

— Ah, muito interessante, sr. Holmes. Não sendo fumante, não posso fingir avaliar seu trabalho do ponto de vista de um estudioso, mas, como bibliófilo e, em especial, como c-colecionador de monografias incomuns, posso perguntar se a obra ainda está disponível?

— Este é um exemplar extra, professor; fique com ele.

Os olhos do professor brilharam de prazer e voracidade.

— Mas, sr. Holmes, é m-muita generosidade sua. Posso pedir-lhe que me faça uma d-dedicatória? Sou sobremaneira apreciador dos chamados "exemplares especiais".

— Sem dúvida — concordou Holmes, com um sorriso, enquanto se dirigia à escrivaninha.

— Obrigado, obrigado — murmurou o professor. — Mas receio tê-lo distanciado da questão principal.

— De modo algum.

— Mas qual é o seu p-plano, sr. Holmes? Talvez lhe interesse fazer uma visita ao Megatério. Poderia, por exemplo, almoçar amanhã? Mas não, receito ter um compromisso nesse horário. Que t-tal uma xícara de chá às quatro da tarde?

— Com prazer. Acredito poder levar comigo o dr. Watson, cuja cooperação em tais casos tem se mostrado de grande valia.

— Ah... é... sim, claro.

Mas não me pareceu haver muita cordialidade naquela concessão.

Ele guardou a monografia em um bolso e nos deixou.

— Bem, Watson — disse Holmes, enchendo o cachimbo. — O que lhe ocorre a respeito deste casinho curioso?

— Muito pouco, no momento. Não tive como examinar os dados.

— Com certeza, Watson. Vou esclarecê-los para você.

Holmes apanhou a folha de papel deixada pelo professor.

— Esta é uma carta confidencial enviada aos membros do Megatério e datada de novembro de 1889. Vou ler alguns trechos: "Em relatório recente, o comitê chamou a atenção para as sérias perdas e inconveniências provocadas pela retirada do Clube de livros da biblioteca de empréstimos. A prática continua... No final de junho, o Clube pagou por nada menos que 22 volumes faltantes. No final de setembro, 15 outros estavam desaparecidos... O comitê esteve inclinado a atribuir tais práticas ilícitas a algum membro individual não identificado, mas chegou à lamentável conclusão de que há mais de um sócio envolvido. Estão convictos do fato de que ninguém, da equipe de funcionários, esteja implicado... Se os infratores puderem ser identificados, o comitê não hesitará em aplicar a regra que autoriza sua expulsão." Então, Watson, o que acha disso?

— Um tanto extraordinário, Holmes. E no Megatério, entre tantos clubes.

— *Corruptio optimi pessima*,[11] meu caro Watson.

— Você acha que o comitê tem razão quanto aos funcionários?

— Não estou interessado nas opiniões do comitê, Watson, mesmo que sejam opiniões de bispos, juízes e membros da Royal Society. Só estou preocupado com os fatos.

— Mas os fatos são simples, Holmes. Uma quantidade considerável de livros está sendo roubada do clube e não há pistas do ladrão, ou ladrões.

— Admiravelmente sucinto, meu caro Watson. E o motivo?

— O motivo habitual dos ladrões, suponho. A atração pelo ganho ilícito.

— Mas que ganho, Watson? Se levasse uma dezena de livros, todos com a marca de uma biblioteca, para um comerciante de livros usados, quanto esperaria conseguir por eles?

— Muito pouco, com certeza, Holmes.

— Pois é, e por isso é provável que o comitê tenha razão ao excluir os funcionários... Não que eu acredite em excluir qualquer um ou qualquer coisa *a priori*. Mas o motivo do ganho não se sustenta. Você precisa tentar de novo, Watson.

— Bem, é claro, as pessoas são descuidadas em relação a livros, sobretudo quando pertencem a terceiros. Não é possível que sócios do Clube levem consigo esses volumes, pretendendo devolvê-los, e depois os deixem no trem ou os esqueçam em casa?

— Nada mal, meu caro Watson, e uma solução inteiramente razoável se estivéssemos lidando com a perda de três ou quatro volumes. Nesse caso, seria provável que nosso professor não se tivesse dado ao trabalho de requisitar meus humildes serviços. Mas olhe para os números, Watson: 22 livros desaparecidos em junho, 15 outros em setembro. Há nisso algo mais do que esquecimentos casuais.

---

11 A corrupção dos melhores é a pior que existe — em latim no original. (N.T.)

— É verdade, Holmes. E suponho que não conseguiremos descobrir mais antes de comparecermos amanhã ao Megatério.

— Pelo contrário, meu caro Watson. Espero realizar esta tarde uma pequena investigação independente.

— Seria um prazer acompanhá-lo, Holmes.

— Tenho certeza que sim, Watson, mas você vai me perdoar por dizê-lo, a pequena averiguação que preciso fazer é de natureza pessoal e acho que pode ser mais frutífera se eu estiver sozinho.

— Ah, está certo — respondi, um pouco agastado com a atitude superior de Holmes. — Eu posso me ocupar de modo bem proveitoso lendo este novo trabalho sobre técnicas cirúrgicas que me acaba de chegar às mãos.

Pouco vi Holmes na manhã seguinte. Ele não fez qualquer referência ao caso do Megatério durante o café da manhã e, pouco depois, desapareceu. No almoço, estava de excelente humor. Havia em seu olhar um brilho que me revelava que ele estava alegremente no caminho certo.

— Holmes, você descobriu alguma coisa — observei.

— Meu caro Watson — ele respondeu —, sua acuidade lhe faz jus. Descobri que, depois de uma manhã ativa, fico extremamente faminto.

Mas eu não me deixaria enganar.

— Ora vamos, Holmes, eu sou um militante muito antigo para cair nesses truques. Até que ponto você penetrou no mistério do Megatério?

— O suficiente para me fazer aguardar nosso chá com vívido interesse.

Conhecendo os hábitos provocadores do meu amigo, reconheci que, no momento, não seria bom pressioná-lo com mais perguntas.

Pouco depois das quatro da tarde, Holmes e eu nos apresentamos à entrada do Megatério. O chefe da recepção nos acolheu com muita cortesia e, achei, quase pareceu reconhecer Sherlock Holmes. Levou-nos a um sofá no vestíbulo e, tão logo surgiu nosso anfitrião, subimos a nobre escadaria que levava ao grande salão do primeiro andar.

— Agora, permitam-me pedir o chá — disse o professor. — Gostaria de algo para comer, sr. Holmes?

— Só um biscoito para mim, professor, mas meu amigo Watson tem um apetite enorme.

— Ora, Holmes... — comecei.

— Não, não. Foi apenas uma brincadeira — declarou Holmes, de imediato.

Tive a impressão de constatar um ar de alívio no rosto do professor.

— Bem, agora, quanto ao nosso p-problema, sr. Holmes. Há mais alguma informação que eu possa lhe dar?

— Eu gostaria de ter uma relação dos títulos dos livros que desapareceram mais recentemente.

— Sem dúvida, sr. Holmes, posso lhe conseguir isso agora mesmo.

O professor nos deixou por alguns minutos e voltou com um papel nas mãos. Olhei por sobre o ombro de Holmes enquanto ele lia e reconheci diversos livros famosos que haviam sido publicados há pouco tempo, como *Robbery under Arms*, *Troy Town*, *The Economic Interpretation of History*, *The Wrong Box* e *Three Men in a Boat*.

— O senhor chega a alguma conclusão especial a partir dos títulos, sr. Holmes? — perguntou o professor.

— Acho que não — respondeu Holmes. — Há, é claro, algumas obras de ficção muito populares, alguns outros livros de interesse mais geral e uns poucos títulos de menor importância. Não acredito que alguém possa chegar a qualquer conclusão quanto à esfera exata de interesse do culpado.

— O senhor acha? Bem, eu concordo, sr. Holmes. É tudo muito d-desconcertante.

— Ah! — exclamou Holmes, de repente. — Este título me faz pensar em algo.

— Em quê, sr. Holmes?

— Vejo que um dos livros desaparecidos é *Plain Tales from the Hills*. Acontece que vi um exemplar excepcionalmente interessante desse livro há não muito tempo. Era uma impressão prévia, especialmente encadernada e autografada, para ser entregue ao afilhado do autor, que embarcaria de navio para a Índia antes da data do lançamento.

— É mesmo, sr. Holmes, é mesmo? Isso me interessa muitíssimo.

— Suspeito que sua própria coleção, professor, seja rica em itens desse tipo, não é mesmo?

— Bem, bem, não cabe a mim me v-vangloriar, sr. Holmes, mas sem dúvida tenho um ou dois volumes de inestimável valor em minhas prateleiras. Sou um homem pobre e não aspiro a primeiras edições, mas o v-valor da minha coleção é que ela não poderia ser reunida através dos canais normais de comércio... Mas, para voltar ao nosso problema, há algo mais no Clube que o senhor gostaria de investigar?

— Creio que não — disse Holmes —, mas devo confessar que a descrição de sua própria coleção despertou meu apetite bibliográfico.

O professor enrubesceu de orgulho.

— Bem, sr. Holmes, se o senhor e seu amigo realmente apreciariam ver meus poucos t-tesouros, eu ficaria honrado. Meus aposentos não ficam l-longe daqui.

— Então vamos — declarou Holmes, enfático.

Confesso que fiquei um tanto perplexo com o comportamento do meu amigo. Ele parecia ter se esquecido das desventuras do Megatério para demonstrar um interesse desproporcional pelas excentricidades da coleção de Wiskerton.

Ao chegarmos aos aposentos do professor, fiquei ainda mais surpreso. Eu não esperava luxo, claro, mas pelo menos algum grau de elegância e conforto. Em vez disso, cadeiras e mesas, tapetes e cortinas, tudo, na verdade, parecia ser da pior qualidade; até mesmo as prateleiras eram de baixo custo e estavam mal colocadas. Os próprios livros eram outro problema. Estavam classificados como em nenhuma outra biblioteca que eu já tivesse visto. Em uma seção, havia exemplares autografados pelos autores; em outra, provas encadernadas armazenadas em fichários; em uma terceira, originais revisados; em outra, folhetos, monografias e impressos de todos os tipos.

— Aqui estamos, sr. Holmes — disse o professor, com orgulho de proprietário. — O senhor pode pensar tratar-se de uma coleção de excentricidades, mas, para mim, cada um destes volumes tem uma associação p-pessoal e d-diferente, inclusive o item que chegou às minhas mãos ontem à tarde.

— É curioso — disse Holmes, pensativo —, considerando que todos têm uma característica em comum.

— Não o compreendo.

— Não? Mas estou esperando para ver o resto da sua coleção, professor. Quando tiver visto a integralidade da sua biblioteca, talvez possa me explicar com mais clareza.

O professor enrubesceu de desagrado.

— Ora, sr. Holmes, eu fui alertado quanto a alguns de seus métodos p-peculiares, mas em absoluto consigo saber o que está p-pretendendo.

— Neste caso, professor, vou agradecer sua hospitalidade e pedir-lhe que retornemos ao Megatério para uma conversa com o secretário.

— Para lhe dizer que o senhor não consegue encontrar os livros desaparecidos?

Sherlock Holmes nada disse por alguns instantes. Depois, olhou sem rodeios para o rosto do professor e declarou, muito devagar:

— Pelo contrário, professor Wiskerton. Direi ao secretário que posso lhe indicar o endereço exato de onde os livros podem ser encontrados.

Fez-se silêncio. E então algo extraordinário aconteceu.

O professor se virou e literalmente desabou em uma cadeira; depois, levantou os olhos para Holmes, com o ar de uma criança apavorada.

— Não faça isso, sr. Holmes. Não faça isso, eu s-suplico. Vou lhe contar tudo.

— Onde estão os livros? — perguntou Holmes, sério.

— Venha comigo e eu lhe mostrarei.

O professor se arrastou e nos levou a um cômodo sombrio. Com mão trêmula, apalpou o bolso em busca das chaves e abriu um armário que ocupava toda a parede. Várias fileiras de livros foram expostas e eu logo reconheci um ou dois títulos que vira na lista do Megatério.

— Oh, o que o senhor vai p-pensar de mim, sr. Holmes? — começou o professor, choramingando.

— Minha opinião é irrelevante — afirmou Sherlock Holmes, ríspido. — O senhor tem caixas de papelão?

— Não, mas s-suponho que meu senhorio possa encontrar algumas.

— Vá buscá-lo.

Em poucos minutos, surgiu o senhorio. E, sim, ele acreditava poder conseguir a quantidade suficiente de caixas para embalar os livros do armário.

— O professor Wiskerton — explicou Holmes — está ansioso para ter todos estes livros embalados de imediato e enviados ao Megatério, em Pall Mall. O assunto é urgente.

— Muito bem, cavalheiro. Alguma carta ou mensagem os acompanha?

— Não — respondeu Holmes, brusco. — Mas sim, espere um instante.

Tirou do bolso um lápis e um cartão de visita e, acima do nome, escreveu "Com os cumprimentos de".

— Providencie para que este cartão seja firmemente preso à primeira embalagem. Está claro?

— Perfeitamente, cavalheiro, se assim deseja o professor.

— É o mais ardente desejo do professor. Não é mesmo, professor? — disse Holmes, com muita ênfase.

— Sim, sim, suponho que sim. Mas v-venha comigo à outra sala e d-deixe-me explicar.

Voltamos à sala de estar e o professor começou:

— Sem dúvida pareço a seus olhos ridículo ou desprezível, ou ambos. Eu tive duas p-paixões na minha vida, uma paixão por p-poupar dinheiro e uma paixão por c-comprar livros. Como resultado de uma infeliz discussão com o reitor, aposentei-me r-relativamente moço da universidade e com p-proventos muito reduzidos. Eu estava determinado a reunir uma coleção de livros; estava igualmente determinado a não gastar com eles minhas preciosas economias. Ocorreu-me a ideia de que minha biblioteca deveria ser única, no sentido de que todos os seus livros seriam adquiridos por outro meio que não o da c-compra. Tive amigos entre autores, editores e gráficos e obtive bastante sucesso, mas havia alguns livros recém-publicados que eu desejava e não via como conseguir até que... bem... até que, por distração, trouxe para casa um dos livros da seção de empréstimos do Megatério. Eu pretendia devolvê-lo, é claro. Mas não o fiz. Em vez disso, t-trouxe outro para casa...

— *Facilis descensus...*[12] — murmurou Holmes.

— Exatamente, sr. Holmes, exatamente. Então, quando o comitê começou a perceber que os livros estavam desaparecendo, enfrentei um dilema. Mas me lembrei de ter ouvido alguém dizer, em outro contexto, que a m-melhor defesa era o ataque e pensei que, se fosse o primeiro a procurá-lo, seria o último de quem suspeitariam.

— Compreendo — disse Holmes. — Obrigado, professor Wiskerton.

— E agora, o que o senhor vai fazer?

— Primeiro — respondeu Holmes — vou me certificar de que o seu senhorio tenha as caixas prontas para serem despachadas. Depois disso, o dr. Watson e eu temos um compromisso em St. James's Hall.

— Um casinho trivial, Watson, mas não de todo desinteressante — afirmou Holmes, ao voltarmos da sala de concertos para Baker Street.

— Um caso desprezível, na minha opinião. Você adivinhou, desde o primeiro instante, que o próprio Wiskerton era o ladrão?

— Não exatamente, Watson. Eu nunca adivinho. Dedico-me a observar. E a primeira coisa que observei no professor Wiskerton foi que era avarento. A discussão com o cocheiro, as roupas puídas, a relutância em nos convidar para almoçar. Que se tratava de um bibliófilo entusiasmado era, sem dúvida, óbvio. De início, não tive muita certeza de que essas duas características se encaixavam,

12 Expressão equivalente a "É fácil a descida ao inferno" — em latim no original. (N.T.)

mas depois do encontro de ontem lembrei-me de que o chefe da recepção do Megatério tinha sido um útil aliado quando começou a trabalhar como porteiro e pensei que uma conversa privada com ele poderia ser útil. O breve comentário dele me pôs no caminho certo: "Sempre lendo por aqui", disse ele, "mas nunca faz uma refeição no clube". Depois disso, e de uma apressada pesquisa, hoje pela manhã, da carreira acadêmica do professor, poucas dúvidas me restavam.

— Mas você não considera extraordinário, a despeito do que ele disse, de que ele tenha se exposto ao risco de vir consultá-lo?

— Com certeza é extraordinário, Watson. Wiskerton é um homem extraordinário. Se, como espero, ele tiver a decência de se retirar do Megatério, sugerirei a Mycroft que o convide para o Diogenes.

Uma noite com Sherlock Holmes

WILLIAM O. FULLER

Embora muito famoso durante sua vida como jornalista, narrador e amigo de luminares da literatura como Mark Twain e Henry Van Dyke, William Oliver Fuller (1856-1941) é, hoje, pouco lido.

Nascido em Rockland, Maine, lá viveu a vida inteira. Tornou-se chefe dos Correios de Rockland (1902-1914) enquanto trabalhava também como jornalista, tendo fundado o *Rockland Courier* com apenas 18 anos de idade. Em 1882, fundiu-o com a *Rockland Gazette*, criando o *The Courier-Gazette*, que editou e administrou durante décadas. Foi agraciado, em 1937, com a Placa de Prata da Associação de Imprensa do Maine, como o mais antigo editor em atividade (63 anos).

Conhecido por seu charme e inteligência, foi um bem-sucedido conferencista, orador e autor. Por volta da virada do século passado, contribuiu com caricaturas para o *New York World* abordando temas como "Maridos desconhecidos de esposas famosas". Também escreveu livros: *What Happened to Wigglesworth* (1901), um romance humorístico no qual a vida do "homem da casa" Ellery Wigglesworth é um acidente ambulante à espera do pior, e *An Old Town by the Sea* (1908), a história do Memorial Thomas Bailey Aldrich, em Portsmouth, criada em 1908. Aldrich, seu amigo íntimo, descreveu Fuller como o mais próximo do estilo de Charles Lamb entre quaisquer escritores que já conhecera.

"Uma noite com Sherlock Holmes" foi um artigo lido por Fuller no 12-Month Club em 1º de janeiro de 1929. Ele afirmou ter recebido o original diretamente de Arthur Conan Doyle. O artigo foi originalmente impresso em uma edição limitada de duzentos exemplares (Cambridge, Massachusetts, The Riverside Press, 1929). Foi comercializado pela primeira vez, com o título "The Mary Queen of Scots Jewel" em *The Misadventures of Sherlock Holmes*, editado por Ellery Queen (Boston, Little, Brown, 1944).

UMA NOITE COM SHERLOCK HOLMES

William O. Fuller

Era uma dessas manhãs nubladas e chuvosas do começo do verão, quando as ruas de Londres decidem se tornar especialmente desagradáveis, as calçadas gordurosas de lama e os próprios prédios apresentando suas fachadas sombrias cobertas por uma dupla melancolia. Voltando de uma consulta e estando Baker Street no meu caminho, fiz uma visita ao meu amigo Sherlock Holmes, que encontrei em meio à fascinante desordem de sua sala, a poltrona puxada para perto de uma lareira a carvão e ele esparramado em cima dela, fumando seu cachimbo favorito.

— É muito bom vê-lo, Watson — declarou ele, sincero. — Sente-se aqui, acenda um charuto e me anime. Este clima infernal acabou com meus nervos. Você é exatamente a companhia que preciso.

Peguei um charuto, pus uma cadeira do outro lado da grelha e esperei que Holmes falasse, porque compreendi que, naquele estado de espírito, ele precisava se livrar da irritação antes que um humor de natureza agradável pudesse se instalar.

— Sabe, Watson — começou ele, depois de algum tempo fumando em silêncio —, não gosto nem um pouco do modo como você tratou minha última aventura. Eu disse, na ocasião, que o papel desempenhado por aquele detetive rural expôs meus métodos a uma comparação que tende a superestimar minhas habilidades.

Eu poderia deixar passar em silêncio a alusão crítica de Holmes ao agora famoso caso do colar de âmbar, a meu ver uma de suas façanhas mais brilhantes, e assim fiz.

— Não — acrescentou ele, com uma insinuação de desculpas na voz —, não que, de modo geral, você deixe sua pena de hábil cronista incliná-lo demais para os domínios do romance... mas precisa ter cuidado, Watson, para não me atribuir o sobrenatural. Você mesmo sabe o quanto é simples a minha ciência quando os caminhos que levam à sua conclusão são explicitados *a posteriori*. Como, por exemplo, o fato de que estou prestes a receber uma visita. Eu saber disso pode, por um momento, lhe parecer misterioso, mas logo depois um tanto banal.

Eis que no mesmo instante veio uma batida à porta principal e, ao meu olhar surpreso e interrogativo, Holmes retrucou, com uma risada:

— Uma brincadeira de criança, meu caro Watson. Como estava atento à minha triste arenga, você não ouviu há alguns segundos a buzina não muito alta de um automóvel que, foi fácil perceber, acabava de dobrar a esquina de nossa rua; nem observou, como pude fazer, que no adequado lapso de tempo o inconfundível silêncio provocado pela parada de um motor produziu-se debaixo da minha janela. Tenho certeza, Watson, de que um olhar por aquela janela revelará um carro aguardando diante dos meus degraus.

Atravessei com ele a sala e espiei por sobre seu ombro enquanto ele abria a cortina. De fato, um automóvel estacionara no meio-fio. Sob a capota, entrevimos dois cavalheiros sentados. O motorista estava de pé, evidentemente aguardando. Nesse momento, a governanta de Holmes, depois de uma batida à porta, entrou na sala, trazendo dois cartões em uma bandeja, que entregou a Holmes.

— Sr. William S. Richardson, sr. William O. Fuller — disse ele, lendo em voz alta os cartões. — Hmm. Com certeza nosso amigo Conquistador tem muitos admiradores na América. Pode pedir aos cavalheiros que subam, sra. Hudson.

— Como sabe que seus visitantes são americanos? — comecei a perguntar, quando se ouviu uma batida à porta e, ao enérgico "Entre!" de Holmes, dois cavalheiros a abriram, pararam à soleira e fizeram uma mesura.

Vestiam capas de chuva; um deles, estatura média, rosto escanhoado, lembrava os traços do ator Irving; o outro, mais baixo, distinguia-se pelos óculos como os do sr. Pickwick.

— Por favor, entrem, cavalheiros — disse Sherlock Holmes, com a cortesia que tão bem o caracterizava. — Tirem suas capas, aceitem um charuto, sentem-se nestas poltronas junto à lareira e, enquanto me falam das circunstâncias que me dão a honra de uma visita tão pouco tempo depois de sua chegada a Londres, estarei me ocupando do preparo de um coquetel, um dos excelentes achados apresentados pelos americanos a um grato público britânico.

Os visitantes reagiram prontamente a tais demonstrações de cordialidade; de uma bandeja sobre a mesa, escolheram, com mãos certeiras, o que eu sabia serem os melhores charutos de Holmes, e em pouco tempo as quatro cadeiras foram dispostas em semicírculo diante da grade brilhante. Apresentações foram rapidamente feitas.

— O dr. Watson, como meu biógrafo um tanto parcial — disse Holmes, acendendo o cachimbo —, estava a ponto de perguntar, quando interrompido pela sua chegada, como eu soube de antemão a nacionalidade dos meus visitantes.

O mais alto dos cavaleiros, cujo sobrenome era Richardson, sorriu.

— Fiquei eu também impressionado com tal alusão — comentou ele —, não menos do que por sua outra surpreendente referência a termos chegado há pouco à cidade. A bem da verdade, estamos aqui há pouco menos de 24 horas.

Sherlock Holmes deu uma risada de satisfação.

— Trata-se de algo muito simples quando explicado — disse ele —, como muitas vezes salientei ao dr. Watson. Na linha de pesquisa à qual ocasionalmente dedico minha atenção, como ele inúmeras vezes deixou claro em seus relatos publicados, é preciso, como saberão os senhores, aprimorar o conhecimento a respeito de uma grande variedade de assuntos. O automóvel, por exemplo, esse onipresente invasor do reino da locomoção, insere-se naturalmente na periferia do campo da atenção; não poderia eu me dedicar por tanto tempo a suas diversas e interessantes fases sem vir a reconhecer os carros de diferentes marcas e nacionalidades. Existem, se não me falha a memória, cerca de 130 variedades de padrões, facilmente identificáveis por um conhecedor. Quando, há alguns instantes, Watson espiou pela janela por cima do meu ombro, seu interesse, voltado para setores bem diversos, não lhe revelou o que para mim ficou claro em um relance, ou seja, uma máquina americana encontrada com frequência neste país. Foi fácil adivinhar que seus ocupantes também provinham dos Estados Unidos.

"Quanto ao outro ponto... Entre as primeiras coisas que um americano, homem ou mulher, de bom gosto faz ao chegar a Londres é encomendar a um gravador um cartão com seu nome, no último estilo londrino. Nesta estação, os cartões, como sabemos, são pequenos, e a letra uma variedade sombreada de Old English. Os cartões que me chegaram pelas mãos da sra. Hudson eram de tamanho médio, impressos com as letras cursivas do ano passado. Ficou evidente que meus visitantes americanos haviam chegado à cidade há muito pouco tempo. Uma aposta perigosa, talvez, mas em tais questões é preciso às vezes atirar às cegas, ou, para citar um dos seus navegadores americanos, 'Mantenha-se corajosamente voltado para o Sul e confie na sorte!'. Você acha que a explicação se sustenta, Watson?"

Com uma gargalhada, confessei que me dava por satisfeito. Os cavalheiros americanos trocaram olhares de prazer. Era evidente que a exibição do método característico de dedução do meu amigo lhes proporcionava grande deleite.

— O que nos traz — observou Holmes, cujo cachimbo agora fumegava — ao real objetivo desta visita, honra a qual posso desde já dizer que muito me alegra, sendo grande apreciador do seu país e me sentindo sempre em débito com um de seus grandes escritores, cujo detetive francês tenho o prazer de considerar um personagem monumental em um terreno bastante difícil. Meu amigo Watson fez algumas ousadas tentativas nessa direção — acrescentou Holmes, abanando a cabeça em um gesto depreciativo —, mas é discutível que ele sequer tenha se aproximado do alto nível de *Os assassinatos da rua Morgue*.

Quando Sherlock Holmes parou de falar, os visitantes, cuja expressão era agora grave, trocaram olhares interrogativos.

— É sua a história — disse o que usava óculos.

O cavalheiro de nome Richardson concordou com a sugestão.

— Talvez — adiantou ele — eu deva começar pelo começo. Se eu me alongar demais, ou obscurecer os detalhes, deem-me a honra de me interromper.

— Deixe-nos conhecer toda a história — pediu Holmes. — Eu, por certo, suponho que os senhores venham solicitar meus serviços por se encontrarem em algum tipo de dificuldade. Em tais assuntos, nenhum detalhe, mesmo se aparentemente obscuro, pode ser considerado não essencial, e peço-lhe que não omita coisa alguma.

O americano bateu a cinza do charuto e começou sua história.

— Meu amigo e eu aterrissamos em Liverpool há dez dias, ou pouco mais, para um percurso automobilístico de verão em seu país. Viajamos com facilidade até Londres, parando aqui o tempo suficiente para visitar nossos banqueiros e postar duas ou três cartas de apresentação que havíamos trazido de casa.

"Então, continuamos nossa planejada turnê para o Sul da Inglaterra. Em Carterbury, chegou-nos um bilhete de lorde M***, acusando o recebimento de nossa carta de apresentação a esse nobre cavalheiro e nos rogando que aceitássemos ser seus convidados para jantar na quarta-feira desta semana, ontem, pois, a partir de então, estaria fora da cidade. Pareceu-nos melhor, diante das circunstâncias, voltar a Londres, já que Sua Excelência era alguém que desejávamos especialmente encontrar. Assim, quarta-feira nos encontramos mais uma vez na cidade, onde nos hospedamos no Langham, em Portland Place. Dispondo de várias horas para nos vestirmos, saímos para passear sem rumo, indo parar em Wardour Street. Não preciso lhes dizer que em seus abundantes antiquários, que representam extraordinário fascínio para todos os viajantes americanos, mal sentimos o tempo passar. Em uma das pequenas lojas, onde eu era conhecido pelo proprietário devido a visitas anteriores, estávamos debruçados sobre uma bandeja de pedras exóticas, tendo em mente possíveis alfinetes de gravata, quando o vendedor se aproximou com um embrulho que havia tirado do cofre e, removendo o papel, disse: 'Talvez o senhor possa se interessar por isto!'

"Tratava-se de uma curiosa peça de antiga ourivesaria, uma barra de ouro representando um menino capturando um camundongo, todo o conjunto ricamente cravejado de diamantes e rubis, tendo como pingente uma grande e dispendiosa pérola. Mesmo na penumbra da loja, seu brilho deixava claro ser uma joia de valor.

"'Esta peça vem da coleção pessoal da condessa de Warrington', disse o vendedor. 'Pertenceu originalmente à desafortunada Mary, rainha da Escócia, e vem acompanhada de um certificado de autenticação, demonstrando sua passagem por diversas mãos durante os últimos 340 anos. Os senhores verão, gravado no verso, as armas de Mary.'"

Holmes, um perito na ciência da heráldica, a voz exibindo um grau de interesse com o qual eu estava bastante familiarizado, interrompeu-o:

— Ouro, um leão rampante dentro de bordadura dupla florada e contraflorada, vermelho. Mary, como rainha da Escócia e filha de James I, usava as armas da Escócia. Eu conheço a joia que está descrevendo. Na verdade, eu a vi uma vez, quando em visita à propriedade rural da condessa, depois de uma ousada tentativa de roubo no local. Você conhece os detalhes, Watson. Eu soube que, desde a morte da condessa, estando a família em difícil situação financeira, algumas de suas joias foram colocadas em mãos discretas, a fim de serem negociadas.

— Assim explicou o vendedor — continuou o visitante — e acrescentou que, como as joias eram muito conhecidas na Inglaterra, só poderiam ser vendidas para quem as levasse para o exterior, donde a importância de um potencial cliente americano. Confesso que a joia me interessou. Pensei em uma sobrinha recém-casada para quem ainda não havia encontrado o presente de núpcias adequado, e aquilo me pareceu bastante apropriado. Perguntei o preço.

"'Consideramos mil libras muito barato, cavalheiro', disse o comerciante, naquele tom informal com que seus lojistas informam aos americanos o preço de suas mercadorias.

"Depois de conversarmos um pouco mais, nosso tempo se esgotando, meu amigo e eu voltamos a Langham e nos vestimos para o jantar. Enquanto eu me preparava, houve uma batida à porta do meu quarto. Abrindo-a, lá estava um mensageiro do antiquário que, entregando-me um pequeno embrulho, explicou ser a joia, que o negociante gostaria de me entregar para um exame mais conveniente. No embaraço do momento, esqueci-me de fazer a coisa certa e devolver o embrulho ao mensageiro, que na verdade já havia me cumprimentado e se afastado enquanto eu ainda estava parado à porta.

"Chamei meu amigo e, entrando em seu quarto, costumamos ter quartos contíguos, disse 'Veja isto, Fuller. Não é típico de um lojista inglês confiar sua mercadoria a alguém praticamente desconhecido? É um perigo ter crédito com esses comerciantes de boa-fé.'

"A resposta do meu amigo descreveu com muita clareza a situação: 'É um risco enorme', disse ele, 'ser escolhido como depositário de tesouros inestimáveis. E dificilmente seria este o tipo de coisa da qual alguém gostaria de se tornar guardião em uma cidade estranha.'

"Era verdade. A hora do jantar se aproximava, um táxi estava à espera, não havia tempo para entrar em contato com o escritório, então guardei o embrulho no bolso interno do meu paletó. Afinal, pareceu-me ser um lugar bastante protegido. Eu podia sentir sua leve pressão de encontro ao lado do meu peito, o que seria uma constante garantia de segurança.

"Fomos recebidos por lorde e lady M*** com a calorosa cordialidade que sempre dedicam aos visitantes do nosso país. O grupo à mesa não era grande a ponto de impedir que, de modo geral, todos participassem da conversa, que a princípio versou sobre tópicos basicamente americanos, com aquela encantadora exibição da ingenuidade e ignorância inglesas, o senhor há de me desculpar, quanto a assuntos de além-mar. A partir de então, os assuntos derivaram para temas um tanto desconexos, mas sempre interessantes: a Grande Guerra, na qual Sua Excelência teve papel relevante; o delicioso sabor dos pêssegos cultivados em sebes; a saúde do rei;

a receita de água de cevada preparada por Lady M***; a recente alienação da biblioteca e dos objetos pessoais do célebre lorde Earlbank. Sem esforço, isso levou a comentários relacionados a relíquias familiares, o que rapidamente trouxe à baila a joia, cuja insistente pressão eu sentira durante toda a refeição e que logo passava de mão em mão, acompanhada por expressões femininas de encantamento.

"O interesse pela joia pareceu dominar a atmosfera. Até mesmo os criados foram afetados. Percebi o segundo mordomo de olhos fixos na joia enquanto enchia o copo do capitão Pole-Carew, que por sua vez estava com o broche erguido para capturar os diversos ângulos de luz, sob os quais as pedras brilhavam incrivelmente. Por um instante, ele respirou fundo e quase se inclinou sobre o ombro do capitão, esquecendo-se do vinho que servia e que, transbordando do copo, escorreu para a toalha. A joia continuou seu circuito pela mesa e voltou ao meu bolso interno.

"'Um repositório não muito seguro, se posso externar minha opinião', disse o capitão, com um sorriso. Mais tarde, tive oportunidade de recordar sua cínica observação.

"Voltamos ao hotel em hora tardia e, cansados do longo dia, fomos direto para a cama. Nossos quartos, como eu disse, eram contíguos e, em viagens, temos o hábito de ir de um para outro, conversando enquanto mudamos de roupa. Menciono tal fato por ser relevante para o caso. Fui o primeiro a me deitar e me lembro de ouvir o sr. Fuller abrir a janela antes de apagar a luz. Quanto a mim, adormeci no mesmo instante e devo ter dormido profundamente. Fui acordado ouvindo meu nome ser chamado em voz alta. Era a voz de Fuller e de imediato corri ao seu quarto, apressado, acendendo a luz elétrica. Fuller estava sentado à beira da cama, de pijama... E, como esta parte da história é dele, talvez ele a conte melhor."

O visitante que usava óculos de Pickwick, assim convocado, continuou a narrativa.

— Eu também adormeci no mesmo instante — relatou ele. — Depois de algum tempo, porém, acordei de repente, assustado, sem noção do tempo, mas com uma opressiva sensação de alarme. Vislumbrei, ao lado da minha cama, um vulto que, quando me sentei de repente, reagiu com um movimento apressado. Sem muita consciência do que fazia, estendi a mão no escuro e fechei os dedos na parte da frente de um casaco. Acredito que meu puxão tenha sido forte, pois quando o homem se desvencilhou senti o tecido rasgar. Um segundo depois, o homem já havia atravessado o quarto e ouvi a janela tremer quando ele bateu na vidraça ao passar por ela. Foi quando gritei e o sr. Richardson chegou correndo.

— Às pressas, examinamos o quarto — retomou o primeiro narrador. — Meu casaco da noite anterior estava no chão e me lembrei de, ao despi-lo, tê-lo pendurado na coluna aos pés da cama de Fuller. Seria prolongar ainda mais uma história já de certa forma comprida não dizer de uma vez que a joia havia desaparecido. Nós nos encaramos com expressão de pesar.

"'O homem fugiu pela janela com ela!', exclamou Fuller, apontando-a com o punho fechado. Então recolheu a mão, com ar determinado, e abriu-a. 'Aqui está uma lembrança dele', declarou, e me apresentou um botão. Este botão."

Sherlock Holmes apoderou-se depressa do pequeno objeto que o narrador lhe apresentava e examinou-o com atenção sob sua lente.

— Um botão de chifre, escuro — disse ele —, de manufatura alemã e importação recente. Alguns fios de linha puxados com ele. Isto pode ajudar. — Voltou-se então para seus clientes. — E o que mais?

— Bem... isto é praticamente tudo o que lhe podemos dizer. Fizemos o óbvio: chamamos o porteiro da noite e o vigia e realizamos todas as averiguações possíveis. Ficou claro que o ladrão havia percorrido uma estreita varanda de ferro que dava para um dos corredores do hotel e contornava a fileira de janelas que se abriam para um pátio interno, escapando pela mesma via. O vigia noturno só conseguiu fazer uma medíocre conjectura de como aquilo poderia ter sido feito. Na sua opinião, o ladrão poderia ter saído pelos aposentos dos criados, ou talvez fosse hóspede da casa, familiarizado com suas passagens e agora confortavelmente instalado em seu quarto, sem qualquer preocupação.

— O senhor mencionou sua perda? — perguntou Holmes.

— Não. Não me pareceu necessário. Naquele momento, tratamos o incidente como apenas uma invasão.

— Extremamente esperto — aprovou Holmes. — Vocês, americanos, são em geral confiáveis em serem discretos.

— Tomamos nosso café da manhã cedo, decidimos que o senhor era nosso único recurso e… resumindo — concluiu o visitante, com um amplo gesto das mãos —, esta é toda a história. A perda é considerável e desejamos confiar o caso às discretas mãos do sr. Sherlock Holmes.

Meu amigo recostou-se na poltrona, os olhos atentos fixos no botão preso entre seus dedos.

— O que aconteceu com aquele segundo mordomo? — perguntou ele, de chofre.

Um leve ar de surpresa transpareceu no rosto do visitante.

— Ora, agora que o senhor chama a atenção para isso — respondeu ele, depois de um instante de reflexão —, lembro-me de ter visto o mordomo-chefe colocar uma colherada de sal sobre a mancha vermelha feita pelo vinho derramado e depois tirar da sala seu desajeitado assistente. Foi feito de forma muito sutil, para não atrair atenção. Mais tarde, fumando charutos na biblioteca, recordo de Sua Excelência ter feito alguma alusão jocosa a Watkins, assim ele se referiu ao homem, ser um tanto conhecedor de joias, uma espécie de pequeno colecionador. Sua Excelência, rindo, conjecturou que a visão de uma peça tão rara o teria perturbado. Além de considerar tal alusão uma discreta desculpa pela inabilidade de um criado, não lhe dei particular atenção.

Sherlock Holmes continuava com os olhos fixos no botão.

— Sua história é interessante — afirmou ele depois de algum silêncio. — Será um prazer dedicar-lhe mais tempo. Talvez os senhores me permitam vê-los mais tarde, em seu hotel. É possível que, no decorrer do dia, eu lhes possa dar maiores notícias.

Tendo com isso os visitantes se despedido cortesmente, Holmes e eu fomos deixados a sós.

— Bem, Watson — começou ele —, o que você conclui disso?

— Há um mordomo a ser considerado — respondi.

— Você também notou o segundo mordomo, é? — disse Holmes, distraído. E, depois de uma pausa, observou: — Por acaso você sabe o endereço do alfaiate de lorde M***?

Confessei estar aquilo fora do âmbito de minhas informações a respeito da nobreza. Holmes pôs o chapéu e vestiu sua capa de chuva.

— Vou sair sozinho, Watson — informou-me — para um passeio pelas elegantes alfaiatarias de West End. Quem sabe você me dará a honra de almoçar comigo no Clube. Posso querer discutir algumas coisas com você.

Sherlock Holmes saiu e eu voltei para casa. Era um dia de poucos pacientes, o que me alegrou, e na hora do almoço me encontrava pontualmente no Athenaeum, em nossa costumeira mesa de canto, aguardando com impaciência, pois uma hora já transcorrera quando Holmes chegou.

— Uma manhã cheia, Watson — foi seu breve comentário ao se sentar.

— E bem-sucedida?

A isso, Holmes não deu resposta, tomando sua sopa com profunda abstração e aparentemente esquecido do seu convidado no outro lado da mesa. Embora acostumado àquela atitude reflexiva, irritou-me ser deixado tão inteiramente de fora de sua consideração. Dadas as circunstâncias, me parecia ser devido um resumo de suas investigações matinais.

— Vou lhe pedir — começou Holmes, quando a refeição chegou ao fim em silêncio — que consiga entradas para o Alhambra, esta noite. Quatro entradas. No meio da plateia, com um desses assentos sendo do corredor. Depois, por gentileza, vá ao hotel e combine com nossos amigos para irem conosco. Ou melhor, nós iremos com eles, de automóvel, Watson. Peça-lhes que nos apanhem em Baker Street. Você cuidará disso? Muito bem, Watson. Então... até mais tarde, em meus aposentos!

E, levantando sua xícara de café como em um brinde, Sherlock Holmes de repente se pôs de pé e me deixou, sacudindo o chapéu ao passar pela porta.

Era inútil me irritar com aquele tratamento arrogante. Fui obrigado a me contentar com a reflexão de que, quando meu amigo entrava na atmosfera da detecção criminal, ele precisava se desincumbir dos encargos menores. Pelo restante do dia, ocupei-me em executar o que ele me pedira e, no final da tarde, me encontrava em Baker Street, onde me deparei com Holmes em trajes de noite.

— Eu estive apenas especulando, Watson — começou ele, com ar aéreo —, sobre a extraordinária gama e variedade do aparentemente insignificante e modesto item de comércio conhecido como botão. É um artigo comum a todos os países, de uma maneira ou de outra. Seria preciso traçar suas origens desde os limites mais obscuros da história registrada. Seus usos e aplicações são incalculáveis. Acaso você conhece, meu caro doutor, os números representando a importação para a Inglaterra, em um único ano, desse pequeno artigo ornamental e por vezes altamente útil? Em relação aos botões de chifre, por exemplo, foi curioso analisar o surpreendente número de substâncias que se disfarçam sob essa denominação específica. Na verdade, o verdadeiro botão de chifre, quando encontrado, se é que posso citar nosso amigo capitão Cuttle, é facilmente reconhecível.

E nessa veia loquaz continuou Holmes, sem sofrer interrupção, até a chegada dos nossos clientes matinais, em seu automóvel, que velozmente nos levou ao Alhambra, aquela belíssima casa de refinado vaudevile. O teatro, como de costume, estava lotado. Poucos momentos após nossa chegada, um dos camarotes se encheu de pessoas elegantes, entre as quais nossos amigos americanos reconheceram alguns dos presentes no jantar da véspera. Vislumbrei depois o capitão Pole-Carew, que passava os olhos pela plateia, cumprimentar nossos companheiros. Então seu olhar se voltou para Sherlock Holmes, sobre quem posso ter imaginado que se deteve por alguns instantes, deslocando-se em seguida para uma parte distante das galerias. Era impossível conjecturar por que havíamos sido levados àquela sala de espetáculos. Que, de alguma maneira, isso tinha a ver com a investigação iniciada por Holmes era fácil de acreditar, mas além de tal conclusão seria inútil especular. A certa altura da noite, Holmes, que ocupara o assento do corredor, levantou-se de repente e se retirou para o saguão, mas logo voltou e aparentemente se envolveu pelo que acontecia no palco.

No final da apresentação, visivelmente guiados por Holmes, abrimos caminho por entre os espectadores que se moviam devagar. No saguão, encontramos por acaso o capitão Pole-Carew, que se separara do grupo do camarote. Ele cumprimentou os americanos com alguma reserva, mas continuou a se mover conosco em direção à saída, perto da qual nosso automóvel já aguardava. O capitão demonstrara certa indiferença quando apresentado a Holmes e a mim, e eu, sabendo o quanto meu amigo se ressentia dessas frias formalidades, me vi despreparado para a ênfase com que ele apoiou a sugestão de que o capitão se juntasse a nós na volta para casa.

— Sente-se aqui no banco traseiro — disse ele, gentil — e me permita ocupar o assento ao lado do motorista. Será um prazer, eu lhe asseguro.

A manifesta relutância do capitão em se juntar ao nosso grupo foi vencida pela polida insistência de Holmes. Sua natural educação foi mais forte do que qualquer desejo que pudesse ter em relação a outros compromissos, e em pouco tempo o carro chegou à sua porta em Burleigh Street.

Sherlock Holmes desembarcou com rapidez.

— Temos apenas o tempo de um charuto e um coquetel com o capitão — ele propôs.

— Sim, sem dúvida — retrucou o capitão Pole-Carew, mas sem qualquer excesso de cordialidade. — Concedam-me a honra, cavalheiros, de adentrar meu lar de solteirão. Eu... ficarei encantado.

Foi Sherlock Holmes quem se adiantou; de outro modo, acredito que todos nós teríamos sentido que o convite não passava do tipo que é feito de maneira superficial e que se espera ser recusado, com a devida demonstração de polidez de ambas as partes. Mas Holmes avançou alegremente em direção à porta, mantendo uma animada conversa trivial enquanto Pole-Carew tirava do bolso a chave. Penetramos em um hall mal-iluminado e de lá passamos a um grande apartamento, belamente decorado, a sala de estar de um homem refinado.

— Por favor, sentem-se, cavalheiros — convidou nosso anfitrião. — Esperava que meu criado chegasse antes de mim... ele também estava no teatro esta noite... mas seu automóvel o ultrapassou. Ouso afirmar, porém, que poderemos nos sair bem sem ele.

E o capitão cuidou de nos apresentar convidativas garrafas e charutos.

Acabávamos de começar a apreciar a hospitalidade do capitão Pole-Carew quando, de repente, Sherlock Holmes levou seu lenço ao nariz, com uma leve exclamação de aborrecimento.

— Não é nada — afirmou ele. — Um mero sangramento nasal do qual sou muitas vezes acometido depois do teatro. — Ele mantinha a cabeça inclinada para trás, o rosto coberto pelo lenço. — É muito embaraçoso — acrescentou, desculpando-se. — Água fria... ahn... eu poderia usar seus aposentos, capitão?

— Sem dúvida... sem dúvida — consentiu nosso anfitrião. — Por aquela porta, sr. Holmes.

Holmes logo desapareceu pela porta indicada, de onde veio a seguir o som de água correndo de uma torneira. Mal havíamos retomado a conversa interrompida quando ele reapareceu pela mesma porta, tendo nas mãos um paletó.

— Obrigado, capitão Pole-Carew — disse ele, aproximando-se. — Meu nariz está bem melhor. Ele me levou, creio eu, a uma descoberta singular. Posso perguntar, sem ser considerado descortês, se este paletó é seu?

Vi o capitão Pole-Carew empalidecer ao responder com ar de orgulho:

— É do meu criado, sr. Holmes. Ele deve tê-lo esquecido. Por que pergunta?

— Eu estava observando os botões — retrucou Holmes. — São exatamente iguais a este que trago no bolso.

E apresentou o botão de chifre escuro.

— E o que tem isso de mais? — reagiu depressa nosso anfitrião. — Não devem existir muitos iguais?

— Sim — concordou Holmes —, mas este botão foi violentamente arrancado de onde estava... e pode ter sido deste paletó.

— Sr. Holmes — retrucou o capitão Pole-Carew em tom de desprezo —, sua brincadeira não é oportuna, nem brilhante. Não há qualquer botão faltando nessa jaqueta.

— Não, mas já houve — devolveu Holmes, gélido. — Aqui, como verá, um botão foi costurado, não como faria um alfaiate, com a linha oculta, mas de um lado a outro do tecido, deixando-a visível. Do modo como um homem inábil, ou um tanto apressado, poderia fazer. Percebe o que digo, capitão?

Sherlock, enquanto falava, havia atravessado a sala até onde o capitão Pole-Carew, o rosto escurecido de exasperação, estava de pé no tapete em frente à lareira. Holmes fez um gesto exagerado ao lhe apresentar a jaqueta, tropeçou no capitão ao fazê-lo e caiu violentamente sobre a cornija. No esforço para se aprumar, bateu o braço em um belo vaso, que caiu no chão e se partiu em vários fragmentos. Houve um grito do capitão Pole-Carew, que se atirou sobre os pedaços quebrados do cristal. Por mais rápido que fosse, Sherlock Holmes foi mais veloz, e pegou do chão um objeto que faiscava entre os cacos.

— Acredito, sr. Richardson — disse ele, calmo, pondo-se de pé —, que, como conhecedor de joias, isto é algo pelo que terá especial interesse.

Antes que qualquer um de nós se recobrasse da surpresa, o capitão Pole-Carew havia recuperado a pose e, de pé, acendia um charuto.

— Um belo espetáculo, sr. Sherlock Holmes — disse ele. — Estou em débito para com o senhor e seus amigos itinerantes, por uma noite encantadora. Posso sugerir, entretanto, que a hora se faz tardia e Baker Street, mesmo para um automóvel, é um tanto distante?

— Sem dúvida — disse Sherlock Holmes ao chegarmos a seus aposentos e nos juntarmos a ele para um charuto de boa-noite — os senhores esperam que eu lhes revele os detalhes do processo e, assim, roube do meu desempenho seu elemento de fascínio. Watson, em suas memórias, ensinou-lhes a esperar por isso. Minha pesquisa relativa ao botão foi, é claro, dirigida contra o segundo mordomo de Sua Excelência mas, logo no primeiro momento, voltou-se, para minha surpresa, para o absolutamente inesperado criado de outra pessoa. Era curioso, declarou o alfaiate, o fato de ele receber no mesmo dia dois pedidos de botões idênticos àquele e, em sua ingenuidade, mencionou o criado de Pole-Carew. Foi o bastante, para começar.

"Averiguações nos devidos aposentos não apenas determinaram a palpável inocência do segundo mordomo, mas me forneceram pistas quanto à relação entre o capitão e seu criado que, não duvido, voltarão a merecer minha atenção. Era evidente que o cérebro do patrão concebera o roubo, mas a mão do criado o executara. Cheguei até mesmo a fazer uma agradável visita a nossos amigos, no Langham, como havia prometido.

Os americanos se entreolharam.

— Não é possível — disseram eles. — Não saímos dos nossos quartos e nossa única visita foi um empregado da loja de antiguidades com uma mensagem do antiquário. Aliás, um velho impertinente, que nos seguiu pelos quartos com uma série de perguntas senis relativas à nossa viagem.

— Nesta profissão, preciso adotar vários disfarces — explicou Holmes, sorrindo. — Sem dúvida, eu poderia tê-los visitado abertamente, mas foi divertido enganá-los um pouco. Mas um disfarce não serviria ao meu propósito de penetrar no apartamento do capitão Pole-Carew, que era, então, o que eu mais desejava. Recordando o sucesso, congratulo-me por tê-lo planejado com tanta engenhosidade. Você sabe, Watson, da minha associação com os teatros e como é fácil, tendo tais conexões, saber quem reservou camarotes.

"Confesso que, lá, as cartas caíram nas minhas mãos. Percebi que Pole-Carew me reconheceu, e isso é por culpa sua, Watson, e não fiquei surpreso quando vi seu olhar se dirigir para alguém na galeria, com quem ele então começou a conversar. Digo conversar, porque descobri ser Pole-Carew um perito em leitura labial, façanha à qual eu mesmo dediquei alguns meses de estudo e que descobri ser bastante útil à minha vocação. Foi tarefa fácil interceptar a mensagem que o capitão, de seu camarote e com exagerados movimentos dos lábios, enviava por sobre as cabeças da plateia.

"*Esconda o vaso!*, era a mensagem, várias vezes repetida. *Esconda o vaso!*"

Com uma risada, Holmes continuou:

— Foi então que saí da sala para uma consulta a um amável detetive, no saguão. Suspeito muito que a razão pela qual o capitão não encontrou em casa o seu criado pode dever-se à pronta e inteligente ação daquele amigável detetive. Insinuar-nos junto ao relutante capitão não passou de um pequeno arranjo inteligente, planejado de antemão, mas o resto foi de uma simplicidade única.

"Na medida em que os senhores declaram tratar-se apenas de recuperar a propriedade e que não desejam um processo criminal, acredito que nada reste a fazer."

— A não ser — disse o cavaleiro, caloroso, tirando a joia do bolso — pagá-lo por este extraordinário resgate.

Sherlock Holmes, feliz, soltou uma gargalhada.

— Meu caro cavalheiro americano — retrucou ele. — Ainda lhes sou muito devedor. Não percam de vista Edgar Allan Poe.

A aventura da caixa de madeira

LESLIE S. KLINGER

Um dos principais conhecedores mundiais de Sherlock Holmes, Leslie Stuart Klinger (1946-) escreveu extensivamente sobre o tema e, mais importante, editou alguns dos mais significativos trabalhos acadêmicos sobre Holmes dos últimos anos.

Sua obra-prima é *The New Annotated Sherlock Holmes*, publicado em três grandes volumes (2004-2005), nos quais fornece informações contextuais para praticamente todas as referências, não importa quão antigas, nas sessenta aventuras de Holmes escritas por Arthur Conan Doyle, bem como inúmeros mapas, fotos e outras ilustrações. Os primeiros dois volumes, publicados juntos, receberam o Edgar Award de Melhor Obra Crítica/Biográfica do ano; o terceiro volume foi publicado no ano seguinte. Essa edição em três volumes, dirigida ao grande público, seguiu-se às suas anotações nos dez volumes da *Sherlock Holmes Reference Library* (2001-2009), destinados a sherloquianos mais acadêmicos, contendo informações ainda mais esotéricas.

Outros livros relacionados a Sherlock Holmes publicados por Klinger incluem os dois volumes de *The Grand Game* (2011–2012), coeditados com o escritor de histórias de mistério Laurie R. King, com quem também editou duas antologias de contos inspirados no cânone de Holmes: *A Study in Sherlock* (2011) e *In the Company of Sherlock Holmes* (2014).

Klinger editou ainda *The New Annotated Dracula* (2008), *The Annotated Sandman* em quatro volumes (2012–2015) e *The New Annotated H.P. Lovecraft* (2015).

"A aventura da caixa de madeira" foi originalmente publicada como folheto, por Mysterious Bookshop (Nova York, 1999).

A AVENTURA DA CAIXA DE MADEIRA

Leslie S. Klinger

Foi em outubro de 1900, com a virada do século quase sobre nós, que partilhei com Sherlock Holmes o caso mais estranho de nossos anos juntos. Naquela manhã, a neblina espiralava languidamente de encontro à vidraça quando Holmes me passou o jornal.

— Veja aqui na página 3, Watson. Acredito que ele tenha sido seu colega de faculdade.

Dei uma olhada na manchete para a qual apontava o longo dedo de Holmes: "CIRURGIÃO ASSALTADO, CARNIFICINA NAS DOCAS".

— Smithfield e eu estudamos juntos em Netley — concordei, depois de examinar o artigo. — Coitado do Smithfield, morreu esfaqueado.

— Você o conhecia bem?

— Muito pouco. Ele era um sujeito estranho, sempre com medo que alguém levasse a melhor sobre ele. Parece que alguém acabou levando.

— Hmmm — murmurou Holmes. — A descrição dos ferimentos de faca é mais sugestiva de...

O devaneio de Holmes foi interrompido por uma batida na porta, que reconheci como um aviso da sra. Hudson.

— Sr. Holmes, o inspetor Hopkins deseja vê-lo! — anunciou ela.

— Faça-o subir, sra. Hudson — gritou Holmes.

Ele se virou para mim, revelando aquele raro brilho que iluminava seus olhos penetrantes no começo de um caso.

— Então, Watson, talvez logo saibamos mais a respeito da morte do seu amigo. Ah, entre, inspetor Hopkins!

Holmes pulou de sua poltrona, segurando pelo braço o homem da Scotland Yard, ensopado e com ar agitado.

— Watson, um pouco de conhaque para nosso amigo enregelado!

— Sr. Holmes, eu não sei o que pensar — disse Hopkins, depois de se aquecer. — Parece ser um caso simples de assalto e morte, mas me perturba. O senhor já leu a notícia nos jornais?

— Suponho que esteja se referindo ao caso Smithfield — disse Holmes.

— Sim, isso mesmo — gaguejou o jovem detetive. — Perdoe-me.

— Assim deduzi — disse Holmes. — Seu nome é mencionado na notícia, e imaginei que aqueles ferimentos a faca pudessem trazê-lo até aqui.

— Sr. Holmes, o senhor sempre me surpreende. Como soube o que estava me incomodando?

— Ora, inspetor, até a Scotland Yard pode achar difícil rotular de assalto à mão armada um caso de assassinato em que a vítima foi encontrada deitada ao ar livre com ferimentos de faca no peito.

— Não o compreendo, Holmes — interrompi.

— No peito, meu caro Watson! Se alguém fosse atacado em um beco escuro, tais ferimentos poderiam ser possíveis. Mas facadas no peito sugerem um ataque frontal, Watson. Se o assaltante tivesse se aproximado de frente, e inesperadamente, sinais de luta sem dúvida seriam esperados. Existem tais sinais, inspetor? Creio que não, pela matéria do jornal. Assim sendo, devemos considerar a possibilidade de ter o dr. Smithfield permitido que seu atacante se aproximasse dele. Muito pouco consistente com assalto à mão armada!

— Exatamente, sr. Holmes! Eu não havia pensado nisso, mas, mesmo que o dinheiro do médico tenha sido levado, meu relatório de latrocínio não me convenceu. O que mais me incomoda, sr. Holmes, é não saber a razão pela qual o doutor estava nas docas em uma hora tão estranha.

— Esplêndido, Hopkins! Você tirou a próxima sugestão dos meus lábios. Vamos examinar sob que circunstâncias um cavalheiro estaria passeando pelas docas à meia-noite e, ademais, permitir que um bandido armado com uma faca se aproxime a curta distância. O que me diz, Watson?

— Um mendigo, talvez? — aventurei-me.

— Ou talvez ele conhecesse o homem? — Holmes se interrompeu para reacender o cachimbo. — Não se deveria supor um encontro marcado? Bem, chega de suposições. Se devo ajudá-lo, Hopkins, preciso de fatos. Teorizar antes de conhecer os fatos não é apenas inútil; pode reduzir a percepção a ponto de se ignorarem os fatos.

— Muito bem, sr. Holmes — respondeu o jovem inspetor. — O senhor sabe que tento seguir seus métodos, e lhe transmitirei tudo que souber. Quanto ao corpo do médico, o senhor pode examiná-lo, se assim desejar. Já averiguei que os ferimentos foram causados por um homem destro de um metro e oitenta de altura, com uma faca de lâmina larga, de pé perto da vítima.

— Muito bem, Hopkins! Suponho que tenha determinado o peso e a altura pelo ângulo das facadas.

— Exatamente, sr. Holmes. O corpo não revelou mais nada de natureza incomum, exceto o fato de o braço esquerdo do médico estar enfaixado junto ao corpo, embora não houvesse nele qualquer ferimento aparente.

— É mesmo? — exclamou Holmes, os olhos faiscando. — E as bandagens eram recentes?

— Não reparei — disse Hopkins. — Examinei também o solo perto do corpo com tanto cuidado quanto me foi possível nesta manhã chuvosa. As pegadas se desfaziam depressa e não foi fácil determinar, mas não consegui ver sinais de luta. É claro, as chuvas poderiam já ter causado danos quando cheguei à cena do crime.

"Mais tarde, fui à casa do médico e falei com seu assistente, Philip Buckram, que vive com ele. O rapaz pouco pôde acrescentar. Ninguém fora chamar o doutor depois da ceia, e ele não fazia ideia do motivo que o levou tão tarde ao cais. Mas Buckram viu o médico sair ontem à noite, embrulhado em seu sobretudo. Percebeu que ele levava debaixo do braço uma caixa longa e estreita, que não vira antes. Esta manhã, não encontramos qualquer vestígio da caixa. Quando lhe perguntei qual o comportamento do médico nos últimos dias, ele declarou que Smithfield estava extremamente agitado desde sua volta da América, há 15 dias.

— Da América, você disse? — perguntou Holmes. — Em que navio?

— O *White Star*, da Virgínia — respondeu Hopkins, parecendo satisfeito.

— Excelente, excelente, meu rapaz! Você ainda será um ótimo detetive! — cumprimentou Holmes.

— Obrigado, sr. Holmes — murmurou o rapaz. — Agora, se o senhor quiser examinar o corpo…

— Prefiro ver onde o corpo foi encontrado — disse Holmes, pondo-se de pé em um pulo e apanhando sua capa e seu chapéu. — Vamos, Watson, o sol brilha até mesmo no dia mais nublado!

Quinze minutos depois, descíamos de um táxi em uma rua suja à beira-mar. Um policial nos recebeu no cais sombrio, onde a silhueta de um armazém coberto de fuligem deixava tudo na penumbra.

— Boa tarde, policial — disse Hopkins. — Mostre ao sr. Holmes o local onde o corpo foi encontrado.

O policial nos levou para uma parte do cais junto à rua, onde havia um poste de luz.

— Você tem razão, inspetor — disse Holmes. — A chuva parece nos ter deixado muito pouco.

Holmes se inclinou e andou em círculos amplos, como um cão de caça apurando o faro.

— Bingo! — exclamou ele, caindo de joelhos na terra sob os beirais do armazém vizinho. — Bingo! Watson, o que me diz disto? Inspetor, você não levou seu olhar longe o bastante!

Olhei para onde Holmes apontava. Um sulco largo e achatado com laterais retas era claramente visível na terra molhada.

— Uma caixa, Watson! Alguém arrastou uma caixa por aqui!

Ele espiou debaixo do prédio, onde um buraco pequeno mas cavernosamente escuro havia sido deixado aberto pelos construtores. Agarrando meu guarda-chuva, ele se jogou no chão e, esticando seu braço comprido, começou a tatear na escuridão, até que ouvimos uma sólida batida. Holmes movimentou-se um pouco mais e, pela alça, deslizou para fora uma caixa longa e estreita.

— Holmes! — gritei. — É um caixão, um caixão de criança!

Holmes concordou com a cabeça e, pondo os óculos, inclinou-se para examinar o exterior da caixa.

— Pelo amor de Deus, sr. Holmes, vamos abri-lo! — exclamou Hopkins.

Holmes, relutante, guardou os óculos no bolso.

— Vá em frente, policial — disse ele.

O robusto policial se aproximou, hesitou por um instante e ergueu a tampa. Recuou então, deixando escapar um grito de surpresa. Hopkins e eu nos adiantamos e ofegamos. Entre almofadas de veludo, havia ali um braço humano decepado. Os olhos de Holmes brilhavam.

Lembrando-me dos inúmeros homens dos quais tratei no campo de batalha e dos cadáveres que dissequei em laboratórios, inclinei-me para a caixa e examinei o braço com olhos de profissional.

— É um braço de homem — declarei, para não ser superado por Hopkins —, adulto, provavelmente em torno dos trinta anos. Parece ter sido desmembrado por uma série de golpes irregulares.

— Decepado em um acidente industrial? — perguntou Hopkins.

— Não — afirmei, pensando em meu paciente Victor Hatherley, a quem Holmes consentira em ajudar. — Não, parece ter sido cortado por uma serra cirúrgica, mas de modo um tanto inábil.

— Ou apressado — sugeriu Holmes, inclinando-se para examinar as mãos e os dedos. — Você diria que isto... ele... está morto há quanto tempo, Watson?

— Bem, as marcas de serra parecem recentes. Mas a decomposição da carne está muito adiantada para a morte ter sido recente, Holmes.

— Você concordaria que o braço não foi decepado de um homem vivo, Watson?

— Não posso garantir, Holmes, mas por quê...?

— Pela falta de sangue, homem! Este braço, e presumivelmente o resto do seu dono, foi embalsamado. — Ele se virou para Hopkins. — Inspetor, sugiro que o senhor investigue um carpinteiro, por volta dos trinta anos de idade, cerca de um metro e oitenta de altura, fumante inveterado, ascendência semita, morto há pouco tempo de doença cardíaca. Eu gostaria de falar com seu médico.

— Mas, sr. Holmes... — deixou escapar Hopkins, indicando o caixão com ar perplexo.

— Vamos, Hopkins, achei que você estivesse estudando meus métodos. Sua altura pode ser calculada pelo comprimento do braço. O fato de que fumava muito é evidente pelas manchas de fumo em seus dedos e os calos na mão são característicos do trabalho de carpintaria. Creio lhe ter emprestado minha pequena monografia sobre o assunto. O dr. Watson confirmará que as extremidades de seus dedos apresentam deformações que sugerem recente doença cardíaca, e a cor e a textura da pele evidenciam sua ascendência. Elementar, não é, Watson?

Assenti.

— E a idade, sr. Holmes? — perguntou Hopkins.

— Ah, aí precisamos deduzir! Os calos não são tão duros a ponto de indicar longos anos de carpintaria, embora a profissão requeira um bom tempo de aprendizado. Eu avaliaria que nosso amigo tinha acabado de se estabelecer como mestre carpinteiro.

— Vamos cuidar disso agora mesmo, sr. Holmes — retrucou Hopkins.

— Não há mais nada a ser visto aqui, inspetor. Acho, porém, que eu deveria falar com o capitão do *White Star*. Ele talvez possa lançar alguma luz na ansiedade do sr. Smithfield. Watson, você pode me acompanhar, ou é hoje o dia em que sua esposa deveria voltar do campo?

Ignorei a ironia em relação à minha vida doméstica e deixamos o inspetor ir conduzir sua busca ao carpinteiro de um braço de Holmes. Uma vez no táxi a caminho de Pall Mall, questionei Holmes quanto às suas teorias.

— Realmente, Holmes, você esperava encontrar aquela caixa macabra? — perguntei.

— Eu esperava encontrar alguma coisa, Watson — respondeu ele —, ainda que jamais pudesse prever sua natureza funérea. Ninguém espera que um cirurgião marque um encontro à meia-noite com um homem, a não ser que algo exista entre eles. Se fosse uma informação, um telegrama ou carta seriam suficientes. Por isso busquei alguma pista relacionada àquela caixa com a qual saiu de casa e que devia ter pretendido entregar a alguém. Dificilmente eu esperaria uma recompensa tão dramática. Precisamos, agora, esperar para ver se a descoberta será tão reveladora quanto medonha.

Com isso, Holmes guardou o cachimbo e se recostou no banco do carro.

Uma rápida enquete em Pall Mall nos levou aos escritórios de Jos. Brunard & Sons, Transportes Navais, onde o gerente sacudiu a cabeça, desanimado.

— Eu gostaria de ajudá-lo, sr. Holmes — disse ele, olhando cobiçoso a moeda de um guinéu na mão de Holmes —, mas o *White Star* e toda a sua tripulação partiram para Boston. Não podemos nos permitir deixar nossos navios ociosos nas docas, e ele aportou aqui há mais de uma quinzena.

— Estou interessado na última viagem — informou Holmes. — Houve algum incidente desagradável?

— Nada que tenha sido informado — disse o transportador.

— Posso ver a lista dos tripulantes e passageiros? — pediu Holmes, passando a moeda para a mão do homem.

— Com certeza! — respondeu ele, rápido, entregando-lhe um caderno aberto.

Holmes passou os olhos pela página.

— Estranho — murmurou. — O nome de Smithfield não está na lista. Pense, homem — disse ele ao gerente. — Não há alguém que possa nos dizer mais a respeito desse navio?

— Bem — respondeu o transportador, depois de pensar um pouco —, há Billy Morse. Ele era contramestre dessa viagem, mas ficou doente e não pôde zarpar. Ele estará no Hotel Royal, no final da rua.

O Hotel Royal não fazia jus ao nome. Holmes interrogou rapidamente o porteiro e depois subiu os degraus carcomidos até uma porta estreita e engordurada. Bateu com autoridade.

— Me deixa em paz, eu tô doente — gemeu uma voz.

— Preciso falar com você — disse Holmes.

A porta se entreabriu.

— Tá querendo o quê? — perguntou o marinheiro, espiando cauteloso pela abertura.

— Dr. Smithfield — informou Holmes. — Ele era passageiro do *White Star* que veio da Virgínia?

O marinheiro riu, depois tossiu, ofegante.

— Passageiro... pode ser. Mas o que vocês têm com isso?

— O doutor morreu — afirmou Holmes. — Assassinado por um marinheiro.

— Um marinheiro, é? — rosnou Morse. — Bem, não tô surpreso, um reclamão, aquele lá. Mas num foi eu não, cara.

Holmes empurrou a porta, e o marinheiro recuou para o catre.

— Eu sei que não foi você, Morse, mas a Scotland Yard pode não acreditar em mim. Eu preciso saber como Smithfield foi parar a bordo do *White Star*. Depois de nos dizer, poderá tomar mais remédio.

E Holmes lançou um olhar significativo para a garrafa de gim vazia na mesa de cabeceira.

O marinheiro suspirou, teve um acesso de tosse e se deitou em cima das cobertas.

— Nós tava navegando pra Cuba pra fazer algum comércio na viagem de volta da Virgínia — começou ele. — Só tinha dois passageiros, dois comerciante de fumo indo pra Escócia de férias e sem dinheiro pra ir num navio melhor. Nós tava passando pelo canal da Providência quando vimos destroços flutuando a bombordo. Eram pedaços de um navio, dava pra ver, e tão quebrados que parecia que tinham sido mastigado pelo mar. Deve ter batido nas pedras... tem muito problema escondido lá, prum capitão mais bobo. Enfim, nós fez uma busca por sobreviventes na água, mas num tinha ninguém.

Bem quando nós tava pronto pra levantar âncora de novo, o vigia viu uns homem dançando e sacudindo as mão numa das ilhas mais longe. Nós mandou um bote até lá, eu tava no comando, e quando chegamos na praia, encontramos quatro doidos de pedra, foi o que achei. Eles era os únicos sobreviventes do *Virginia Dare*, lá de Savannah. O navio deles tinha se arrebentado numa tempestade e os quatro tinha conseguido de algum jeito ir parar na ilha. Eu num sei como eles viveram lá dois meses, num tem nada naquela ilha, só umas arvorezinha e um pouco d'água. Eles deve terem passado um mau bocado por lá, aqueles quatro. Enfim, nós levou eles pra bordo e trouxe eles pra Londres com nós, passando por Cuba.

— E Smithfield era um deles, não era? — perguntou Holmes.

— Era — disse o marujo. — E não era o mais esquisito da turma!

— O que você quer dizer com isso? — perguntei.

— Os outro — respondeu o homem —, eles tudo só tinha um braço!

Na volta para Baker Street, meus pensamentos giravam. Visões de homens de um braço só e aquele maldito braço que descobrimos dançavam na minha cabeça.

— Holmes, por que você disse que Smithfield foi assassinado por um marinheiro? — eu quis saber. — E o que achou da história de Morse?

— Uma pergunta de cada vez, Watson. Ficou evidente que Smithfield havia sido assassinado por um marinheiro desde o instante em que vi as facadas. Primeiro, ferimentos com aquela largura só poderiam ter sido feitos por um facão de lâmina larga, como os que possuem os homens do mar. Segundo, o ângulo ascendente dos ferimentos também sugeria que o atacante fosse um marinheiro, pois eles tendem a empunhar seus facões de baixo para cima, enquanto um amador segurando uma faca o fará com o polegar longe da lâmina. Tais pontos, concomitantes com o próprio distrito onde o corpo foi encontrado, eram fortes indícios de que lidávamos com um marujo. Admito que não se tratava de certeza absoluta, mas a afirmativa funcionou com Morse.

— Então você suspeita dele.

— Não, não, Watson. Isso teria sido pura coincidência. Eu apenas acelerei sua colaboração. Todo marinheiro tem um medo inato da lei, e eu usei esse medo a nosso favor. Quanto ao relato de Morse, acredito que nos fornece o esquema no qual nossas peças se encaixarão.

— Não vejo como, Holmes. O braço no caixão pertence a um dos náufragos?

— Não é provável, Watson. Da Geórgia a Londres é uma longa viagem para um braço em um pequeno caixão. E não há carpinteiros na lista dos náufragos que nos foi dada por Morse. Você se lembra deles? Smithfield, John Bennett, agricultor de Savannah, Alfred Winton, comerciante londrino, e Jack Tiptree, membro da tripulação do *Virginia Dare*. Acho que devemos fazer uma visita ao estabelecimento do sr. Winton, Watson, amanhã cedo.

Na manhã de terça-feira, depois de um frugal desjejum, vi-me acompanhando Holmes a uma loja de aparência imponente.

— O sr. Winton, por favor — disse Holmes, amável, ao empregado.

— Um momento — respondeu o jovem, virando-se. Então um rapaz, mais para estudante do que para dono de loja, deu um passo à frente.

— É meu pai que procuram, cavalheiros — afirmou ele. — Receio que ele não possa recebê-los.

— É importante. Meu nome é Sherlock Holmes...

— *O* Sherlock Holmes? — rebateu o jovem. — E o senhor deve ser o dr. Watson! Ah, eu o leio todos os meses no *Strand*! Ah... — e sua expressão se ensombreceu — mas meu pai não pode ver ninguém, nem mesmo o senhor, sr. Holmes. Eles o mandaram para longe!

— Para onde? — questionei.

— Para descansar — respondeu o rapaz, obviamente segurando as lágrimas. — Quando voltou da América, ele estava... doente. Os médicos disseram que deveria ficar em observação até que estivesse melhor. Ele não fala direito, sr. Holmes, só diz coisas sem sentido!

— Calma, calma, vamos, meu rapaz. — tranquilizei-o com tapinhas no ombro. — Você me parece um sujeito capaz. Tenho certeza de que ele ficará orgulhoso do modo como administrou o estabelecimento na sua ausência.

Ele me apertou a mão, grato, e voltou para os fundos da loja.

— É como eu receava — disse Holmes quando estávamos na rua. — Espero que não seja tarde demais para salvar Bennett.

Refleti sobre suas palavras e sobre o destino de Winton enquanto nos dirigíamos em silêncio para Baker Street. Ao chegarmos, porém, a sra. Hudson entregou a Holmes um telegrama.

— Tarde demais, Watson!

E me passou a mensagem. Era curta.

BENNETT TIROU A PRÓPRIA VIDA SÁBADO NO QUARTO DO HOTEL. HOPKINS.

— Por que, Holmes? O que levou Winton à loucura e Bennett ao suicídio? E o que houve com Tiptree?

— Tudo se esclarecerá em breve — disse Holmes. — Permita-me revelar a verdade a você do meu jeito. Antes disso, acho que uma refeição e um cachimbo serão bem-vindos, Watson, enquanto aguardamos que germinem as sementes que plantei.

Muitas horas depois, uma leve batida à porta arrancou-me dos devaneios. Holmes se levantou em um pulo e vi Wiggins, chefe daqueles moleques de rua que Holmes empregava, parado à soleira, boné na mão.

— E então? — quis saber Holmes.

Wiggins cochichou algo em seu ouvido.

— Excelente, Wiggins! — exclamou Holmes. — Divida isso com seus amigos!

E deu ao garoto dois guinéus.

— Uma vez mais meus rapazes brilham! — regozijou-se ele, virando-se para mim. — Vamos, Watson! O jogo chega ao fim!

Peguei depressa chapéu e sobretudo e desci correndo a escada, nos calcanhares de Holmes. Ele chamou um táxi, gritou "Old Yew Place" para o motorista e arrancamos.

— Para onde estamos indo, Holmes? — gritei, enquanto avançávamos a toda velocidade.

— Para a terra do esquecimento, Watson, para o esquecimento! — foi sua resposta enigmática.

O táxi parou em um canto mal-iluminado da cidade que eu nunca tinha visto. O bairro parecia desagradável e, quando Holmes me levou pelo braço até uma porta sem número em um beco escuro, fiquei grato por sentir o volume do meu revólver de serviço no bolso do sobretudo. Holmes bateu duas vezes, depois uma, e a porta se abriu devagar.

— Tiptree — sussurrou ele para o vulto sombrio lá dentro e, quando entramos, a porta bateu às nossas costas.

No mesmo instante, meu nariz identificou o ambiente: um antro de ópio!

Holmes me conduziu com familiaridade pela penumbra do salão à luz de velas até um sofá baixo no quarto dos fundos. Ali, em um colchão de palha, jazia um jovem de aparência rude, mas com o rosto agora banhado pela paz induzida pela droga. Aquele rosto angelical parecia parte de uma estátua quebrada, pois a manga esquerda do homem estava vazia. Holmes sacudiu o marinheiro e ele se mexeu.

— Tiptree!— chamou Holmes. — Tiptree!

O rapaz acordou assustado e se jogou no chão, mas Holmes, com punho de ferro, segurou-o pelo braço remanescente.

— Não estamos aqui para machucá-lo, Tiptree. Nós sabemos da ilha e da morte do doutor. Só queremos falar com você. Você está acordado?

O marinheiro nos encarou, visivelmente afastando seu estupor.

— Vocês são da polícia? — perguntou.

— Não — disse Holmes. — Eu sou Sherlock Holmes. Nós somos... ahn... investigadores não oficiais. Mas não deixe que isso o iluda. Eu quero ouvir a sua história, mesmo que ache que já sei qual é, e, se não me convencer de que está dizendo a verdade, vou pegar pesado. Um americano como você tem poucos amigos aqui em Londres.

Holmes agarrou-lhe outra vez o braço, e Tiptree estremeceu.

— Eu me sinto como se tivesse caído no fundo do inferno, e vocês podem me ajudar a sair. Meu último momento de paz foi a bordo do *Virginia Dare*. Embarquei em Savannah, onde meu pai tem uma plantação. Embarquei pela aventura, para conhecer a Inglaterra, para encontrar meu caminho. Lembro de, na última noite, estar na proa, olhando o mar calmo e as estrelas que brilhavam, quando a tempestade veio para cima de nós, furiosa. Fui arrancado de repente da proa por uma onda gigante e achei que minha vida tinha acabado quando caí no mar. Mas eu sou bom nadador e lutei para subir, e subir, o pulmão queimando, até chegar à superfície. Olhei em volta bem a tempo de ver a embarcação ser jogada em cima dos rochedos, como um brinquedo de criança, a tripulação, meus companheiros e os passageiros chorando e pulando para salvar suas vidas. Tive sorte, eu acho, porque não fiquei preso nas ferragens nem bati nas rochas afiadas, como a maioria deles. Um pedaço da quilha do navio passou por mim flutuando, eu nadei até ela e, quando a alcancei, me agarrei com todas as forças. Eu podia ouvir os gemidos e gritos dos outros enquanto eram jogados de um lado para outro pelo vendaval, e cada grito me queimava a alma, porque eu sabia que estavam perdidos.

"Acho que devo ter adormecido, embora não saiba como, e, quando veio a manhã, meu pedaço de navio, meu salva-vidas, como pensei, tinha flutuado comigo até perto de uma ilha. Dei graças ao Senhor por aquela boa sorte e nadei até a terra, deixando para trás minha pequena prancha. Com as forças que me restavam, arrastei-me pela margem, onde fiquei algum tempo.

"Achei, então, que estava sonhando, porque ouvi vozes. Abri os olhos e me deparei com três passageiros de pé à minha frente, o sr. Bennett, o sr. Winton e o dr. Smithfield. Eles também, graças a Deus, haviam chegado à ilha. O médico me examinou e me encontrou tão bem quanto eles, portanto partimos para explorar nosso refúgio do mar.

"Era um lugar estéril, cavalheiro, e lamento dizer que meus agradecimentos ao Senhor morreram em meus lábios. A ilha era pequena e, salvo por algumas poças de água salobra e arbustos ressecados, era também morta. Devemos ter dado duas voltas à ilha, procurando algo do que poderíamos viver. Não vimos nada.

"Voltamos a falar de nossa presumida sorte, diversas vezes. O sr. Winton mantinha sua fé inabalada. Equipes de resgate nos encontrariam logo, dizia ele. Os outros não tinham tanta esperança. Na primeira noite, deitado e tremendo naquele ar pesado de neblina, sonhei que estava de volta ao mar e peixes entravam pela minha boca, como um jantar. Era apenas um dia sem comida, e eu tinha coragem.

"No dia seguinte, o sol nos torrou e a sede era intensa. O dr. Smithfield revistou nossas roupas e encontrou um pedaço de carne-seca que eu havia esquecido em um bolso. Comeu-o depressa, antes que pudéssemos protestar. 'Eu sou o médico', disse ele quando terminou, à guisa de explicação. Resolvemos tentar a sorte nas poças, embora o doutor protestasse. Bebemos com avidez, naquele dia, embora a água cheirasse a podre e, quando à noite ficamos doentes, os estômagos vazios revirando, o médico nos repreendeu por não o escutarmos.

"Os dias se passaram, cavalheiro. Como, não quero me lembrar. Comemos as raízes dos arbustos quebradiços. Bebemos da água das poças para continuarmos vivos, embora quiséssemos morrer quando passávamos mal depois. Por fim, estávamos acabados, não aguentávamos mais. Até os arbustos tinham sido consumidos. Deus nos havia pescado do mar para morrermos de fome.

"E então o médico nos falou de sua ideia. Eu queria que tivéssemos morrido naquela hora, sr. Holmes. Mas nós o ouvimos. O doutor nos falou de tribos da África, de terras distantes e ilhas desertas, que comiam carne humana. Falou de suas propriedades vitais, dos preciosos fluidos que continham. E nos propôs comermos nossa própria carne.

"O sr. Winton riu como louco daquela ideia. O sr. Bennett amaldiçoou o médico por blasfemar. Eu... eu o ouvi, sr. Holmes. Meu estômago ouviu.

"O médico propôs que um de nós sacrificasse um braço. Racionando, um pouco de cada vez, um braço de homem, grandes como éramos, embora não mais robustos, àquela altura, eu juro, nos alimentaria por três dias. Depois, se fosse preciso, outro, e depois... Bem, nem eu conseguia ouvir mais. O doutor se calou.

"O dia seguinte foi ainda mais quente. O suor descia da minha testa em pequenos filetes e eu o lambia dos cantos da boca. O doutor voltou ao discurso. Dessa vez, nós todos o ouvimos. O médico propôs remover o braço esquerdo de um de nós; sendo ele cirurgião, teria que ser ele a fazê-lo, e poderíamos assim viver até sermos salvos. Discutimos o assunto, sem muita ênfase. Por fim, todos concordamos e tiramos a sorte para ver quem seria o primeiro a perder um membro. Eu perdi. Naquele fim de tarde, à luz do crepúsculo, quando estava fresco o bastante para nos movermos, o doutor cortou meu braço esquerdo com meu facão de marujo. Desmaiei de dor, devo confessar. O doutor amarrou a ferida o melhor que pôde, mas eu sangrei como um porco. No meu delírio, eu sentia a vida escorrendo de mim e rezei para morrer.

"Mas não morri. E na manhã seguinte, comi. Eu comi, cavalheiro, a minha própria carne, com a ajuda do sr. Winton e do sr. Bennett. Todos nós comemos. O médico ficou com o pedaço maior, a fim de poder nos salvar a todos, disse ele. Não o censuramos, porque ele nos salvara a vida... assim eu pensei na ocasião."

Tiptree se interrompeu, agarrando o ombro esquerdo.

— À noite, arde, sr. Holmes. Arde como se o diabo me espetasse com ferro em brasa. — Ele se recostou no sofá e continuou: — Comíamos a carne devagar, economizando-a para adiar o dia que sabíamos que iria chegar. Chupávamos seus sucos, saboreando cada mordida. Por Deus, tenho vergonha de dizer que o gosto era... bom. Mas chegou o dia em que não havia mais. Concordamos, então, em repetir a cirurgia vital. Dessa vez, porém, argumentei, dizendo que o doutor deveria tirar também a sorte junto conosco, tendo visto que ele sempre ficava com o pedaço maior. Ele protestou com violência, e os outros, relutantes, acabaram concordando com ele. Mas eu não desisti. Obriguei-o a fazer um juramento de que, se fôssemos resgatados, ele também se submeteria à remoção de um membro, para que não se aproveitasse da nossa desgraça. Ele jurou, o canalha, e cortou!

"Depois que cada um de nós perdeu um braço, nos desesperamos ao compreender que nossa maldita dor era só o começo de mais desmembramentos. Então, já sem esperanças, fomos resgatados! Quando avistamos a embarcação no horizonte, corremos, em uma explosão de energia lunática, para o mar, para nos atirarmos em direção ao navio. Eles nos mandaram um bote e, enquanto o bote vencia as ondas, me dei conta do que havíamos feito. Virei-me para os outros e balbuciei meu medo e vergonha. O médico logo concordou comigo e por fim todos nós juramos não deixar escapar uma só palavra a respeito do que acontecera em nossa ilha. E, então, também fiz o doutor repetir seu juramento.

"Eles nos resgataram e cuidaram de nós a caminho de Londres. Nos olhavam de um jeito esquisito, porque éramos um estranho grupo de homens barbudos e loucos, mas não dissemos uma palavra a respeito do que nos tinha acontecido, a não ser do naufrágio em si. Nossa dieta de carne na ilha nos deve ter sido útil, pois quando chegamos ao porto, estávamos todos bem o bastante para sermos liberados em Londres. Antes de deixarmos o navio, chamei o doutor de lado. Percebi que ele não gostou muito, porque agora eu estava me misturando a meus superiores diante da tripulação e dos passageiros. Mas agarrei-o pelo pescoço, lembrei-o do seu juramento e combinei de encontrá-lo no cais na segunda-feira passada, duas semanas depois de termos desembarcado. Ele deveria aparecer e me provar, seria uma prova para nós três, que também se mutilara.

"Naquela quinzena, sr. Holmes, quase não pensei em outra coisa que não fosse na nossa vingança. Talvez eu devesse ter caído de joelhos e agradecido a Deus por nos ter mandado o médico que nos salvou. Em vez disso, andei de um lado para outro no quarto, xingando o doutor, esperando, esperando o nosso encontro. Fiz então trabalho de detetive, procurando seu consultório. Andei atrás dele em segredo, esperando que ele cumprisse o combinado.

"A noite finalmente chegou. Fui para o local combinado e, mais uma vez, fiquei andando de um lado para outro, esperando, esperando. Até que ele chegou, atrasado. Vestia um sobretudo e a manga esquerda estava pendurada, vazia. Minha mente envenenada começou a se alegrar. Ele trazia debaixo do braço direito uma caixa comprida e estreita. 'Aí está', disse ele, colocando-a no chão e se virando para ir embora. 'Espere!', gritei, 'Preciso ver isto!' Tirei a tampa do caixão com uma exclamação de alegria ao ver o braço decepado lá dentro. Olhei então para ele, exultante. E, para meu horror, vi o sobretudo se abrir em um descuido e, debaixo dele, seu braço esquerdo amarrado ao corpo. Meu cérebro ferveu e eu pulei em cima dele, agarrando-o pelo colarinho. Em um instante, antes que ele pudesse gritar, eu o soltei, tirei o facão da bota e o apunhalei. Meu braço se movia descontrolado, esfaqueando sem parar, e só quando ele desabou em cima de mim me dei conta do que havia feito. Limpei depressa o facão na terra e empurrei a caixa com o horrível braço falso para baixo de um prédio próximo, porque na minha loucura tive medo de que o braço pudesse me ligar a ele. Em um momento de lucidez, peguei sua carteira, achando que poderia fazer aquilo parecer um roubo. Depois corri, com os demônios me perseguindo.

"Lembro-me de muito pouco depois disso, sr. Holmes. Perambulei por aí, e algum bom samaritano, talvez com pena de um aleijado, pôs uma moeda no meu bolso. Com ela, cavalheiros, comprei paz, até que os senhores chegaram."

— Não perturbaremos mais a sua paz — disse Holmes, puxando-me da cadeira e se virando para sair. — Receio que o ópio se tenha tornado a religião das massas, Watson — afirmou ele —, mas, para alguns, o Paraíso está muito distante.

No táxi, não consegui ficar em silêncio.

— Que pobre coitado, Holmes! E tão jovem!

— Talvez algum dia ele mate sua dor e volte aos vivos.

— Como você o encontrou, Holmes? — perguntei.

— Bastante elementar, Watson, quando se dispõe dos recursos dos meus Irregulares de Baker Street. Encomendei a Wiggins uma busca em todas as tabernas e antros de ópio perto do cais. Tinha certeza de que o homem estaria afundando em um desses dois mares.

— Mas por que suspeitou que fosse ele o assassino de Smithfield, Holmes?

— Ora, Watson, a conexão era clara. Devo confessar que, ao ver pela primeira vez o conteúdo da caixa misteriosa, suspeitei de satanismo. Satanismo de verdade, Watson, comparável a Missas Negras e que tais. Mas então Hopkins encontrou para mim o carpinteiro morto, um paciente de Smithfield, como eu suspeitava. Seu braço em uma caixa semelhante àquela com que o médico havia sido visto. Bem, a caixa tinha que ser de Smithfield. Mas por que ele a levava? Claro, para dar a alguém, mas com que objetivo? E por que seu próprio braço estava amarrado ao corpo?

"Foi então que eu soube que deveria rastrear o *White Star*. A agitação de Smithfield começou depois da sua volta, e ele não comentou a viagem com seu assistente. Por quê? A história de Morse me deu a pista final. Na verdade, embora Tiptree acredite ter cometido o pecado original, seu relato de canibalismo não é inédito. Acredito que a Corte Real já ouviu um caso semelhante, em 1895. Mas o elemento de barganha era inédito e, até que eu o deduzisse, a conexão esteve obscura."

Holmes, meditativo, tragou a fumaça do cachimbo.

— São estranhos os caminhos da natureza. Ela dá vida, e ela a tira. Às vezes, interferimos em seu curso com excesso de liberdade, Watson, mas nunca a desviamos de todo do seu objetivo final.

O bergantim abandonado

SAM BENADY

Um dos mais respeitáveis cidadãos de Gibraltar durante muitos anos, o dr. Samuel G. Benady (1937-) nasceu na ilha, de uma família que lá vivia desde 1735 (um ancestral foi sequestrado por piratas e precisou ser resgatado). Depois de receber o diploma de médico em Londres, praticou pediatria em Bristol e Jerusalém antes de voltar a Gibraltar, onde viveu desde então.

Benady dirigiu o Serviço de Saúde Infantil de Gibraltar e administrou sozinho a Autoridade de Saúde de Gibraltar de 1980 até sua aposentadoria em 2002. É um frequente conferencista no Museu de Gibraltar e contribui regularmente com artigos para a newsletter do Fundo de Heranças de Gibraltar.

Seu único livro dedicado a Sherlock Holmes foi *Sherlock Holmes in Gibraltar* (1990), que continha dois longos contos: este, no qual Holmes soluciona um dos maiores mistérios do mar, o abandono do *Mary Celeste*, e "A carta de Gibraltar", que narra o envolvimento de Holmes na abdução do duque de Connaught quando ele estava aquartelado em Gibraltar.

Mais recentemente, foi o coautor (com Mary Chiappe) de uma série de romances de mistério cujo protagonista é Giovanni Bresciano, um detetive amador atuando em Gibraltar no final do século XVIII e início do século XIX. Os títulos são *The Murder in Whirligig Lane* (2010), *Fall of a Sparrow* (2010), *The Pearls of Tangier* (2011), *The Prince's Lady* (2012), *The Devil's Tongue* (2013) e *Death in Paradise Ramp* (2014).

"O bergantim abandonado" foi originalmente publicado em *Sherlock Holmes in Gibraltar* (Gibraltar, Gibraltar Books, 1990).

O BERGANTIM ABANDONADO

Sam Benady

i

— É, Watson — disse o sr. Sherlock Holmes, levantando rapidamente a cabeça de seu volumoso livro de referência, cujo índice analítico estava organizando. — O mar é mesmo misterioso e terrível.

— Muito misterioso! — retruquei, distraído, me sobressaltei, pasmo, ao me dar conta de que, uma vez mais, Holmes havia penetrado nos meus pensamentos. — Holmes — interpelei-o —, como é possível que você soubesse o que passava pela minha cabeça? Eu não disse uma palavra nos últimos trinta minutos.

Ele levantou outra vez os olhos, dando um risinho.

— É verdade, você não falou — observou ele —, mas ainda assim me revelou seus pensamentos com tanta clareza quanto se os tivesse gritado do telhado.

— Isto é demais, Holmes — repliquei. — Explique-se!

— Só se você prometer não dizer "Mas é absurdamente simples!" quando tiver ouvido minha explicação.

— Combinado!

— Quando você entrou na sala, tinha nas mãos um exemplar da *Strand Magazine*, que traz na capa a ilustração de um veleiro em perigo, um bergantim, se não me engano. Então você se acomodou na poltrona e começou a ler. Em alguns minutos, surgiram no seu rosto expressões de perplexidade e, a seguir, de tristeza. Você pôs a revista de lado e olhou fixo, por um minuto inteiro, para aquela imagem de um navio mercante que está pendurada na nossa parede. Depois você se levantou, foi até a estante e retirou um dos volumes que contêm os relatos um tanto sensacionalistas que você escreve a respeito dos meu casos, em especial o que inclui os casos da barcaça *Gloria Scott* e aquele que você escolheu intitular *Black Peter*. Tendo aberto e examinado esse volume por algum tempo, você voltou à poltrona, onde se sentou com ar melancólico até que me aventurei a interromper seus pensamentos com minha observação não muito profunda, que apenas seguiu a linha do que estava implícito em seu rosto e atos.

— Mas é absurdamente sim… — comecei, e no mesmo instante me juntei à sua grande gargalhada. — Holmes — falei, passando-lhe a revista. — Você já ouviu problema mais misterioso e impenetrável do que o detalhado nestas páginas?

Ele abriu a revista e passou os olhos pelo artigo em questão.

— *Um mistério insondável*. Vejo que, como sempre, eles escreveram errado o nome do navio e sem dúvida repetiram todos os outros erros e absurdos perpetrados há alguns anos por algum escrevinhador chamado Boyle, ou Doyle.

— Então você está familiarizado com o caso?

— Tenho algumas lembranças. Vamos consultar meu livro de referências.

Ele abriu o volume do índice e examinou-o com atenção.

— Ritual de Musgrave — leu Holmes. — Foi um caso trágico e misterioso. Moriarty; inúmeras referências a ele, é claro. A pedra de Mazarin; Merton, o pugilista: mesma coisa, com esses dois. *Matilda Briggs*, outra história do mar, Watson. Margolis o estrangulador. Ah, aqui está, *Mary Celeste*.

Ele separou o livro correto, folheou-o e me entregou o pesado volume.

Acomodei-me para ler as páginas indicadas por ele. Eram, em grande parte, resumos de julgamentos e relatórios oficiais, intercalados com recortes de jornais, sobretudo ingleses e americanos, mas incluindo o *Gibraltar Chronicle* e alguns que presumi serem espanhóis e portugueses.

— Os fatos são com certeza mais prosaicos — observei —, mas o problema não parece de fácil resolução. Holmes — continuei, quando me assaltou um pensamento —, sem dúvida você acharia fácil resolver o caso que deixou o mundo inteiro perplexo durante anos, aplicando aqueles métodos dedutivos de raciocínio que você com tanta frequência empregou no passado.

— Você superestima meus poderes, Watson — disse Sherlock Holmes, um pouco divertido, embora eu pudesse ver que ele estava satisfeito com o elogio às suas habilidades. — Acho que nem mesmo eu poderia chegar à solução correta apenas refletindo sobre os fatos contidos nestes arquivos.

Ignorando meus protestos, ele mergulhou por alguns minutos em um silêncio meditativo. Então, um brilho de contentamento surgiu em seus olhos fundos.

— Bem, Watson — disse ele, indolente —, por que não faz você mesmo uma tentativa de formular uma hipótese que esclareceria os fatos? Afinal de contas, você foi meu colega durante muitos anos, tempo de sobra para ter absorvido os princípios de lógica dedutiva da qual fala com tanta apreciação.

— Mas com certeza! — exclamei com veemência, pois imaginei ter detectado uma leve ironia em sua voz. — Veremos se amanhã não poderei lhe apresentar uma explicação lógica para os misteriosos acontecimentos do *Mary Celeste*.

Com isso, fui para meu quarto, levando comigo o livro de referências.

— Veremos — disse Sherlock Holmes, pensativo, enquanto eu saía.

ii

Na manhã seguinte, acordei tarde, depois de uma noite em grande parte insone. Um sol invernal de dezembro brilhava através das janelas dos nossos cômodos em Baker Street. Holmes já estava à mesa do café da manhã. Levantou os olhos quando entrei.

— Um belo dia, Watson — disse ele, alegre. — Fez algum progresso com o problema intelectual que criou para si mesmo?

— Na verdade, fiz — concordei, um tanto frio. — E lhe farei um relato completo da minha solução assim que comer alguma coisa.

Um pouco mais tarde, quando estávamos sentados em nossas poltronas, Holmes me olhou, expectante.

Arrumei meus papéis à minha frente.

— A primeira coisa a fazer — eu disse, confesso que com alguma arrogância — é reunir os fatos relevantes. O *Mary Celeste* zarpou de Nova York para Gênova no dia 7 de novembro de 1872 com uma carga de álcool metilado. Seu comandante era Benjamin S. Briggs, acompanhado pela esposa e filha. Havia uma tripulação de oito homens. Foi avistado pelo bergantim *Dei Gratia* em 5 de dezembro, à deriva e abandonado, a cerca de quatrocentas milhas a leste dos Açores, tendo sido abordado e levado para Gibraltar por um grupo de resgate da tripulação dessa última embarcação. Na subsequente audiência do Tribunal do Vice-Almirantado em Gibraltar, ficou determinado que o navio estava em perfeito estado de navegabilidade, embora apresentasse todos os sinais de ter sido abandonado às pressas. Não havia sinal de violência a bordo.

Holmes se mexeu na poltrona.

— Não foi encontrada uma espada na cabine do capitão? — ele perguntou.

— Foi, mas estava na bainha, e as manchas nela encontradas foram analisadas e declaradas não ser de sangue. Era uma espada italiana, com uma cruz de Savoia no punho, e supôs-se ser uma recordação adquirida pelo capitão Briggs em suas viagens.

— Por favor, continue sua explanação.

— A última entrada no diário de bordo foi a 25 de novembro, registrando a posição do navio a seis milhas ao norte da ilha de Santa Maria, nos Açores. O bote do navio havia desaparecido e todos os sinais indicavam que o veleiro havia sido abandonado às pressas. Não havia indicação do motivo pelo qual isso aconteceu, e nunca se encontrou vestígio algum do bote ou da tripulação.

— Creio me lembrar de que havia algumas marcas estranhas no casco.

— Não sei como explicá-las — admiti. — Dos dois lados da proa havia ranhuras quase simétricas, logo acima da linha d'água. Acredito que possam ter sido causadas pelos rochedos, durante um quase naufrágio nos Açores, mas todos os relatos atestam que as ranhuras pareciam muito regulares, como se tivessem sido produzidas por um único instrumento pontiagudo.

— Qual é, então, a sua solução para o mistério?

Reclinei-me na poltrona.

— Acho que podemos descartar teorias envolvendo uma carnificina da tripulação por piratas, pois o Atlântico já estava livre deles há quase um século. Motins da tripulação ou sua morte pelos marujos do *Dei Gratia* em busca do dinheiro do resgate, que foi a teoria apresentada pela Defensoria do Almirantado em Gibraltar, parecem ainda mais improváveis; em todos esses casos, sinais de luta teriam sido sem dúvida encontrados. Estou preparado para desprezar teorias de monstros do mar erguendo-se das profundezas para engolir a tripulação...

— É mesmo? — perguntou Holmes, dando um sorriso.

Um pouco espicaçado, continuei:

— A única possibilidade restante, então, parece ser a de que o navio tenha sido abandonado voluntariamente devido a algum perigo para os que estavam a bordo, e de que o bote de salvamento, cheio demais, tenha afundado e todos se tenham afogado. Mas o *Mary Celeste* estava em perfeito estado de navegabilidade ao ser encontrado, embora tenha havido uma tempestade e seu cordame e velas estivessem danificados. Não acredito que um comandante experiente, como todos concordam ter sido o capitão Briggs, expusesse todos os que estavam sob sua responsabilidade aos riscos de uma tempestade no Atlântico em um pequeno bote, salvo se sua embarcação estivesse realmente afundando, ou se todos a bordo corressem perigo mortal.

— Você parece ter eliminado sua última possibilidade — observou Holmes.

— Não exatamente — retruquei, triunfante. — O mar não é a única fonte possível de ameaça para os que estão a bordo de um navio. Pode ter surgido um problema que parecesse ao capitão tão ameaçador que ele não viu outra alternativa senão expor sua esposa e filha, e sua tripulação, à fúria das ondas do Atlântico. Na verdade, foi sugerido, em função de alguns danos menores a um dos barris da carga, que se poderia recear uma explosão das emanações alcoólicas e que o capitão pode ter decidido lançar o bote de salvamento e se afastar da embarcação até que tais emanações se dissipassem, e o *Mary Celeste* teria então se afastado, deixando-os entregues à própria sorte.

— Mas essa, percebo, não é a sua solução preferida — observou Holmes.

— Realmente, não — concordei. — As provas de um sério vazamento de álcool metilado são muito frágeis e, de qualquer maneira, não consigo imaginar que homens do mar experientes como o capitão Briggs e sua tripulação não tivessem o cuidado de prender ao navio um cabo de reboque. É verdade que o cabo de reboque poderia ter se rompido, mas nenhum vestígio dele foi encontrado a bordo.

"A verdadeira solução para o mistério me foi sugerida por uma observação feita por você durante o caso de Silver Blaze, o cavalo de corrida desaparecido, salientando que às vezes não é a presença, e sim a ausência de algo que pode ser importante."

Holmes bateu palmas, aprovando.

— Excelente, Watson, excelente! — exclamou. — Vejo que prestou atenção aos meus métodos, mesmo se os relata ao público de forma tão sensacionalista. Acredito que ainda haja esperança para você.

Assim encorajado, continuei:

— Os que foram a bordo da embarcação abandonada descreveram com muitos detalhes o que nela encontraram, mas não há em parte alguma qualquer menção a um animal a bordo. Agora, devem ser muito poucos os navios que não tenham a bordo um ou mais gatos, para acabar com os ratos, e com frequência também um cão, para proteger a embarcação de intrusos, quando atracado...

— Tais animais não podem ter sido levados pela tripulação, no bote?

— O *Mary Celeste* foi abandonado tão às pressas que todos os objetos pessoais foram deixados para trás. Com certeza não houve tempo para que fossem em busca dos animais. Não, Holmes, a explicação para a ausência dos animais é mais sinistra: acredito que essas criaturas tenham sido infestadas com raiva, ou hidrofobia, e que isso tenha a tal ponto aterrorizado a tripulação que, em absoluto pânico, lotou o bote, que veio a naufragar, causando a perda de todos. Com a progressão da doença, os animais raivosos pularam ou caíram no mar, deixando o cargueiro deserto e um mistério que permaneceu insolúvel... até hoje! — acrescentei com alguma satisfação.

— Ótimo, Watson, ótimo! — exclamou Sherlock Holmes com um sorriso amplo. — Você se superou!

— Então concorda comigo que encontrei a solução para este até hoje insolúvel problema? — indaguei.

— Na verdade, não! Mas sua solução é engenhosa, e não de todo desprovida de raciocínio lógico.

Um pouco cabisbaixo, insisti:

— Então como pode afirmar que a minha solução não é plausível?

— Por pelo menos quatro motivos.

— Quatro! — exclamei, magoado. — Vamos, Holmes, não acredito que você tenha encontrado tantas falhas na minha teoria. Vamos ouvi-las!

— Muito bem — concordou Holmes, com suavidade. — *Primus*. Não posso acreditar que uma tripulação de homens fortes, acostumados a enfrentar todos os perigos do mar, entrasse em pânico por causa de animais raivosos e fugisse para enfrentar o perigo maior de uma tempestade no Atlântico, em vez de se reunirem, armados de facões, ganchos e cavilhas para caçar e abater as criaturas. *Secundus*. Tivessem eles realmente decidido fugir, o que pressuporia não apenas covardia, mas também estupidez, pois se teriam exposto ao ataque das criaturas enquanto trabalhavam para lançar o bote de salvamento, eles teriam se apoderado de todas as armas disponíveis, a fim de se defenderem. Mas a espada permaneceu na cabine. *Tertius*. Penso que devemos presumir a presença de diversos animais, até para justificar esse improvável pânico. Mas o *Mary Celeste* não foi encontrado em total desordem, o que teria acontecido se tais criaturas, em seu frenesi final, corressem desabaladas por toda parte, antes de tão convenientemente se jogarem ao mar.

Ele se interrompeu por um segundo, e eu voltei ao ataque:

— Seu quarto motivo, Holmes. Qual é o seu quarto motivo? Os três primeiros só tornaram minha solução improvável, não impossível.

— Você deve achar meu quarto motivo mais convincente. Eu sei que as coisas não se passaram como você conjecturou porque eu estava a bordo do *Mary Celeste* naquela viagem fatídica.

Encarei Sherlock Holmes, descrente.

— Holmes, isso é impossível! — explodi. Você era com certeza jovem demais...

— Eu era jovem — concordou ele. — Mas não jovem demais. Vou contar a você o que realmente aconteceu, mas apenas com a condição de que tudo permaneça em segredo enquanto viverem todos os envolvidos.

— Pode confiar em mim — afirmei com honestidade.

iii
O Lírio de Aosta

Holmes se levantou e encheu o cachimbo com o fumo persa no console da lareira. Voltando à poltrona, acendeu o cachimbo e passou alguns minutos fumando, pensativo. Eu ardia de impaciência para ouvir sua história, mas sabia que não deveria interromper seu devaneio.

Por fim, ele quebrou o silêncio.

— Raras vezes falei com você a respeito da minha juventude, Watson — começou ele. — E é possível que você não saiba que, depois de completar o ensino médio, passei um ano no exterior, antes de ir para Cambridge. Já estava decidido a dedicar minha vida ao estudo da criminologia e acreditava poder me beneficiar de um período de aprendizado em uma organização reconhecida como a melhor agência de detetives do mundo.

— Você quer dizer...

— Exatamente, Watson, a Agência de Detetives Prinkerton. Devo confessar, porém, que fiquei seriamente desapontado; nossos primos americanos demonstraram uma triste deficiência de imaginação, tanto enquanto criminosos quanto como detetives. Mas me adiantei na história.

Meu irmão Mycroft, que mesmo naquela época já tinha conexões por todo o mundo, foi fundamental para me conseguir uma posição júnior na agência, e zarpei para Nova York no começo de 1872.

Alguns meses na agência me convenceram de que eu nada tinha a aprender com eles sobre detecção científica e eu teria voltado para a Inglaterra não estivesse tão fascinado pela energia e vontade de viver dos cidadãos de Nova York. Ainda assim, eu me aproximava de um estado de absoluto tédio quando, uma manhã, um jovem de pele morena entrou no escritório.

Ele parou à porta e me olhou fixo, perplexo.

— Sherlock! — exclamou ele. — É possível que seja você?

Por um segundo eu não o reconheci, porque desde que o vira pela última vez ele adquirira um eriçado bigode negro. Era Luca D'Este, um jovem italiano de sangue nobre que fora meu companheiro dos bancos escolares.

— Luca! — foi minha vez de exclamar, cumprimentando-o calorosamente. — O que pode tê-lo trazido aqui, tão longe do sol mediterrâneo ao qual você sempre jurava voltar para nunca mais deixar?

— É uma questão de honra, da honra da minha família e da honra de uma dama — ele respondeu, sério. — Posso falar com você a sós? Lembro-me de sua mente arguta e de sua antiga energia e acredito ser você o único homem capaz de me ajudar nesta estranha busca.

Levei-o até um escritório reservado, onde, deixando-se cair em uma cadeira, ele se lançou em sua história, impaciente.

— Você deve saber, Sherlock, que sou parente próximo do rei da Itália. Há dois anos, seu filho, Amadeo de Saboia, duque de Aosta, foi escolhido pelo Parlamento Espanhol para ser o rei da Espanha. Viajei para aquele país com meu primo, como parte de sua comitiva. Na mesma comitiva, como uma das damas de companhia de sua rainha, Maria Victoria, havia uma bela jovem de 16 anos que, mesmo nessa tenra idade, devido à sua esplendorosa beleza, era conhecida como o Lírio de Aosta; seu nome é Bianca Bernini.

"Se você acompanhou os acontecimentos da Espanha no último ano, saberá que o governo do rei não tem sido fácil. Ignorado e insultado pela sociedade de Madri, seu reino ameaçado pelos carlistas e republicanos, ele se desencorajou e, abandonando suas altas esperanças de melhorar e modernizar a Espanha por meio de uma monarquia constitucional popular, retirou-se cada vez mais para a companhia dos italianos que constituem a sua corte. Seus olhos pousaram em Bianca; ele ficou obcecado por ela, até que a menina, aterrorizada por seus avanços, virtuosa e leal à sua rainha, fugiu do palácio. Gostaria que ela tivesse confiado em mim — rosnou Luca. — Ela nunca mais foi vista.

— Como, então, você tomou conhecimento de tudo isso? — perguntei.

— Tão logo foi descoberto o seu desaparecimento, o rei me chamou e me confiou o acontecido. Trocamos palavras ásperas...

— Então você está apaixonado pela dama — observei.

Seus olhos escuros faiscaram, atônitos.

— Como soube? — perguntou.

— Ninguém troca palavras ásperas com um rei, mesmo sendo seu primo, por qualquer outra razão — retruquei, com frieza. — Prossiga.

— Ele me implorou, pela honra da família, e devido a uma muito natural preocupação com Bianca, pois sente o mais profundo remorso pelo seu comportamento para com ela, para não poupar esforços para encontrá-la e trazê-la de volta em segurança.

— E como essa busca trouxe você a Nova York?

— Logo descobri, pois Madri é um ninho de espiões e disseminadores de boatos, que Bianca havia sido sequestrada por um grupo de republicanos. Seu plano é mantê-la refém e pedir resgate, ou obrigá-la a tornar pública a conduta do rei, para desacreditar ainda mais, aos olhos dos espanhóis, tanto a pessoa do rei quanto a monarquia. Temendo que eu estivesse em seu rastro, eles a levaram para Vigo e de lá para Nova York, onde um grupo de republicanos emigrados tinham se estabelecido. Fui atrás deles, sem perdê-los de vista, e descobri que ela está sendo mantida, sob intensa vigilância, em um apartamento não muito longe daqui.

— Pois então, você já realizou toda a investigação — comentei. — Tudo o que precisamos fazer é acionar o excelente Departamento de Polícia de Nova York e eles resgatarão a sua bem-amada.

— Isso é impossível — retrucou Luca. — Primeiro, a vida de Bianca não pode correr riscos; aqueles homens estão desesperados e seriam capazes de matá-la caso receassem ser apanhados...

— E, segundo, se a história de sua captura e resgate chegasse aos ouvidos da obstinada imprensa americana, seu primo, o rei, poderia ficar constrangido. Portanto, você imaginou que seria melhor confiar na discrição de uma agência particular de investigação — interpus. — Pois muito bem, recorreremos a subterfúgios.

— Então vai me ajudar pessoalmente? Seria mais discreto se pudéssemos até mesmo deixar a agência fora disso.

— Sem dúvida.

Luca me disse que havia observado o local em que Bianca era mantida prisioneira. O apartamento ficava no segundo andar e sempre havia pelo menos três homens de guarda. Ele os vira entrar e sair, e só com muita dificuldade, pela preocupação com a segurança da dama, conseguiu se controlar para não entrar e confrontar sozinho os rufiões.

Meu plano era simples. Naquela mesma noite fomos até o prédio e tendo, com a ajuda de um pé de cabra, entrado discretamente no saguão, rastejamos pelas escadas até estarmos em frente à porta do apartamento. Vinha lá de dentro um murmúrio de vozes.

Ajoelhei-me e, colocando junto à porta um amontoado de trapos e papéis que levara comigo, ateei fogo a ele. Esperando apenas até ver a fumaça começar a passar por baixo da porta, gritei em tom histérico, com meu melhor sotaque ianque:

— Fogo! O prédio está em chamas! Fogo!

De dentro do apartamento, vieram murmúrios confusos. Luca e eu nos postamos um de cada lado da porta, segurando bastões pesados. A porta se abriu de repente e três homens saíram apressados. O bastão de Luca desceu na cabeça do primeiro e ele desabou no chão sem qualquer ruído. Os outros dois carregavam alguma coisa embrulhada em um lençol, que só poderia ser o corpo drogado da moça. Antes que a pudessem pôr no chão e se defender, estávamos em cima deles e ambos caíram sem sentidos. Parando apenas para nos certificarmos de que se tratava realmente de Bianca, e de que ela respirava, nós a levamos para fora da casa e para dentro de um cabriolé que nos esperava e logo se afastou dali.

Nosso problema seguinte era mandar Bianca e Luca de volta à Europa sem atrair a atenção de seus sequestradores, ou da imprensa. Luca concordou que seria melhor voltarem à Itália e devolver Bianca à sua família; uma volta à Espanha só a exporia a maiores perigos. Deixei então meu amigo, com a ajuda da minha senhoria irlandesa, cuidar de Bianca, que se recuperava rapidamente no meu quarto. Depois, de manhã cedo, me dirigi ao cais. Lá chegando, verifiquei que um navio cargueiro, o bergantim *Mary Celeste*, zarparia para Gênova em dois dias. Rejeitei o pequeno vapor que partiria para Lisboa naquele mesmo dia, pois não desejava que Bianca voltasse à península ibérica, e me parecia que a gangue esperaria que tentássemos escapar de Nova York daquela maneira e estaria preparada para nos interceptar, mas fui a bordo e entreguei ao capitão um embrulho, com instruções para que o entregasse com urgência, assim que chegasse a Lisboa.

Procurei então o capitão do *Mary Celeste*. Encontrei o capitão Briggs em uma hospedaria próxima, com sua esposa e filha. O capitão Winchester, coproprietário do navio, estava com eles. Conclamando todos à mais absoluta discrição, expliquei apenas que uma dama e um cavalheiro, que estavam sendo perseguidos por criminosos, desejavam uma passagem imediata para a Europa, pela qual pagariam generosa soma.

— Ah, Ben — disse a sra. Briggs para o marido —, precisamos ajudar este jovem casal desafortunado. Eu nunca me perdoaria se eles sofressem alguma desventura devida à nossa falha em ampará-los.

Seu marido e o sócio, que pareciam prestes a objetar, deixaram-se convencer por aquele apelo, e a transação foi acordada.

— Diga-me — acrescentou a sra. Briggs. — Por que seus amigos não se reúnem a nós? Estarão mais seguros acompanhados do que sozinhos.

Duvidei daquilo, pois os perseguidores de Bianca estariam com certeza vigiando a região do cais para frustrar qualquer tentativa de fuga. Por fim, concordamos que eu levaria os passageiros até a hospedaria na noite seguinte, depois que escurecesse, para que eles pudessem estar a bordo do navio pouco antes que zarpasse com a maré alta da manhã.

A convite de Briggs, acompanhei-o ao navio, onde conheci a tripulação, tranquilizando-me quanto a serem marujos genuínos e bem conhecidos pelo seu capitão. Em especial, o contramestre Richardson me pareceu um belo exemplo de um honesto e destemido marinheiro americano.

Voltando ao meu apartamento, encontrei Bianca totalmente recuperada do seu calvário. Enquanto ela tentava me agradecer em um inglês bonitinho e cheio de erros, pude observá-la direito pela primeira vez. Sua pele leitosa era impecável e os olhos cinzentos muito claros, como se pode facilmente encontrar no norte da Itália, mas combinavam com os traços mais perfeitos que eu já vira e que nunca mais vi desde então. Cabelos negros, longos e sedosos e um corpo flexível, um pouco acima da altura média, completavam o quadro. Ao se tornar consciente do meu olhar, ela baixou as pálpebras e a cor que lhe cobriu as faces pareceu acrescentar nova dimensão à sua beleza.

Com a ajuda de Luca, ela me descreveu como havia sido capturada ao sair às pressas do palácio e confinada no porão de uma casa em Madri, da qual fora levada a Vigo, onde ela e seus raptores embarcaram para Nova York. Não a maltrataram, pois desejavam obrigá-la a tornar pública uma declaração desacreditando o rei. A corajosa menina recusou-se a fazê-lo, mas a constante intimidação a que foi submetida por causa disso, somada ao prolongado encarceramento e aos frequentes soporíferos que lhe ministraram para impedir que pedisse ajuda, sem dúvida acentuaram a palidez de seus traços.

No final da tarde seguinte, depois que escureceu, um cabriolé nos levou à hospedaria do capitão Briggs. Ao nos aproximarmos, percebi três figuras sinistras à espreita do outro lado da estrada. Era evidente que a casa estava sendo vigiada e meu plano precisava ser alterado. Quando o cabriolé parou, eu disse depressa ao cocheiro para dirigir até os fundos do prédio depois que tivéssemos desembarcado. Entramos na hospedaria e parei para avisar Briggs dos vigias do lado de fora.

— Acho que consigo tomar conta de mim mesmo — retrucou ele, com uma risada.

Não havia tempo para discutir; saímos depressa pelos fundos da casa e pulamos para dentro do cabriolé, que lá estava à espera, na porta de trás; esta, por sorte, não parecia vigiada. Ordenei ao motorista que nos levasse ao *Mary Celeste* e embarcamos no navio. O contramestre, embora surpreso ao nos ver, deu-nos as boas-vindas e instalou Bianca na cabine do comandante que, conforme combinado, a dividiria com a sra. Briggs e a criança.

Expliquei a Richardson o que havia acontecido e que eu receava que o capitão e sua família pudessem estar correndo sérios riscos.

— Vamos à hospedaria e cuidaremos dos rufiões do lado de fora — disse ele. — Darei instruções para que os homens guardem o navio e a dama. E então sairemos.

Luca ficou, espada em punho, diante da porta da cabine, e Richardson e eu nos encaminhamos rapidamente à hospedaria. Não havia sinal dos vigias.

Temendo o pior, entramos na casa. A porta do quarto ocupado pelo capitão e sua família estava entreaberta. Ao entrarmos no quarto, nossos olhos se depararam com uma visão medonha. À luz de um fogo que já se espalhava pelas cortinas, pudemos ver que Briggs e a esposa haviam sido selvagemente esfaqueados até a morte durante o sono. Ao recuarmos horrorizados, a madeira seca da parede de madeira pegou fogo e o quarto se transformou em uma labareda. Viramo-nos para fugir, e então o contramestre avistou a criança, dormindo tranquilamente em um colchão junto à cama de seus pais assassinados.

— Sophia! — exclamou ele, pulando para frente e enfrentando o fogo.

Arrebatando a criança do berço, ele me seguiu para fora da casa incendiada.

Quando chegamos à estrada, todo o prédio já estava envolto em chamas. Nenhum dos outros ocupantes pode ter tido qualquer chance de sobrevivência.

Sérios e pensativos, voltamos ao navio. Embora tenhamos mantido uma atenta vigilância, não conseguimos detectar qualquer sinal de perseguição e, a mim, pareceu provável que os assassinos tivessem sido enganados pela escuridão e acreditado que haviam matado Bianca e Luca na casa, ou que ambos tivessem perecido no incêndio destinado a ocultar o crime.

Uma vez a bordo, nos reunimos em um conselho de guerra. Bianca tomou nos braços a criança desnorteada e chorosa e tentou consolá-la. Richardson, ao ter conhecimento de toda a história, sugeriu que prosseguíssemos viagem como planejado, e eu estava inclinado a concordar, pois qualquer tentativa de relatar os assassinatos e o incêndio criminoso teria como inevitável consequência sermos indefinidamente detidos em Nova York, o que, sem dúvida, exporia Bianca e Luca à publicidade que tanto desejavam evitar.

— Mas o que faremos com a criança? — perguntou Luca.

Bianca ergueu os olhos faiscantes.

— Por minha causa seus pais morreram — disse ela, em tom apaixonado. — Ficarei com ela e lhe darei uma nova vida.

— Faremos isso juntos — disse Luca, segurando-lhe a mão.

Ela o olhou com um sorriso brilhante que disse mais do que poderiam quaisquer palavras.

iv

Sherlock Holmes se interrompeu neste ponto e, reflexivo, deu baforadas em seu cachimbo.

— Se, a esta altura, eu pudesse deduzir alguma coisa, Holmes — comentei, um tanto indiscreto —, sua descrição da moça, Bianca, parece indicar que você estava consideravelmente atraído por ela.

— Você precisa se lembrar de que eu era muito jovem — retrucou Holmes, áspero. — De qualquer forma, a diferença entre nós...

— Você se refere ao fato dela ser da nobreza...

— Não, Watson, ao fato dela ser, e muito, intelectualmente inferior a mim. Mas deixe-me continuar a história.

O *Mary Celeste* zarpou com a maré alta da manhã. As duas semanas seguintes foram serenas, se é que se pode considerar serena qualquer travessia do Atlântico em uma embarcação a vela em pleno inverno. Bianca e a menina Sophia se tornaram grandes amigas e com frequência seu riso alegre ecoava pelo navio. Não havia sinal de perseguição, embora eu não estivesse de todo tranquilo. Parecia provável que nossos perseguidores não permaneceriam iludidos por muito tempo e que encontrariam uma forma de nos seguir, por isso eu passava longas horas no convés, perscrutando o horizonte com a ajuda de um telescópio.

Quando aconteceu, porém, não fui eu a avistá-los primeiro. Ao nos aproximarmos de Santa Maria, que é a ilha mais meridional dos Açores, ouviu-se um grito do outro lado do convés. Era Bianca.

— Um monstro! Um monstro se ergue do mar!

Corri para o lado dela. Uma grande massa cinzenta emergia das ondas... o seu monstro hipotético, Watson. Estava a apenas poucos metros de distância e pude ver que não se tratava de um monstro marinho, e sim de uma construção criada por mãos humanas. Sem qualquer dúvida, tratava-se de uma nave submarina, como as que são hoje construídas por todas as frotas do mundo, mas que naquela época eram, até onde sei, apenas a fantasia de um inventor. Seria amiga ou inimiga? Não fomos deixados muito tempo na incerteza.

Com um som metálico, abriu-se uma escotilha na superfície superior da nave e por ela surgiu um rosto barbudo.

— Es o brigantino *Mary Celeste*? Señor Holmes acompanhado por dois amigos do rei da Espanha? — perguntou ele, cauteloso.

— Quem é você? — gritei.

— Eu sou don Narciso Monturiol e este é meu invento, o submarino, o Ictíneo III. Fui encarregado pelo rei para escoltá-los até onde desejarem ir.

— Como soube que estávamos neste navio? — insisti, ainda um pouco desconfiado.

— O rei recebeu uma mensagem sua, de Lisboa.

Respirei aliviado. Minha mensagem chegara em segurança.

— Agradecemos sua escolta, don Narciso — voltei a gritar.

Monturiol e eu concordamos que meus companheiros e eu deveríamos permanecer a bordo do *Mary Celeste*, pois o submarino seria bastante desconfortável, sobretudo para uma jovem dama e uma criança. Ele patrulharia nosso entorno e se reportaria a nós caso detectasse qualquer embarcação no nosso encalço.

Poucos dias depois de deixarmos para trás os Açores, mais uma vez o submarino veio à tona perto de nós. Àquela altura, as condições climáticas haviam piorado consideravelmente, com ondas altas e péssima visibilidade, mas Monturiol conseguiu fazer-nos compreender que havia um bergantim nos seguindo de perto e que propunha que transferíssemos Bianca e Luca para sua embarcação.

— Se a embarcação realmente conduz nossos inimigos — disse Luca —, então qualquer um a bordo do *Mary Celeste* está condenado, pois, em sua fúria por termos escapado, eles com certeza matarão todos os que nos ajudaram.

— O senhor tem razão — concordou Richardson. — Não poderemos ser todos levados para a embarcação subaquática? Poderíamos então deixá-los perseguir um veleiro vazio, dando-nos mais tempo para continuar a fugir.

Monturiol confirmou haver espaço suficiente no submarino para nós e a tripulação, e começou a tentar encostar sua embarcação na nossa. Devido aos ventos e às altas ondas, isso provou ser extremamente difícil. Por duas vezes o submarino encostou, e em ambas as ocasiões foi arremessado com violência de encontro à proa, arrancando grandes tiras da madeira com suas barbatanas de aço.

Por fim, constatando que qualquer nova tentativa poderia comprometer o submarino, Richardson gritou que a nave se afastasse: baixaríamos o bote salva-vidas e remaríamos até lá. Isso foi feito com grande dificuldade. Mais de uma vez o bote quase foi engolido pelas ondas, mas finalmente chegamos ao submarino. Primeiro a criança e depois Bianca foram puxadas pela escotilha e postas em segurança; depois foi a vez de Luca ser transferido. Quando ele se virou para me dar a mão e me ajudar, uma onda gigantesca atingiu o submarino, fazendo-o bater no barco, que foi esmagado, e engolindo todos os que nele estavam. Recebi um golpe na cabeça e mal tive consciência do ocorrido. Só depois tomei conhecimento de que Luca conseguira não largar meu braço e me havia puxado para dentro em segurança. Examinamos a área por algum tempo, mas não encontramos qualquer vestígio da tripulação. Meu bom amigo Richardson e seus homens deram suas vidas por nós. Então, o vulto do bergantim perseguidor começou a se formar através da névoa, e Monturiol deu ordem de submergir.

— Qual o nome do navio que vocês avistaram? — perguntei ao inventor.

— *Dei Gratia* — respondeu ele.

À medida que nossa viagem avançava, interroguei Monturiol a respeito daquela maravilhosa embarcação, e encontrei-o disposto a explicar sua invenção.

— Trabalhei por mais de uma década — disse ele. — E comecei com um pequeno barco dirigido por pedais; depois, construí um maior, com motor a vapor, mas esse também só conseguia navegar em águas calmas, no porto, e o ministro da Marinha não se interessou. Então trabalhei durante anos neste terceiro submarino, com o qual viajo por dentro do oceano.

— E tem sido muito bem-sucedido! — exclamei.

— Infelizmente, não — respondeu o inventor, triste. — Ictíneo está com sérias infiltrações depois das ondas pesadas e da colisão com o seu navio; está fazendo muita água e será duramente pressionado para nos levar até o litoral espanhol. Mas não se preocupe — prosseguiu ele. — Chegaremos sãos e salvos. Mas Ictíneo nunca mais navegará, e a Marinha mais uma vez desprezará meus esforços. Este será meu último submarino.

— Nunca desanime — retruquei. — Se não o senhor, outra pessoa retomará o seu trabalho e o aperfeiçoará.

— E eu tinha razão, Watson — acrescentou Sherlock Holmes.

Alguns anos depois, um tal Isaac Peral, compatriota de Monturiol, construiu um submarino aperfeiçoado e desde então diversos outros países fizeram o mesmo, e o submarino é hoje parte importante das frotas de todo o mundo.

Monturiol cumpriu o prometido e nos desembarcou em segurança e em segredo em um pequeno porto perto de Cádiz, de onde, com a ajuda das cartas reais que trazia, Monturiol conseguiu que uma veloz fragata da Marinha Espanhola levasse Bianca e Luca a Gênova, enquanto eu me apressava a chegar a Madri para tudo relatar ao rei Amadeo.

— Sou-lhe profundamente grato, sr. Holmes — disse Amadeo. — E fico feliz por ter sido desfeito o mal que fiz. É justo que eu não devesse obter qualquer benefício de tudo aquilo. Dentro de um ou dois meses, abdicarei e voltarei para a Itália. Pelo que me diz, parece que poderei assistir ao casamento do meu primo!

Ainda em Madri, eu soube que o *Mary Celeste* fora levado para Gibraltar pela tripulação do *Dei Gratia*, que obviamente decidiu tentar tirar proveito do caso. Notícias mais inquietantes informavam que o capitão Winchester havia sido chamado a Gibraltar para testemunhar. Eu estava seguro sobre ele pretender manter sua promessa de nada revelar a respeito da nossa transação, mas receei que os advogados pudessem extrair dele mais do que tencionava contar. Viajei de volta ao sul, a Gibraltar, e fui ao tribunal, disfarçado. Mais tarde, revelei-me a Winchester e soube por ele que as mortes do capitão Briggs e da esposa haviam passado despercebidas, uma vez que ele era o único a saber que eles se haviam hospedado no malfadado hotel, e que em Nova York acreditava-se que ele zarpara com o *Mary Celeste*. Embora me tenha garantido que se manteria firme e nada diria, achei melhor falar-lhe que o tribunal pretendia prendê-lo por cumplicidade no assassinato da tripulação do *Mary Celeste*. Ele se assustou e fugiu para a América, não tomando mais parte no caso.

O *Dei Gratia* zarpou para Gênova, para grande desagrado do juiz, ainda enquanto a Corte do Almirantado julgava o caso. Era presumível que os rufiões republicanos, sabendo do destino a que se propunha o *Mary Celeste*, suspeitassem que Bianca e Luca, caso houvessem sobrevivido, seguiriam até aquele porto, e estavam determinados a se vingar de ambos. Seu raciocínio estava correto, quando assim deduziram, mas o atraso em Gibraltar resultou em que Luca e os *carabinieri* genoveses estivessem à sua espera quando chegaram, e os patifes pagaram pelos seus crimes. O navio e sua corrupta tripulação voltaram para Gibraltar, onde a corte, é claro, manifestou sérias dúvidas quanto à *bona fides* da equipe de resgate, mas nada pôde ser provado e o juiz foi obrigado a se contentar com apenas a concessão de um ínfimo prêmio de salvamento.

Ah, sim, Watson, um outro ponto. Havia um gato no navio. Ele também encontrou a salvação... nos braços da srta. Sophia Briggs que, aliás, foi adotada por Bianca e Luca D'Este após seu casamento. Ela é agora a duquesa de ***.

A aventura do canário curioso

BARRY DAY

Famoso por sua carreira de ator e autor de inúmeros livros versando sobre teatro, figuras literárias e celebridades do mundo do entretenimento, Barry Stuart Day foi também um dos propulsores do processo de reconstrução do Shakespeare's Globe Playhouse em Bankside, Londres, uma experiência a respeito da qual ele escreveu *This Wooden "O": Shakespeare's Globe Reborn: Achieving an American's Dream* (1996), que recebeu uma introdução do célebre ator John Gielgud.

Entre seus outros livros, há diversos nos quais sua erudição e perseverança produziram obras como *The Letters of Noël Coward* (2007) e várias encantadoras coleções de citações: *Noël Coward: A Life in Quotes* (1999), *Oscar Wilde: A Life in Quotes* (2000), *P.G. Wodehouse in His Own Words* (2001) e *Sherlock Holmes: In His Own Words and in the Words of Those Who Knew Him* (2003).

Ele é o autor de cinco romances sobre Sherlock Holmes: *Sherlock Holmes and the Shakespeare Globe Murders* (1997), *Sherlock Holmes and the Copycat Murders* (2000), *Sherlock Holmes and the Alice in Wonderland Murders* (2001), *Sherlock Holmes and the Apocalypse Murders* (2001) e *Sherlock Holmes and the Seven Deadly Sins Murders* (2002). "A aventura do canário curioso" foi originalmente publicado em *Murder, My Dear Watson*, editado por Martin H. Greenberg, Jon Lellenberg e Daniel Stashower (Nova York, Carroll & Graf, 2002).

A AVENTURA DO CANÁRIO CURIOSO

Barry Day

— Diga-me, Holmes, você acredita que exista o chamado crime perfeito?

Estávamos sentados em nossos aposentos no 221B, na verdade bastante entediados. Uma indicação da profundidade desse tédio era que o mais famoso detetive particular do mundo estava reduzido a transformar os restos dos jornais matinais em aviõezinhos de papel e a atirá-los na lareira que a sra. Hudson acendera naquela manhã para afastar a primeira friagem outonal. Mais de uma vez, tive razão ao recear que a pontaria um tanto duvidosa do meu amigo resultasse em uma conflagração que seria registrada nos tabloides do dia seguinte: "HOLMES E AMIGO PERECEM EM INCÊNDIO MISTERIOSO — HÁ SUSPEITAS DE CRIME."

Quando eu já quase me esquecera da pergunta — que fora feita mais para preencher o silêncio do que por qualquer outra razão —, Holmes finalmente respondeu.

— Estou inclinado a acreditar, Watson, que os únicos crimes que permanecem insolúveis são os que não chegaram à minha atenção.

Ao olhar na direção dele, vi a pequena curva irônica se formar no canto de sua boca. Era preciso ser rápido para detectar e interpretar aquela expressão. No momento seguinte, seu rosto voltou às linhas classicamente esculpidas, lembrando algo entre um senador romano e um índio americano.

— Suponho que você esteja pensando no estilete de gelo usado como adaga e posteriormente derretido — continuou ele.

— Sim. Ou que tal o caso do apicultor Barchester que pareceu ter sido mortalmente picado até você provar que a esposa lhe tinha ministrado uma injeção fatal antes de arrastar o corpo até perto da colmeia e incitar as abelhas a atacá-lo? Eu diria que essa foi por pouco. Se você não tivesse conseguido provar que o camarada estava morto antes que as abelhas o picassem, ela teria se safado.

— Uma dedução bastante simples para alguém versado nos beijos da agulha — retrucou Holmes, lançando-me um olhar de soslaio à espera de uma reação.

Mas sou um soldado experiente demais para cair em um engodo tão óbvio. Vendo falhar sua estratégia, ele continuou:

— E um insulto a espécies tão sofisticadas. Um dia desses realmente pretendo...

Mas então outro pensamento pareceu lhe ocorrer.

— Mas, meu caro companheiro, confesso-me surpreso por você não ter mencionado o infame Caso Anitnegra... uma história para a qual, como o Rato Gigante de Sumatra, suspeito que o mundo ainda não esteja preparado.

— O Caso Anitnegra? Mas não creio que você jamais...

— Ah, meu caro amigo, que negligência a minha! Perdão. Isso deve ter ocorrido durante uma das suas muitas licenças sabáticas matrimoniais. Declaro, agora que penso a respeito, que este caso chega muito perto da sua definição de crime perfeito.

— Por favor, me conte os detalhes — pedi, alcançando o bloco que nunca estava longe das minhas mãos, a postos para aquelas rememorações em clima de tranquilidade.

— Foi a história um tanto sórdida de um fornecedor de carnes importadas que sentiu inveja do sócio. Uma tarde, no armazém, houve uma apaixonada discussão e o infeliz atacou e matou seu parceiro com uma bisteca congelada, que depois tratou de cozinhar e comer, assim destruindo por completo as provas.

— Mas, Holmes, como ele foi levado à justiça?

— Ah, muito simples — respondeu meu amigo. — O homem literalmente assinou seu crime. Havia no cadáver uma marca lívida na qual se lia "ANITNEGRA".

— ANITNEGRA? Você está dizendo que era esse o nome do assassino?

— Ah, não. ANITNEGRA é simplesmente Argentina escrito de trás para frente. A carne havia sido carimbada em seu país de origem e, por assim dizer, deixou sua marca.

— E isso foi o bastante para condená-lo?

— Não houve necessidade de condená-lo. A carne estava estragada e o assassino morreu por envenenamento alimentar, junto com 33 outras pessoas inocentes. Esse foi um dos meus casos menos notáveis e me fez desistir de carne vermelha por pelo menos uma semana... Ah, meu caro amigo, eu gostaria que você pudesse ver sua cara!

E o miserável afundou na poltrona e se permitiu um paroxismo daquela gargalhada silenciosa que mais de uma vez me fez chegar perto de jogar alguma coisa nele.

Foi nesse exato momento que a campainha da porta fez ecoar aquele insistente apelo às armas que fora o arauto de tantas aventuras que vivemos. Só algum tempo depois me ocorreu que era impossível a marca ter sido lida como ANITNEGRA, porque as letras E, G e R teriam ficado invertidas — mas era então muito tarde para revisar toda a maldita história. Holmes era profissional em escolher os momentos certos e eu era apenas um amador.

Ainda assim, eu estava em pleno planejamento da melhor maneira de lhe retribuir o gracejo quando a sra. Hudson bateu à porta e fez entrar uma mulher magra, elegantemente vestida, de trinta e poucos anos. A meus olhos, mais atraente do que classicamente bonita. E, como Holmes muitas vezes afirma que "o belo sexo é o seu departamento, Watson", considero-me um juiz sensato.

Seu nervosismo era evidente, como costuma acontecer com a maioria dos nossos clientes em sua primeira visita, mas Holmes é perito em, com sua solicitude e voz macia, deixar as mulheres à vontade quando assim deseja, e não demorou muito para que ela estivesse confortavelmente instalada na poltrona do outro lado da lareira. Acomodei-me em meu lugar costumeiro, ao lado e um pouco atrás da poltrona de Holmes, o bloco a postos no colo.

— Por favor não se preocupe em ser breve, minha cara senhorita. Há tempo de sobra antes de sua volta a Lewes.

— Mas como...?

— Uma dedução bastante simples, em sã consciência. A senhorita está segurando com força um jornal enrolado em cujo título são visíveis as letras EWE. A tipografia é a usada pelo *The Lewes Examiner* e, embora tal periódico goze de ampla circulação por sua área de Sussex, só em sua própria cidade está disponível para venda à hora em que a senhorita deve ter pego o trem que a trouxe aqui tão cedo. Assim sendo, a senhorita veio de Lewes.

"Se fosse necessária maior corroboração, ela pode ser encontrada nos números que rabiscou no papel, à guisa de lembrete. Na verdade, 1415 poderia se referir à batalha de Agincourt, mas suspeito tratar-se do guia ferroviário com os horários dos trens... Watson, você se importaria?"

Alcancei a prateleira atrás de mim e passei a Holmes um bem manuseado livro vermelho, que ele folheou com dedos experientes.

— Ah, sim, aqui estamos. 1415, Londres-Brighton, parando em todas as estações, incluindo Lewes. Foi o primeiro trem local que a senhorita imaginou poder ter certeza de pegar depois de concluídos os seus assuntos aqui. E, a propósito, Watson, vejo que aqueles camaradas ociosos ainda estão envolvidos em seus trabalhos rodoviários em frente à Victoria Station. A jovem tem um pouco de areia no sapato.

— Sr. Holmes, tudo o que dizem a seu respeito é verdade: o senhor é um mágico.

E então, depois de se abaixar, um pouco constrangida, para sacudir a embaraçosa areia, ela o olhou com uma expressão que traduzia tanto fascínio quanto apreensão. Era algo a que eu estava bem acostumado.

— O que mais o senhor sabe a meu respeito?

— Além de que faz compras frugais na Gorringe's, é uma excelente costureira, levemente astigmática, tem um gato persa do qual gosta muito e tem chorado nos últimos dias, não sei quase nada. Ah, a não ser que é viúva e espera casar-se de novo em futuro próximo...

O queixo da jovem caiu, literalmente. Ao que Holmes acrescentou:

— Ah, e não parece estar precisando dos serviços de um cirurgião-dentista.

A última observação fez com que ela risse alto e, como Holmes e eu nos juntássemos ao riso, o gelo social foi de todo quebrado.

Holmes se inclinou para frente e eu não tive dúvidas de que havia um brilho diferente naqueles olhos fundos. Meu departamento, com certeza!

— Meus pequenos truques de salão são bastante óbvios, depois de explicados, srta...?

— Lucas. Mary Lucas.

— Como Watson bem sabe, são baseados na observação de ninharias através das quais se pode apreender mais das luvas de uma dama ou do vinco da calça de um homem do que do volume de uma enciclopédia. Veja as suas. São obviamente novas, tanto que, na pressa de chegar aqui hoje pela manhã, a senhorita não se deteve na loja o tempo suficiente para que o vendedor tirasse direito a etiqueta. Só a metade foi removida, deixando as letras GOR... Embora claramente novas, as luvas não parecem caras e, de fato, é bem provável que fossem um item da liquidação anual da loja. Na verdade, creio me lembrar desse estilo bastante marcante em um anúncio na *Chronicle* de hoje. O mesmo pode ser dito dos seus sapatos.

A srta. Lucas olhou para os pés, como se eles tivessem acabado de traí-la, enquanto Holmes continuava:

— Deduzo que seja uma costureira de algum sucesso do fato de que, embora seu vestido siga a última moda, a ligeira desigualdade da costura em alguns lugares me diz que não se trata do trabalho do estilista original. Sendo assim, é provável que seja de sua autoria, também a partir de um modelo da Gorringe's. Seu astigmatismo é óbvio o bastante pelas pequenas marcas de cada lado do seu nariz, que indicam o uso de óculos de leitura. No entanto, eles não seriam considerados adequados para uma visita na qual deseja causar boa impressão à primeira vista. O gato persa? Quando uma dama abraça um animal dessa raça em especial, sobretudo com regularidade, algum item de seu traje conterá provas que mesmo escovadelas constantes nunca eliminarão de todo. A cor dos pelos é bem característica e, sendo os mesmos curtos, isso aponta para um espécime muito pequeno ou, o que é mais provável, para um filhote.

A última observação do meu amigo provocou uma reação um tanto desconcertante em nossa visitante.

— Ah, sr. Holmes, nem consigo imaginar o que eu teria feito sem a Princesa nos últimos dias...

E a srta. Mary Lucas explodiu em lágrimas, o que a fez puxar do punho de seu vestido um lenço de renda um tanto amassado e apertá-lo sobre os olhos. Quando me aproximei para confortá-la da melhor maneira, os olhos de Holmes encontraram os meus, com uma expressão que dizia "Q.E.D.".[13]

Então uma repentina lembrança ocorreu à moça.

— Mas como o senhor soube que sou viúva e...?

— O dedo anular de sua mão esquerda apresenta a inequívoca marca de uma aliança que ali esteve por considerável lapso de tempo. A senhorita a usa agora na mão direita e, sem perceber, a gira de vez em quando. Parece-me uma dedução razoável, então, que não está mais casada com seu primeiro marido, mas que a ideia de um novo casamento não lhe é de modo algum repugnante e, no momento, está muito presente em seus pensamentos. Agora, srta. Lucas, quanto antes nos disser qual é o problema que a trouxe aqui, mais cedo poderemos ajudá-la. Pode falar sem rodeios diante do meu amigo e sócio, dr. Watson. Poucos casos eu teria solucionado sem sua inestimável assistência — e ele, sério, fez um aceno de cabeça na minha direção, o que muito me agradou —, e nenhum deles teria sido adequadamente registrado, não fossem suas boswelianas[14] aptidões para a narrativa.

---

13 Da expressão latina *Quod erat demonstrandum* (Como se queria demonstrar). (N. T.)

14 De James Boswell (1740-1795), advogado escocês, considerado um dos maiores biógrafos do século XVIII. (N. T.)

"Conte-nos sua história com suas próprias palavras e, peço--lhe, não omita detalhe algum, não importa o quanto lhe possa parecer insignificante. São tais detalhes que, invariavelmente, nos indicam o caminho da verdade."

E ele se acomodou na poltrona, os dedos magros entrelaçados diante do rosto e o olhar fixo em algum ponto indeterminado do teto.

— Bem, sr. Holmes, dr. Watson, até algumas semanas atrás, havia muito pouco a contar. Eu vivo, como adivinhou, não longe de Lewes, onde trabalho como governanta para sir Giles Halliford, em Halliford Hall. Meu querido marido morreu inesperadamente há alguns anos, deixando-me em uma situação financeira muito delicada. Alguns amigos da família fizeram a gentileza de me recomendar a sir Giles, cuja antiga governanta estava prestes a se aposentar depois de muitos anos de serviço. Ofereceram-me o emprego e o acordo funcionou para nossa mútua satisfação. Ele é o que se pode chamar de um solteirão inveterado...

— Sujeito sensato — comentou Holmes, e então, não querendo interromper o fluxo da história, desculpou-se e pediu-lhe que continuasse.

—... mas, debaixo de uma aparente capa de aspereza que adota para manter o mundo a distância, ele é o mais bondoso e gentil dos homens. Ao longo dos anos, descobrimos que temos muitos interesses em comum e nos sentimos à vontade na companhia um do outro. Para resumir, sr. Holmes, sir Giles me pediu em casamento... e eu aceitei.

— Mas não é essa questão, imagino.

— Ah, realmente não. Devo acrescentar, senhores, que tudo aconteceu há muito pouco tempo e sir Giles não quer anunciar nosso compromisso até que tenha concluído alguns arranjos familiares.

— Mas achei que a senhorita tivesse dito que sir Giles era um solteirão — não pude deixar de apontar.

— Não há qualquer parente próximo — continuou a srta. Lucas. — Mas há uma pupila, uma jovem chamada Emily Sommersby, não muito mais moça do que eu, que vive com ele. Ela é a filha de velhos amigos dos seus dias na Índia. Quando o casal morreu em um acidente de alpinismo por volta de dois anos atrás, ele acreditou ser seu dever trazer a menina de volta à Inglaterra e lhe dar um lar.

— E como vocês duas se dão?

— No começo, tudo correu muito bem — respondeu a srta. Lucas, enquanto sua mão começou a girar o anel no dedo —, mas ultimamente senti nela uma mudança. Seu comportamento está mais distante e, se posso invocar a intuição feminina…

— Na verdade, gostaria que o fizesse. Muitas vezes tenho dito a Watson que as percepções de uma mulher são com frequência mais valiosas do que a conclusão de um pensador analítico.

— Pois bem, minha percepção é que ela percebeu alguma coisa nas atitudes de seu benfeitor que a levou a suspeitar do que ele pretende…

Olhando para ela, não pude deixar de pensar que uma mulher poderia, com a mesma facilidade, ter detectado aquela informação a partir do sutil, mas revelador, comportamento e tom de voz de uma outra mulher, mas guardei para mim tal reflexão.

Mary Lucas continuou:

— Não posso sequer afirmar com certeza que ela não tenha ouvido a conversa entre mim e sir Giles na outra noite, pois ela entrou na sala quase imediatamente depois. Se isso fosse tudo, porém, eu não estaria aqui hoje tomando o seu tempo. Não, o problema real começou há algumas semanas quando surgiu do nada um jovem alegando ser seu sobrinho, Robert…

— Por que diz "alegando"? — questionou Holmes.

— Sir Giles tinha um irmão mais moço que, disse-me ele, saiu de casa envolto em mistério. Os dois perderam contato e ele não fazia ideia do que havia acontecido com o irmão. Seria preciso uma longa e dispendiosa busca legal para provar a verdade da alegação desse seu "sobrinho". Pesquisa essa que, incidentalmente, ele está prestes a empreender.

— Imagino que ele não tenha recebido o jovem com muito entusiasmo.

— Não, pelo contrário. Sua reação foi quase química. Há alguma coisa em "Robert Halliford", pois só consigo pensar nele usando aspas, que o fez desconfiar à primeira vista. Apesar disso, sentiu-se obrigado a lhe dar hospedagem e alimento até que a situação se esclareça. Quanto a Robert, agiu como se esperasse ver um bezerro gordo sacrificado todos os dias em sua homenagem, o que só piora a situação, é claro.

— Presume-se que o jovem "sr. Halliford" tenha fornecido algum tipo de credencial?

— Não de todo. Alegou que seus bens ainda estavam para chegar. Haviam sofrido um atraso no transporte por mar, disse ele. Mas sem dúvida sabia muito a respeito da família e de sir Giles em especial.

— E o que tinha a dizer de si mesmo?

— Não muito, agora que o senhor menciona o fato. Parecia ter estado em diversos lugares no Extremo-Oriente e, mais recentemente, na Índia, que foi onde descobriu o paradeiro de sir Giles. Perguntei-lhe uma vez qual era sua profissão e ele respondeu alguma coisa a respeito de ter trabalhado um pouco aqui, um pouco ali. Eu não quis insistir.

Holmes balançou a cabeça, pensativo. E, depois de um momento, perguntou:

— A senhorita reparou nas mãos dele?

A srta. Lucas pareceu surpresa e franziu as sobrancelhas, como se tentasse conjurar a imagem do homem em questão.

— Sim, são mãos fortes. Não são mãos de um cavalheiro. Ele ganhou a vida com elas, agora que penso nisso. É estranho, mas isso nunca me ocorreu antes. Mas por quê...?

— Não importa, no momento. Apenas gosto de construir uma imagem mental de alguém antes de conhecê-lo, e o jovem sr. Halliford parece o personagem principal da peça que a senhorita está prestes a nos apresentar, seja ela qual for. Ah, a propósito, como se entenderam ele e a srta. Sommersby?

A srta. Lucas pensou um pouco.

— No começo, tratavam-se com muita formalidade. Srta. Sommersby pra cá, sr. Halliford pra lá. Então pareceram ficar bem amigos, rindo e brincando juntos. — Ela fez uma pausa, como quem recorda alguma coisa. — Houve, no entanto, um pequeno incidente, se bem me lembro...

Holmes inclinou-se para frente.

— Que foi...?

— Um dia, por engano, ela o chamou de "Tommy" e ele reagiu muito mal. Disse que ela deveria o estar confundindo com um de seus amigos ricos dos velhos tempos. Depois mudou de assunto e fez de conta que estava apenas implicando com ela, mas ficou evidente esse outro aspecto de sua personalidade.

— Fale-nos um pouco da vida em Halifford Hall.

Obviamente aliviada por voltar a um terreno familiar, Mary Lucas continuou:

— Levamos uma vida bastante solitária, mas este é um dos aspectos que mais apreciamos, paz e previsibilidade. Sir Giles é o que, imagino, se poderia chamar de uma criatura sistemática. Mesmo que sejam, ou fossem, até pouco tempo atrás, apenas Emily e ele, ele insistia em se vestir para jantar. Então, quando as senhoras, ou, neste caso, a senhora se retira — ela sorriu involuntariamente com o erro gramatical e pude ver claramente a característica feminina que encantara o coração do velho solteirão —, eis que Giles por sua vez se encaminha para a biblioteca, a fim de fumar seus charutos, servir-se do bom vinho do Porto e, tenho absoluta certeza, recordar os velhos tempos. É um hábito que o encorajarei a manter quando estivermos...

Ela se interrompeu um pouco constrangida e subiu-lhe um rubor da gola do vestido. Controlando-se, ela continuou:

— Mais de uma vez ele adormeceu na poltrona junto à lareira e lá o encontrei na manhã seguinte. É algo que nenhum de nós dois comenta e, sinceramente, sr. Holmes, que mal há nisso? Minha única preocupação é que, como Giles é um asmático crônico, a friagem da manhã lhe possa ser prejudicial.

Não pude deixar de perceber que o "sir" havia sido esquecido.

Holmes ergueu uma sobrancelha questionadora.

— E, agora que há outro homem na casa, Robert não se junta a ele após o jantar?

— Nas primeiras duas noites ele assim fez, agora que o senhor menciona o fato. — Ela falou em tom reflexivo, como se tentasse trazer os fatos à lembrança. — Ele comentou a importância das tradições e rituais masculinos e como o oficial superior, foi assim que ele disse, "oficial superior", se referindo a Giles, deveria estar posicionado para comandar o campo de batalha.

— E isso queria dizer?

— Ah, ele insistiu para que a poltrona de Giles fosse movida para perto da lareira, a fim de que ele pudesse observar a sala e se manter aquecido. Parecia se preocupar bastante com o fato de Giles não ficar exposto a correntes de ar.

— Mas parece que as batalhas no salão de fumar não duraram muito tempo.

— Não mais do que um ou dois dias, quando então Giles deixou absolutamente claro que preferia a própria companhia. A Companhia de Um Só Homem, creio que foi como colocou. Para deixar tal decisão ainda mais inequívoca, podia-se ouvir a chave girar na fechadura quando ele entrava na biblioteca.

— Então, o que houve de diferente na noite de ontem?

— No começo... nada. O jantar terminou e todos nos desejamos boa-noite. Fui para o meu quarto, brinquei com Princesa e li um pouco. Emily estava nos aposentos dela. Giles, como sempre, retirou-se para a biblioteca, e Robert... Eu realmente não sei o que Robert fazia à noite. Ele falava vagamente em alguma ideia na qual estava trabalhando e que lhe traria uma fortuna e imagino que estivesse trabalhando nisso em seu quarto.

— Que ficava...?

— Perto do meu, na ala oeste. Devo deixar claro que a casa é muitíssimo grande e a maioria dos quartos, embora parcialmente mobiliados, ficaram desocupados durante anos. Devido à própria natureza de meus deveres, sr. Holmes, sou uma madrugadora e, tendo dormido mal, estava de pé e bem desperta mesmo antes do raiar do dia. Alguma coisa, chame de instinto protetor, se desejar, me levou à biblioteca e foi então que ouvi...

— Ouviu o quê? — perguntei.

— Um som ritmado e intenso, como se alguém estivesse respirando com muita dificuldade. Eu nunca ouvi um som como aquele, a não ser nos velhos foles do ferreiro local. E então... os senhores vão achar que sou louca. Eu não teria dado crédito aos meus ouvidos se Princesa, que me segue por toda parte, também não tivesse escutado. Ela ficou quase descontrolada...

— Ouvido o quê? — insisti.

— Eu ouvi um passarinho cantando.

— Um passarinho?

— É, doutor, eu sei que parece absurdo, mas foi esse o som que ouvi.

— E o que fez, então? — quis saber Holmes, que agora se inclinava para frente como se quisesse arrebatar as palavras dos lábios da moça.

— Receio que meu instinto protetor tenha falado mais alto do que minha discrição profissional. Temi pela vida de Giles e, como carrego um molho de chaves de todos os cômodos, ignorei suas instruções e invadi o santuário. Foi o melhor que fiz, posso afirmar, sr. Holmes. Ele estava caído na poltrona, lutando para respirar, e mal parecia saber onde se encontrava. Foi com muita dificuldade que consegui tirá-lo de lá e levá-lo para o corredor. Por sorte, assim que lá cheguei, encontrei Emily. Ela ouvira barulho e fora ver o que estava acontecendo.

— E o jovem Robert?

— Ah, ele apareceu pouco depois no alto da escada, viu o que estava acontecendo e desceu para nos ajudar a levar Giles para o quarto.

— A senhorita examinou em seguida a biblioteca?

— Com certeza, mas nada estava fora do lugar. A poltrona de Giles continuava onde sempre esteve, junto à lareira, e nada mais parecia ter sido movido. Ah, havia uma coisa um tanto peculiar. Havia no salão um cheiro estranho, que não me lembro de ter sentido antes...

— Consegue descrevê-lo?

— Era doce, penetrante... quase como incenso, sr. Holmes. Mas se desvaneceu tão logo abri as janelas. Sr. Holmes, dou-me conta de que talvez o esteja aborrecendo sem necessidade. Afinal, nada aconteceu, na verdade. Tudo o que posso lhe dizer é que havia alguma coisa insuportavelmente maligna naquele cômodo hoje pela manhã e que temo pela vida de Giles. O que devo fazer?

Holmes parecia estar examinando seus dedos angulosos e dirigiu suas observações mais a mim do que a Mary Lucas.

— O caso, definitivamente, tem alguns pontos de interesse e acredito que a senhorita tem razão ao considerar que há algo muito errado em Halliford Hall. Minha sugestão é que volte para lá de imediato. Procure agir como se nada de anormal houvesse acontecido, sobretudo no que diz respeito a Robert. Deixe que a noite transcorra como sempre. Watson e eu pegaremos o trem do final da tarde e chegaremos à casa quando todos já estiverem recolhidos. Deixe, por gentileza, a porta da frente sem tranca. Montaremos guarda do lado de fora do salão e veremos se conseguimos determinar a origem desses sons e cheiros estranhos. Agora, talvez a senhorita possa nos fazer o favor de desenhar para nós um mapa do andar térreo... E traz consigo uma chave reserva da biblioteca? Excelente.

Alguns minutos mais tarde, ainda ansiosa, mas muito aliviada, Mary Lucas secou os olhos, calçou as luvas — tendo removido a etiqueta denunciadora — e partiu para a estação ferroviária.

— E o que você pensa de tudo isso, Watson? — perguntou meu amigo, recostando-se na poltrona.

— Aposto que é o sobrinho — respondi. — Ele se vê sendo eliminado da herança do velho; mas... como?

— Pois é, pois é, Watson — interrompeu Holmes, impaciente. — O sr. Robert Halliford está evidentemente tentando garantir o que ele pensa ser seu... sempre supondo que ele seja quem diz que é. Mas, como você acertadamente perguntou, como? Neste caso, não se trata de quem... mas de como.

"Hoje à tarde, faremos nossa peregrinação a Lewes. Ah, e ponha no bolso seu revólver de serviço, está bem, Watson? Ele é boa companhia. Sempre considero o sr. Webley[15] um excelente companheiro de viagem. Ele sabe ser bem persuasivo.

Acabamos chegando a Lewes com tempo de sobra e pudemos desfrutar de um belo passeio pela cidade do Condado de Sussex antes de nos dirigirmos ao local combinado. Sempre fui parcial quanto ao ar do campo, mas para Holmes há algo quase sinistro nos grandes espaços abertos. Onde vejo ar e espaço, ele percebe isolamento e privacidade para realizar todo tipo de secretas perversidades.

— Nos lugares mais baixos de uma cidade grande, Watson, há sempre alguém para ouvir um pedido de socorro e talvez até mesmo para tomar providências, mas aqui… Se a srta. Lucas vivesse nesta cidadezinha agitada, eu temeria menos por ela do que em algum mausoléu de tijolos, mesmo a poucos quilômetros de distância.

Quando a noite começou a cair, alugamos um cabriolé e nos dirigimos ao pequeno grupo de prédios que constituía o burgo de Halliford. Como um deles era inevitavelmente o bar do povoado, pudemos nos tornar populares pagando bebidas para os clientes habituais e extraindo deles, com pouca dificuldade, as fofocas locais. A maioria dos fatos do relato da srta. Lucas foi por eles confirmada. O fidalgo, como chamavam sir Giles, era irascível, mas estimado, como declarou um dos "velhos". Do "jovem", não tinham muito a dizer. "Meio metido a superior", foi o veredito geral.

— Será um dia triste para Halliford se aquele lá vier a ser o fidalgo — disse um ancião junto à chaminé.

— Você já percebeu, companheiro, que quase sempre se aprende tanto com os moradores do lugar quanto com os protagonistas de um caso? — perguntou Holmes ao voltarmos à nossa mesa de canto. — Na maioria das vezes, eles não percebem o que sabem.

Dessa maneira, passamos agradavelmente o tempo até que, consultando o relógio, Holmes terminou sua bebida.

— O que me diz de uma visita à biblioteca, Watson?

---

15 Produzido pela empresa Webley&Scott, o revólver Webley, apresentado em vários modelos numerados, foi a arma auxiliar padrão das Forças Armadas do Reino Unido de 1887 a 1963. (N.T.)

Nossa entrada em Halliford Hall transcorreu sem incidentes. A pesada porta da frente se abriu ao ser tocada e, ao atravessarmos o silencioso corredor de mármore, um vulto escuro nos abordou.

— Graças aos céus chegaram, cavalheiros — sussurrou Mary Lucas. — Todos estão em seus quartos, exceto Giles.

E ela nos indicou a porta que sabíamos agora ser da famosa biblioteca.

— Mas houve uma terrível discussão entre Giles e Robert durante o jantar. Era como se Robert já fosse o dono da casa, pelo modo como falou com Giles. Há algo no ar, eu sei que há.

— Meu melhor conselho, srta. Lucas, é que vá agora para a cama. Watson e eu montaremos guarda no salão em frente.

Um instante depois, sua presença fantasmagórica pôde ser vista flutuando pela ampla escadaria central e Holmes e eu ficamos sozinhos em nossa vigília.

Já fomos obrigados, no passado, a ficar acordados durante a madrugada em mais de uma ocasião, o que para mim, a bem da verdade, nunca foi tarefa simples. A imaginação é presa fácil de fantasias ociosas, e cada ruído traz consigo inúmeras possibilidades perturbadoras. Os estalos de uma casa velha podem ser passos de alguém se aproximando com más intenções e, é claro, as premonições da srta. Lucas não me acalmavam muito. Meu único consolo era a tranquilizadora presença dos meus dois velhos amigos, o sr. Holmes e o sr. Webley.

De quando em quando, um de nós dois percorria o corredor na ponta dos pés e escutava à porta. O resultado era sempre o mesmo. Havia o crepitar do fogo na lareira, um som que diminuía à medida que a noite avançava, e uma respiração regular, um tanto congestionada, presumivelmente em decorrência da asma de sir Giles.

E então, por volta das cinco da manhã, quando era a minha vez de ouvir, houve um repentino som *staccato*, como se uma última brasa estivesse se extinguindo. Durou apenas um instante. Mais ou menos meia hora depois começou um chiado. Àquela altura, estávamos ambos à porta.

Era ritmado, mas errático. O som aumentava e de repente parava. Cerca de um minuto depois, recomeçava. Olhei para Holmes e murmurei "Então?", mas ele levou um dedo aos lábios, em sinal de alerta.

Agora o ruído silenciara de todo e tão de repente como começara. Olhamos um para o outro e vi a indecisão escrita no rosto de Holmes. Pouco depois, quando um novo som dentro do cômodo chegou aos nossos ouvidos, aquela dúvida foi substituída por determinação.

Era o som do trinado de um passarinho.

— Vamos, Watson — gritou Holmes —, não há um instante a perder. Eu sou um idiota, já pode ser tarde demais!

A chave já estava em sua mão.

Sem cerimônia, entramos na biblioteca. Antes que eu pudesse perceber qualquer detalhe, alguma coisa brilhante, amarela e em movimento me atraiu o olhar. Voando pela sala, pousando rapidamente aqui e ali e cantando com toda a alma, ali estava um pequeno canário amarelo.

Vendo que não havia qualquer possibilidade imediata de agarrar o camaradinha, voltei minha atenção para Holmes. Ele estava debruçado sobre o vulto de um homem afundado em uma poltrona junto à lareira aberta. Quando se aprumou, seu rosto me contou toda a história.

— Chegamos tarde demais, Watson. Eu me maldigo por isso.

Aproximei-me e examinei o cadáver. Como Holmes previra, não havia mais sinal de pulso. O rosto de sir Giles estava rubro e as pupilas dilatadas. Eu diria que morrera há poucos minutos.

— Parada cardíaca, imagino — sugeri. — Provavelmente provocada pela asma.

— Isso, tenho certeza, é exatamente o que o assassino gostaria que pensássemos, Watson. Na verdade, arrisco-me a dizer que uma autopsia não revelará outra causa. Tecnicamente, sim, ele morreu porque seu coração parou de bater. A questão é: o que provocou a parada?

Àquela altura, ele estava de quatro junto à grade da lareira, naquela posição de cão de caça que eu conhecia tão bem. Ocupava-se em farejar as cinzas ainda quentes.

— Assassinato? Como pode se tratar de um assassinato? Ninguém entrou ou saiu deste cômodo, ou nós teríamos visto. E, como você pode ver, o lugar é tão selado quanto um tambor.

— Certíssimo, meu caro amigo, e era exatamente com isso que o assassino contava. Ah, srta. Lucas! Receio tenhamos falhado em ajudá-la. Aceite minhas humildes desculpas...

Mary Lucas estava de pé à porta. Atrás dela havia uma moça escura e um tanto sem graça, por dedução Emily Sommersby, cujos olhos nem por um instante se desviaram da governanta.

— Eu subestimei grosseiramente a urgência da situação. Confesso não ter levado a sério o suficiente as suas preocupações. Ou melhor, falhei ao avaliar o sentido de urgência motivando a outra parte... ou partes.

Houve uma pausa antes que o significado das palavras de Holmes ficasse claro, e então Mary se agarrou ao batente da porta para se impedir de cair. Corri até ela e, com a ajuda da srta. Sommersby, ajudei-a a se sentar. Pensei ter visto a outra mulher estremecer ao ouvir as últimas palavras de Holmes.

— Diga-me que foi uma morte rápida, sr. Holmes, e que ele não sentiu dor. Ele gostava de brincar que, sendo um velho soldado, não esperava morrer, mas apenas apagar, de preferência em sua poltrona favorita e com um copo de alguma coisa ao lado. Pelo menos isso ele teve. Mas, ai!

E ela deu vazão à sua dor.

Enquanto Mary falava, Holmes continuava a percorrer a sala. Quando chegou às grandes janelas francesas duplas, parou e passou os dedos pela esquadria.

— Venha dar uma olhada nisto, meu velho amigo.

Ao me juntar a ele, pude ver que, presa à esquadria original, havia uma peça adicional de madeira e metal que parecia funcionar como uma vedação extra.

— Ah, sr. Holmes — disse uma Mary Lucas aos prantos, evidentemente aliviada por ter algo que a distraísse —, isso foi ideia de Robert. Giles andou se queixando das "malditas correntes de ar", como ele dizia, e Robert disse "não se preocupe com isso, vou cuidar de tudo". E ele mesmo se encarregou do trabalho, há apenas um ou dois dias. Não creio que um profissional pudesse ter feito melhor.

Enquanto ela falava, um brilho de metal atraiu meu olhar. Algum pequeno objeto havia caído no chão e ficado oculto pelas pesadas cortinas que Holmes abrira em sua inspeção. Inclinei-me e peguei-o.

— Caramba, Holmes! — eu me ouvi exclamar. — Eu não via um desses desde os meus dias no Exército.

Na palma da minha mão havia um pequeno artefato multifuncional semelhante a uma chave de parafuso que apresentava sinais de muito uso. Parcialmente apagada, havia uma gravação que tentei decifrar.

— Propriedade dos Engenheiros Reais de Sua Majestade, é o que acho você vai encontrar, Watson — disse Holmes tão baixo que só eu pude ouvir. — Acredito que encontramos a ocupação anterior do pretenso jovem fidalgo.

— É claro, isso combinaria com a expressão "oficial superior". Velhos hábitos custam a desaparecer. Eu mesmo sei...

— E não lhe parece estranho que em um momento como este o rapaz que se preocupa tanto com seus parentes se faça notar pela ausência?

— Você tem razão, Holmes. Por que eu não vou e...?

Nesse instante, um súbito brilho amarelo nos distraiu mais uma vez. O canário, que tinha estado empoleirado em uma prateleira alta e nos espiava com seus olhinhos redondos, levantara voo e pousara no ombro da srta. Sommersby. Ela, distraída, ergueu a mão e acariciou o animalzinho.

Holmes continuou como se nada tivesse acontecido.

— Com certeza, srta. Lucas, deixando um ambiente absolutamente hermético. Poderia nos fazer a gentileza de vir até a lareira? Watson, talvez você possa ajudá-la.

Obviamente nervosa, ela assim fez.

— Sente algum cheiro estranho?

Ela franziu o nariz e a testa.

— Bem, agora que o senhor menciona, sinto sim, como tenho sentido nos últimos dias. Uma espécie de cheiro doce e enjoativo. Preciso ter uma conversa com o nosso fornecedor de carvão.

— Não creio que seja necessário — disse Holmes, gentil. — A fonte vem de algum lugar bem ao sul de Sussex. Agora, como presumo que seja a senhorita quem limpa e abastece a lareira, o que me diz disto?

E abriu a mão para revelar o resultado de suas buscas na grelha. Havia em sua palma uma pequena pilha do que parecia aveia.

Ela observou aquilo por um instante, depois pegou um pouco entre o indicador e o polegar.

— É estranho. Percebi esta mesma coisa ontem pela manhã e foi a primeira vez que a vi. Diria até que parece comida de passarinho. Mas como um pássaro entraria aqui?

— É o que estamos prestes a descobrir.

Holmes, com cuidado, pousou a pilha de poeira no cinzeiro que havia em uma mesa lateral.

— Você com certeza observou, Watson, que a poltrona de sir Giles está aparafusada com firmeza ao assoalho, junto à lareira. Ele não poderia mudá-la de lugar, acaso desejasse. Nosso incansável engenheiro mais uma vez em ação, imagino. Srta. Lucas, quem ocupa o cômodo imediatamente acima deste?

— Ninguém, no momento. Como eu lhe disse, grande parte da casa está desocupada. Mas, sr. Holmes, o que o senhor acha que aconteceu?

— O pior dos crimes, minha cara. O lugar, invariavelmente, fala por si, e este está alardeando a própria história. Se eu estivesse aqui para ouvi-lo há 24 horas, poderia ter evitado este trágico desenlace. Agora, os acontecimentos de ontem à noite emergem com grande clareza e só algumas peças precisam ainda ser postas no lugar. Mas, como Watson bem sabe, eu me recuso a conjecturar até ter todas as peças em meu poder. As senhoras nos acompanham?

Não nos surpreendeu que o cômodo do andar de cima fosse consideravelmente menor do que a biblioteca, mas sua configuração era sem dúvida similar. Dominando um dos lados havia a extensão em tijolos da chaminé. Bem em frente, um conjunto de janelas verticais. O espaço era completamente desprovido de mobília e era evidente que não se beneficiava com regularidade das atenções domésticas da srta. Lucas, pois havia por toda parte uma visível camada de poeira, exceto na área do assoalho imediatamente em frente ao vão da chaminé e à janela central. Os sinais eram claros até para meus olhos um tanto exaustos.

— Como eu lhes disse, cavalheiros, este cômodo não é usado e, em geral, é mantido trancado — disse a srta. Lucas, surpresa ao olhar em volta. Holmes e eu entramos com ela, embora eu tenha percebido que a srta. Sommersby se demorava à porta.

— E ainda assim a chave girou na fechadura com surpreendente facilidade — observou Holmes, encaminhando-se com determinação para a lareira, em cujos tijolos começou a bater com as unhas. — Ah, como imaginei.

Seus dedos longos empurraram um ponto dos tijolos, expondo a abertura da chaminé. Tirando do bolso interno uma lente, Holmes examinou com muita atenção a extremidade superior dos tijolos expostos, antes de me entregar a lente para que eu conferisse seus achados.

— Creio que você vai encontrar indícios claros de que o tijolo foi arranhado por uma corrente de metal, Watson. Há minúsculas partículas de metal recentemente presas ao velho tijolo, e em vários pontos vemos as marcas dos elos pressionados. E agora...

Ao que — com os movimentos felinos que invariavelmente adotava quando estava prestes a solucionar um caso — ele disparou até a janela.

— E sim, embora as outras janelas estejam firmemente fechadas e empenadas pela idade, esta aqui — e ele demonstrou abrindo-a e fechando-a — foi sem sombra de dúvida usada há bem pouco tempo. E aqui temos mais uma vez os arranhões metálicos... Agora, deixem-me ver, em algum lugar perto da chaminé devemos encontrar...

Sem aviso, ele caiu de quatro e examinou de perto as tábuas do assoalho junto à abertura da chaminé. Então, parecendo ter encontrado o que procurava, deu um grunhido de satisfação, tirou dois envelopes do bolso do paletó onde sempre costumavam estar e, com cuidado, empurrou para dentro deles os montes idênticos de poeira que acumulara.

— O que tem aí, sr. Holmes?

Era a srta. Lucas, perplexa como todos os que pela primeira vez observam Holmes em ação.

— As peças finais do nosso pequeno quebra-cabeças, a não ser que eu muito me engane — respondeu Holmes. — Agora, como acredito que a polícia local irá em breve requisitar a biblioteca, por que não vamos todos à sala de estar matinal? Lá, tentarei explicar a série de acontecimentos.

— Não acha que deveríamos pedir a Robert que se junte a nós? — perguntou a srta. Lucas, olhando em volta como se de repente desse por sua falta. — Não sei onde ele possa estar.

— Acho muito pouco provável que tal convite fosse aceito — respondeu Holmes, consultando o relógio. — Eu diria que o jovem Robert, percebendo que a trama foi descoberta e que em breve um passarinho nos dirá tudo o que precisamos saber, já pegou o trem... deixe-me ver... o trem das 9:45 para a capital. Watson, você poderia apreciar dar um telefonema para o nosso velho amigo inspetor Lestrade e pedir-lhe para ir ao encontro do cavalheiro em questão quando de sua chegada. Estações ferroviárias de grandes cidades podem ser muito impessoais, sobretudo para aqueles que perambulavam debaixo do céu azul e possam estar agora pensando em voltar a fazê-lo. Ora vejam, a srta. Sommersby parece ter desmaiado.

— Era óbvio que Robert Halliford precisava encontrar uma maneira de se livrar de sir Giles que parecesse absolutamente natural.

Holmes estava sentado em uma poltrona estofada com chita colorida — bem diferente de sua surrada equivalente de Baker Street. Mary Lucas e eu estávamos à sua frente, em um sofá, e a srta. Sommersby em outro, apoiada em almofadas. Tínhamos nos mudado para a sala de música, para permitir que a polícia local, por mim chamada, pudesse trabalhar na biblioteca.

— A asma de sir Giles lhe deu a ideia. Isso e o fato de que ele sempre adormecia em sua cadeira convenientemente colocada junto ao fogo. Aliás, por insistência de Robert. Depois disso, como em todas as boas ideias, o resto foi muito simples.

"Primeiro, ele precisava ter certeza de que o cômodo estivesse completamente vedado. Não se tratava de um quarto fechado, no estrito senso do termo. Para seu objetivo, era ainda melhor, era um quarto completamente selado.

"Eu me disporia a apostar uma pequena quantia que vamos descobrir que o jovem Robert, ou "Tommy", ou qualquer que seja o seu verdadeiro nome, foi expulso dos Engenheiros Reais por conduta imprópria, embora duvide que ele fosse um oficial ou um cavalheiro, e deixado por conta de seus próprios e questionáveis meios.

"Temos, portanto, um engenheiro treinado que é também familiarizado com os estranhos e exóticos caminhos do Extremo Oriente, como meu amigo Watson..."

E ele me deu um sorrisinho ambíguo.

— Muitas vezes ele me brindou com histórias sobre como seus amigos mais libertinos eram inclinados a fazer experiências com a inalação de, digamos assim, substâncias um tanto exóticas. Esta poção em particular cruzou o meu caminho durante algumas pesquisas bastante extensas a respeito de perfumes e suas origens. É um derivado extremamente potente de uma espécie de coentro, conhecida por produzir um efeito alucinógeno em algumas pessoas. Seu odor é particularmente característico.

"Acho que podemos dizer que o rapaz trouxe consigo uma porção do mesmo, em pó, para seu uso pessoal. Mas depois lhe ocorreu que, aqui em Halliford Hall, poderia encontrar para ela um uso mais mortal.

"O que pode ser tolerado com moderação por alguém de constituição jovem e forte pode ter um efeito muito diferente quando ministrado em excesso a um homem na condição de sir Giles, sentado e imerso em um sono induzido pelo álcool. Literalmente um alvo imóvel. Sem dúvida, valeria a pena tentar."

— Mas, sr. Holmes, por que eu não fui afetada pelos mesmos eflúvios quando entrei no salão na manhã seguinte? — lamentou-se a srta. Lucas.

— A senhorita testemunhou o que resultou em uma tentativa malograda, minha cara srta. Lucas. Halliford não tinha certeza absoluta de que seu mecanismo seria eficaz e, da primeira vez, não usou quantidade suficiente de pó para obter o efeito desejado. Provou apenas que o cômodo estava lacrado. Nenhum dos eflúvios escapou e, ao entrar, tudo o que a senhorita detectou foi um odor residual fraco, quase como um perfume.

— Mas como ele introduziu o pó quando, como você diz, não havia mais ninguém no cômodo? — indaguei.

— Simples. Ele esperou até que sir Giles estivesse de todo adormecido e o fogo reduzido a cinzas, e despejou então o pó pela chaminé do quarto do andar de cima, usando talvez um tubo de borracha. Há traços do mesmo no referido quarto, que podem ser facilmente analisados. O calor do borralho criaria os eflúvios e sir Giles, estando tão perto, seria o inocente destinatário. Na primeira noite, ele sobreviveu. Na segunda, infelizmente, não.

Holmes continuou:

— O problema principal de Robert Halliford era eliminar as provas, a fumaça mortal. E foi quando seus conhecimentos de engenharia entraram em ação. Para um homem como ele, era brincadeira de criança obter um fole e invertê-lo, a fim de que, em vez de bombear ar, o instrumento o aspirasse. Com a introdução de uma simples mangueira, ele poderia drenar o ar mais pesado e carregado de fumaça até a abertura da chaminé do andar superior.

— E para fora da janela aberta — concluí.

— Exatamente, Watson. Assim, a prova literalmente desapareceria no ar. Encontramos um velho doente morto em sua poltrona favorita em uma sala onde ele sem sombra de dúvida estava sozinho. Quem pensaria em analisar as cinzas do borralho?

— O assassinato perfeito, Holmes? — indaguei, quase ingenuamente, apenas para ser recompensado pelo que só posso descrever como um olhar à moda antiga.

— Mas e quanto ao canário? — A pergunta foi da srta. Lucas.

Todos os olhos se voltaram para o passarinho amarelo, uma vez mais empoleirado no ombro de Emily Sommersby. Ela parecia achar sua presença tranquilizadora, já que o acariciava com ar distraído. Pelos seus olhos, parecia que também poderia ter sido drogada. Desde que a vimos pela primeira vez, não dissera uma só palavra.

— Ah, sim, nosso amiguinho emplumado. O cúmplice involuntário que o decepcionou. Quando a polícia dragar o lago que avistei no final do jardim, o que sugiro com ênfase que seja feito sem demora, encontrará com toda certeza, além do mencionado e não patenteado dispositivo de bombeamento, uma pequena gaiola de passarinhos. Na qual, a não ser que eu esteja muito enganado, por certo haverá uma inscrição com o nome de T. WILSON BERMONDSEY.

— Wilson, o famoso treinador de canários?

— O próprio, meu velho amigo. Lembre-me de lhe contar um dia toda a história de nosso primeiro encontro. Então, o camarada Halliford pensou no tradicional truque dos mineiros de carvão que desciam às minas um canário engaiolado para determinar se o ar debaixo da terra era suficientemente puro para ser respirado. Por que um canário e não qualquer outra espécie, não faço a menor ideia, mas era sempre um canário.

— Tendo comprado alguns, com certeza do desonesto Wilson, ele adaptou a prática aos seus propósitos pessoais. Uma vez que os eflúvios fossem bombeados para fora da biblioteca, ele baixaria pela chaminé o pássaro em sua gaiola e lá deixaria o animalzinho por vários minutos, antes de recuperá-lo. A confirmação da boa saúde do canário seria um indício de que o cômodo estava limpo. Infelizmente para ele, desta vez se esqueceu de fechar direito a porta da gaiola. Aproveitando a oportunidade, seu pássaro literalmente fugiu do ninho e não havia o que Halliford pudesse fazer a respeito. Aliás, havia outro fator que ele não levou em consideração...

— Que era...?

— Os melhores planos não devem incluir canários. Quem quer que já tenha possuído um dirá que eles insistem em derramar sua comida sem qualquer preocupação. Ao abaixar a gaiola, Halliford estava na verdade nos fornecendo provas alternativas.

— Ridículo! Tudo isso é ridículo! Vocês estão criando um conto de fadas!

Emily Sommersby estava sentada muito rígida no sofá, o rosto branco como um pergaminho. Essas foram suas primeiras palavras. O pássaro adejou por um instante em volta da sua cabeça, antes de se reacomodar. Ele nunca a abandonou, desde o momento em que ela chegou à cena do crime.

— Ah, srta. Sommersby, eu estava me perguntando quando você se pronunciaria. — A voz de Holmes tinha um tom monocórdio e definitivo que provocou calafrios mesmo naquela sala ensolarada.

Enquanto todos os olhos se voltavam para ela, ele prosseguiu:

— Contos de fada estão destinados a ter finais felizes. Este, receio, não terá. Parece-me óbvio que o assim chamado Robert Halliford devia ter um cúmplice dentro de Halliford Hall, caso pretendesse levar adiante o seu plano sem grande risco de ser descoberto, e receio que a senhorita seja a única candidata. Acredito que descobriremos que os dois se conheceram na Índia e talvez tivessem... como dizer?... algum tipo de "entendimento", que foi atrapalhado pela morte de seus pais e a perene "falta de fundos" da parte dele.

"Então as circunstâncias, e a generosidade de sir Giles, trouxeram-na de volta à Inglaterra e resolveram seus problemas, ao que tudo indicava. Sir Giles era um homem velho e evidentemente enfermo. Quem mais haveria para herdar seus bens? Mas então a senhorita soube dos planos de casamento e, em vez de ficar feliz por seu benfeitor ter encontrado uma companheira para alegrar seus últimos anos, sentiu-se traída. Assim, quando ouviu do seu antigo amante o relato de seus próprios 'infortúnios', um pequeno plano sórdido começou a tomar forma para destruir uma das pessoas que lhe foram gentis e enganar a outra."

Houve um arfar vindo de Mary Lucas, sentada muito pálida.

— Suspeito ser a senhorita quem na verdade despejava o pó. O pó, minha cara jovem, é um poderoso meio, e o sapato é uma importante demonstração disso. No quarto do andar superior havia pegadas masculinas e também as de uma mulher mais ou menos da sua altura. Como a srta. Lucas já nos havia dito que não tem o costume de visitar aquele cômodo no cumprimento de suas obrigações profissionais, seria apenas uma questão de providenciar a necessária identificação. Talvez a senhorita tenha lido minha monografia *O rastreamento de pegadas*, um trabalho inovador? Ah, vejo que não.

Emily Sommersby afundava cada vez mais no sofá, encolhendo-se tanto quanto podia, e por alguns instantes senti pena dela, até me lembrar do crime arquitetado. Holmes sem dúvida compartilhou dos meus sentimentos, pois sua voz estava mais calma quando continuou:

— Prefiro pensar que a senhorita teve escrúpulos quando a teoria virou realidade, mas seu amante estava decidido. Ele podia sentir que a herança lhe viria, de uma forma ou de outra. Pois, com sir Giles morto, quem gastaria mais tempo e dinheiro em uma busca legal? Ele se tornou a força motriz e a senhorita, forçosamente, foi adiante. Porque, afinal de contas, o jovem Robert lhe prometera casamento, não é mesmo? Teria sido uma união para rivalizar com a dos Bórgia. Quem viria depois, a srta. Lucas? Ou se contentariam em despedi-la sem uma carta de referência?

— Era a senhorita quem cuidava do canário. Quando entrou no salão, o passarinho no mesmo instante a reconheceu e foi até seu ombro, como foi treinado a fazer. Isso, em termos gerais, identificou-a como a assassina. Watson, acredito que a srta. Sommersby tenha desmaiado outra vez. Você faria a gentileza...?

Cerca de uma hora mais tarde, estávamos no trem de volta a Londres. A polícia local levara Emily Sommersby em custódia e nos informara de que Robert Halliford havia sido preso ao sair do trem na Victoria Station. Mary Lucas, o luto competindo com a gratidão, nos agradeceu com tanta dignidade e graça que Holmes exibiu sinais de raro constrangimento.

— Sr. Holmes, vejo agora que algum poder superior deve ter decidido que sir Giles e eu não deveríamos ter direito a uma vida juntos. Talvez, afinal, as diferenças entre nós fossem grandes demais. Tudo o que sei é que sou grata pelos poucos meses felizes que nos foram dados e ainda mais grata ao senhor do que consigo dizer por sua morte não ter ficado impune. Ele era um homem bom e o senhor também é, sr. Sherlock Holmes, e o mundo é um lugar melhor porque o senhor está nele.

Entretanto, enquanto o trem rolava nos trilhos, não pude me impedir de perguntar ao meu amigo como ela sobreviveria.

— Algo que as classes privilegiadas compreendem, Watson, são seus deveres para com o privilégio. Tendo-se comprometido com a dama em questão e estando ciente de sua própria e frágil mortalidade, creio que descobriremos que sir Giles já havia tomado providências no sentido de fazer para ela uma provisão adequada, sem nunca lhe ter dito uma palavra. Não, meu caro amigo, o dinheiro não será a principal preocupação da srta. Lucas.

— E qual será?

— Convencer o gato e o canário a viverem juntos de maneira sensata.

E com isso ele afundou no canto oposto da carruagem e começou a meditar sobre o que considerava seu relativo fracasso. Ofereci-lhe um tostão pelos seus pensamentos.

— Pois valem mesmo isso, velho amigo. Eu estava pensando naquele maldito pássaro.

— O que tem ele?

— Eu deveria ter pedido a ela uma descrição mais detalhada do seu canto. Se eu o tivesse identificado antes como um canário, a vitória seria nossa. Watson, lembre-me de preparar uma pequena monografia a respeito do canto dos pássaros e sua aplicação na solução de crimes. Pode vir a ser inestimável.

E então um pensamento mais agradável lhe veio à mente.

— Devemos chegar à capital bem na hora do almoço. O que você me diria de um rosbife decente no Simpson's-in-the-Strand?

— Depende.

— De quê, ora?

— Depende se a marca ANITNEGRA estiver impressa na carne. E por falar nisso, Holmes, você percebe, não é, que...

A aventura do editor de arte assassinado

FREDERIC DORR STEELE

A bem-sucedida carreira de Frederic Dorr Steele (1873-1944) como artista e ilustrador atingiu seu ápice quando, em 1903, ele foi convidado pela *Collier's Weekly* para ilustrar uma nova série de histórias de Sherlock Holmes, mais tarde reunidas em *The Return of Sherlock Holmes* (1905).

Alto, magro e de nariz adunco, Holmes foi definitivamente desenhado na Inglaterra pelo artista Sidney Paget, cujas ilustrações em *The Strand Magazine* de 1891 a 1927 tornaram Holmes imediatamente identificável para milhões de leitores de Arthur Conan Doyle.

Na América, porém, Steele baseou seus retratos de Holmes no ator americano de teatro William Gillette, que representou Holmes em mais de 1.300 espetáculos, de 1899 a 1932. Embora tenha se tornado um ícone, o cachimbo de cabaça que Gillette inventou para suas dramáticas apresentações e que foi reproduzido em tantas ilustrações do grande detetive criadas por Steele não era de modo algum canônico.

Nascido em Michigan, Steele mudou-se para Nova York a fim de estudar na National Academy of Design e trabalhou no *The Illustrated American* em 1896 e 1897, antes de se tornar um ilustrador autônomo pelo resto da vida, fornecendo peças para as grandes revistas do seu tempo, inclusive, entre outras, *The Century Magazine*, *Scribner's Magazine*, *McClure's*, *Woman's Home Companion* e *The American Magazine*. Ilustrou também livros e jornais. Sua representação de Holmes foi tão admirada que ele, até o fim da vida, forneceu imagens do detetive para vários editores.

Além do presente conto, Steele escreveu dois pastiches/paródias de Sherlock Holmes: "Adventure of the Missing Hatrack", na edição do *The Players Bulletin* de 15 de outubro de 1926, e "Attempted Murder of Malcolm Duncan", na edição de 1º de junho de 1932 do *The Players Bulletin*.

"A aventura do editor de arte assassinado" foi originalmente publicada em *Spoofs*, editado por Richard Butler Glaenzer (Nova York, McBride, 1933).

A AVENTURA DO EDITOR DE ARTE ASSASSINADO

Frederic Dorr Steele

Foi em um dia sombrio e úmido de março de 1933 que Sherlock Holmes entrou pisando forte em nossos aposentos em Baker Street, arrancou a capa de chuva ensopada e afundou em uma poltrona junto à lareira, cabeça baixa, no mais profundo desânimo.

Por fim, desabafou:

— De todos os casos com que precisamos lidar, Watson, nenhum nos afeta mais do que este.

E me atirou um exemplar molhado do *Mail*, com uma missiva americana onde se lia o seguinte:

ARTISTA SUSPEITO DE ASSASSINATO

Nova York, 27 de março. (AP) O corpo parcialmente desmembrado de Elias J. Grootenheimer foi encontrado hoje em uma caixa coberta de lona deixada junto ao meio-fio na rua 10, perto do East River. O rosto havia sido horrivelmente mutilado por golpes de algum instrumento contundente. A identificação foi feita através de uma carta no bolso do casaco do morto, endereçada a ele e assinada por *Frederic Dorr Steele*. A polícia não divulgou o conteúdo da carta em questão, mas insinuou que seu tom é ameaçador. Steele é um artista bem conhecido por suas ilustrações das histórias de Sherlock Holmes e outros contos de mistério, e acredita-se que sua dedicação a tais temas possa lhe ter afetado a mente. Ficou evidente que o motivo do crime não foi roubo, pois foram encontrados intactos em seu bolso 4,80 dólares em espécie e uma valiosa entrada para o Maravilhoso Show Holandês. O último endereço conhecido de Steele é um sótão na East 10th Street. Buscas foram feitas em seus lugares favoritos, até agora infrutíferas.

— Ah, mas isso é inacreditável! Impossível! — exclamei. — O pobre Steele não faria mal a uma mosca.

Ficamos sentados em silêncio por algum tempo, unidos por nossa ansiedade em comum. De tempos em tempos, ao longo de cerca de trinta anos, começando com "A volta de Sherlock Holmes", Steele fizera ilustrações para minhas pequenas narrativas. Embora americano, parecia ser um sujeito decente e irrepreensível que fazia conscienciosamente seu trabalho, e tínhamos aprendido a gostar dele. Sua ingênua simplicidade e os pitorescos termos americanos divertiam Holmes, que apreciava as esquisitices dos seres humanos em todas as esferas da vida.

— Não posso acreditar — continuei. — O que quer dizer tudo isso?

— Quer dizer, meu caro Watson — disse Holmes sem hesitar, tirando do armário seu velho saco de viagem —, que você e eu temos que pegar o *Berengaria* em Southampton amanhã pela manhã.

O tempo estava bom em nossa ida para o oeste. Holmes passou a maior parte do tempo de vigília andando de um lado para outro no convés, entrando de vez em quando na sala de rádio em busca de notícias — que não existiam. Seus nervos, como de hábito, eram como de aço, mas pequenos indícios de exaustão eram claros para mim que o conhecia tão bem. Como por exemplo quando ele, distraído, derramou seu copo de vinho no prato de sopa do capitão, ou quando, no convés de embarque, ele de repente agarrou o pequinês de lady Buxham e jogou-o ao mar por cima da amurada.

— Controle-se, Holmes — aconselhei, calmo. — Você precisa de descanso.

— Não posso descansar, Watson — retrucou ele —, até que tenhamos esclarecido esse horrendo mistério até o fim.

— Você tem uma teoria? — perguntei. — Com certeza não acredita que aquele pobre coitado tenha assassinado um editor a sangue-frio!

— De um jeito ou de outro, tudo é possível — disse Holmes, rispidamente. — Todo mundo sabe que os editores, sobretudo os editores de arte, são em geral patifes e, às vezes, patifes talentosos, o que os torna mais perigosos para a sociedade. É concebível que nosso pobre artista, depois de uma vida inteira lidando com eles, possa ter chegado ao limite de sua paciência. Até um verme... — Ele se interrompeu, mal-humorado, e voltou a andar pelo convés.

Quando chegamos a Nova York e depois que Holmes aturou com mal disfarçada impaciência as formalidades do Comitê Municipal para Convidados Ilustres, nos instalamos num hotel que viajantes ingleses nos haviam indicado. Lá com certeza encontraríamos comida adequadamente preparada. Mas, sem sequer esperar por um arenque e um bule de chá, Holmes desapareceu e não voltei a vê-lo senão três dias depois.

Ao reaparecer, parecia abatido e exausto.

— Estive no sótão do estúdio — declarou ele.

— Você tem alguma pista do paradeiro de Steele? — perguntei.

— Uma pequena. Na verdade, com 16 milímetros de comprimento. — Ele tirou do bolso um pedaço de filme. — Encontrei isto no chão, Watson. O que me diz?

Levantei-o sob a lâmpada.

— Bem, eu vejo a imagem de uma meninazinha e, atrás dela, alguma estrutura estranha que lembra uma ratoeira gigante.

— Essas ratoeiras, Watson, são armadilhas para lagostas, e de um tipo específico do litoral do Maine. Estamos na pista do nosso homem.

Em um dia nublado de maio, nosso barco a motor encostou na madeira coberta de mariscos do cais de uma pequena ilha arborizada, na qual talvez houvesse umas quarenta construções cinzentas e nuas. Holmes não perdeu tempo. Para o pescador de lagostas de pele coriácea que prendera nossa linha de proa, ele disse:

— Senhor, estamos à procura de certo artista, que dizem morar no seu litoral tão pitoresco. O senhor conhece algum artista nesta ilha?

— Bem, a gente conhecia um, mas agora ele num é mais artista não. Agora ele passa o tempo todo correndo.

— Correndo! — exclamei. — É possível que seja o nosso homem, Holmes. Ele tem um temperamento nervoso. Pode ter desenvolvido algum tipo de ansiedade que não o deixa ficar parado.

— Esplêndido, Watson. Sua dedução é sensata, mas baseada em uma pronúncia incorreta.

— Mas eu não sei como... — comecei.

— Você nunca sabe, meu bom Watson — retrucou Holmes com um toque de aspereza.

— Ele vive naquela cabana perto da Enseada — disse o pescador. — Mas se estão pretendendo ir lá, cês precisam tomar cuidado. Ele morde.

— Morde! — repeti, perplexo.

— É. O Sid aqui teve lá ontem, com um monte de lataria, e foi logo enxotado. O homem disse que ia pôr os dente naquilo tudo. Acho que ele num tá muito bom da cabeça.

— Por acaso o nome dele é Steele? — perguntou Holmes.

— Parece que era. Mas ele agora diz que é Seymour Haden.

— Seymour Haden! — exclamei. — Esse é o nome de um grande gravurista, que fazia ilustrações em metal.

— Exatamente — disse Holmes, seco. — Ele também costumava corroer metais.

Receando um possível choque para a mente de nosso amigo, nós nos aproximamos com cautela. Ele estava sentado diante de uma mesa em sua casinha, debruçado sobre uma placa de metal imersa em algum infame ácido azul.

— Você nos reconhece, Steele? — perguntei, timidamente.

Depois de alguns instantes, ele virou a cabeça na nossa direção e vimos um brilho feroz em seus olhos injetados. Seu cabelo e barba desgrenhados e as roupas imundas tornavam sua aparência desagradável e até mesmo repulsiva.

— Não posso me levantar agora. Estou usando mordente nesta placa.

— Outro mistério desvendado — observou Holmes em voz baixa.

— Você não está nos reconhecendo? — insisti. — Viemos de Londres para encontrá-lo.

— Claro que eu reconheço vocês. Com certeza querem que eu ilustre outro crime. Já matei um homem por menos — declarou o artista, veemente.

— Com certeza. Com certeza — disse Holmes, em tom gentil. — Mas nós não estamos atrás de crimes, agora. Nós só queremos ajudá-lo.

— Mas vocês não podem me ajudar — gritou Steele. — Eu sou um homem condenado há trinta anos. Desde que comecei a criar imagens para as suas malditas histórias e esses editores me chamaram de um artista do crime. Não importa que outra coisa eu faça, eles continuam a tentar me alimentar de sangue. Mas eu acertei as contas com eles. Fizeram de mim um criminoso e agora, por tudo o que há de mais sagrado, eu peguei um deles e cometi o crime perfeito. E haverá outros, sr. Holmes, haverá outros!

E, depois desta explosão, voltou a nos dar as costas.

— Vamos, vamos — continuou Holmes, calmo —, não precisamos nos exaltar. Pense um pouco. Foi por isso que você abandonou todos os seus amigos e veio viver aqui... escondido do mundo?

— Foi, sr. Holmes. E foi por isso que esvaziei e limpei este velho poço: vou enchê-lo com o sangue dos editores. Vou precisar de um monte de editores para enchê-lo, mas eu tenho esperanças.

Vimos que era inútil levar adiante aquela conversa e nos levantamos para ir embora.

— Muito bem, então, vão dar uma volta — disse ele. — Peguem a trilha para White Head, bem em frente à Light House Hill. Depois é melhor voltarem aqui. Posso lhes dar um crustáceo e talvez um pedaço de lagostim, se vocês não se importarem muito com as leis.

Atravessamos a ilha até os penhascos e passamos algum tempo olhando para a névoa azul.

— É estranho, não é, Watson, que o crime e a loucura possam se ocultar em um lugar tão tranquilo?... Detesto fazer isto, mas preciso interrogá-lo mais.

— Mas eu me pergunto, Holmes, se isso seria muito correto agora que somos seus convidados... — protestei.

Mas Holmes estava decidido.

Quando, ao pôr do sol, voltamos à casinha, encontramos seu dono tranquilo. Conversamos calmamente sobre sua vida na ilha, onde, afirmou ele, pretendia terminar seus dias. Só um assunto pareceu devolvê-lo à anormalidade, a menção aos editores.

— Há uma grande caverna no alto da encosta — disse ele — que eu já enchi de dinamite. Há uma grande pedra em cima dela e, se algum editor chegar a esta ilha, eu vou soltá-la.

— Mas esses editores — argumentou Holmes, gentil — não são seres humanos?

— Não depois que se tornaram editores — foi a resposta. — Eles são máquinas. Máquinas que compram mercadorias a metro, colocam em escaninhos, rotulam...

— Olhe aqui, meu caro amigo — disse Holmes —, você é feliz aqui, não é? Você não está sedento do sangue de outras pessoas... pescadores, por exemplo.

— Ah, não.

— Pois muito bem, acho que Watson e eu vamos voltar para a Inglaterra e deixá-lo em paz. Você estará a salvo aqui. Ninguém precisa saber.

Duas semanas depois, estávamos de volta aos velhos aposentos em Baker Street. Não houve progresso algum no caso Grootenheimer. A polícia desistira da busca pelo artista desaparecido e achava agora que o editor podia ter sido morto por algum modernista ou qualquer outro demente.

Mas o olho atento de Holmes percebera este curioso anúncio PESSOAL nos classificados do *New York Times*: PROCURA-SE editor de arte como companhia para férias de verão no Maine. Todas as despesas pagas. Deve ser de estirpe puramente americana.

— Pobre alma — comentei, reflexivo. — Sem dúvida sua amargura o enlouqueceu. Mas por algum motivo não estou convencido de que seu crime seja real. Pode ser inteiramente imaginário.

— Pode — disse Holmes.

— Ninguém poderia culpá-lo, é claro.

— Dificilmente.

O escândalo da substituição de Darlington

DAVID STUART DAVIES

Mais conhecido na comunidade sherloquiana por seus muitos escritos ficcionais e não ficcionais relacionados ao grande detetive e a Arthur Conan Doyle, David Stuart Davies (1946-) é também o autor de fama internacional da popular série do investigador Johnny One Eye.

Nascido na Inglaterra, Davies trabalhou como professor de inglês antes de se dedicar exclusivamente à edição, à literatura e ao teatro. Ele é editor da *Red Herrings*, a revista mensal para os membros da Crime Writers' Association, editor de uma revista de crimes ficcionais intitulada *Sherlock*, um dos três componentes do grupo de atores literários Mistery Men e, em suas próprias palavras, um "pau para toda obra".

Embora Davies seja, de modo geral, mais conhecido pela série de histórias de detetive que registra as aventuras de Johnny Hawke, um investigador particular londrino que foi desligado do Exército por razões médicas depois de perder um olho para um fuzil que explodiu seu rosto, ele escreveu também meia dúzia de aventuras de Sherlock Holmes ao longo da década de 1990 e nos primeiros anos da de 2000.

Seu amor por Holmes e Doyle começou cedo; na faculdade, ele tentou escrever sua tese sobre o famoso autor, mas a Universidade recusou seu pedido por considerar o assunto "não suficientemente importante". A paixão de Davies não arrefeceu e ele veio a publicar diversas obras de não ficção sobre o autor e sua mais famosa criação, incluindo *Holmes of the Movies: The Screen Career of Sherlock Holmes* (1976), *Bending the Willow: Jeremy Brett as Sherlock Holmes* (1996), *Starring Sherlock Holmes: A Century of the Master Detective on Screen* (2002, edição atualizada em 2007), *Clued Up on Sherlock* (2004) e *Dancing in the Moonlight: Jeremy Brett — A Celebration* (2006). Em 1999, estreou seu premiado monólogo *Sherlock Holmes*, ainda encenado no Reino Unido, França, Canadá, Estados Unidos, Hong Kong e Malta. Pastiches sherloquianos de Davies incluem *Sherlock Holmes and the Hentzau Affair* (1991), *The Tangled Skein* (1992), *The Scroll of the Dead* (1998) e *The Veiled Detective* (2004).

"O escândalo da substituição de Darlington" foi originalmente publicado em *The Mammoth Book of New Sherlock Holmes Adventures*, editado por Mike Ashley (Londres, Robinson Publishing Company, 1997).

O ESCÂNDALO DA SUBSTITUIÇÃO DE DARLINGTON

David Stuart Davies

Sherlock Holmes e eu uma noite voltamos tarde a nossos aposentos em Baker Street, depois de passar algum tempo no reino de Wagner. Meu amigo ainda cantarolava o chamado da trompa de Siegfried quando entramos pela porta do 221B. Seu recital foi interrompido de modo um tanto abrupto pela aparição da sra. Hudson ao pé da escada. Ela usava um roupão cinzento comprido e parecia bastante nervosa.

— O senhor tem uma visita, sr. Holmes — sussurrou ela em um tom de urgência desesperada. — Ele se recusa a sair enquanto não falar com o senhor. É muito insistente.

— É mesmo? — disse Holmes. — Então é melhor fazermos a vontade do cavalheiro. A senhora volte já para a cama. O amigo Watson e eu cuidaremos disso.

Ela fez que sim com a cabeça, lançou um rápido sorriso na minha direção e desapareceu atrás da porta.

O visitante era um sujeito baixinho e corpulento, por volta dos sessenta anos. Tinha uma testa alta e careca, rosto brilhante e orgulhosos olhos azuis. Quase correu até nós quando entramos na sala de estar.

— Finalmente! — exclamou.

Holmes o cumprimentou com um gentil aceno de cabeça enquanto pendurava seu casaco e cachecol.

— Se Vossa Excelência tivesse tido a cortesia de marcar uma consulta, não teria precisado esperar mais de duas horas para me ver. As pontas de charuto no meu cinzeiro indicam o período de tempo.

— O senhor sabe quem sou?

— É meu trabalho saber quem são as pessoas. Mesmo nesta pouca luz não é difícil reconhecer o ministro real das Relações Exteriores, lorde Hector Darlington. Agora, por favor, sente-se e me fale a respeito do roubo.

Lorde Darlington, boquiaberto, deixou-se cair na poltrona de vime.

— Quem lhe contou?

Holmes deu uma risadinha.

— Um gole de conhaque para todos nós, sim, Watson? — disse ele antes de responder à pergunta de Sua Excelência. — O senhor não estaria aqui sozinho a esta hora da noite se sua vinda se relacionasse a assuntos do governo. Assim sendo, é um problema pessoal que o traz à minha porta. Um problema bastante pessoal, já que a polícia oficial não deve ser envolvida. É do conhecimento de todos que o senhor é um ávido colecionador de quadros inestimáveis e possui uma coleção muito rica. Não é preciso ser Sherlock Holmes para deduzir que o assunto a respeito do qual deseja me consultar concerne a seus quadros ou, com maior probabilidade, um quadro específico. O caso é urgente, portanto mais relacionado com perda do que com danos. Ah, obrigado, Watson. — Ele pegou um dos copos de conhaque da bandeja e deu um gole.

Lorde Darlington sacudiu a grande cabeça, custando a crer.

— Por Júpiter, o senhor tem razão. Se ao menos puder desvendar o mistério com tanta facilidade quanto adivinhou sua natureza, serei seu eterno devedor.

Holmes ergueu um dedo reprovador.

— Eu nunca adivinho. A adivinhação é um passatempo pouco prático. Agora, se o senhor me fizer a gentileza de me familiarizar com os fatos ocorridos, talvez eu possa lançar alguma luz em sua escuridão pessoal. — Assim dizendo, ele se recostou na poltrona e fechou os olhos, o copo de conhaque aninhado nas mãos.

Lorde Darlington limpou a garganta e começou seu relato.

— Como o senhor acertadamente afirmou, minha paixão na vida é a arte e ao longo dos anos eu construí o que eu acredito ser uma coleção invejável, uma das melhores galerias privadas na Europa. Não valorizo minhas telas por seu valor financeiro, os senhores compreendem: é por sua beleza e poder, por sua vívida interpretação da vida.

— Sem dúvida — observou Holmes, seco.

— Há pouco tempo, tornei-me proprietário de uma pintura do século XVII por Louis de Granville, seu quadro "Adoração dos Magos". É uma obra magnífica.

— Louis de Granville... ele não morreu muito jovem? — perguntei.

Sua Excelência me deu um rápido sorriso.

— É verdade. Morreu de tuberculose, aos 27 anos de idade. Existem apenas trinta telas conhecidas pintadas por ele e a "Adoração" é considerada a melhor de todas. Tive muita sorte ao adquirir esse quadro maravilhoso.

— Onde o obteve? — indagou Holmes.

— Por anos, foi considerada uma obra-prima perdida, então reapareceu em uma casa de leilões em Paris, na última primavera. O leilão foi acirrado, mas eu estava decidido a ganhar. Um licitante americano me seguiu até o fim, mas no final eu consegui arrebatá-la.

— E agora ela desapareceu.

A expressão de Lorde Darlington murchou com essa referência à sua perda.

— Eu uso minha galeria como alguns homens usam o fumo ou o álcool. Sentado a sós com meus quadros, consigo relaxar e permitir que as pressões e tensões do dia me abandonem. Hoje, eu deveria fazer uma visita ao meu homólogo no governo francês, mas a viagem foi cancelada no último instante, portanto, em vez de pegar o trem noturno para Paris, fui para casa. Tanto minha esposa quanto meu filho estavam fora, em diversos compromissos sociais, e assim dirigi-me à galeria para algumas horas de paz e tranquilidade. Imaginem meu horror quando, ao puxar a corda para revelar meu amado De Granville, descobri que ele havia desaparecido.

— Com a moldura?

— Sim. Não havia sinais de entrada forçada e nada mais estava fora do lugar. Todos os meus outros quadros lá estavam.

— Qual é o tamanho da tela?

— Cerca de quarenta por sessenta centímetros.

— Quem tem a chave da galeria, além do senhor?

— Ninguém.

— Ninguém? — me ouvi repetindo nosso visitante, surpreso.

— Minha esposa e filho não têm qualquer interesse nos meus quadros e sou grato por isso. A galeria é meu domínio privado.

— Quem limpa o cômodo e o mantém arrumado? — perguntou Holmes, calmamente.

Era evidente que o dilema de lorde Darlington não despertava em sua alma um grande interesse.

— Eu mesmo. É uma tarefa simples. Cuido disso uma vez por semana.

— Quando viu o quadro pela última vez?

— Na noite anterior. Seu encanto ainda é tão recente que eu raramente deixo passar um dia sem gastar algum tempo com ele. Sei que podem achar isso estranho, cavalheiros, mas na verdade eu estava detestando minha viagem à França, sabendo que passaria alguns dias privado das minhas pinturas.

— Por experiência, sei que quando a situação é tão misteriosa e sem pistas aparentes a solução deve ser bastante simples. Não perca seu sono pensando no assunto. Estou certo de que poderemos recuperar seu quadro.

Nosso visitante se animou.

— Espero que sim.

— Watson e eu lhe faremos uma visita amanhã pela manhã para examinar o local do crime e ver se poderemos apurar alguns fatos sugestivos.

— Não iriam agora, cavalheiros?

Holmes bocejou e se espreguiçou.

— É tarde, lorde Darlington. Não há perigo em esperar um novo dia antes de começar nossa investigação. Digamos às dez da manhã? Watson o acompanhará até a saída.

Quando voltei, meu amigo estava de pé junto à lareira, acendendo o cachimbo com uma brasa segura pela pinça de carvão.

— Você tratou nosso novo cliente de um modo um tanto arrogante, Holmes — opinei.

Sua cabeça foi momentaneamente envolta por uma nuvem de fumaça cinzenta. Quando ela se desvaneceu, pude ver que ele sorria.

— Eu me recuso a ser tratado como um cachorrinho de estimação que corre de um lado para outro conforme a vontade do dono. As classes privilegiadas muitas vezes se esquecem de amabilidades como por favor e obrigado. Nesta ocasião, contentei-me em exercer minha prerrogativa de agir quando considerei adequado. — Ele se deixou cair na poltrona. — Além disso, o assunto é simples e tenho certeza de que o esclareceremos nas próximas 24 horas.

Quanto a isso, Sherlock Holmes estava enganado. O desaparecimento do quadro de lorde Darlington revelou-se um caso nada simples.

Na manhã seguinte, como combinado, chegamos à mansão de lorde Darlington em Mayfair poucos minutos depois das dez. Fomos levados à sala de visitas, onde Sua Excelência nos recebeu de modo bastante jovial. Seu comportamento era bem diferente do que o da noite anterior. Apresentou-nos à esposa, Sarah, uma mulher pequena e loura, mais ou menos da idade do marido. Ela parecia nervosa com a nossa presença e logo deu uma desculpa para nos deixar com nossos "negócios".

— Lamento tê-lo incomodado ontem à noite, sr. Holmes — disse Sua Excelência. — E foi um descuido de minha parte não lhe ter telegrafado hoje pela manhã para poupá-lo de uma visita inútil. De qualquer modo, ficarei feliz em lhe pagar qualquer soma que considerar apropriada pelo serviço prestado.

— Sem dúvida. Então, o quadro reapareceu.

— Sim. É maravilhoso. Fui hoje cedo à galeria e quase por hábito abri a cortina. O De Granville estava de volta ao lugar, como se nunca houvesse desaparecido.

— Mas ontem ele havia desaparecido — disse meu amigo, muito sério, não compartilhando do júbilo do nosso cliente.

— Claro, claro, havia desaparecido, mas isso pouco importa agora.

— Permita-me discordar — retrucou Holmes.

— Vossa Excelência tem certeza de que se trata do artigo genuíno? — perguntei.

Lorde Darlington pareceu perplexo por alguns instantes.

— Ora, tenho sim — ele respondeu devagar, vacilando em sua convicção.

— O que meu amigo está sugerindo — esclareceu Holmes — é que é possível que o ladrão que roubou o quadro, sem saber que o senhor soube do desaparecimento, pode muito bem tê-lo substituído por uma excelente cópia. Quando descobriu a perda, o senhor deveria estar na França, não é verdade?

— É, sim, mas...

— Por favor, por favor, lorde Darlington. Houve um roubo. Deve ter havido uma razão para isso. O senhor não pode ignorar o crime só porque o quadro lhe foi devolvido.

Um pouco do brilho se apagou nos olhos do nosso cliente e ele se sentou no sofá.

— Suponho que tenha razão. Embora esteja convencido de que o quadro que neste momento se encontra em minha galeria é o artigo genuíno, vou entrar em contato com meu amigo Hillary Stallybrass, o perito de arte na Royal Academy que examinou originalmente a tela, para que ele confirme minha crença.

— Seria sensato se o senhor...

Holmes foi interrompido pela repentina entrada na sala de um rapaz alto, de cabelos louros ondulados e olhos jovens e ansiosos.

— Pai, eu preciso... — começou ele e, ao nos ver, hesitou.

— Agora não, Rupert. Tenho certeza de que a razão pela qual você deseja me ver pode esperar.

O rapaz hesitou, sem saber se deveria obedecer à ordem do pai ou prosseguir. Seus lábios se apertaram em uma careta petulante e ele girou nos calcanhares, deixando a sala tão depressa quanto havia entrado.

— A impaciência da juventude — observou lorde Darlington, exasperado.

— Eu gostaria de ver sua galeria — disse Holmes, como se a brusca interrupção não tivesse acontecido.

Com alguma relutância, lorde Darlington nos levou ao seu santuário particular. Tratava-se de um salão comprido, cujo teto era repleto de claraboias, nenhuma das quais, fomos informados, podia ser aberta. Das duas longas paredes pendia uma série de cortinas vermelhas cobrindo inúmeros quadros. No centro do cômodo havia uma confortável poltrona giratória e uma mesa sobre a qual via-se um tântalo e uma caixa de charutos decorada.

— Posso ver o De Granville? — pediu Holmes.

Sem responder, Sua Excelência puxou a corda de uma das cortinas para revelar a obra-prima. Sou apenas um leigo apreciador de arte, mas até eu pude ver que aquela era uma peça de grande beleza e maestria.

— É magnífico! — exclamou lorde Darlington, quase acariciando a moldura.

— Sem dúvida — concordou Holmes, examinando de perto a tela com sua lente.

— Diga-me, lorde Darlington, o senhor tem um cachorro?

— Um cachorro? — O queixo de nosso cliente caiu. — Não. Por que pergunta?

Holmes deu de ombros.

— Não importa, no momento.

Lorde Darlington pareceu irritado com a resposta vaga de Holmes e consultou o relógio.

— Senhores, tenho um compromisso importante na Casa às onze e meia.

— Talvez o senhor possa nos deixar nas habilidosas mãos de sua esposa. Eu gostaria de conhecer alguns pormenores relativos aos arranjos domésticos.

— Muito bem, se acha importante.

Fomos deixados no vestíbulo enquanto nosso cliente organizava sua partida e informava a esposa do nosso pedido. Holmes examinou casualmente os cartões de visita na bandeja. Seu rosto ficou tenso de entusiasmo ao ver um deles. Ele abriu um sorriso.

— Águas turvas começam a clarear, meu caro amigo — declarou ele, animado.

Uma vez mais, nos vimos na sala de visitas. Lady Darlington nos oferecia café. Parecia ter perdido o nervosismo e estava composta e inteiramente à vontade, sentada na beirada do sofá, mal tocando em sua xícara.

— A senhora não compartilha do amor de seu marido pelas pinturas, lady Darlington?

— É a paixão dele. Eu jamais igualaria sua devoção à arte. Ele leva uma vida pública difícil e seus quadros lhe proporcionam alívio e descanso.

— A senhora nunca visita a galeria?

— Nunca.

— E seu filho?

— Rupert? — Sua expressão se suavizou à menção do filho e um sorriso amoroso pairou em seus lábios. — Ele tem os interesses de um jovem, e velhas pinturas não se incluem entre eles. Nesse campo, Rupert e eu somos parecidos.

— Ele é sócio do Pandora Club.

Lady Darlington olhou de soslaio para Holmes.

— Ele... pode ser que sim. Não estou a par de todos os hábitos de lazer de meu filho.

— Ou de suas amizades... como lorde Arthur Beacham, por exemplo?

— Lorde Arthur, o que tem ele?

— Sua reputação não é das melhores.

— Talvez não nos círculos que o senhor frequenta, sr. Holmes. O senhor não deve dar ouvido aos mexericos de criadas e jardineiros. Lorde Arthur é um cavalheiro agradável, mas é apenas um entre os muitos amigos de Rupert. Agora, se não tiver mais perguntas...

— Apenas uma, lady Darlington. Quem tem a chave da galeria?

— Há apenas uma e ela nunca sai das mãos do meu marido. Ele a traz pendurada à corrente do relógio.

— Obrigado. Muito obrigado.

Enquanto éramos acompanhados até a saída por um mordomo espigado e decrépito, encontramos à soleira da porta um homem corado e robusto. Ele deu a Holmes um cortês sorriso de reconhecimento e apertou-lhe a mão. Antes de sairmos, Holmes inclinou-se e sussurrou-lhe algumas palavras ao ouvido.

— Vamos voltar a pé para Baker Street — disse meu amigo, veemente. — Estou precisando de ar fresco e exercício.

— Com prazer — concordei, ajustando meu passo ao dele. — Suponho que o cavalheiro de rosto corado fosse Hillary Stallybrass chegando para examinar o De Granville.

— De fato, era o próprio. E eu lhe dei um pequeno conselho que pode beneficiar a ele e com certeza a nós. O tempo dirá se tenho razão.

— O que foi aquilo de lorde Arthur Beacham e o Pandora Club? Suas observações foram um tanto incisivas.

Holmes se iluminou.

— Foram, não é mesmo? Alguém foi bem descuidado ao deixar seu cartão de visitas à vista no vestíbulo. Ao contrário da opinião de lady Darlington, lorde Arthur tem uma reputação bastante duvidosa: ele é um sujeito dissoluto, cujas atividades às vezes beiram os domínios da criminalidade. E a Scotland Yard andou, por algum tempo, de olho no Pandora Club, escritório de operações de Beacham. Ali é o centro de uma série de negócios não muito honestos.

— Que ingenuidade de lady Darlington, considerá-lo uma companhia adequada para o filho.

— Que ingenuidade a sua, Watson, pensar assim.

Ignorei a enigmática observação do meu amigo.

— Você acha que Beacham está envolvido com o desaparecimento do quadro?

— Acho. Não tenho ainda certeza do seu papel e de quem mais esteja envolvido, mas tenho minha teoria, que porei à prova ainda hoje.

Depois de um almoço simples, providenciado pela sra. Hudson, Holmes dedicou-se a algumas experiências químicas malcheirosas, enquanto eu punha em dia a correspondência e redigia algumas observações em casos prontos para serem publicados. Ao cair da noite, ele se retirou para o quarto, emergindo de lá uns 45 minutos depois, disfarçado. Vestia trajes de noite, mas acolchoara seu corpo esbelto de tal modo que parecia bastante gordo. O rosto estava vermelho e um grande bigode enfeitava o lábio superior, enquanto um monóculo brilhava no olho esquerdo. Os toques do disfarce eram sutis, mas ao mesmo tempo transformavam a figura familiar do meu amigo, camarada e inquilino em um personagem completamente diferente.

— Estou pronto para uma noite no Pandora Club — anunciou ele, sua própria voz soando diferente ao vir daquele estranho que estava em nossos aposentos. — Depois de todas as minhas censuras quanto à inadequada e imprudente maneira com que você joga fora sua pensão militar apostando nas patas dos cavalos, tomarei muito cuidado para não perder demais.

— Não precisa dos meus serviços, então?

— Mais tarde, meu garoto, mas hoje à noite preciso agir, ou melhor, observar sozinho.

Nesse momento, Billy chegou com um telegrama. Holmes, animado, abriu-o rasgando o envelope.

— Aha! — exclamou, lendo o conteúdo e me jogando o papel.

Era de Hillary Stallybrass. Dizia: "De Granville é genuíno. Algumas das outras obras não são."

Voltei a ver Holmes no café da manhã do dia seguinte. Ele surgiu, sem disfarces, vestindo um roupão roxo e brilhando de entusiasmo.

— Deduzo deste sorriso — comentei, batendo na casca do meu ovo cozido — que sua excursão ao Pandora Club rendeu bons frutos.

— O processo de dedução é contagioso — retrucou ele, mostrando os dentes ao se juntar a mim à mesa e se servindo de uma xícara de café. — Um dia, preciso escrever uma monografia a respeito da importância, na arte da detecção, de se desenvolver um estudo do crime e dos criminosos internacionais.

— Charadas no café da manhã? Ora vamos, Holmes, diga o que tem em mente.

— O nome Alfredo Fellini lhe diz alguma coisa?

Sacudi a cabeça.

— Pois você está comprovando a minha teoria — respondeu meu amigo, em tom presunçoso. — Acontece que sei ser ele o braço direito de Antonio Carreras, um dos maiores chefes de gangues de Nova York. Chantagem e extorsão são seus métodos e ele tem feito fortuna com eles. Tanto que conseguiu adquirir uma coleção de arte bastante impressionante. Meu amigo Barnes, da Pinkerton, me mantém informado, em seus relatórios regulares.

— Coleção de arte? — Limpei o queixo com o guardanapo e, afastando o ovo meio comido, dediquei a Holmes toda a minha atenção.

— Pois é. E ontem à noite observei Fellini no Pandora Club, onde ele passou boa parte do tempo mergulhado em conversas com certo membro da família Darlington.

— O filho de Sua Excelência, Rupert.

— Exatamente. E a conversa foi animada, para não dizer hostil, algumas vezes. E o tempo todo o ardiloso lorde Arthur Beacham pairou por perto, como uma galinha vigiando a ninhada.

— O que tudo isso significa, Holmes?

— Para usar uma metáfora de pintura, o que no caso é bem apropriado, eu já esbocei os contornos da composição, mas ainda preciso de tempo para preencher os detalhes e trabalhar os efeitos de luz e sombra. É evidente, porém, que Rupert Darlington está implicado em alguma transação duvidosa que envolve o inescrupuloso Beacham e um dos criminosos mais perigosos da América... Uma transação que tem a ver com o roubo da tela de De Granville.

— Mas o quadro foi devolvido intacto.

— Precisou ser. E é esse o problema de Rupert Darlington.

Holmes adorava fazer declarações enigmáticas para avaliar minha reação. E eu há muito tempo já aprendera que, não importando como eu reagisse, ele não compartilharia qualquer informação obtida até que considerasse ter chegado o momento certo. Eu não fazia ideia alguma de qual pudesse ser o problema de Rupert Darlington, mas sabia que se pressionasse meu amigo para que me explicasse a situação, ele de qualquer forma negaria. Assim, tentei levar nossa conversa para uma direção mais positiva, o que apenas resultou em encontrar um novo enigma.

— Qual é o nosso próximo passo? — perguntei.

— Visitar o "homem dos cães" — respondeu ele com um sorriso.

Em menos de uma hora chacoalhávamos em um cabriolé em direção à zona leste da cidade. Eu ouvira Holmes dar ao cocheiro um endereço na Commercial Street, perto da Houndsditch Road, uma parte de Londres suja e desagradável. Ele afundou no assento, o rosto pálido e magro imerso em pensamentos.

— Quem ou o que é o "homem dos cães" e qual é o propósito de nossa visita? Já que você requisitou minha companhia nesta viagem, parece-me sensato que me deixe saber qual é o objetivo — falei, mal-humorado.

— Sem dúvida, meu caro amigo — respondeu meu companheiro com um risinho, dando palmadinhas no meu braço, com ar paternal. — No que eu estou pensando, deixando-o na ignorância? Pois bem, o "homem dos cães" é o apelido que dei a Joshua Jones, cuja casa está repleta desses animais. Seu amor pelos caninos afastou do lar sua esposa e filhos. Ele é pródigo em amor e atenção para com os muitos vira-latas que leva para casa, muito mais do que para com os membros da família. Acontece que ele é dotado de um grande talento artístico.

Holmes se inclinou para mais perto de mim, baixando a voz a um sussurro dramático.

— Ele é um dos maiores artistas copistas de todos os tempos. Só os peritos mais experientes poderiam distinguir a verdadeira Mona Lisa de uma cópia criada por Jones. Eu mesmo já usei o camarada algumas vezes, quando precisei de falsas obras de arte para resolver um caso. Você percebe como ele poderia se encaixar no nosso mistério?

— Não exatamente.

— Suspeitei, ontem pela manhã, que Jones estivesse envolvido no caso. Você talvez se lembre de que, ao examinar o De Granville, perguntei a Darlington se ele tinha um cachorro.

— Sim, me lembro.

— Aquilo foi porque, com minhas lentes, observei vários pelos de cão presos à moldura... pelos de, no mínimo, três raças diferentes. Pareceu-me bem claro que a pintura havia, há pouco tempo, sido colocada em algum lugar onde vários cachorros pudessem ter roçado o quadro. Onde mais isso poderia ter ocorrido senão em casa de Joshua Jones?

— Porque ele estava copiando a tela...

Holmes assentiu.

— Compreendo, mas então por que foi devolvido o verdadeiro quadro, e não a cópia?

— Ah, aí está o X da questão, e eu gostaria de testar minha teoria com meu amigo, o sr. Joshua Jones.

A Commercial Street era de fato desagradável. As casas eram velhas e miseráveis, muitas com as janelas fechadas com tábuas. O cabriolé parou à entrada da rua e Holmes ordenou ao cocheiro que nos esperasse. Com alguma relutância, o homem concordou. Descemos, então, aquela viela deprimente. Um grupo de crianças esfarrapadas e desnutridas jogava bola na rua e corria por toda parte, dando gritos estridentes e roçando em nós os corpos esqueléticos, sem reparar na nossa presença.

— Se esse camarada Jones é um artista tão bem-sucedido — comentei —, por que não mora em uma vizinhança mais salubre?

— Acredito que ele tenha outra casa na cidade, onde residem sua esposa e os dois filhos, mas que ela o tenha proibido de levar para lá qualquer cachorro, então ele parece feliz de passar a maior parte do tempo aqui, com seu bando de sabujos. Ah, aqui estamos.

Tínhamos chegado ao número 23: uma casa tão decrépita quanto as outras, com uma porta azul-marinho e uma aldrava enferrujada. As cortinas estavam fechadas, impedindo a entrada da luz do dia e do mundo exterior. Holmes bateu com força. Quando o som ecoou pela casa, foi saudado por uma cacofonia de gemidos, latidos e uivos, como se uma matilha de cães de caça tivesse sido atiçada.

— Espero que esses cães não sejam perigosos — comentei, um pouco inquieto.

— Assim também espero — concordou Holmes, batendo outra vez com força e desencadeando outra saraivada de gritos caninos. Mesclado aos latidos veio o som de uma voz humana. Momentos depois, a trava girou e a porta, rangendo, foi aberta de alguns centímetros, um olho brilhante e um nariz adunco surgindo na abertura.

— O que vocês querem? — perguntou o homem.

— Uma pequena informação, Joshua, por favor.

— Ora se não é o sr. Holmes — reagiu a voz, agora em um tom mais suave e caloroso. — Me dê um instante para que eu prenda meus garotos. Não quero que nenhum deles saia. Carne de cachorro é valiosa por aqui.

Assim dizendo, ele fechou a porta e o ouvimos pastoreando sua matilha para os fundos da casa.

Depois de algum tempo a porta voltou a se abrir, dessa vez o bastante para revelar seu morador, um indivíduo esquelético com cerca de setenta anos, ou assim me fizeram crer seus cabelos brancos, olhos remelentos e pele fina e ressecada. Vestia um par de calças bufantes, camisa azul sem colarinho e um amorfo casaco de lã verde manchado de tinta.

— Entrem, cavalheiros, entrem.

Só dois cães seguiram o dono quando ele nos guiou por um corredor sombrio, até uma sala igualmente escura. O cheiro dos cachorros tornava o ar sufocante. Em um cômodo contíguo, podiam-se ouvir latidos e uivos acompanhados por ocasionais arranhões frenéticos, conforme algum cão mais frenético tentava escavar uma saída. Jones soltou uma gargalhada gutural ao ouvir os sons do bando trancafiado.

— Os garotos não gostam de ser separados do papai — riu ele, revelando uma fileira irregular de dentes marrons. Com um gesto casual, indicou que deveríamos nos sentar no velho sofá esfarrapado.

— Bem, sr. Holmes, o que posso fazer pelo senhor?

— Preciso de informações.

Uma leve sombra de mal-estar cobriu o rosto de Jones.

— Ah... bem... — disse ele, devagar. — Eu sou reticente nesse departamento, como o senhor bem sabe. Não posso ficar divulgando os segredos dos meus clientes ou logo não terei mais clientes.

— Não tenho qualquer intenção de comprometê-lo, Jones — disse Sherlock Holmes, sem se abalar. — Na verdade, não preciso de informações, apenas da confirmação de minhas deduções, confirmação que me permitirá avançar na solução do meu caso.

Jones franziu a testa.

— O que o senhor está me pedindo é algo que não lhe posso dar. Eu trato todos os que entram pela minha porta, seja homem ou cão, com o mesmo respeito e garantia de discrição.

Holmes não pareceu se preocupar com a intransigência de Jones.

— Alegra-me ouvi-lo — retrucou ele. — Não pretendo pedir-lhe que traia a confiança de quem quer que seja, nem mesmo de alguém de caráter tão vil como lorde Arthur Beacham.

Jones empalideceu à menção daquele nome e seus olhos piscaram sem controle.

— O que quer de mim, então? — ele indagou, a voz já desprovida da segurança anterior.

— Eu gostaria de lhe apresentar uma série de suposições relacionadas à minha atual investigação, que diz respeito ao roubo da tela pintada por De Granville, a "Adoração dos Magos", propriedade de lorde Darlington, obra que suponho você conheça a fundo. Tudo o que lhe peço é uma leve inclinação de cabeça caso acredite que faço a interpretação correta dos fatos e um sacudir de cabeça caso observe que faço suposições errôneas. Não há necessidade de confirmações verbais. Isso me ajudará imensamente, da mesma forma que acredito tê-lo ajudado no passado.

Jones, agora sentado à nossa frente em uma cadeira de vime com um dos cães empoleirado no colo, inclinou-se, beijou a criatura no focinho e acariciou-lhe o pelo.

— Como o senhor sabe, nunca pergunto nada aos meus clientes. Não posso, porém, impedi-lo de exprimir seus pontos de vista na minha presença, sr. Holmes — disse ele, como se suas palavras se dirigissem ao cão.

— De fato — concordou Holmes.

— E posso assentir e sacudir a cabeça quando achar que devo. O que não quer dizer que tais gestos indicarão claramente que eu concordo ou discordo de suas declarações.

— Compreendo perfeitamente. Pois então, meu caro, é do meu conhecimento que você foi recentemente convidado a copiar a "Adoração dos Magos", de Louis de Granville, para determinado cliente.

Jones continuou inclinado sobre o cão, mas assentiu em um gesto praticamente imperceptível.

— Acredito que seu cliente seja lorde Arthur Beacham...

Holmes fez uma pausa, mas Jones não se mexeu.

— E acredito que você tenha copiado muitos quadros para ele, mais ou menos nos últimos seis meses.

Outro leve aceno.

— O trabalho foi realizado ao longo de um dia e uma noite e ambas as telas, original e cópia, foram entregues ao seu cliente. Ele, então, devolveu o falso às instalações do proprietário e vendeu o original a um dos muitos colecionadores inescrupulosos.

— Não tenho noção do que acontece aos quadros depois que saem destes aposentos, sr. Holmes. Não tenho interesse no assunto e consideraria um tanto indiscreto fazer perguntas a respeito.

— Compreendo. Tais perguntas poderiam levá-lo a obter informações que você não gostaria de ter.

Por um instante, um sorriso pairou nos lábios finos do ancião. Ele se acomodou na cadeira, olhou Holmes nos olhos e acenou com a cabeça.

Holmes continuou:

— Presumo que você seja capaz de realizar um trabalho prévio na maioria das cópias, pois suas imagens são facilmente acessíveis em impressões litográficas.

— Está correto. Eu preparo com antecedência o que chamo de esqueleto do meu trabalho. Isso acelera o processo e reduz o tempo da permanência da obra original na minha galeria.

— Mas no caso do De Granville isso não foi possível, não é mesmo? Sendo uma "tela perdida", não havia litografias disponíveis; portanto, foi necessário passar mais tempo com o original.

Outro aceno imperceptível.

— Você é um excelente ouvinte — disse Holmes, entusiasmado, pondo-se de pé e me puxando. — Seus silêncios foram muito eloquentes. Meu caso está quase completo. Eu lhe agradeço.

— Ao expressar sua gratidão, por favor lembre-se de que eu não lhe forneci quaisquer informações, nem confirmei nenhuma das suas declarações.

— É claro. Os atores deste sórdido drama se condenarão sem qualquer envolvimento de fontes externas. Venha, Watson, vamos ver se o cocheiro esperou por nós.

E assim, nesse tom apressado, deixamos a casa do "homem dos cães".

Surpreendeu-me a velocidade com que aquele caso chegou à sua conclusão; por sinal uma conclusão muito sinistra. Eu jamais imaginaria que o que começou como um caso um tanto inconsequente de um quadro desaparecido terminaria em assassinato e com a desgraça de uma família.

O cocheiro havia mantido a palavra e ainda estava à nossa espera na esquina da rua. Uma expressão de alívio, porém, desenhou-se em seus traços rudes ao nos ver de retorno.

— De volta a Baker Street? — perguntou ele quando subimos a bordo.

— Não — respondeu Holmes. — Mayfair.

— É um caso triste, Watson — disse meu amigo, acendendo um cigarro ao se recostar no fundo do cabriolé. — A pessoa que mais sairá prejudicada com a sua conclusão é o único protagonista inocente do drama.

— Lady Darlington?

Ele sacudiu a cabeça.

— O marido. É provável que sua carreira desmorone, se os fatos vierem a público. Lady Darlington está longe de ser inocente.

— Você não pode estar afirmando que ela está envolvida no roubo.

— Pense, Watson, pense. Só havia uma chave da galeria. Ela ficava na corrente de relógio de lorde Darlington. Os únicos momentos em que ele não a teria consigo seriam à noite, quando estivesse dormindo. Então sua esposa, e apenas ela, dormindo no mesmo quarto, teria fácil acesso à chave. Ela é a única pessoa que pode ter permitido a entrada na galeria. Embora as circunstâncias sejam improváveis, a lógica sempre fornece certezas.

Lady Darlington ficou assustada ao nos ver e foi com um certo grau de má vontade que nos convidou a sentar à sala matinal.

— Espero que isso não demore muito, cavalheiros. Tenho uma série de compromissos urgentes hoje.

Mal nos tínhamos sentado quando Holmes deu um profundo suspiro de irritação e se pôs de pé em um pulo.

— Perdoe-me, lady Darlington, meu cérebro está um caos hoje. Acabo de me lembrar de um assunto importante do qual tinha me esquecido por completo. É muito urgente que eu remeta um telegrama a respeito de outro caso que está prestes a ser solucionado. Se a senhora me der licença por um instante, vou providenciar para que o cocheiro do nosso cabriolé entregue a mensagem.

Antes que lady Darlington tivesse a chance de responder, Holmes já saíra correndo da sala.

— Que comportamento extraordinário — observou ela, sentada muito rígida e agarrada à bolsa.

— Estou certo de que meu amigo voltará em breve — retruquei, tão surpreso quanto ela com a súbita partida de Holmes.

— Presumo que o senhor não esteja em condições de me esclarecer qual é o objetivo da visita do sr. Holmes.

— Não de todo — respondi, sem convicção. — Mas tenho certeza de que ele não se demorará mais do que alguns minutos.

Sua Excelência suspirou pesadamente e eu mantive um silêncio constrangido, aguardando o retorno de Holmes. Felizmente, ele cumpriu a palavra e em menos de cinco minutos estava uma vez mais sentado diante da esposa do nosso cliente.

— Agora, sr. Holmes, como o senhor já desperdiçou parte do meu tempo, peço-lhe que seja breve.

— Meu trabalho aqui só tomará pouco tempo, mas pensei que poderia ser melhor consultá-la antes de contar ao seu marido a verdade por trás do desaparecimento e reaparecimento do quadro e do papel representado pela senhora e por seu filho nesse mistério.

Lady Darlington arfou, surpresa.

— Não sei o que o senhor quer dizer com isso.

— Ah, a senhora sabe muito bem — afirmou meu amigo, glacial. — Acabaram-se a farsa e a dissimulação. A senhora não pode continuar a proteger seu filho por mais tempo.

— Sr. Holmes, eu não tolerarei mais as suas tolices. Tenha a bondade de se retirar.

— Eu vou me retirar, sem dúvida, levando comigo a chave.

— A chave?

— Receio ter usado de um pequeno estratagema, agora há pouco. Ao sair da sala, não fui instruir o cocheiro que nos aguarda, como insinuei. Em vez disso, subi as escadas até o quarto do seu filho, onde não precisei de muito tempo para descobrir o esconderijo onde ele ocultou a chave. — Holmes levou a mão ao bolso do colete, como se para recuperar algum objeto pequeno. — A cópia que lhe dá acesso à galeria do seu marido.

O rosto de lady Darlington empalideceu.

— É impossível — protestou ela, agitada, abrindo a bolsinha com um estalo.

— Concordo — disse Holmes, dando um passo à frente e extraindo da bolsa de Sua Excelência uma pequena chave dourada. — Eu lhe contei uma série de mentiras a fim de fazê-la revelar o real esconderijo da chave duplicada. Um simples subterfúgio orquestrado para trazer à luz a verdade.

Diante disso, lady Darlington teve uma crise de nervos e soluçou descontroladamente. Sensibilizei-me com sua óbvia angústia e, impotente, contemplei seu corpo tremendo de desespero, mas Holmes permaneceu impassível e aguardou até que a senhora se controlasse o suficiente para falar com ele.

— O quanto o senhor sabe? — perguntou ela afinal, secando com o lenço os olhos lacrimejantes.

— Sei de tudo. Sei que seu filho contraiu uma série de dívidas importantes jogando no Pandora Club. Em um esforço para ocultá-las do seu marido, a senhora, no início, ajudou a pagá-las; mas quando os valores se tornaram grandes demais para suas posses, a senhora ajudou e incentivou seu filho no estratagema de substituir os quadros da galeria de lorde Darlington por falsificações, enquanto o parceiro de seu filho, lorde Arthur Beacham, vendia os originais.

— A situação, como o senhor a retrata, é mais condenável do que as verdadeiras circunstâncias — declarou lady Darlington, recuperando um pouco de compostura. — Rupert é filho do meu primeiro casamento e nunca foi aceito por Hector, que chegou a negar-lhe as cortesias usuais. Sem dúvida, Rupert nunca recebeu qualquer afeto do padrasto. Suponho que, reagindo a isso, eu tenha sido pródiga em meu amor por ele. Dei-lhe permissões e liberdades que talvez fossem inapropriadas para um jovem teimoso. Faltou-se a orientação e o controle paternos. Quando ele se tornou amigo de lorde Arthur Beacham, fiquei, a princípio, contente. Acreditei que a influência de um homem mais velho lhe poderia ser benéfica. Infelizmente, eu não sabia que grande salafrário era o sujeito. A verdade só veio à tona tarde demais, e Rupert já estava completamente à mercê do seu encanto maléfico. Beacham levou meu filho a atitudes irresponsáveis. Sim, havia dívidas de jogo que, a despeito das minhas súplicas para que Rupert abandonasse as cartas, só faziam se acumular. Eu sabia que, se Hector descobrisse, ele o deserdaria e o expulsaria de casa. O que aconteceria com o menino? Como eu poderia deixar que isso acontecesse?

Lady Darlington se interrompeu por um instante, como se esperasse por uma resposta às suas perguntas, embora evitasse nossos olhares. Holmes continuou em silêncio.

— Quando os valores das dívidas se tornaram grandes demais para que eu as saldasse com a minha mesada, Rupert me apresentou o plano dos quadros. Sugerido por Beacham, é claro. Ele conhecia um pintor habilidoso que poderia copiar as pinturas de modo que só um perito seria capaz de identificar e tinha também contatos que poderiam fornecer ávidos compradores para as telas originais. Beacham, é óbvio, pediu uma grande soma pelos seus "serviços". Para minha eterna vergonha, concordei, acreditando que se trataria de apenas um quadro. Uma noite, enquanto meu marido dormia, tirei a chave da galeria de sua corrente e fiz um molde em cera para que uma cópia pudesse ser produzida.

"A substituição da primeira obra não poderia ter sido mais tranquila. A troca foi levada a cabo quando meu marido viajou por dois dias a serviço do governo. Rupert retirou o quadro no início da tarde e voltou na manhã seguinte com a falsificação. Meu marido jamais suspeitou. A aparente facilidade com que o plano foi levado a cabo fez com que Beacham ficasse mais ousado e mais ganancioso. Levou meu filho a maiores dívidas, para que fosse necessária a substituição de outra tela. E assim isso se tornou um processo regular, mais ou menos a cada dois meses."

— Até o fiasco do De Granville, quando a viagem de seu marido à França foi adiada e ele voltou mais cedo do que o previsto.

— Foi ideia de Beacham levar o De Granville. Ele disse que o montante de dinheiro seria ainda maior do que todos os outros, mas que o copista precisaria de mais tempo, por se tratar de uma tela desconhecida. Como o senhor sabe, meu marido descobriu o desaparecimento do quadro...

Os olhos de lady Darlington voltaram a se encher de lágrimas e ela os secou com o lenço.

— Tanto seu filho quanto Beacham sabiam que seria uma idiotice pendurar a falsificação onde antes havia o original, agora que sua ausência havia sido descoberta. Estavam cientes de que seu marido, como era presumível, chamaria um perito para atestar tratar-se do original.

Lady Darlington assentiu, em silêncio.

— A senhora tem sido uma mulher tola, lady Darlington. Embora possa ter agido com a melhor das intenções para com seu filho, permitiu o desenrolar de uma situação que não poderia deixar de trazer dor e desgraça para os dois homens que a senhora tanto preza.

— Eu lhe imploro que não conte ao meu marido.

— Seu marido é meu cliente. Ele precisa saber. Ademais, não estamos lidando apenas com um desentendimento familiar. Este assunto diz respeito ao roubo de uma série de obras de arte. Dois dos implicados são o filho e a esposa do proprietário, que é um ministro da Coroa. O escândalo é inevitável.

— Agradeço-lhe o fato de a verdade ter sido revelada. Mas desejo contar eu mesma a Hector. É o mínimo que posso fazer para expiar meus pecados. Dê-me um dia, 24 horas, para fazê-lo e também para convencer meu filho a se entregar às autoridades.

Holmes hesitou. Estava um tanto comovido com o sofrimento da mulher.

— Por favor, tenha piedade — implorou ela.

Meu amigo consultou o relógio.

— Estamos nos aproximando das quatro horas. Mandarei um telegrama a lorde Darlington pela manhã, anunciando que irei visitá-lo às quatro da tarde para lhe transmitir as últimas informações.

— Que Deus o abençoe, sr. Holmes.

Com o desenrolar dos acontecimentos, Holmes nunca fez aquela visita. Na manhã seguinte, eu desci atrasado para o café da manhã e encontrei meu amigo afundado em sua poltrona, lendo os jornais. Tinha no rosto uma expressão sombria.

— Prazeres violentos têm desfechos violentos — disse ele, mais para si mesmo do que para mim.

— Más notícias?

Ele encolheu os ombros.

— O destino entrou em ação e fomos efetivamente dispensados, velho amigo — foi a resposta, acenando com o papel na minha direção. — Refiro-me a uma notícia aqui impressa. "Dois corpos foram atirados pelas águas no cascalho abaixo da ponte da Torre de Londres. Estavam amarrados e amordaçados e seus miolos haviam sido estourados. Foram identificados como lorde Arthur Beacham e Rupert Darlington, filho do ministro das Relações Exteriores, lorde Hector Darlington".

— Pelos céus! Que tragédia! O que aconteceu?

— Sem dúvida, trabalho de Alfredo Fellini e seus comparsas. É óbvio que Beacham, em sua frustração quanto à tela de De Granville, tentou, tolamente, fazer passar a falsificação por original para o americano. Sua tramoia recebeu a habitual justiça dos tribunais de gangues. Rupert Darlington foi visto como parte da conspiração... o que pode muito bem ser verdade. Ah, Watson, Scott tinha razão: "Que emaranhada teia tecemos quando nos pomos a mentir".[16]

---

16 Verso do poema "Marmion: A Tale of Flodden Field", de sir Walter Scott. (N.T.)

O problema das nódoas roxas

JAMES C. IRALDI

James C. Iraldi (1907-1989) será sempre lembrado como o sherloquiano cuja biblioteca particular serviu como uma das bases para a maior e mais diversificada coleção mundial de materiais relacionados a Sherlock Holmes. Em 1974, Iraldi vendeu à Universidade de Minnesota sua coleção de primeiras edições da Sherlockiana, incluindo cerca de 160 primeiras edições do cânone, bem como memorabilia, fotografias, recortes de jornais e revistas, entre outros. Aos primeiros e fundamentais volumes de Iraldi se somariam mais tarde contribuições de diversos outros colecionadores, permitindo que o acervo da Universidade de Minnesota passasse de menos de duzentas e mais de sessenta mil peças referentes a Holmes e a Doyle.

Embora nascido na Inglaterra, Iraldi passou a maior parte de sua vida em Nova Jersey e foi membro proeminente dos Baker Street Irregulars, no qual sua investidura, concedida em 1952, foi a de "O soldado pálido".

Iraldi era também colecionador de obras de Júlio Verne e contribuiu, com alguns outros colaboradores, em uma obra de referência sobre o trabalho do famoso escritor, *The Jules Verne Encyclopedia*, publicada em 1996.

"O problema das nódoas roxas" é um caso não contado anteriormente, insinuado por Watson em "The Adventure of the Missing Three-Quarter", na qual Holmes diz "e lá estava Henry Staunton, que ajudei a enforcar". Foi originalmente publicado como panfleto (Culver City, Califórnia, Luther Norris, 1968).

O PROBLEMA DAS NÓDOAS ROXAS

James C. Iraldi

Chegávamos ao final de novembro de 1890 quando recebi um bilhete de Sherlock Holmes, escrito em seu habitual estilo lacônico.

"Interessante problema nas mãos. Espero-o antes do meio-dia. S.H."

Desnecessário dizer que dei uma folga a meus pacientes e, ansioso, compareci ao encontro marcado. O dia estava chuvoso quando me dirigi, depois de apressados arranjos em casa, ao endereço familiar que havia sido o ponto de partida de tantas das aventuras que eram costumeiras na vida do meu amigo. Nem mesmo uma perna dolorida, protestando contra a umidade do clima, conseguiu refrear meu entusiasmo quando chamei um cabriolé, preparado para de alguma maneira auxiliá-lo, na medida em que permitissem minhas limitações naturais e meus métodos lentos.

Encontrei Sherlock Holmes sentado junto à lareira, o cachimbo aceso e uma pilha de jornais velhos amassados no chão a seu lado.

— Ah, entre, Watson, entre! — ele exclamou, animado. — Traga a poltrona de vime para perto do fogo e tire de suas pernas o frio sazonal!

Ao mesmo tempo, seus olhos penetrantes e sempre alertas me esquadrinhavam naquela sua característica maneira introspectiva que me era bem familiar.

— Vejo que a sra. Watson está indisposta. Nada sério, espero.

— Não. Um leve resfriado. Aconselhei-a que repousasse por alguns dias — respondi ao me acomodar na poltrona que ele indicara com o cachimbo. Encarei-o. — Posso perguntar como soube? Você não tem interrogado minha criada, não é?

— Não, não, meu caro Watson — respondeu ele com uma saudável gargalhada que trouxe linhas mais suaves a seus traços sérios e aduncos. — Nunca! Foi uma dedução simples, baseada na mancha de farinha na parte inferior de sua manga esquerda.

Levantei o braço. Era como ele havia dito. Uma fina camada de pó branco ainda aderia ao tecido, apesar do atrito da minha capa de chuva.

— Sua explicação é igualmente obscura — retruquei um pouco irritado, enquanto tentava removê-la. — Não tenho dúvidas de que a conexão entre isto e o mal-estar da minha esposa seja autoexplicativa para uma mente analítica. Como não possuo tal dom e meu raciocínio lógico é um tanto lento...

— Lento não, Watson — interrompeu ele depressa e bastante sério —, apenas pouco desenvolvido no que se refere à dedução entre causa e efeito. Eu já tive ocasião de dizer que você possui faculdades mentais que, embora não fulgurantes, servem para iluminar as qualidades de mentes mais aguçadas. Um dom de modo algum usual, e pelo qual tenho alto grau de consideração, eu lhe garanto.

Sacudi a cabeça, descrente.

— Eu ainda não consigo...

— Você ainda não consegue encontrar o elo entre sua manga e sua esposa? Mas a inferência é clara. Você com certeza teve uma boa razão para ir à cozinha hoje pela manhã, não teve?

Assenti.

— É verdade. Mas como...?

— É improvável que você tenha se sujado de farinha no seu consultório — disse ele, erguendo o braço em um gesto impaciente. — Por que um clínico-geral inglês adentra os domínios da culinária? Para falar com a cozinheira; para dar instruções para a refeição desta noite... ou, ainda melhor, para sugerir uma refeição adequada para alguém doente. Por que sua esposa não realizou esta típica tarefa doméstica? Porque é ela quem está acamada. Vou me aventurar mais um pouco e acrescentar que é muito provável que você se tenha despedido dela colocando apenas a cabeça para dentro do quarto.

Tinha sido aquilo mesmo. Ao receber a mensagem de Holmes, corri à cozinha para dar instruções à nossa cozinheira, subi depressa as escadas para dizer à minha esposa que estava saindo e me precipitei porta afora sem um olhar sequer para minha roupa.

— Como sempre, você fez tudo parecer absurdamente simples — confessei. — A dedução final baseia-se no fato de que ela sem dúvida teria reparado na manga do paletó, se eu tivesse estado diante dela antes de sair.

— Com certeza.

— Como você não me mandou aquele bilhete apenas para me dizer que havia farinha em meu paletó, você tem, evidentemente, um inquérito em andamento.

À guisa de resposta, Holmes me atirou um envelope que continha a seguinte mensagem:

Prezado sr. Holmes,

Tenho uma esplêndida oportunidade para que o senhor empregue seus métodos na identificação do corpo de um homem encontrado no rio, na manhã de ontem. Nenhum sinal de violência. Imaginei que pudesse estar interessado.

Patterson.

— Podemos ter um campo virgem no qual começar nosso inquérito. Os jornais ainda não o noticiaram. O que me diz, Watson? Disposto a unir forças?

Minha hesitação momentânea, por mais rápida que tenha sido, não escapou do seu olhar. Ele franziu a testa.

— Sua esposa?

— Não, não, Holmes, ela ficará perfeitamente bem sem mim.

— Eu posso precisar de um médico.

— Ah, você não precisa ter qualquer preocupação nesse sentido. Irei com você, e, como sabe, com prazer.

— Então por que hesitou ainda há pouco, quando eu o convidei?

— Eu não combinei nada com meu substituto... Na hipótese de o caso se estender.

As sombras desapareceram do seu rosto. Ele sorriu, contente.

— Ah, nesse caso, a solução é bem fácil. Um ou dois telegramas...

E assim foi que, naquele dia chuvoso de novembro, partimos para uma de nossas investigações mais singulares, jamais imaginando que, antes de a solucionarmos, ela se tornaria uma *cause célèbre*[17] que abalaria toda a Inglaterra.

Fizemos um rápido desvio até a agência dos Correios da Wigmore Street, de onde mandei um telegrama para minha esposa e outro para o dr. Anstruther. De lá, seguimos para a Scotland Yard.

Ao chegarmos, o inspetor Patterson nos cumprimentou com seu jeito austero como de hábito, e sem perda de tempo nos acompanhou até o gelado e úmido necrotério no qual indigentes desconhecidos eram esquartejados antes que seus restos fossem descartados. A um sinal seu, um atendente removeu a mortalha que cobria um dos vários corpos nus deitados sobre as macas ásperas em vários setores do cômodo. Sob nossos olhos revelou-se a forma rígida de um rapaz de vinte e poucos anos, rosto escanhoado, cabelo preto e grosso emoldurando uma testa alta, olhos escuros agora um pouco salientes em suas órbitas, nariz bem proporcionado e lábios carnudos retorcidos em um pavoroso esgar que revelava fileiras regulares de dentes sadios.

Em vários pontos, a pele branca apresentava arranhões, hematomas e pequenas manchas irregulares em um tom de roxo escuro. As contusões e abrasões eram mais evidentes no peito e nos ombros, enquanto as manchas escuras cobriam diversos pontos do tronco e do rosto. A visão daquele corpo silencioso e patético, com sua fisionomia manchada e distorcida, impactou até mesmo meus nervos profissionalmente experientes, mas não afetou meu amigo.

17 Em geral empregado em relação a casos legais, a expressão cause célèbre designa um tema ou incidente que suscita controvérsias e acalorado debate público. Em francês no original. (N.T.)

— É provável que estas contusões — observou ele, apontando as partes machucadas — tenham sido feitas na hora da morte, ou muito pouco tempo depois. Mas estas manchas arroxeadas são muito peculiares. Alguma teoria quanto à sua causa, inspetor?

Patterson interrompeu o ato de acender um charuto.

— O corpo esteve na água durante grande parte da noite — respondeu, evasivo. — Pode ter sido jogado pelas correntezas e redemoinhos. Há muitos pilares e postes ao longo de Chelsea Reach, vocês sabem. O cais de Cadogan não fica muito longe de onde o corpo foi encontrado.

— Há quanto tempo ele está morto?

— O legista determinou cerca de dez horas antes que os ganchos o tirassem da água. Ele foi encontrado pela polícia ribeirinha por volta das nove horas da manhã de ontem, perto da nova Chelsea Bridge.

— Hmm, isso poria a hora da morte entre onze e meia-noite de segunda-feira — ponderou Holmes. Em voz mais alta, perguntou: — O legista explicou as descolorações?

— Disse que era provável serem simples arranhões, talvez causados pela queda no rio.

— Alguma indicação quanto à causa da morte?

— Bem — disse Patterson, cauteloso e com um leve encolher de ombros, —, ele não quis se pronunciar até depois do inquérito e da autópsia. Não foi encontrada água nos pulmões; mas também não descobrimos qualquer indício de homicídio. Até agora, o veredicto parece ser morte acidental.

Holmes me lançou um olhar.

— Este é o seu território, doutor. O que me diz?

Um brilho em seus olhos, uma tensão de seu corpo quando falou, foram o bastante para me pôr em guarda. Depois de outro exame cuidadoso, declarei, com prudência:

— Uma queda súbita de boa altura em água fria, com o consequente choque e medo, pode provocar um ataque cardíaco. Sobretudo em uma pessoa portadora de cardiopatia. — Apontei para o rosto retorcido. — Tais convulsões são por vezes indicativas de uma morte violenta e dolorosa, que poderia facilmente ter sido causada por uma parada cardíaca.

— Em outras palavras, Watson, o homem pode ter morrido de puro pânico, antes mesmo de ter batido na água?

— Exatamente — concordei, satisfeito por ele ter aceito minha teoria sem questionamentos. — Isso também explica — concluí com alguma precipitação — a absoluta ausência de água nos pulmões.

— Mas não as manchas roxas — observou Holmes, em voz muito baixa.

— O legista — aparteou nesse momento o inspetor, em tom irascível — não as considerou em absoluto sérias, ou de algum modo relacionadas com a morte do homem. Trata-se de um caso claro de morte acidental provocada por uma queda no rio. A autópsia pode esclarecer esse aspecto. O que gostaríamos de descobrir, antes de maiores investigações, é a identidade do homem. Não há documentos ou identificação pessoal de qualquer tipo entre seus pertences. Ninguém se apresentou para reclamar o corpo. As listas de pessoas desaparecidas foram consultadas, mas não há nelas ninguém que corresponda à sua descrição.

Patterson bufou, exasperado, e depois se virou para encarar meu amigo, que ouvira suas palavras com ávida atenção.

— Talvez seja aí que o senhor pode nos ajudar, sr. Holmes — acrescentou. — Seus métodos científicos podem nos dar uma pista quanto ao ofício ou profissão do homem, ou alguma ideia de sua origem. Algum tipo de indicação que possa nos permitir entrar em contato com seus parentes ou amigos.

Os olhos de Holmes faiscaram. Um leve rubor tingia agora seu rosto. O problema era um desafio: seus métodos analíticos contra o procedimento regular de investigação policial. Sua conduta, agora, era a de um mestre-artesão que encarava pragmaticamente seu trabalho e era requisitado depois que outros menos habilidosos tinham falhado em sua execução.

Ele estava de pé diante do corpo inanimado, estudando-o com rápidos olhares apreciativos. Depois de um minucioso exame das feições retorcidas e manchadas, dedicou-se às mãos firmemente fechadas e, depois, ao resto do corpo. No silêncio interrompido apenas por seus passos rápidos e nervosos, observávamos com tanta atenção seus movimentos que o som de sua voz, agudo e descontente, nos fez pular de surpresa quando ele perguntou:

— Onde estão as roupas dele? Botas?

Patterson estava preparado, e uma pilha de trajes foi rapidamente trazida e espalhada sobre uma conveniente plataforma de trabalho. Uma vez mais, mergulhamos em absoluto silêncio enquanto meu amigo, completamente alheio à nossa presença, rápida e habilmente examinava os pertences do morto. Puxou os bolsos para fora e analisou os resíduos emaranhados pela água e os fragmentos de lã que, em geral, se acumulavam no forro. Nada escapou àqueles olhos perspicazes e brilhantes enquanto ele concentrava sua atenção no casaco e na camisa, e despois na calça e nas botas. Isso feito, ele se dirigiu ao inspetor da Scotland Yard.

— Foi encontrado um chapéu?

— Não.

— Capa de chuva ou sobretudo?

Patterson voltou a sacudir a cabeça.

— Nada.

Holmes apertou os lábios e, pensativo, balançou a cabeça.

— Compreendo — murmurou, antes de voltar a atenção para os itens encontrados nos bolsos.

Tais itens eram mais ou menos as coisas costumeiras que o homem comum carrega consigo na vida diária: um molho de chaves, algumas moedas, lápis, lixa de unhas, pente, uma carteira molhada que ainda continha algumas notas de papel-moeda encharcadas e um relógio de prata, grande e antiquado.

Holmes pegou-o e analisou-o detidamente. Olhando por cima do seu ombro, pude constatar que se tratava de um daqueles cronômetros de manufatura estrangeira e muitas inscrições, trazendo o nome do fabricante no mostrador em esmalte. Os ponteiros ornamentados haviam parado exatos três minutos depois das duas e meia. Não trazia marcas de golpes ou amassados e evidentemente não sofrera danos além dos provocados pela imersão.

— Isto pode ser interessante, Watson — murmurou ele. — Muito interessante. Observe que está quase intacto. O cristal ainda está em perfeitas condições. — Ele levantou a cabeça. Havia sinais de entusiasmo reprimido em sua voz quando perguntou: — Este relógio foi aberto, inspetor? Ou os ponteiros movidos ou sua posição adulterada?

— Não, senhor. Está exatamente como quando o retiramos do bolso do colete do homem. Não o consideramos importante. Pode ter parado dias antes, ou o sujeito pode simplesmente ter se esquecido de dar corda.

— O senhor pode ter razão — disse Holmes, com um leve encolher de ombros. — Vejamos o que mais há... Ah! O que temos aqui?

Ele segurava uma peça circular, de uma substância parecida com vidro, de cor amarronzada e com uns 2,5 cm de espessura. Depois de observá-la com ar especulativo por alguns segundos, tirou um pequeno fragmento e reduziu-o a pó entre seus dedos magros e fortes. Levou-o então ao nariz, depois aos lábios. A experiência pareceu satisfazê-lo, porque o vi assentir consigo mesmo, com um rápido brilho no olhar. Holmes voltou depressa ao corpo e reexaminou as mãos do morto. Mais uma vez, assentiu com a cabeça, dando vazão a um grunhido de satisfação. E mais uma vez voltou à plataforma de trabalho, separou a calça e submeteu-a a nova rigorosa inspeção. Quando terminou, vi a luz do triunfo brilhar em seus olhos, quando disse:

— Isso é tudo. Não há mais o que deduzir aqui. — A Patterson, ele perguntou: — O senhor tem uma sala onde possamos conversar e fumar?

O inspetor fez que sim.

— Por aqui, cavalheiros.

Sem falar, deixamos aquela câmara sombria e o seguimos por um lance de escadas até uma sala pequena que, em comparação, pareceu aconchegante e alegre embora com poucos móveis e sem quaisquer enfeites.

O inspetor Patterson foi o primeiro a falar, depois de nos instalarmos nas cadeiras e acendermos nossos fumos.

— Bem, sr. Holmes — disse ele —, imagino que não tenha obtido muitos subsídios com suas sondagens.

— Admito que a imersão do corpo, obviamente, roubou-me vários dados sugestivos — respondeu meu amigo, muito calmo. — Posso, no entanto, afirmar com segurança que minhas pesquisas não foram de todo estéreis.

— Então o senhor descobriu alguma coisa a respeito do homem? — replicou Patterson, esforçando-se para ocultar sua surpresa.

— Apenas que era solteiro, com tendências à vaidade em relação à sua aparência pessoal, não fumava e ganhava precariamente a vida tocando violoncelo em algum restaurante da moda. — Holmes fez uma pausa e, devagar, acrescentou:— E foi, sem sombra de dúvida, vítima de um crime.

Patterson teve um sobressalto, visivelmente abalado por aquela inesperada declaração.

— O senhor está dizendo que o homem foi assassinado?

— Estou.

O homem da Scotland Yard tentou recuperar a compostura. Em geral impassível e não se alterando com facilidade, ressentia-se com qualquer revelação inesperada que o obrigava a abandonar sua habitual reserva. Uma nota de irritação era bastante perceptível em sua voz, quando acrescentou:

— O que o torna tão seguro disso, sr. Holmes?

— Aquelas manchas peculiares, para começar — declarou meu amigo. — E o estranho comportamento do relógio, meu caro Patterson.

— Não me preocupo muito com aquelas manchas — teimou Patterson. — Se forem importantes, os médicos nos dirão. Mas o que tem o relógio a ver com isso?

— Pelos dados disponíveis — retrucou Holmes —, o homem morreu por volta da meia-noite, presumivelmente por uma queda no Tâmisa. É provável que o relógio tenha continuado a funcionar por duas horas e meia após a imersão?

O inspetor, pensativo, tirou o charuto dos lábios, observou-o por alguns instantes e depois assentiu com sua grande cabeça grisalha.

— Estou começando a ver o que o senhor quer dizer, sr. Holmes. O homem pode ter morrido pelo menos duas horas antes do relógio parar de funcionar.

— Exatamente.

— Isso não nos dá também o momento exato em que o corpo caiu na água? — indaguei.

— Eu estaria mais inclinado a acreditar que ele foi jogado no rio! — observou Holmes, ameaçador.

— E nós presumimos cegamente que a diferença entre a hora da morte e a hora registrada por aquele relógio não era importante! — rosnou Patterson, que olhou para meu amigo e prosseguiu: — Sr. Holmes, se nossas investigações posteriores confirmarem tais deduções, eu jurarei que o senhor é um bruxo.

— E estará errado, Patterson. Minhas deduções baseiam-se em uma série de fatos, cada um deles confirmando o seguinte. O senhor está perplexo com as minhas conclusões porque não está acostumado com a linha de raciocínio que segui para chegar a elas.

— Levarei em conta sua explicação — admitiu o inspetor. — Diga-me, como concluiu que ele era um violoncelista? Pelo cabelo longo? Pelo comprimento dos dedos?

— De modo algum — respondeu Holmes, um sorriso gelado pairando em seus lábios por um instante fugaz. — Deduzi tal fato dos calos nos dedos de sua mão esquerda. Cujas unhas, aliás, estavam muito mais curtas do que as da direita. Observei também o desgaste no punho da camisa, que atrita com o instrumento quando o músico move o braço para chegar às notas mais altas. Em um primeiro momento, estive inclinado a pensar em um violinista, mas o subsequente exame das pernas da calça forneceu-me dados mais corroborativos.

— Em que sentido? — Ao fazer suas perguntas, Patterson não tirava seus olhos cinzentos como aço do rosto grave do detetive.

— O violoncelista — respondeu meu amigo, demonstrando o que dizia com gestos rápidos das mãos e das pernas — segura seu instrumento entre os joelhos, desta maneira. Em um ponto logo abaixo do joelho, na parte interna das pernas da calça, percebi no tecido um nítido desgaste abaulado. Só um violoncelista, cavaleiro, poderia ter feito tal marca!

— Maravilhoso! — exclamou o normalmente imperturbável Patterson. — Inacreditável!

— E garanto, inspetor, que tudo isso é um tanto superficial — comentou Holmes, depreciando-se. Mas eu podia ver que o elogio de Patterson lhe agradara. — Ademais, ao encontrar a resina...

— Então era disso que se tratava! — exclamou o inspetor, indignado, dando um tapa na própria coxa. — E eu pensando que fosse cola!

— Os senhores viram com que facilidade aquilo se esfarelou entre meus dedos. Cola... admitindo a possibilidade de ter resistido à ação da água e mantido sua dureza... cola nunca se desmancharia daquela maneira. A resina só confirmou minhas primeiras suspeitas. Foi a prova conclusiva de que o homem tocava um instrumento de cordas.

— Que trabalhava em um restaurante, o senhor disse — interpôs o inspetor. — Por que um restaurante? Por que não poderia ser em uma sala de concertos? Ou em um teatro?

— Pela cera de assoalho nas solas das botas do morto — respondeu o detetive depois de um instante de reflexão. — Não há pisos encerados em salões de música ou teatros.

— Um salão de danças, então?

— O senhor alguma vez viu um violoncelista tocando em um salão de danças, inspetor? Clarinetas e instrumentos de percussão, sim; violinos, talvez, mas violoncelos, raramente ou nunca.

— Não frequento esses lugares, então não saberia — rosnou Patterson. — Mas acreditarei em suas palavras, sr. Holmes.

— Então comece suas buscas por um músico desaparecido entre os melhores cafés elegantes, nos quais a dança não só é permitida, como incentivada. Tais estabelecimentos não são tão numerosos quanto imagina.

Patterson terminou de fazer anotações em seu grande bloco antes de perguntar ao meu amigo como ele deduzira que o homem era solteiro.

Sherlock Holmes bateu o cachimbo em um cinzeiro.

— O senhor reparou em suas meias? — ele perguntou. — Um homem solteiro tem propensão a negligenciá-las. Mas jamais uma esposa que se preze permitiria que seu marido músico aparecesse em público com buracos nas meias ou botões faltando na camisa e no paletó. Contei nada menos do que três, nas duas peças de roupa.

— Solteiro, sim senhor! — concordou o inspetor, anotando a observação em seu bloco. — E também vaidoso — acrescentou —, se consideramos que aquele pente e o óleo capilar usado por ele servem como indícios. Não é preciso que nos diga como descobriu que o homem não fumava, sr. Holmes. Não havia vestígios de fumo em lugar algum. Nenhum cachimbo, nenhum fragmento solto para indicar que fosse um usuário habitual do tabaco.

Ele fechou o bloco antes de prosseguir.

— Agora, na minha opinião, e esta é apenas uma teoria provisória, veja bem, o pobre-diabo foi assaltado em algum beco ou rua escura, morto e jogado no rio depois que o assassino removeu qualquer identificação dos seus bolsos. Na escuridão, ele não percebeu o relógio...

— E, nesse meio-tempo, a vítima — interrompeu Sherlock Holmes, em tom seco — fez a gentileza de tirar chapéu e casaco para facilitar o trabalho do assassino?

— Bem, admito que há algumas objeções...

— Várias, na verdade — interrompeu o outro, sacudindo a cabeça. — É muito mais provável que o homem estivesse em um ambiente fechado quando encontrou seu fim. Isso explicaria a falta de trajes de rua, bem como a ausência de documentos pessoais. Quanto ao relógio, não creio que tenha sido ignorado.

— Acha que foi deixado com ele de propósito?

— Acho. O assassino pode ter imaginado estabelecer algum tipo de álibi, caso o crime levasse até ele. Mas é ainda muito cedo para começarmos a teorizar.

— Mais uma pergunta, sr. Holmes. Do que acha que ele morreu?

Holmes interrompeu o gesto de encher o cachimbo. Suas bastas sobrancelhas se arquearam e seus lábios finos se apertaram por um segundo, antes que respondesse:

— O homem morreu pelo efeito de um alcaloide, embora ainda desconhecido, que foi injetado em sua corrente sanguínea. Eu gostaria de, mais uma vez, lhe chamar a atenção para aquelas nódoas roxas, inspetor. Elas são da maior importância.

Ao terminar de falar, ele se pôs de pé.

— Vamos, Watson — acrescentou. — De volta a Baker Street, para uma ou duas cachimbadas sobre o assunto. Há diversos campos de conjectura e especulação à nossa disposição, e valem pelo menos alguns gramas de bom fumo.

E, virando-se para o homem da Scotland Yard, pediu:

— Por favor, mantenha-me informado de novos avanços, sim, inspetor?

Enquanto sacolejávamos em um cabriolé pelas ruas alagadas, abstive-me de fazer a meu companheiro as muitas perguntas que tinha na ponta da língua. Como era de hábito, ele raramente discutia seus casos até ter reunido todos os fatos. Meditando sobre a desagradável cena que havíamos testemunhado, vi-me formulando razões e motivos para um crime como aquele. A carteira de dinheiro intocada e o relógio de prata indicavam com clareza que não poderia ter sido um roubo. Vingança era bem mais provável, mas por que uma maneira tão peculiar de provocar a morte? Não teria o assassino percebido que exatamente aquela singularidade poderia encerrar uma pista para a solução? Teria realmente acreditado que poderia encobrir seus rastros apenas com o uso de um veneno estranho e desconhecido? Um olhar para o meu amigo mudou o rumo dos meus pensamentos.

Holmes, embrulhado em sua capa de chuva no fundo do banco, cachimbo preso entre os dentes, pernas compridas esticadas, pareceu cochilar durante todo o caminho até o 221B. Mas eu, que o conhecia melhor do que qualquer outro homem, sabia que ele estava trabalhando no caso. Sabia que sua mente perspicaz e incisiva já avaliava teorias alternativas, adequando os fatos conhecidos a um padrão claro e conciso. Enfim, paramos diante da porta.

— Há um cavalheiro chamado sr. Edward Morrison à sua espera, sr. Holmes — disse o pajem ao nos fazer entrar. — Está aguardando há meia hora, senhor.

Holmes me lançou um olhar rápido e significativo. Ele não gostava de acumular casos e percebi que, naquele momento, a ideia de outro trabalho o irritou. Subimos depressa.

Nosso visitante levantou-se ao entrarmos. Holmes, no mesmo instante, desculpou-se por estar atrasado e desapareceu em seu quarto. Tirei minha capa de chuva, tentando avaliar aquele rapaz magro enquanto procurava deixá-lo à vontade com uma ou duas frases polidas. De cabelos claros, aparentava estar no fim dos vinte anos. O terno escuro que usava parecia acentuar a palidez de sua pele. Não se tratava, porém, de uma palidez doentia, mas daqueles que passavam grande parte do tempo em ambientes fechados. Seu sorriso era agradável, embora linhas de preocupação fossem visíveis ao redor dos claros olhos azuis. Eu estava a ponto de fazer algum comentário banal a respeito do tempo quando Holmes reapareceu, amarrando o velho robe em volta do corpo aprumado e magro, o olhar penetrante estudando o outro, que se apresentava.

— Diga-me, sr. Morrison — perguntou, depois de terem se acomodado —, o senhor não acha um instrumento de sopro um tanto desgastante para alguém que, evidentemente, não é muito robusto?

Holmes raras vezes deixava passar uma oportunidade de impressionar seus clientes com seus poderes de observação e dedução. Gostava de surpreendê-los com a exibição do seu admirável talento ao fazer rápidas e analíticas descrições de seus hábitos, características ou profissões. Naquele momento, mesmo habituado aos extraordinários dons do meu amigo, confesso ter partilhado a perplexidade do sr. Morrison. Nosso novo cliente, surpreso, só conseguiu encará-lo, antes de perguntar:

— Mas como o senhor foi capaz de adivinhar isso, sr. Holmes? Ninguém poderia...

Sherlock Holmes interrompeu-o com um gesto. O rápido sorriso de prazer que viera a seus lábios desapareceu e um vinco se formou em sua testa.

— Meu rapaz — disse ele, em tom severo —, eu nunca adivinho! Isso é destrutivo para a capacidade dedutiva e repugnante para o raciocínio analítico treinado. Baseio minhas inferências em uma cadeia de raciocínio oriunda da aparência das coisas.

Então parou para acender o cachimbo com um carvão incandescente, antes de continuar:

— Os elos da minha cadeia foram forjados, sr. Morrison, pela observação de seu lábio inferior e do seu polegar direito. Em seu lábio, observei a camada de pele adicional lá deixada pela boquilha. E, quando apertamos as mãos, senti nitidamente a calosidade na parte superior da articulação do seu polegar.

Virando-se para mim, ele continuou a explicação:

— Tais sinais são indicativos de um tocador de clarinete. A lesão no lábio nos dá a primeira pista, e o calo no polegar é causado pelo peso do instrumento que repousa sobre o dedo.

Seu bom humor voltou à medida que observava com olhos divertidos nossas expressões de surpresa e ouvia nossas exclamações elogiosas. Ele, agora, se aninhara confortavelmente no fundo de sua poltrona preferida, e fumava seu cachimbo com satisfação e abandono, pernas esticadas em direção ao fogo.

Em tom meditativo, acrescentou.

— Tenho brincado com a ideia de revisar minha monografia sobre "A influência de um ofício" para incluir um parágrafo relativo às marcas indeléveis deixadas por instrumentos musicais nas mãos e nos dedos de seus intérpretes. Mas, é claro — acrescentou de imediato —, isso não precisa ser feito agora.

Ele encarou o rapaz.

— Sr. Morrison, este é meu amigo e colega, dr. Watson. Fique à vontade para discutir seu problema diante dele. De que maneira lhe posso ser útil?

— Investigando com discrição o atual paradeiro de um dos meus amigos — respondeu o outro, após uma leve hesitação, passando nervosamente a língua nos lábios e exibindo outros sinais de constrangimento e inquietação.

— Com discrição? — repetiu Holmes, franzindo as sobrancelhas.

— Há uma mulher envolvida, senhor. Uma mulher casada.

— Mas por que vir a mim? — Não havia como não perceber a rispidez no tom do meu amigo, uma franqueza que evidenciava sem sombra de dúvida a repugnância pelo tipo de inquérito evocado pela resposta de Morrison. — No momento, estou extremamente ocupado e não posso me sobrecarregar com o que pode ser apenas um caso de amor ilícito. Por que não vai à polícia? Eles estão muito mais equipados para se ocupar de tais assuntos.

— A polícia não é discreta, senhor.

Sherlock Holmes, zangado, se remexeu na poltrona.

— Há diversas agências de detetive na cidade que teriam muito prazer em mergulhar em assuntos tão pouco éticos. E com uma discrição digna de coisas melhores. Eu sugeriria que o senhor procurasse uma delas.

Mas Edward Morrison, demonstrando uma determinação que me surpreendeu, recusou-se a aceitar a rejeição de Holmes. Era evidente que, por trás daquele exterior sensível, havia um núcleo de firmeza, uma vontade de ser ouvido.

— O senhor me desculpe, sr. Holmes — declarou ele —, por insistir que o senhor se ocupe deste caso. Talvez eu não o tenha apresentado com muita clareza. É um assunto delicado que, em mãos inadequadas, pode trazer à tona as revelações que temo.

Ele passou a mão pálida e de dedos longos pela testa e depois prosseguiu, obstinado:

— Entretanto, ansioso como eu estou para evitar um escândalo e receando cometer o que pode muito bem ser uma imperdoável violação da lealdade a um amigo, não posso me sentar de braços cruzados sem fazer algum esforço para descobrir o que houve com ele.

— Sua lealdade é muito louvável, meu caro sr. Morrison — observou Holmes, irônico —, mas por que o senhor está tão ansioso para proteger a honra de um homem que demonstrou tanta falta de princípios e desrespeito pelo código moral segundo o qual vivemos?

Nosso visitante não respondeu. A própria imagem do desânimo, manteve os olhos no tapete gasto, parecendo constrangido e pouco à vontade, sem levantar a cabeça.

Holmes se virou na poltrona.

— Ora, por favor, senhor! — disse ele, a voz estridente de irritação. — O senhor quer mesmo que eu acredite que sua única preocupação é o atual paradeiro do seu tolo amigo?

A voz de Morrison estava contrita quando ele voltou a falar.

— Perdoe-me, sr. Holmes, por tentar ocultar um assunto pessoal. Veja o senhor, estou comprometido com a srta. Geraldine Foote, irmã do homem desaparecido. Como o senhor corretamente deduziu, minha preocupação é menos por ele do que pela sua família. Trata-se de gente de bem e eu não os magoaria desnecessariamente por nada neste mundo.

Ele fez uma pausa, e depois um gesto de súplica.

— O senhor não compreende por que não ouso ir à polícia? Seria arrastar todo o vergonhoso caso para as páginas dos jornais.

— Hmm — murmurou Holmes, desacelerando um pouco. — Isso muda a complexidade das coisas. — Depois, mais rápido, acrescentou: — Mas não vejo o que pode ser feito para evitar o escândalo resultante, caso se descubra mais tarde que essa pessoa... qual é o nome? Foote?... tiver fugido com a esposa de outro homem. Um comportamento tão deplorável não pode ser tolerado nem mantido em segredo.

Nesse instante, Morrison estava prestes a falar, mas um gesto do detetive fez seus lábios se fecharem.

— Para o bem de sua família, contudo, investigarei o assunto e me esforçarei para rastreá-lo. Mas é preciso que fique bem claro que meus serviços terminarão aí e que não ficarei no caminho de qualquer reparação justificável que possa ser exigida por aqueles a quem ele ofendeu.

Holmes apanhou seu bloco.

— Agora, sr. Morrison — continuou, em tom ainda rápido e profissional, mas menos áspero —, forneça-me alguns dados pertinentes. Primeiro, onde mora o seu amigo?

— Na Dean Street, no Soho.

— Com a família?

— Não, senhor. Vive sozinho, em um quarto mobiliado. Seus parentes vivem em Dorsetshire. Nós os visitamos todos os anos, nas férias de verão.

— O senhor saberia o nome da proprietária do imóvel?

— Sei. Tive ocasião de visitá-lo algumas vezes. Seu nome é sra. Ferrucci, uma italiana...

— Sem dúvida. Poderia descrever o sr. Foote?

— Com facilidade. Eu o conheço há muitos anos. Ele tem agora 26 anos de idade, mede 1,75m de altura e pesa cerca de 75 quilos. Seu cabelo é castanho-escuro, grosso e ondulado e ele não tem barba ou bigode.

— Nenhuma cicatriz ou qualquer outro sinal que o identifique?

— Não que eu tenha conhecimento, sr. Holmes. — Um leve sorriso pairou em seus olhos angustiados quando nosso cliente acrescentou: — Ele é considerado bastante atraente por muitas senhoras.

— Tal descrição — comentou Holmes, seco — caberia em grande número de homens. Há quanto tempo ele está desaparecido?

— Desde a noite de segunda-feira, quando foi chamado...

— Segunda-feira à noite? — repetiu Holmes depressa, em um novo tom, uma crescente inflexão de interesse agora evidente em sua voz. Sua atitude mudara de repente. Até então apáticos e desinteressados, seus traços assumiram intensa concentração àquele ponto do interrogatório. Ele mudou bruscamente sua linha de questionamento e perguntou: — Seu amigo é músico como o senhor, sr. Morrison?

— Sim, senhor, ele é. Mas não compreendo como o senhor poderia saber disso, sr. Holmes, eu não...

— Que instrumento ele toca? — interrompeu depressa a voz macia do meu amigo.

Embora cheio de entusiasmo, o tom era bem controlado. Mas eu podia sentir o suspense oculto nas profundezas.

— Violoncelo. Tocamos na mesma orquestra.

Sherlock Holmes se pôs de pé em um pulo, olhos faiscantes, o rosto agora rubro.

— E eu pensei que fosse coincidência, Watson — exclamou ele, a voz estridente. — Uma coincidência o fato de serem ambos músicos! Demorei a conectar os dois homens, fui por demais lento, mas meu lapso não provocou dano algum.

Ele se virou bruscamente para nosso perplexo visitante, que testemunhara a repentina metamorfose de um corpo abatido envolto em um roupão velho e reclinado em uma poltrona para um verdadeiro furão em forma humana, andando rapidamente de um lado para outro, gesticulando, falando depressa e fazendo perguntas.

— Sr. Morrison, o senhor estava dizendo que na noite de segunda-feira, que vem a ser anteontem, seu amigo foi chamado. Onde isso ocorreu? No estabelecimento no qual ambos trabalham?

— Sim, senhor.

— Que é?

— O Café Continental Henri Dumont's, na Shaftsbury Avenue. Tocamos concertos e música para dançar, das seis à meia-noite.

— Compreendo. O senhor consegue lembrar em que circunstâncias chegou tal chamado para o seu amigo? Por favor, tente se lembrar de tudo o que há em conexão com o fato. Tudo pode ser de extrema importância.

— Foi durante a pausa, após a ceia. Estávamos jantando, refeição que o Café nos fornece, mesmo não nos pagando um salário muito generoso, quando um dos funcionários do salão veio à nossa mesa com uma mensagem para Arnold... para o sr. Foote.

— O senhor não faz ideia do conteúdo desse bilhete?

— Nenhuma. Mas lembro que Arnold pareceu um tanto abalado depois de lê-lo.

— Ele saiu na mesma hora?

— Não, senhor. Primeiro, ele foi até nosso chefe de orquestra, sr. Orlando. Mais tarde, o sr. Orlando nos disse que Arnold lhe pedira permissão para sair, dizendo que alguns assuntos muito urgentes requeriam sua atenção imediata.

— E tal pedido foi concedido?

— Foi, mas somente após uma acalorada discussão entre os dois. Veja bem, sr. Holmes, nós somos apenas cinco e, em uma banda tão pequena, cada um de nós é indispensável. Mas Arnold jurou que voltaria a tempo para a última dança.

Morrison se interrompeu e, com tristeza, sacudiu a cabeça.

— Promessa que nunca cumpriu. Foi a última vez que o vi.

— E a que horas tudo isso aconteceu?

— Por volta das dez e meia, senhor.

Holmes absorveu tudo aquilo em silêncio, por algum tempo. Quando voltou a falar, seu tom era casual.

— O senhor consegue lembrar se, ao sair, seu amigo estava de casaco e chapéu?

— Eu não o vi sair. Mas quando fomos para casa naquela noite, suas coisas não estavam no lugar de costume.

— Podemos então deduzir que ele os estava usando.

Holmes esfregou as mãos, um leve esgar de satisfação surgindo em seu rosto. Para mim, tornava-se evidente que ele ainda não tinha intenção de contar ao nosso visitante os verdadeiros fatos relacionados ao desaparecimento de Arnold Foote. Confesso ter sido incapaz de, naquele momento, compreender suas razões para aquela aparente falta de sensibilidade. Holmes, ainda que frio e nada emotivo, não era insensível ou cruel. Mantive, entretanto, um silêncio discreto, sabendo que as atitudes do meu amigo, por mais incompreensíveis que fossem para alguém de fora, viriam a se revelar justificadas.

Holmes voltou a apanhar suas anotações e um lápis.

— Agora, sr. Morrison — disse ele —, o que pode nos dizer a respeito da mulher em questão?

— Receio que muito pouco. Arnold me falava dela com frequência. Sua experiência com mulheres era bastante extensa, mas essa pessoa em especial parecia tê-lo fascinado muito mais do que qualquer outra.

— Então o caso já dura algum tempo?

— Bem mais de um ano, pelo menos, senhor.

— O senhor chegou a ter ocasião de conhecê-la?

— Não. Embora ele me pedisse para acompanhá-lo sempre que desejava escolher para ela algum presente ou lembrança, o fato de eu ser íntimo de sua família, como era, tornava-o naturalmente reticente e reservado no que dizia respeito a ela.

— Então o senhor não pode nos dar qualquer tipo de informação relativa à sua aparência, idade, altura... qualquer coisa que nos possa ajudar a identificá-la ou localizá-la?

— Tudo o que lhe posso dizer, sr. Holmes, é que ela tem cabelos castanho-claros, é mais alta do que a média, tem mãos e pés muito pequenos, é excessivamente afeiçoada a joias, possui trajes muito elegantes e é dois ou três anos mais velha do que o próprio Arnold. E, a crer em sua entusiasmada descrição, deve ser extremamente atraente.

— Perfeito, meu caro sr. Morrison! — exclamou meu amigo, sentado muito ereto em sua poltrona, as bastas sobrancelhas erguidas em sinal de alegria e surpresa. — O senhor é um cliente modelo, dotado de uma memória excepcional para os detalhes!

Meu rosto devia espelhar com muita clareza a perplexidade que me invadiu ao ouvir tal descrição vinda de um homem que havia declarado nunca ter posto os olhos naquela mulher. Mas Holmes, rindo da minha expressão, explicou com facilidade o que acontecera.

— O sr. Morrison está apenas repetindo algumas frases ditas pelo amigo. Quanto aos outros detalhes, não mencionou o nosso jovem e sagaz amigo ter acompanhado diversas vezes Arnold Foote em suas saídas destinadas a escolher presentes para a encantadora criatura? Estava, assim, habilitado a obter uma imagem bastante precisa dos gostos da mulher, sua altura, tamanho das luvas e aparência geral.

Edward Morrison concordou com a cabeça.

— Esteja certo de que isso nos pode ser útil — continuou o detetive. — O senhor sabe onde reside essa pessoa, sr. Morrison? — perguntou, voltando à seriedade.

— De diversas observações feitas por Arnold em várias ocasiões, depreendi que ela mora em algum lugar em Chelsea.

— Chelsea? — os olhos de Holmes faiscaram. — Esplêndido! Seu amigo chegou a mencionar o marido?

— Raramente, senhor, e apenas de forma indireta. Tal assunto lhe era, claro, bastante desagradável.

— Agora, sr. Morrison, quero que pense com muito cuidado antes de responder à minha próxima pergunta. Que é: Arnold Foote sabe se o marido está ciente dessa relação ilícita?

Morrison teve um visível sobressalto e então, lento e pensativo, assentiu com a cabeça.

— Tenho boas razões para acreditar que sim — respondeu em voz muito baixa.

Os ombros de Holmes se retesaram de modo quase imperceptível.

— O que o faz pensar assim, sr. Morrison? — ele perguntou.

Ao responder, os olhos do rapaz, melancólicos, estavam fixos no tapete.

— Há algum tempo, Arnold vem se mostrando deprimido e preocupado. Nenhum questionamento suscitou qualquer resposta, mas eu podia ver que alguma coisa o perturbava. Uma noite, creio que há mais ou menos uma semana, enquanto caminhávamos de volta para casa, ele murmurou algo sobre "pisar em gelo muito fino" ou coisa semelhante. Então disse estas palavras, das quais me lembro com clareza: "Teddy, eu acho que o velho está desconfiado."

— Ele não esclareceu tal afirmação? — perguntou Holmes.

— Não. Nesse momento, tínhamos chegado à esquina de Dean Street, onde ele mora, e ali nos despedimos.

— E desde então ele não fez qualquer outra alusão ao tema?

— Nenhuma.

O detetive mergulhou em silêncio, e por vários minutos nenhuma palavra foi trocada. Ao voltar a falar, foi para perguntar:

— O senhor tem algo mais a acrescentar, que nos possa ser útil?

Morrison sacudiu a cabeça.

— Receio que não, senhor.

Algo no modo como meu amigo removeu as cinzas do seu cachimbo e começou a enchê-lo com lenta determinação me alertou para o fato de que estava a ponto de revelar a trágica notícia. Aguardei o comunicado com as sobrancelhas contraídas.

— Sr. Morrison — disse ele —, lamento profundamente a necessidade que me obrigou a ocultar as notícias até agora. Minhas próximas palavras irão chocá-lo, assim receio. Mas precisam ser ditas. Seu amigo Arnold Foote está morto.

O rosto magro do nosso visitante empalideceu terrivelmente enquanto ele, atordoado, encarava os traços graves de Holmes com franca incompreensão. Seus olhos abatidos iam de Holmes para mim com tanta emoção e tristeza que quase me pus de pé, acreditando que ele pudesse sofrer um desmaio. Mas ele se recuperou de imediato pois, quando falou, sua voz, embora baixa, estava firme e controlada.

— O senhor tem certeza disso, sr. Holmes? Absoluta certeza?

Holmes assentiu, sério.

— Tanta quanto estou de que ele foi vítima de um crime.

— Assassinado? — Os lábios pálidos de Morrison mal se moveram quando ele pronunciou essa palavra.

— Sim, ele foi assassinado — repetiu meu amigo —, e foi para facilitar nossa investigação que o interroguei antes de lhe revelar o fato de que ele estava morto.

Morrison estremeceu, sem levantar a cabeça que havia ocultado entre as mãos, e permaneceu em silêncio enquanto o detetive continuava, em tom gentil:

— Então o senhor compreende, meu caro sr. Morrison, que de nada adiantarão seus bem-intencionados esforços para poupar seus parentes de um sofrimento desnecessário.

O rapaz levantou o rosto devastado.

— Como ele morreu? — perguntou.

— Temos boas razões para suspeitar de que ele foi envenenado — começou o detetive.

— Então foi ela... ela deve ter feito isso! — ele exclamou, os olhos arregalados e cheios de fúria. — Eu lhes digo que foi ela!

Então parou e sacudiu a cabeça, murmurando:

— Mas por quê? Pelos céus, por quê?

— É o que estamos tentando descobrir — respondeu Holmes, sóbrio. Em tom mais firme, continuou: — Agora, meu senhor, recomponha-se. A justiça está em dívida para com a vida do seu amigo. O senhor deve fazer o possível para nos ajudar a levar seu assassino ao banco dos réus.

— Tem razão, sr. Holmes. Lamento ter agido como um tonto. Diga-me se há algo que eu possa fazer...

— Ah! Assim é bem melhor — disse Holmes. — O senhor compreende, é claro, que o caso é agora assunto policial e não pode ser mantido em segredo ou omitido por mais tempo. Aconselho-o a ir de imediato à Scotland Yard e relatar oficialmente tudo o que nos contou. É também provável que lhe peçam para ser testemunha no inquérito e sem dúvida o chamarão para cumprir com o desagradável dever de identificar o corpo.

Edward Morrison, trêmulo, ficou de pé.

— Farei como disse, sr. Holmes.

Com um leve aceno de cabeça, ele apanhou sua capa de chuva e, triste, se despediu.

Depois da partida do nosso desolado visitante para cumprir sua penosa missão, Holmes continuou a fumar em silêncio por vários minutos. Eu ficara um tanto chocado com sua fria e deliberada falta de consideração e ensaiava algumas palavras cuidadosamente escolhidas quando ele, como de costume, invadiu sem preâmbulos os meus pensamentos.

— Concordo plenamente com você, Watson. Foi cruel, mas, acredite, necessário. Não sou assim tão desprovido de sentimentos para espezinhar a suscetibilidade de uma pessoa sensível sem um bom motivo. No entanto — continuou ele naquele tom dogmático que às vezes assumia —, o sentimentalismo não tem lugar nos recessos de um cérebro analítico. Ele interfere com as ferramentas finamente temperadas por ele usadas. Anula seus melhores esforços.

Assenti, pensativo. Recordava as palavras ditas por Stamford, alguns anos antes. "Não por crueldade, apenas por espírito investigativo."

— Fosse qual fosse a opinião do jovem Morrison a respeito das atitudes do amigo — continuou ele, taciturno —, seria difícil esperar que fornecesse respostas esclarecedoras às minhas perguntas caso já tivesse a mente atordoada pela notícia do fim trágico de Foote. Em tais momentos, os mortos influenciam os vivos.

E, lembrando-me da reação do jovem, fui obrigado a concordar com sua realista explicação. Até certo ponto apaziguado, e ansioso para mudar o tom da conversa, perguntei:

— Você acredita que a mulher causou a morte dele? Que ela o envenenou?

Holmes se pusera de pé e, irrequieto, andava de um lado para outro, tragando o cachimbo, as mãos entrelaçadas às costas. Em resposta à minha pergunta, sacudiu a cabeça.

— Não, não acredito. — Então parou e refletiu. — Acho que compreendo seu ponto de vista, Watson. Você está associando minha observação a respeito do alcaloide usado com o surto um tanto histérico de Morrison ao acusar a mulher.

Assenti.

— Parece bastante conclusivo, Holmes, que... por qualquer motivo, a mulher tenha resolvido se livrar do amante, e por isso o tenha envenenado.

Holmes não respondeu de imediato à minha observação, mas retomou os passos nervosos, imerso em pensamentos e, sem dúvida, repassando em sua mente os dados que recolhera do nosso recente visitante. Por fim, voltou à poltrona.

— É muitas vezes um erro — disse ele — querer descarregar antes de ter recolhido quantidade suficiente de informação. Teorizar antes da obtenção de todos os fatos pode induzir a erros. Não digo que sua teoria seja falha; venenos são a lendária arma de mulheres assassinas, mas isso não implica que o sexo frágil tenha tal monopólio. Se tivéssemos que lidar com um tipo comum... arsênico, antimônio, estricnina... qualquer uma das cerca de meia dúzia de substâncias de uso medicinal ou comercial, eu tenderia a concordar com você. Mas aqui não se trata de um alcaloide banal.

Conhecendo o pendor do meu amigo pelo dramático em vez do prosaico, aventurei-me em um discreto protesto, sugerindo que talvez algo menos extravagante pudesse ter sido usado.

Sua retaliação foi brusca e contundente.

— Os sintomas eram inconfundíveis para o olho treinado de um toxicologista. Transmitiam com clareza todas as indicações de um agente tóxico que, quando injetado na corrente sanguínea, provoca manchas escuras na pele. Ainda não tenho todos os dados, Watson, mas vou obtê-los! Preciso deles — continuou, determinado — para poder saber com quem estamos lidando.

— De quem você suspeita? Do marido?

— Ainda é muito cedo para tirar conclusões que descobertas posteriores poderiam facilmente descartar, mas há uma grande probabilidade de que tal suspeita se sustente.

— Talvez — opinei — em um momento de raiva e ciúme cegos, ela possa ter…

— Não, Watson — interrompeu ele. — Quem quer que tenha matado Foote agiu depois de reflexão e preparação. Não foi um crime cometido em um acesso de raiva selvagem, e sim algo cuidadosamente premeditado.

— E, no entanto — insisti —, um homem ciumento, conhecedor da infidelidade de sua esposa, poderia muito bem ter cometido tal crime…

Parei. Um novo pensamento gelou meu coração.

— Holmes! — exclamei. — Se suas suspeitas tiverem fundamento e o marido for o assassino, essa mulher pode estar correndo um perigo enorme. Ele pode…

— Talvez já o tenha feito — interrompeu Holmes, o mesmo pensamento lhe ocorrendo no mesmo instante. Seria impossível alguém se enganar com o tom sinistro de sua voz.

— Então você acha que ela já está morta?

— O que mais se pode pensar, homem? A morte de Foote ocorreu provavelmente na noite da última segunda-feira. Hoje é quarta. Por que ela não apareceu? Por que escolheu o silêncio?

— Talvez não saiba que o amante está morto.

— É bem possível — respondeu ele, levantando-se e começando a tirar o robe. — Mas muito improvável.

— Você vai sair?

— Vou, Watson, mas gostaria que você ficasse aqui. Espero novidades no caso e, com você garantindo a segurança do forte, fico tranquilo me ausentando por mais ou menos uma hora.

— Onde você vai, Holmes? Ao tal Café-alguma-coisa?

— Ao Café Continental? Não. Primeiro, vou passar no Museu Britânico. Depois pretendo fazer uma visita à proprietária do apartamento de Arnold Foote… como era mesmo o nome? Ah, sim, Ferrucci. Posso descobrir um ou dois fatos relevantes antes que os cães de caça da Scotland Yard comecem a latir em Dean Street.

Enquanto falava, ele atravessou a sala para desaparecer em seu quarto e aguardei até que voltasse, amarrando o cinto da capa de chuva, antes de perguntar:

— O que espera encontrar, Holmes?

— No Museu, informações. Em Dean Street, a mulher, ou pelo menos alguma pista de sua identidade.

Ele parou à porta e, pensativo, acrescentou:

— Em algum lugar, ao longo de minhas múltiplas leituras, tive a sorte de me deparar com uma ínfima alusão a um veneno que deixa manchas na pele de suas vítimas. Preciso tentar encontrar tal referência, Watson. Uma nódoa arroxeada...

Ele ainda repetia mecanicamente essa expressão quando a porta se fechou.

Olhei pela janela até meu amigo desaparecer dentro de um cabriolé, depois me voltei para os jornais da tarde que o fornecedor de Holmes entregara naquele meio-tempo. Pela primeira vez publicavam-se referências à identificação do corpo de Arnold Foote ("graças à perspicácia e astúcia do inspetor Patterson e seus hábeis assistentes"). Especulações estavam sendo feitas quanto à causa da morte, motivos e possíveis culpados, mas nenhum dado novo viera à tona e a qualquer momento poderiam surgir outras informações. Um artigo no *Standard*, porém, revelava que o primeiro veredicto de morte acidental teria sido alterado à luz de recentes descobertas. Baseadas na autópsia, que sem dúvida geraria uma acusação de homicídio doloso por uma ou várias pessoas desconhecidas. Que o caso começava a interessar à imprensa ficou provado quando as edições vespertinas foram trazidas, depois das quatro da tarde. Li todas, ansioso, esperando descobrir alguns novos detalhes que pudessem ajudar meu amigo em suas investigações. Mas continham apenas novas versões das notícias anteriores, e minha busca foi infrutífera.

Passei mais uma hora consultando os volumosos anuários e casos indexados do meu amigo. Revi casos antigos visando futuras publicações — sujeitas à aprovação dele, claro. Conversei sobre os velhos tempos com a sra. Hudson que, enquanto isso, me preparou gentilmente um bule de seu excelente chá. Apenas bem depois das cinco da tarde, quando eu já começava a me preocupar e a fumar, impaciente, foi que Billy subiu, com um telegrama para mim. Era de Holmes:

"Terra à vista! Encontre-me no Goldini às seis.

S.H."

Não era novidade para mim que Holmes empregasse termos marítimos durante um caso. Aquilo só poderia ter uma interpretação: o jogo chegava ao fim. Suas pesquisas não haviam sido infrutíferas.

Meu amigo já estava à mesa quando cheguei ao restaurante. Minhas perguntas ansiosas relacionadas às suas atividades caíram em ouvidos moucos. Indicando-me a cadeira com um gesto, ele se contentou em dizer rapidamente:

— Tomei a liberdade de pedir o seu jantar... e uma garrafa de Chianti. Aproveite-os, teremos tempo suficiente para analisar os fatos mais tarde.

Obedeci com entusiasmo, porque estava faminto e, devo confessar, aliviado por poder trocar, ainda que por apenas uma hora, aquele caso obscuro por algo quente e estimulante.

Em diversas vezes, tive ocasião de observar uma das características mais marcantes de Holmes, que lhe permitia afastar por completo a mente do caso sob investigação e conectá-la com a inesgotável fonte de fatos e historietas armazenadas em sua invejável memória. Os tópicos espirituosos daquela noite, se bem me lembro, versaram sobre a descoloração dos antigos violinos de Cremona, o campo dos primeiros instrumentos musicais e a composição de intrincados criptogramas aos quais ele ocasionalmente dedicava parte do seu tempo de lazer no Museu Britânico.

Quando saímos, a chuva havia parado, mas uma névoa úmida cobria as ruas enquanto, devagar e em silêncio, caminhávamos de volta a Baker Street. Eram quase oito horas quando chegamos aos nossos velhos aposentos e a luz, fluindo brilhante através da neblina, nos advertiu que tínhamos visita.

Tratava-se do inspetor Patterson e a visão de sua figura robusta e familiar nos devolveu à mente, com nitidez, o trágico caso que nos assombrara durante todo aquele dia.

— Alegra-me ver que o senhor não nos espera há muito tempo, inspetor — disse Sherlock Holmes, animado, jogando a capa de chuva molhada sobre uma cadeira e colocando o chapéu em cima do console da lareira.

— Sua governanta lhe disse?

Holmes abriu um sorriso e sacudiu a cabeça.

— Deduzi pelo tamanho do seu charuto. Entretanto — continuou ele, a expressão já séria —, não percamos tempo com brincadeiras. Só assuntos importantes poderiam tê-lo trazido até aqui em uma noite tão deprimente. Do que se trata, inspetor? O senhor encontrou a mulher? Aconteceu outro assassinato misterioso?

Patterson, maravilhado e perplexo, sacudiu a cabeça.

— Há ocasiões, sr. Holmes — confessou ele —, que me inclino a acreditar que o senhor lê pensamentos.

— Então *houve* outro assassinato? — perguntou Holmes, erguendo o corpo da poltrona na qual estava prestes a se sentar.

Patterson assentiu, soturno.

— Uma mulher?

— Pois é, senhor. Uma jovem e bela mulher, mas tola...

— Cujo corpo — interrompeu Sherlock Holmes — está coberto por uma série de nódoas roxas, similares àquelas encontradas no cadáver do falecido violoncelista Arnold Foote?

— Meu caro Holmes! — gaguejei.

— Eu disse que o senhor lia mentes — resmungou Patterson.

— Quem é essa mulher? — rebateu Holmes, rápido, imune aos nossos comentários. — Qual é o nome dela?

— Ela era conhecida no número 134 de Oakley Crescent como a sra. Henry Staunton... — começou o inspetor.

— E no 14 de Dean Street? — Os olhos do meu amigo faiscavam de entusiasmo.

— Como sra. Arnold Foote — respondeu Patterson, encarando-o com ar astucioso. — Pensei que o tínhamos ultrapassado nessa, sr. Holmes!

— Uma criança poderia ter seguido esse caminho, depois do testemunho de Morrison. Imagino que a governanta de Foote a tenha identificado.

— Sem qualquer hesitação!

— Então o caso está encerrado — disse Holmes, voltando a afundar na poltrona com um suspiro de desapontamento.

No que lhe dizia respeito, seu trabalho terminara. Eu podia afirmar, pelo seu tom de voz e atitude, que todo o seu interesse no caso evaporara.

— Não, sr. Holmes, o caso não está encerrado — corrigiu o homem da Scotland Yard.

— O senhor só precisa prender o marido da mulher. Não é mais do que óbvio que seja ele o homem? — A voz de Holmes, seca e irritadiça, revelava sua impaciência com a teimosia do outro.

— Até aí, concordo com o senhor. Na verdade, ele está sendo procurado para um interrogatório. Mas, ainda assim... — Ele parou, atrapalhou-se com o charuto, examinando com olhos ansiosos o austero e grave rosto do criminologista.

— Vamos, inspetor, fale de uma vez! — pressionou meu amigo em tom incisivo. — Há algum aspecto do caso que precise ser esclarecido?

Patterson, pensativo, mastigou e mordeu o charuto antes de falar. Quando o fez, foi evasivo:

— Aquelas deduções muito claras que o senhor fez hoje pela manhã, no necrotério. Acertou na mosca. Morrison corroborou cada uma delas.

Sempre suscetível aos elogios quando se tratava do seu trabalho, Holmes se acalmou visivelmente. Encorajado, o inspetor continuou:

— O senhor insinuou também que sabia alguma coisa a respeito do veneno que provoca nódoas arroxeadas usado pelo assassino. Pelo menos, assim me levou a pensar quando me fez tomar nota das manchas na pele. Agora, francamente, admito que estamos em um impasse. Os médicos não têm ideia do que se trata. E nós também não. Como o senhor bem sabe, não se pode convencer um júri britânico...

— Inspetor — disse Holmes naquele instante, falando como se tivesse ignorado cada palavra proferida pelo bom Patterson —, o senhor já ouviu falar em matacalda?

O homem da Scotland Yard sacudiu a cabeça, sem hesitar.

— Nunca.

— Você já, Watson?

— Não posso afirmar que sim — respondi, cauteloso.

— Bem, até hoje à tarde, nem eu, portanto vocês não precisam se envergonhar. — Assumindo sua melhor postura didática, ele continuou: — Matacalda é um alcaloide vegetal, extraído por algumas tribos das selvas brasileiras de uma planta desconhecida. Muito pouco se sabe a respeito. Eu mesmo só tomei conhecimento desse nome há algumas horas, embora tenha encontrado referências obscuras à tal planta em diversos relatos de viagens. Há, porém, um dado importante: esse alcaloide é um importante ingrediente no preparo do veneno da zarabatana. Uma vez tendo penetrado no organismo, o veneno age rapidamente, provocando a paralisia dos músculos que controlam os pulmões e a subsequente morte em questão de minutos. Agora, prestem atenção: — continuou ele, enfatizando as próximas palavras com a haste do cachimbo — vítimas de envenenamento por matacalda são invariavelmente identificadas por manchas ou nódoas em um tom de roxo-escuro.

Patterson soltou uma nuvem de fumaça quando Holmes terminou sua extraordinária declaração. E então observou:

— Parece uma história da carochinha.

Mas a expressão atenta em seu rosto contradizia tanto suas palavras quanto seu ceticismo.

— Ainda assim, foi esse o agente que destruiu ambas as vítimas. Diga-me, Patterson, já há alguma indicação do modo como o veneno foi ministrado?

O inspetor folheou seu bloco, e depois levantou os olhos.

— No caso de Foote, os médicos acreditam que tenha sido injetado, por meio de um instrumento fino e afiado que penetrou no couro cabeludo logo abaixo do osso oc... occi-alguma-coisa. — Ele se virou para mim. — O que é isso, doutor?

— O osso occipital — expliquei —, na base do crânio, onde começa a coluna vertebral...

— Certo, certo — cortou Holmes, irritado —, chega de firulas clínicas! A mulher, homem! E quanto à mulher?

Seu rosto magro não revelava qualquer justificável sentimento de orgulho que ele pudesse ter tido naquele momento, ao ver suas descobertas confirmadas pela ciência médica.

Patterson voltou a consultar suas anotações.

— Legista da polícia cauteloso quanto a se comprometer, mas suspeita de desconhecido agente tóxico com poderes virulentos, similar ao descoberto no exame *post-mortem* no corpo de Arnold Foote. — Ele parou de ler e, melancólico, sacudiu a cabeça. — Mas ainda não descobrimos como aconteceu — concluiu, lamentando.

Sherlock Holmes retesou-se em sua poltrona.

— O que o senhor quer dizer? — perguntou em tom brusco.

— Quero dizer que, embora saibamos, graças ao senhor, que algum veneno bizarro foi usado, não há qualquer corte ou perfuração em nenhuma parte do cadáver que demonstre como o veneno entrou no corpo da mulher!

Quase no mesmo instante percebi o despertar de interesse na atitude do meu colega. Seu rosto recuperara a velha expressão familiar de alerta, os ombros se empertigaram, os olhos tinham o brilho que eu conhecia tão bem. Ali estava, enfim, algo digno de sua têmpera. Até então, o caso não necessitara dos plenos poderes de seu gênio analítico. As deduções tão elogiadas pelo inspetor Patterson eram, na opinião de Holmes, meras demonstrações dos aspectos mais superficiais da detecção e identificação de crimes, que haviam aguçado seu apetite sem satisfazê-lo. Agora sim, havia uma situação ímpar, capaz de estimular seu amor pelo complexo e pelo aparentemente inexplicável.

Uma estranha luz (não direi de prazer!) brilhava em seus olhos quando ele perguntou depressa:

— O corpo já foi removido?

— Não. Achei que o senhor poderia se interessar por ver as coisas de perto, então dei ordens para deixarem tudo como estava.

— Excelente!

Holmes já estava de pé quando se voltou para mim.

— Bem, Watson, mais um passeio?

E riu com vontade ao perceber minha expressão.

Enquanto descíamos as escadas, invadiu-me uma vez mais aquele inevitável sentimento de aventura que me dominava sempre que partíamos para uma nova fase de um dos casos do meu confrade. Era a emocionante sensação de momentos como aquele que me levavam a abandonar minhas enfadonhas atividades diárias e de boa vontade representar um papel de coadjuvante nos dramas que meu amigo e colega invariavelmente protagonizava com tanto brilhantismo.

Durante nossa viagem pelas ruas nevoentas, com os lampiões de gás bruxuleando estranhamente sobre as calçadas molhadas e reluzentes, o inspetor Patterson fez um rápido resumo dos eventos transcorridos naquela tarde.

A sra. Emma Grant, criada dos Staunton em meio expediente, ao apresentar-se para trabalhar às quatro da tarde, seu horário habitual, encontrara no chão do quarto o cadáver de sua patroa. A polícia, por ela notificada de imediato, impressionada pela visão das manchas escuras que desfiguravam o corpo, chamou sem demora a Scotland Yard. Foi bem depressa apurado pelos investigadores que as nódoas roxas eram idênticas às encontradas no corpo de Arnold Foote e que haviam, sem qualquer dúvida, sido provocadas pelo mesmo agente. Segundo o legista, a mulher estava morta há cerca de 15 horas, ou desde o início da manhã daquele dia.

Presumindo-se que o marido, Henry Staunton, havia fugido, emitiu-se contra ele um mandado de prisão por suspeita de assassinato. Soube-se depois, pela criada, que o lar dos Staunton não era feliz. O casal não tinha filhos. Suas amargas e frequentes discussões afastara os poucos amigos que tinham, e as visitas eram raras. A diferença de idade (sendo ela uns vinte anos mais moça), somada ao temperamento impulsivo e à natureza ciumenta e vingativa do marido, com certeza contribuíra bastante para a incompatibilidade que destruíra sua vida conjugal. Importador de ervas medicinais, Staunton quase sempre se ausentava de casa por semanas a fio. De acordo com a sra. Grant, ele voltara há pouco tempo de uma viagem de dez dias ao continente. Paris, acreditava ela.

Sherlock Holmes mexeu-se pela primeira vez desde que havíamos entrado no vagaroso veículo. Ouvira atento e em silêncio o sucinto sumário de Patterson, queixo afundado no peito, mãos enfiadas nos bolsos da capa de chuva, olhos fechados. Mas, naquele momento, levantou a cabeça.

— A criada se lembrava do dia exato da sua volta?

— Sim, para dizer a verdade, ela se lembrava. Foi sábado passado, pouco antes das oito da noite. Ela lembrava com clareza devido à medonha discussão que aconteceu logo após sua chegada. Lembrava-se também de ter ouvido Staunton acusar a esposa de infidelidade, difamando-a com brutalidade e fazendo ameaças sinistras. Às quais a sra. Staunton reagira com fúria, declarando que estava tudo acabado entre os dois e que ela o estava deixando. Em seguida, depois de preparar uma mala com suas coisas mais preciosas, ela havia saído, jurando nunca mais voltar.

— E mesmo assim, estranhamente — ponderou Holmes —, ela foi encontrada morta naquela casa. Que explicação deu a criada para o retorno de sua patroa?

— Ela disse que a sra. Staunton poderia ter ido buscar algumas de suas roupas.

— Mas não tinha certeza?

— Não. Veja bem, a sra. Grant havia sido informada pelo sr. Staunton que, já que o lugar ficaria vazio por vários dias, ela não precisaria voltar lá até quarta-feira. Hoje. Ele estava, ao que parecia, partindo em mais uma viagem.

— Ou, o que é mais provável, preparando o terreno para seu próximo passo — comentou meu amigo, que depois perguntou: — Tentaram rastrear os movimentos desse homem a partir do último sábado?

— Destaquei dois bons homens para trabalhar exatamente nisso. Os portos estão sendo vigiados e uma circular descritiva foi emitida pela Scotland Yard. Se ele ainda estiver na Inglaterra, não irá longe. Descobrimos ter a sra. Staunton visitado os aposentos de Foote ontem à tarde. Soubemos, pela governanta, que a senhora estava terrivelmente pálida, parecia doente e que, ao tomar conhecimento de que Arnold Foote não passara a noite de segunda-feira em seu quarto, deu mostras de intensa angústia e partiu no mesmo instante.

— Um caso complexo — murmurou Holmes. — A sra. Staunton estava sem dúvida levando uma vida dupla, aproveitando-se das ausências do marido para viver com o amante.

— É o que supomos — concordou Patterson.

Por alguns minutos, os únicos sons a quebrar o silêncio que se seguiu foram os rangidos das rodas no asfalto molhado e o constante golpear dos cascos do cavalo. De vez em quando, a luz de um lampião a gás da rua caía sobre os rostos graves e meditativos dos meus companheiros. Holmes, pálido e tenso, lábios firmemente apertados sobre a haste do cachimbo. Patterson, estoico e calmo, nenhum sinal de tensão ou cansaço em seus traços pesados.

— Devemos estar perto do Tâmisa! — exclamou Holmes de repente. — Tenho certeza de ter ouvido agora mesmo o apito de um navio.

Ele esquadrinhou por alguns instantes a escuridão nebulosa.

— Claro, claro, devemos chegar lá em breve — comentou. — Estamos em Flood Street e aquelas são as luzes do Embankment.

Como seu profundo conhecimento das ruas de Londres nunca falhava, poucos minutos depois viramos para Oakley Crescente.

O número 134 revelou-se um velho, mas atraente, casarão em estilo georgiano, com grades de ferro encerrando uma estreita faixa de jardim. No portão, um guarda robusto e bem-humorado lidava com um grupo de desocupados de olho na entrada. Ao ver a figura rotunda do inspetor, bateu continência e, com um gesto, afastou os vadios para que passássemos.

Subindo atrás de Patterson os degraus da escada atapetada, as hastes de metal foscas mal refletindo a luz acima de nossas cabeças, só vislumbrei de relance o vestíbulo estreito, empoeirado e forrado com painéis de madeira, iluminado por um lampião a gás. Logo estávamos no quarto, na cena da tragédia que, ao explodir na imprensa na manhã seguinte, abalaria todo o país por semanas. Ao entrarmos, um policial com rosto de menino levantou-se apressado e o saudou.

Era um quarto de boas proporções, bem decorado, paredes forradas em azul e dourado, cortinas pesadas nas grandes janelas, poltronas em brocado e seda, tapetes macios e um enorme espelho emoldurado em dourado colocado acima de uma penteadeira de madeira entalhada. Mas só mais tarde percebi tudo isso.

Foi o vulto esbelto e coberto por um lençol, caído entre a cama e a penteadeira, que atraiu no mesmo instante meu olhar e o prendeu com o fascínio que apenas as mortes rápidas e misteriosas podem evocar. A sra. Edna Staunton tinha sido uma bela criatura de olhos azuis, cabelos castanho-claros e lábios, nariz e pescoço primorosamente modelados. A despeito das horríveis manchas que agora tingiam seus traços, ainda irradiava uma leve e perfumada aura de atração feminina que comovia os corações.

Enquanto eu estava sacudindo tristemente a cabeça diante da lamentável ruína de uma perfeita criação da natureza, Holmes, que nunca perdia tempo com sentimentos piegas, examinava o cômodo. Lente na mão, escrutinava com cuidado os diversos artigos de toalete que atulhavam a penteadeira. Depois, de joelhos, dedicou-se meticulosamente ao tapete ao redor do corpo. Como um esguio e estranho pássaro de plumagem sombria, ele pairava pelo quarto, murmurando consigo mesmo, imerso em seu trabalho com todo o poder de concentração de que dispunha; ignorava por completo nossa presença, testemunhas que éramos daquele singular espetáculo. Enquanto ele prosseguia em sua investigação, observávamos e aguardávamos em silêncio, impressionados por sua escrupulosa exatidão e pela solenidade por ele demonstrada.

Por fim, ele se aproximou do vulto coberto, dobrou um dos joelhos e avaliou as lúgubres manchas com frio e analítico desprendimento. Uma exclamação brotou de repente de seus lábios. Um movimento de sua mão me chamou a atenção e em um instante eu estava a seu lado.

Ele dividira o macio cabelo castanho e apontava para o pálido couro cabeludo. A expressão interessada e alerta em seu rosto, os lábios muito apertados e as narinas frementes eram sintomas que eu diagnosticava com facilidade.

— O que você acha que provocou isso, Watson? — murmurou ele, a voz rouca de entusiasmo.

Inclinando a cabeça, pude ver a que ele se referia. No osso parietal, acima da orelha direita, havia uma série de finos arranhões paralelos, com menos de três centímetros de comprimento.

— O que você acha que é, Holmes? — contrapus, incapaz de, naquele momento, explicar abrasões tão leves.

— A solução do mistério — respondeu ele, pondo-se de pé e batendo a poeira dos joelhos da calça enquanto se encaminhava para a penteadeira.

— O mistério da morte? — perguntei, seguindo-o.

— Não, Watson, o mistério de como o veneno foi ministrado!

Ouvi uma exclamação do inspetor Patterson e me virei a tempo de vê-lo recuperar o charuto que havia caído de seus lábios quando as palavras proferidas por meu amigo lhe chegaram aos ouvidos.

Enquanto nos aproximávamos ansiosos da penteadeira, observando Holmes com olhos expectantes, ele, com cuidado, ergueu do tampo um objeto e o girou.

— E este — exclamou ele, dramático, exibindo um pente de tartaruga encastoado em prata —, este é o instrumento da morte!

Enquanto memória tiver, nunca me esquecerei do seu rosto naquele supremo momento de triunfo. A cor lhe subira às faces em geral pálidas e seus olhos brilharam de pura alegria com a homenagem que lhe prestávamos com nossas palavras de elogio e nossas exclamações de perplexidade. Naquele instante, o pensador frio e analítico tornou-se um ser humano, ávido de admiração e aplausos. E então o Holmes oculto dissipou-se tão depressa quanto brotara, fazendo ressurgir a incisiva máquina de raciocínio.

Depois de inspecionar o local onde encontrara o pente, ele se dedicava agora a examinar o próprio artigo envenenado, analisando os longos e finos dentes através de sua lente de bolso, revirando-o com o máximo cuidado.

— Uma concepção digna dos Bórgia! — exclamou ele por fim, com mal reprimida admiração na voz. — Este pente de aparência inocente é mais mortal do que uma cobra prestes a dar o bote! Um mínimo arranhão é suficiente para matar.

Segurando-o de modo que o víssemos, mas a uma distância segura, acrescentou:

— Não só o dente central foi lixado até a espessura de uma lâmina e besuntado com veneno, como também os outros dentes foram reduzidos a uma fração de milímetro. Com a lente, posso ver com nitidez as marcas da lixa!

— Que engenho diabólico! — exclamei, horrorizado.

— É, Watson, diabólico e ardiloso. Quem suspeitaria de uma arma tão terrível disfarçada sob a forma de um artigo tão corriqueiro e banal como este? Com a possível exceção da caixinha de marfim de Culverton Smith, não consigo me lembrar, em toda a minha experiência com armas letais, de qualquer outra que me tenha provocado tanta repulsa.

— Antes de tudo, o que o fez suspeitar de um pente? — perguntou Patterson, que mal havia pronunciado uma palavra desde que entráramos no quarto.

— Onde os outros procuram o óbvio, eu busco o incomum. Tendo encontrado arranhões na cabeça, eu não poderia deixar de reconhecer o objeto que os originara.

Patterson assentiu.

— É claro — concordou ele, os olhos perspicazes voltados para o corpo coberto. — Deve ser um veneno de ação lenta — observou depois de pensar um pouco. — Ela teve tempo de recolocar o objeto na penteadeira, antes de cair.

— Talvez o próprio assassino tenha feito isso — intervim depressa, concluindo com uma pontada de amargura que Holmes aparentemente deixara de observar esse aspecto vital. Mas Sherlock Holmes apenas balançou a cabeça.

— Não, não, cavalheiros, discordo dos senhores. O veneno age rápido demais para que a vítima possa fazer o que insinuou, Patterson. A ideia já me havia passado pela cabeça e sido logo descartada. Tenho uma explicação mais simples. Alguém pode pedir à criada, sra. Grant, para vir aqui por um momento?

O inspetor Patterson deu a ordem necessária e o policial que permanecera de plantão deixou o quarto no mesmo instante. Um ou dois minutos depois, voltou com uma mulher robusta, de rosto austero, expressão cansada e cabelos grisalhos.

Holmes recebeu-a com um sorriso encorajador.

— Não há com que se assustar, sra. Grant — disse ele. — Só desejo fazer uma pergunta simples.

O pente, que ele mantinha na mão ao lado do corpo, foi de repente erguido ao nível dos olhos pálidos e arregalados da mulher, o suporte de prata cintilando e reluzindo à luz do lampião.

— Este pente estava no chão junto ao corpo da sra. Staunton quando a senhora entrou neste quarto mais cedo. O que fez com que o recolocasse na penteadeira?

Sem responder, ela continuou a encará-lo por vários segundos, calma e imperturbável. No silêncio que se seguiu, eu podia ouvir os sons ásperos do "ronco" de alguma serra e o zum-zum distante de vozes na rua. Prendi a respiração, aguardando que ela falasse. E então seus traços duros relaxaram e os lábios apertados se moveram.

— O senhor é um homem esperto — disse ela, a voz ainda retendo vestígios de um sotaque escocês embaciado pela falta de uso. — Um homem muito esperto, que faz um corpo se lembrar de coisas que tinha esquecido.

— O que fez com que o tirasse do chão? — insistiu Holmes.

Os ombros pesados se encolheram, impotentes.

— E quem sabe? Fiquei tão chocada ao ver a coitadinha caída no chão. Eu tinha que fazer alguma coisa. Madame sempre foi tão exigente com aquele pente, nunca ia a lugar nenhum sem ele. Então...

— Então a senhora, automaticamente, pegou-o do chão e colocou-o de volta no lugar, como faria uma criada bem treinada — concluiu Holmes por ela, um lampejo de prazer selvagem iluminando seus traços. — Obrigado, sra. Grant. Seu testemunho nos ajudou muitíssimo.

Depois que a governanta saiu, meu amigo observou:

— O pente, sem dúvida, será apresentado no Tribunal, inspetor. Eu o confio aos seus cuidados. Lembre-se, qualquer movimento imprudente que produza a mínima escoriação ou abrasão resultará em uma morte pavorosa. Portanto, manuseie-o com cuidado e instrua seus homens para que façam o mesmo.

Patterson assentiu com ar grave.

— Tomarei as precauções necessárias, fique tranquilo, sr. Holmes, e o mesmo farão meus homens. — Então, sacudindo a cabeça grisalha em um gesto de admiração, acrescentou: — Eu gostaria de saber como o senhor chega às suas conclusões.

— Sim, Holmes — concordei —, como você descobriu que foi a criada quem recolocou o pente no lugar?

— Apenas observando a poeira na penteadeira — ele respondeu. — Como podem ver — continuou, indicando com o dedo —, um acúmulo de quatro dias de pó cobre sua superfície, delineando cada item. Ao levantar o pente, porém, pude ver com clareza que a poeira debaixo dele, embora arranhada, não revelava uma marca idêntica à dos outros objetos. Deduzi, portanto, que o pente só havia sido colocado ali há pouco tempo. Os policiais nunca o tocariam. Quem, então, os teria precedido? A única pessoa que preenchia os requisitos era a sra. Grant, a primeira pessoa a entrar no quarto e encontrar o corpo.

— Holmes — declarei, depois de um longo silêncio, a voz trêmula de emoção —, poucas vezes você se superou a esse ponto!

— Melhor amostra de dedução que eu jamais testemunhei! — foi o único comentário do inspetor Patterson, mas bastou para levar um halo de prazer às ascéticas feições do meu amigo.

— Bem, Patterson — observou Sherlock Holmes algum tempo depois, quando deixávamos a casa dos Staunton —, eis aí o seu caso. Ainda incompleto e com alguns detalhes obscuros a serem esclarecidos, mas, essencialmente, acredito que já tenha o suficiente para submeter Henry Staunton a um interrogatório.

— O suficiente para enforcá-lo — disse o inspetor, sombrio, batendo no estojo de couro que guardava o pente de casco de tartaruga.

Retrospectiva

Três meses se passaram. Henry Staunton, o assassino de Oakley Crescent, havia sido julgado e condenado pelo envenenamento de sua esposa e do amante, Arnold Foote. O julgamento mais dramático da década terminara depois de quatro tempestuosas semanas de controvérsias e discussões. Com a execução do criminoso no início de fevereiro, todo o caso sensacionalista que abalara o país já começava a cair no esquecimento, no redemoinho e na azáfama intermináveis da vida cotidiana.

Eu não via Sherlock Holmes desde aquela memorável tarde de novembro. Um bilhete dele, escrito às pressas, me chegou às mãos no dia 25, informando-me que havia sido chamado pelo governo francês a respeito de um assunto de suma importância. Tudo o que eu podia fazer eram conjecturas, pois as lacônicas mensagens que ele de vez em quando me enviava só me informavam que suas investigações poderiam ser longas.

Foi, portanto, uma agradável surpresa, em um fim de tarde em meados de fevereiro, saber por Mycroft Holmes que meu amigo estava de volta à cidade e gostaria de me ver. Estando meu consultório tranquilo, não perdi tempo e poucas horas depois me dirigi à Baker Street.

Ao bater à tão conhecida porta, o som de sua voz estridente fez meu coração acelerar de prazer e, ao entrar, meus olhos se sombrearam à visão do rosto magro e abatido e do roupão desbotado.

— Ah, Watson — disse ele —, é muito bom vê-lo.

Seu rosto estava mais fino e mais encovado do que me lembrava de já ter visto. As maçãs do rosto estavam mais proeminentes e as sobrancelhas grossas e negras se destacavam contra a palidez da pele. Os olhos penetrantes e sempre alertas, entretanto, conservavam o antigo fulgor e a voz todo o seu poder de comando e ressonância.

Ele estava sentado à escrivaninha, os longos dedos nervosos introduzindo com agilidade vários papéis e documentos em um grande envelope azul.

— Mas talvez eu tenha chegado em um mau momento — observei, depois de responder calorosamente à sua saudação. — Se você estiver ocupado...

— Não, Watson, apenas a urdidura preliminar da minha teia. Nada mais a ser feito, por enquanto.

Ele levantou a pasta azul-clara, na qual pude ler uma grande letra "M".

— Meu caso está quase concluído, mas devo aguardar várias semanas antes de entrar em ação.

Ele se levantou, guardou a pasta em um dos escaninhos da escrivaninha e depois atravessou a sala até sua poltrona favorita junto à lareira.

— Você há de me desculpar — continuou, enquanto eu andava até meu lugar costumeiro à sua frente — por não o ter avisado mais cedo da minha volta. Minha investigação atual requer o máximo sigilo. Ninguém, a não ser aqueles em quem confio implicitamente, pode saber da minha presença em Londres neste momento. Voltei disfarçado e as únicas pessoas com as quais me comuniquei foram meu irmão e o inspetor Patterson.

— Trata-se, então, de uma investigação muito importante?

— Tão importante — respondeu ele com toda sinceridade — que, se eu conseguir solucioná-lo com sucesso, este caso será a grande coroação da minha carreira.

— Não preciso dizer que estou ao seu inteiro dispor, Holmes. Para o que precisar...

— Fique tranquilo, meu caro Watson — interrompeu ele. — Quando chegar a hora, precisarei com certeza de um aliado fiel. É um jogo de paciência, que disputo com um inimigo formidável, no qual cada lance precisa ser cuidadosamente ponderado, caso eu queira prendê-lo na rede que estou tecendo.

Senti uma pontada de decepção, que tentei ocultar. Eu deveria saber que não era do seu feitio mandar me chamar apenas pelo prazer de rever um velho e confiável amigo. Sua personalidade orgulhosa e autossuficiente e seu temperamento insensível levavam-no a evitar qualquer demonstração de sentimentos em relação a qualquer pessoa, mesmo a seu único amigo.

— Vamos, vamos, Watson — disse ele, com um brilho travesso nos olhos. — O que tenho a dizer compensará amplamente qualquer tempo que você possa precisar passar longe dos seus pacientes.

— Fico sempre feliz de vê-lo, Holmes — eu disse em voz baixa, a amargura se dissolvendo com a cordialidade em sua voz. — E ao ouvir o que quer que você tenha a me dizer. No momento, não tendo casos importantes para atender, estou livre para ajudá-lo em tudo o que puder.

— Esplêndido! — exclamou ele, cruzando as pernas finas e se acomodando mais confortavelmente na poltrona. — Imagino...

— continuou, depois de uma pausa em que, pensativo, deu uma baforada no cachimbo. — Imagino que você esteja se perguntando por que lhe pedi para vir aqui hoje.

— Você tem um caso para repassar comigo?

— Correto, Watson — ele retrucou, olhando intensamente na minha direção, as pesadas sobrancelhas descendo sobre os olhos, como se esperasse minha reação. — O caso Staunton.

A surpresa me fez dar um pulo na poltrona.

— Isso não seria um raro desvio dos seus métodos habituais de trabalho? — indaguei, porque ninguém mais do que eu sabia que, em sua mente clara e organizada, cada novo caso substituía o precedente e os problemas atuais invariavelmente borravam quaisquer lembranças dos anteriores.

— E é — ele concordou —, mas há aspectos nesse caso muito incomuns que me obrigam ao desvio das minhas regras de conduta.

— Mas que motivo poderia tê-lo induzido a voltar agora aos assassinatos de Oakley Crescent, três meses depois da conclusão da sua investigação?

— A importância do pente de casco de tartaruga — disse ele, sério — em relação à morte da sra. Edna Staunton.

— Eu não sabia da existência de qualquer aspecto importante relacionado à morte dela — observei, meus pensamentos voltando à lúgubre cena no quarto da casa Staunton. — Admito que o pente envenenado foi um método extraordinário de cometer um crime, talvez sem precedentes nos modernos anais criminais. Mas...

— Não, não, Watson — disse ele, depressa —, diga incomum, se quiser, até mesmo grotesco, se preferir, mas não totalmente sem precedentes, pois há paralelos na moderna criminologia.

— É mesmo? Eu gostaria de ouvir alguns.

— Muito bem.

Seu olhar assumiu um ar de reminiscência quando ele voltou a falar, depois de alguns instantes de reflexão.

— Eu poderia mencionar, à guisa de ilustração, o Caso Wurlitzer, em Salzburgo, 1877, em que a arma foi um brinco envenenado. O fato de que a vítima, uma mulher de posses cuja riqueza foi cobiçada pelo assassino, mandara furar as orelhas pouco tempo antes e por insistência dele foi determinante para levar à justiça o autor do crime. Outro caso, divergente apenas quanto ao método da aplicação, é o Envenenamento Selmer da Bretanha, há uns dois anos. Você deve se lembrar que um prego afiado, enfiado na sola de uma bota e besuntado com veneno, provocou a morte de quem a calçou, Francois Selmer, um rico comerciante de gado. Seu sobrinho foi, mais tarde, condenado pelo crime, quando ficou provado que as marcas no couro só poderiam ter sido feitas pelo martelo dele. Há outros casos, talvez menos impressionantes, mas esses são suficientes para ressaltar os vários pontos de semelhança entre eles.

Holmes fez uma pausa, enquanto enchia o cachimbo, depois me jogou a bolsa de fumo, ao continuar:

— As circunstâncias singulares a que aludi há pouco relacionam-se à presença do pente afiado ao lado do corpo da sra. Staunton.

— Então as diversas teorias aventadas pelos jornais mais sensacionalistas para explicar os muitos aspectos do caso estavam todas equivocadas?

— Você está falando daquelas absurdas e excêntricas explicações criadas por jornalistas sem imaginação? — retrucou ele, impaciente. — Que Staunton sofreu um lapso de memória? Que perdeu a coragem? Que se tornou descuidado e arrogante? — Ele gesticulou, zangado. — Tolices, Watson, só tolices! Essas soluções implausíveis são ultrajantes para qualquer capacidade de raciocínio lógico que eu tenha! Leio todas e descubro que são absolutamente inconsistentes com os fatos e com o próprio temperamento do criminoso.

Ele se recostou na poltrona, enquanto seu rosto assumia uma expressão concentrada, e acrescentou:

— Porque foi a maneira ardilosa e hábil com que ele assassinou Arnold Foote e dispôs do cadáver que me deu a primeira intuição clara do funcionamento de sua mente. O que, por sua vez, me permitiu forjar os elos da minha cadeia de raciocínio que, a seu tempo, me levou à verdadeira solução.

— E como você chegou a ela? — perguntei.

— Reportando-me às minhas anotações sobre o caso, e à leitura de uma assombrosa pilha de jornais que traziam relatos diários do processo judicial. Uma vez terminada a colheita dos grãos, e que bela safra ela me rendeu!, cerquei-me, uma tarde, de boa variedade de fumos, almofadas e café quente e me dediquei a debulhá-los. Custou-me uma noite de sono, mas ao amanhecer eu tinha a solução do mistério.

— Que terei muito prazer em ouvir.

— E ouvirá, Watson, mas tudo a seu devido tempo. Primeiro, eu gostaria de recapitular rapidamente a sequência de acontecimentos no homicídio de Foote. Servirá para refrescar sua memória e, assim, nos permitir obter maior domínio do que é essencial.

Antes de continuar, ele afundou mais na poltrona e se assegurou de que o cachimbo estivesse devidamente abastecido.

— Os verdadeiros fatos da morte do violoncelista foram revelados, como você sabe, na confissão de Henry Staunton feita logo após sua prisão em Newhaven. Esse documento é de primordial interesse, porque não só nos descreveu como o crime foi cometido, mas também serviu para lançar uma luz reveladora sobre o que viria.

"Por meio de um estratagema simples, mas eficaz, Staunton logrou atrair o não muito brilhante músico à sua casa em Oakley Crescent e lá o matou, introduzindo na base de seu crânio um estilete de aço impregnado com um alcaloide. Dando sequência ao plano preconcebido, o assassino ocultou o corpo e, calmamente, foi passar algumas horas com conhecidos, em um café das vizinhanças."

— Um momento, Holmes — interrompi. — Há um aspecto que, para mim, nunca ficou claro. Onde estava a esposa, na noite em questão?

— Você se esqueceu de que, depois de uma última e amarga discussão, a sra. Staunton o abandonara?

— Por Júpiter! — exclamei. — Você tem toda razão. Isso tinha me escapado por completo!

— E, no entanto, era de suma importância — ele observou. — Mas, para voltar a Staunton: tendo assim estabelecido algum tipo de álibi, ele voltou em algum momento à casa, por volta das duas da manhã, levando consigo um cavalo e um cabriolé dos quais se tinha apropriado sem o conhecimento do proprietário, e usou-os para transportar o corpo até o rio.

— Agora que volto a pensar no assunto — comentei —, tal cocheiro nunca descobriu o medonho serviço prestado a um assassino pelo seu cabriolé.

— Nem jamais soube que um futuro assassino havia espionado seus movimentos e conhecia seu hábito de passar algum tempo dentro de casa em noites chuvosas — acrescentou meu amigo. — E se aproveitou disso mais tarde. Sem dúvida, o mau tempo ajudou, mas o fato de ter usado o chapéu e a capa de chuva do próprio cocheiro, que encontrou dentro do veículo, obtendo assim o disfarce perfeito, foi um golpe de mestre de ousadia e pensamento rápido, além de demonstrar um belo senso de oportunidade. Nem dez minutos depois de ele ter jogado o corpo de Foote por cima da balaustrada da ponte, o cabriolé estava de volta ao lugar sem qualquer testemunha.

Assenti, recordando.

— Lembro-me de que Staunton, na verdade, vangloriou-se da façanha.

— E com alguma razão. O crime havia sido tão ardilosamente planejado e levado a cabo com tanta precisão e cuidado com os detalhes e a cronometragem que nenhum contratempo sobreveio para impedi-lo. Eu lhe digo, Watson, que a polícia poderia ter tido dificuldades para garantir sua convicção caso o homem não tivesse feito sua feroz e condenatória confissão ao ser preso.

Eu não me esquecera do incidente. Staunton, pego desprevenido ao receber voz de prisão, negara com veemência qualquer responsabilidade pela morte da esposa, ao mesmo tempo em que, ao negá-la, reconhecia sua implicação no assassinato de Arnold Foote.

— Staunton possuía as três qualidades mais perigosas de um criminoso — continuou Holmes. — Astúcia, desenvoltura e audácia. E, devo acrescentar, usou-as com eficiência.

— Então por que ele não destruiu aquele maldito pente? — perguntei. — Com certeza, a mera autopreservação deveria ter ditado um comportamento tão óbvio.

— Esta, meu caro amigo, foi exatamente uma das perguntas que me fiz ao rever o caso. Como poderia um homem do calibre de Staunton ter negligenciado uma prova tão incriminatória? O que teria levado aquele habilidoso planejador a fazer uso daquela estranha e terrível matacalda duas vezes, em rápida sucessão… em um erro óbvio e fatal?

Holmes parou para bater as cinzas frias do cachimbo. E voltou então a enchê-lo, devagar, mergulhado em pensamentos, sobrancelhas baixas, olhos semicerrados.

— Eu não conseguia conciliar os dois fatos — ele continuou — com a mente engenhosa e astuta de Staunton. Por mais que os examinasse, eles se recusavam a encaixar em um padrão ordenado.

Ele franziu a testa.

— Havia algo errado, Watson. Por instinto, eu sentia que em algum ponto da minha cadeia de raciocínio havia um elo defeituoso. Pelo processo de eliminação, consegui descobrir meu engano. Residia no fato de ter, até agora, partido do pressuposto de que, tendo matado Arnold Foote, Staunton também teria, inevitavelmente, assassinado a esposa. Mas, raciocinei, se ele de fato cometera ambos os crimes, seria concebível que cometesse erros no segundo depois de ter, com tanta astúcia, encoberto seu rastro no primeiro? Era ilógico, portanto inadmissível.

"Confrontado com tal equívoco, comecei a elaborar uma teoria alternativa que, mesmo preservando os fatos conhecidos, me permitisse chegar a uma conclusão totalmente diversa. Diante do lapso de tempo, isso não mais poderia ser obtido pelos costumeiros métodos de observação e confirmação; apenas deduções analíticas dos fatos me poderiam dar sua interpretação correta. Comecei a consultar febrilmente minhas anotações, sentindo que em algum lugar estaria a resposta que eu buscava.

— E teve êxito? — perguntei depressa.

— Além das expectativas — ele respondeu e voltou a mergulhar em profundo silêncio, braços apoiados nos joelhos, cachimbo nas mãos, contemplando as brasas brilhantes. — Fosse eu o cérebro analítico que você tantas vezes me fez parecer — começou ele, após um longo intervalo —, eu deveria ter percebido sem demora o significado subjacente das respostas da criada dos Staunton às minhas perguntas quanto à razão de ela ter recolocado o pente no lugar.

— Mas que possível conexão poderia haver entre as respostas da criada e a explicação da morte da sra. Staunton?

— Você se lembra das palavras dela? — perguntou ele, contrapondo à minha pergunta uma das suas.

— Vagamente — respondi. — Não foi alguma coisa a respeito da "coitadinha caída morta no chão"?

— Meu bom e velho Watson! — retrucou ele, com um risinho seco. — Bem, ela também se referiu ao amor de sua patroa por aquele pente em especial, e ao fato de que, e isso é digno de nota, ela sempre o levava consigo para onde quer que fosse. Sabemos que a sra. Staunton, logo depois da última discussão com o marido, juntara algumas coisas e saíra de casa.

— Jurando nunca mais voltar — acrescentei, alguns detalhes me voltando à lembrança.

— Muito bem. Então, em tais momentos de tensão, o instinto de uma mulher é levar consigo seus objetos mais preciosos e úteis, não é mesmo?

— Você quer dizer... — comecei.

— Estou preparado para apostar minha reputação — declarou ele, antecipando minha pergunta — no fato de que, ao sair de Oakley Crescent, ela levou consigo o pente de casco de tartaruga!

Encarei-o, perplexo.

— Mas, sendo esse o caso, como poderia Staunton tê-lo envenenado?

— Como ele não teve acesso ao pente em momento algum durante os três dias que antecederam a morte da esposa, seria absolutamente impossível que o fizesse — ele respondeu em voz baixa.

— Céus, Holmes! — exclamei, erguendo as mãos em um gesto de impotência. — Eu agora estou mais confuso do que nunca. Não seria melhor que você revelasse os passos que deu para desvendar esse intrincado quebra-cabeças? Como chegou a solucioná-lo?

— Apenas aplicando minha fórmula tantas vezes repetida. Tendo eliminado o impossível, ou seja, a cumplicidade de Staunton na morte da esposa, eu precisava agora lidar com o que me restava, por mais improvável que fosse, a fim de chegar à verdade. Tão logo cheguei a essa conclusão, os fatos começaram a se apresentar na devida ordem. Velhos conceitos precisavam, forçosamente, dar lugar a novos. Observados, então, de um ângulo absolutamente novo, os verdadeiros elementos do caso assumiam sua legítima perspectiva. A resposta, é claro, estava no pente envenenado. Sua presença ao lado do corpo da sra. Staunton sugeriu, afinal, a solução correta, a única possível.

"Reivindico o crédito tardio pela lembrança das palavras da sra. Grant relacionadas ao instrumento envenenado. Mas a verdade é que, lamentavelmente, me faltou o misto de imaginação e conhecimento exato que você tanto gosta de descrever. Reivindico ainda circunstâncias atenuantes, pois que homem consegue lidar com a mente distorcida de uma mulher vingativa, consumida por um ódio indescritível e um terrível sentimento de perda?"

Respirei fundo.

— Holmes — implorei —, quem envenenou o pente? Quem o levou de volta à casa?

— Não é óbvio que foi, que só poderia ter sido, a própria sra. Staunton?

— Santo Deus! — exclamei horrorizado, meus olhos febris fixos em seus traços firmes, os pensamentos em tumulto. — Você quer dizer que ela... que ela realmente cometeu suicídio daquela maneira medonha?

— Os fatos falam por si mesmos, Watson. Nenhuma outra interpretação é possível.

— Mas por que raios ela não foi à polícia? — perguntei, mais calmo, depois de passado o primeiro choque. — Se ela suspeitava, ou sabia, que o marido havia assassinado o amante, por que não chamaria atenção para o assunto de uma maneira menos intrincada? Por que não uma acusação direta?

— E ter os fatos do seu relacionamento adúltero expostos em audiência pública, para serem depois apregoados por todos os jornais do reino? — questionou ele, sardônico. — Realmente, Watson — continuou, sacudindo a cabeça em um gesto de espanto

—, nunca consigo entender suas limitações. Você ainda não atinou para o fato de que o suicídio, como você o chama, que o auto-homicídio dela, melhor dizendo, não passou de um acessório do seu esquema de vingança? Que, ao utilizar o mesmo veneno, chamando assim a atenção da polícia, ela mandou para a forca o homem que destruíra seu amante?

— Eram então justificadas as reiteradas negações de Staunton quanto à participação na morte dela? — refleti.

— Com certeza — afirmou meu amigo. — Mas quem acreditaria nele? Não salientou o promotor o fato de que Staunton, ao insistir que a esposa havia cometido suicídio, esperava escapar à pena máxima? Um esforço inútil, pois sem dúvida sua morte violenta influenciou o júri na apresentação de seu veredicto.

— Eu me pergunto como ela soube do veneno e de suas assustadoras propriedades — declarei, depois de um tempo em silêncio. — Alguma teoria, Holmes?

Ele moveu a cabeça em um gesto de dúvida.

— Aí, meu caro Watson, penetramos no terreno da suposição e das conjecturas. Uma esposa tem seus próprios métodos para descobrir os segredos do marido. Uma palavra deixada escapar, uma ameaça por parte dele, talvez até uma vanglória quanto à maneira como se livrara do jovem rival, qualquer dessas hipóteses pode tê-la feito suspeitar da verdade. O fato de ela ter feito uso do veneno com tanta propriedade é prova suficiente de que tinha pleno conhecimento do seu efeito. Devemos nos contentar com isso.

— Foi uma vingança terrível, Holmes — comentei, quebrando o longo silêncio que se seguiu às suas últimas palavras. — De algum modo, porém, não consigo encontrar no meu íntimo razões para condená-la com muita severidade.

— E eu — disse meu amigo, estendendo a mão para a bolsa de fumo — descubro que, pela terceira vez na minha carreira, fui derrotado por uma mulher. Embora não possa afirmar que algum dia invejarei o triunfo da sra. Staunton!

Direção editorial
Daniele Cajueiro

Editor responsável
Hugo Langone

Produção editorial
Adriana Torres
André Marinho

Preparação de texto
Nina Lopes
Beatriz D'Oliveira

Revisão
Ana Grillo
Raquel Correa
Rita Godoy

Capa
Victor Burton

Projeto gráfico de miolo e diagramação
Larissa Fernandez Carvalho

Este livro foi impresso em 2018
para a Nova Fronteira.